Bivar na corte de Bloomsbury

Antonio Bivar

Bivar na corte de Bloomsbury

A GIRAFA

Copyright © 2005 A Girafa Editora Ltda.
Copyright © 2005 Antonio Bivar

Não é permitida a reprodução desta obra, parcial ou integralmente, sem a autorização expressa da editora e do autor.

Coordenação editorial
Cristina Zauhy

Preparação e revisão técnica
Adir de Lima e Estúdio Hífen Texto e Imagem

Capa, projeto gráfico e editoração eletrônica
Angela Mendes

Desenho de capa
Antonio Bivar

Dados Internacionais de Catalogação na Publicação (CIP)
(Câmara Brasileira do Livro, SP, Brasil)

Bivar, Antonio
    Bivar na corte de Bloomsbury. – São Paulo: A Girafa Editora, 2005.

ISBN 85-89876-88-8

1. Bivar, Antonio 2. Charleston Farmhouse 3. Diários brasileiros (Literatura) 4. Grupo de Bloomsbury 5. Memórias autobiográficas 6. Woolf, Virginia, 1882-1941 I. Título.

05-6879   CDD-868.98

Índices para catálogo sistemático:
1. Escritores brasileiros : Memórias autobiográficas : Literatura brasileira 869.98

Os direitos para publicação desta obra em língua portuguesa estão reservados por

A GIRAFA EDITORA LTDA.
Av. Angélica, 2503, cj. 125
01227-200 – São Paulo – SP
Tel: [55 11] 3258.8878 Fax: [55 11] 3255.1192
www.agirafa.com.br

Para Jenny

Sumário

Intróito, **11**

1993, **19**

1994, **77**

1995, **81**

1996, **111**

1997, **121**

1998, **151**

1999, **191**

2000, **213**

2001, **243**

2002, **323**

2003, **355**

2004, **371**

Livros consultados, **497**

Periódicos e sites, **500**

Livros de Virginia Woolf e relacionados
ao Bloomsbury publicados no Brasil, **501**

Créditos, **504**

Agradecimentos, **507**

Intróito

> *Nosso simples dever é expor os fatos até onde são
> conhecidos e depois deixar o leitor fazer com eles o que puder.*
>
> Virginia Woolf – *Orlando*

APESAR DO TÍTULO, este não é exatamente um livro sobre o Grupo de Bloomsbury. Ou melhor, é quase certo que até seja. O erro, aparentemente, estaria em "Na corte de". Como se, por exemplo, eu, ou qualquer outro meu contemporâneo, escrevesse na primeira pessoa um livro sobre ter vivido "na corte de Pedro II". Ora, tal corte terminou há bem mais de século, com a Proclamação da República, e eu, no caso, nasci 50 anos depois. Como, pois, poderia privar com ela? O mesmo acontece com Bloomsbury. Posso até ter estado a conviver um pouco com os descendentes sangüíneos do Bloomsbury original, mas o grupo mesmo, como tal, foi dado como findo muito antes de eu ter nascido.

De modo que o título mais correto para este livro seria *Meus Diários de Charleston* – pois de fato a maioria destas páginas é o registro em diário das minhas experiências literárias e artísticas na casa que leva esse nome e que, ela sim, fora residência campestre de membros do referido grupo. Mas que o título fique "Na corte de Bloomsbury", como idéia e provocação. Título, aliás, sugerido por um editor amigo e que eu humildemente aceitei, lembrando-me, no mesmo instante, do título daquele livro de Mark Twain, *Um yankee na corte do Rei Arthur* – no caso o personagem era um *yankee* contemporâneo de Twain, que voltava à Idade Média e à Távola Redonda para, numa aventura *sui generis*, fazer a crítica do comportamento daquela gente. Por outro lado, se o Bloomsbury acabou faz muito tempo, a cultura bloomsburiana cresceu e cresce tanto que chega hoje a proporções, eu diria, para usar um termo oswaldiano, antropofágicas.

De qualquer modo, foi primeiro o meu interesse pela obra de Virginia Woolf que a seguir me levou ao interesse por Bloomsbury, grupo do qual ela foi mola-mestra. E, finalmente, meus 11 anos de passagens por Charleston. E, além das experiências em Charleston, contam também as minhas investigações a outros lugares e personagens conectados a essa cultura.

Quando se fala no Grupo de Bloomsbury, é o nome de Virginia Woolf que logo emerge como o principal – ou o mais resistente – de seus membros originários. Paralelamente ao meu interesse pela literatura woolfiana, interessei-me pelas ações do grupo a partir da descoberta de um opúsculo, *Bloomsbury*, escrito por Quentin Bell, sobrinho e primeiro biógrafo de Woolf. Pequeno no número de páginas, porém seminal como análise crítica e histórica do grupo, *Bloomsbury* é um clássico no seu direito.

Minha curiosidade, tanto por Virginia Woolf (desde 1973 quando li uma tradução brasileira de *As ondas*) quanto pelo Bloomsbury, fez com que eu fosse atrás de mais e mais sobre eles. Nas minhas muitas e longas temporadas inglesas, tinha de acontecer um dia ir parar na Fazenda Charleston e uma vez ciente do que ela oferecia em termos daquilo que eu buscava, não me aquietei enquanto não fui aceito como participante de sua Summer School. Isso foi em 1993. Na época, apesar da idade, me senti como um adolescente, orgulhoso de ser não apenas o primeiro brasileiro, mas também o único latino-americano entre os 22 participantes – a maioria acadêmicos – daquele seu segundo ano como Escola de Verão.

Para mim, a experiência foi como estar dentro de um sonho maior que a vida. Primeiro, porque além do contato com o próprio Quentin Bell e sua mulher, Anne Olivier Bell, tive também contatos pessoais com outros da mesma geração que os Bells e que nasceram de famílias ligadas ao Bloomsbury como Nigel Nicolson, filho de Harold Nicolson e Vita Sackville-West, assim como o poeta Stephen Spender. E, em outros anos, com outros ligados à mítica bloomsburiana, como Frances Partridge, Richard Garnett (filho de David Garnett), etc., e ainda o convívio campestre com outras gerações vindas da original e também com escritores e artistas de algum modo tocados por aquela graça.

Mas não devo explicar nem contar tudo no prefácio. Nomes e fatos irão surgindo no decorrer. Entretanto, um pouco mais devo clarear, para os que estão entrando aqui sem ter a mínima idéia de que porta é essa que se abre. Primeiro, em pinceladas rápidas, tentarei dar uma idéia do que se trata o Grupo de Bloomsbury.

O grupo é assim chamado pelo seguinte:

Quando o pai de Virginia Woolf, Sir Leslie Stephen (o erudito autor dos 63 volumes do *Dictionary of National Biography*), morreu, em 1904, ela e os três irmãos, filhos do segundo casamento de seus pais – e nascidos nesta ordem: Vanessa (1879), Thoby (1880), Virginia (1882) e Adrian (1883) –, se mudaram do solar em Hyde Park Gate, deixando para trás a pesada atmosfera vitoriana e alugando uma casa mais arejada no número 46 da Gordon Square, uma praça no então pouco recomendável bairro de Bloomsbury, na região central de Londres.

Consta que o escritor Henry James, amigo de Sir Leslie, ficou preocupadíssimo com o futuro dos quatro jovens por estes terem se transferido para um lugar tão *déclassé*. Mas, com a mudança, nem eles imaginavam que estavam destinados a um futuro que, juntamente com um pequeno grupo de amigos, os tornariam imortais como o "Grupo de Bloomsbury". Julia, a mãe dos quatro, falecera fazia já um tempo, em 1895, quando Virginia tinha apenas 13 anos. Até a morte do pai, seguida da mudança de endereço, foram torturantes 11 anos naquela atmosfera de erudição e terror gótico.

Com a mudança, os melhores amigos de Thoby Stephen, então estudando em Cambridge, quando iam a Londres passaram a frequentar a nova residência dele & irmãos, em Bloomsbury. Diz que as duas irmãs, Vanessa e Virginia, eram moças ousadas e céticas em suas opiniões. As reuniões eram nas noites das quintas-feiras. Respirava-se liberdade. Agora sem controle e sem vigilância podiam, todos, dar continuidade às conversas iniciadas em Cambridge. Na presença das duas moças quaisquer eufemismos eram suprimidos. Podia-se dizer o que se quisesse a respeito de absolutamente tudo. E formou-se, por assim dizer, o *ethos*.

Segundo Quentin Bell, no desenvolvimento do grupo até 1914 há quatro datas-chaves:

Cambridge, outono de 1899, quando Thoby entra no Trinity College junto com Lytton Strachey, Saxon Sydney-Turner, Leonard Woolf e Clive Bell. Leonard Woolf, Lytton Strachey e Saxon Sidney Turner eram membros da Sociedade dos "Apóstolos". Thoby Stephen e Clive Bell, da Sociedade da Meia-Noite; Desmond MacCarthy apareceu mais cedo, Maynard Keynes mais tarde; E. M. Forster, mais velho, já havia deixado Cambridge, assim como Roger Fry, que não se juntou ao restante do grupo senão em 1910; Duncan Grant também foi apresentado ao grupo por seu primo Lytton Strachey depois, já em Londres. Adrian Stephen, irmão caçula de Vanessa, Thoby e Virginia, só vai para Cambridge em 1902. Em Cambridge, essa rapaziada transitava entre o Trinity e o King's, os dois *colleges* secularmente mais seletivos e elitistas.

A segunda das quatro datas-chaves foi o ano de 1904, quando os jovens Stephens se mudam para o bairro de Bloomsbury. Ali uniu-se o elemento de Cambridge com o elemento londrino. A terceira data-chave foi 1906, quando Thoby Stephen morreu depois de contrair tifo em uma viagem que fizera com os irmãos à Grécia. Foi uma perda traumatizante para todos, irmãos e amigos.

Logo depois da morte de Thoby, Vanessa ficou noiva de Clive Bell. Com o casamento da irmã em 1907, Virginia e Adrian mudam de casa, deixando Gordon Square para os recém-casados e indo morar ali perto, em Fitzroy Square. As reuniões continuam, agora nas duas residências.

A quarta das datas foi 1910, quando acontece a Primeira Exposição Pós-Impressionista em Londres, organizada por Roger Fry. Nesse evento pipocam os primeiros sinais do modernismo na Inglaterra. Sobre tudo isso muito se falará ao longo deste livro. Agora retomamos ao início, à gestação do que será o Grupo de Bloomsbury.

Conta o historiador: "Como a maioria dos estudantes de graduação em Cambridge àquela época, eles provinham de lares de classe média e de tradições culturais variadas. No entanto dois deles, Thoby Stephen e Lytton Strachey, vinham da aristocracia intelectual londrina, o que tornava relevante a ancestralidade intelectual do grupo. Já Leonard Woolf vinha de um lar judeu e Clive Bell, de uma rica família exploradora de minas de carvão em Gales."

Diz o historiador (e o historiador aqui é sempre Quentin Bell) que naquela época esses jovens, por serem jovens, estavam mui simplesmente em revolta contra a influência da geração paterna: "A geração anterior tivera por aventura intelectual a luta entre a fé e a razão, uma luta árdua: buscando o céu encontraram o vazio. A geração seguinte era, portanto, cética. E Cambridge nessa época tinha, de fato, muito a oferecer. Nas palavras de Leonard Woolf, acontecia ali 'uma extraordinária explosão de brilho filosófico'."

Bertrand Russell e G. E. Moore, por exemplo, eram membros do Trinity e foram muito importantes para os jovens discípulos. O livro *Principia Ethica* de G. E. Moore foi, para esses jovens, uma obra revolucionária. Sua proposta era a substituição da irracionalidade pela razão e o ódio pelo amor – e isso naqueles anos onde algures se preparava a montagem da Primeira Grande Guerra, estando já o espírito da época cheio dos átomos que a detonariam. Para Moore, o valor moral que residisse na imposição da força dificilmente se manteria. A questão moral deveria ser examinada à luz da razão. *Principia Ethica* era um repúdio à moral vulgar, às convenções e à sabedoria tradicional.

Diz Quentin Bell: "Tal combinação de um método pacífico com o propósito revolucionário, creio eu, foi uma das características do Bloomsbury. Nas lendárias reuniões do grupo percebia-se em Maynard Keynes o gosto pelos paradoxos, em Lytton Strachey observações devastadoras, em Desmond MacCarthy o maravilhoso charme na ponta da língua, em Virginia Stephen a fantasia coloquial." Mas a tônica, segundo Quentin Bell, era derivada de G. E. Moore, havia muita seriedade na conversação, apesar da jovialidade. "Buscava-se a verdade, não a vitória. O respeito pelo silêncio (donde o silêncio altamente significativo de Saxon Sidney Turner)."

A um dado momento um dos membros do grupo, Leonardo Woolf, arranja um emprego no governo e vai para as selvas do Ceilão, onde permanece bastante tempo. Na volta pede a mão de Virginia Stephen em casamento. O casamento acontece em 11 de agosto de 1912.

Mas muitas outras características fizeram a fama do grupo. É lendária a aversão que o escritor D. H. Lawrence sentia por Bloomsbury. Tão lendária que ocupa muito espaço na história do grupo. Estudos apontam essa aversão como inveja sexual, homossexualismo enrustido, ciúme, etc. Lawrence escrevia a conhecidos acusando não ter encontrado em nenhum membro do grupo qualquer demonstração de reverência.

Na verdade, o grupo usava a irreverência como arma para importunar os poderosos e o sistema, deixando claro, desde o princípio, que nada ou muito pouco deveria ser sacralizado. Em 1910, um grupo encabeçado por Horace Cole, do qual faziam parte Virginia e o irmão Adrian mais Duncan Grant, pintados por uma preta maquiagem teatral e fantasiados como se fossem o Imperador da Abissínia e sua corte (Virginia além da tintura preta na cara usava um turbante e uma longa barba postiça) enganaram a Marinha Britânica e numa visita formal tiveram acesso a segredos do mais novo navio, o *Dreadnought*.

Quando a fraude foi descoberta, depois do êxito da visita, foi um escândalo que ganhou primeira página de jornal e abalou a rigidez do império. Duncan e Adrian foram temporariamente presos. Mas Adrian Stephen justificou o feito dando seu depoimento bloomsburiano: "Quisemos apenas mostrar o que achávamos, que os exércitos e organismos similares apresentam fragilidades que são quase irresistíveis."

Mesmo com a peça pregada na Marinha Britânica e a Primeira Exposição Pós-Impressionista (quando Roger Fry levou pela primeira vez ao conhecimento do conservador público britânico obras de Cézanne, Picasso, Matisse, Derain e outros, causando um escândalo sem precedentes no gênero), o grupo ainda pouco ou nada produzira que fosse digno de apreço, com exceção de E. M. Forster que, sendo mais velho, por volta de 1910, já havia publicado cinco romances. Lytton Strachey estava escrevendo para o *Spectator*, Virginia para o *Times Literary Supplement*, Maynard Keynes e Saxon Sydney-Turner trabalhavam no Ministério da Fazenda. Em 1913, para dar trabalho aos artistas jovens e sem dinheiro, Roger Fry funda as Oficinas Omega, onde, além das telas cuidava-se também de objetos e tecidos para decoração, servindo lojas de Londres. Consta que fora Molly MacCarthy, mulher de Desmond, a primeira a cunhar um apelido como referência para o grupo, chamando, em uma carta, seus membros de "bloomsberries". Como nome de grupo – e isso sem a palavra "grupo", mas simplesmente "Bloomsbury", entre aspas e como piada doméstica, "Bloomsbury" aparece por volta de 1920.

Começam a ter seus trabalhos publicados durante e depois da Guerra. *Art*, ensaio crítico de Clive Bell, sai em 1914; o primeiro romance de Virginia, *The voyage out*, aparece em 1915, publicado pela editora do meio-irmão Gerald Duckworth (filho do primeiro casamento da mãe); *Eminent Victorians*, de Strachey, em 1918; *As conseqüências econômicas da paz*, de Keynes, em 1919.

Nesse meio tempo, em 1915, Leonard e Virginia deixam o centro de Londres e se mudam para o subúrbio de Richmond. Leonard compra para a mulher uma máquina impressora de segunda mão e o casal funda a editora The Hogarth Press, que começa suas funções publicando pequenos livros, panfletos, etc. Será a primeira a publicar Freud na Inglaterra, assim como Katherine Mansfield e T. S. Eliot, entre muitos outros.

Mas deixemos agora Londres e passemos ao Bloomsbury campestre. Todos tinham suas casas alugadas no campo. Entre 1912 e 1919, Virginia e Leonard tinham, no condado de Sussex, a Asheham House, onde recebiam os amigos, antes de se mudarem definitivamente para outra casa, ali perto, a Monk's House, no vilarejo de Rodmell. Eram dados ao hábito de longas caminhadas. Foi numa dessas caminhadas pelas colinas das cercanias que Virginia e Leonard descobriram Charleston, uma sede de fazenda que estava para alugar.

Isso foi em 1916, quando a primeira guerra já ia longe e o núcleo de amigos que formavam o grupo já tinha mais de dez anos de convívio. Virginia, que sempre fora muito ligada à irmã mais velha, avisou Vanessa da casa. De modo que Vanessa, com os dois filhos – Julian, o mais velho, e Quentin, o caçula – mais o pintor Duncan Grant, com quem ela tinha uma forte ligação, mas que, por ser Duncan basicamente homossexual, levou para Charleston seu caso, o jovem escritor David Garnett, e Clive Bell (com quem Vanessa já não vivia maritalmente, mas a quem continuava ligada pela amizade, pelo espírito de grupo e sobretudo por causa dos dois filhos) e ainda Maynard Keynes; essas sete pessoas tomaram a casa.

Seu último habitante foi Duncan Grant, morto em 1978 aos 93 anos. Restaurada pelo Charleston Trust e reaberta para visitação pública em 1985, a casa recebe milhares de visitantes anualmente. Até a Rainha já esteve lá. Além da Summer School, que atrai acadêmicos estudiosos da cultura bloomsburiana, principalmente ingleses e norte-americanos, Charleston tem também cursos de curta duração ao longo do ano, e seu festival anual, com a presença de escritores de várias extrações e não necessariamente ligados à cultura bloomsburiana, nomes como Harold Pinter, Susan Sontag, Alain de Botton – para dar uma idéia de sua diversidade – e sempre, o que é melhor, para uma capacidade bem limitada de público, cerca de duzentas pessoas em cada evento, o que torna a cena mais intimista e de melhor aproveitamento.

A cada ano o festival cuida de um tema específico, que pode ser sobre Bloomsbury ou não. Charleston tem também sua galeria de arte, que fica próxima da casa, anexa à pequena loja. Na galeria acontecem exposições de artistas de diversas escolas (em 2004, por exemplo, aconteceram exposições de Derek Jarman e

Henry Moore). Outra coisa interessante que a Fundação Charleston faz são visitas, pequenos pacotes, a outros locais ligados ao passado bloomsburiano. Pode ser Cambridge, pode ser a Londres ou a outras casas de campo que foram de membros do grupo, seja no interior inglês ou na França. São deliciosos passeios, em que se explora desde a cultura propriamente dita à gastronomia. O espírito da coisa é civilização.

Este livro consiste em relatos, geralmente em forma de diários, de meus onze anos charlestonianos, mas também relatos do que fiz e do que aconteceu na minha vida – dramas, perdas irreparáveis, no entanto também coisas boas – entre as viagens bloomsburianas e que, aparentemente, não têm nenhuma relação com essa cultura, mas que, por fazerem parte da trajetória do narrador nesse espaço de tempo, estão aqui incluídos. O espírito deste livro é, em suma, parecido com aquele que fez a lenda da Scherazade. A Scherazade entretinha o califa com as suas mil e uma histórias (e todos sabemos por que); em *Bivar na corte de Bloomsbury,* o narrador com certeza irá entreter o leitor com episódios divertidos, originais, por vezes muito tristes, ora alegres – histórias reais do universo encantador da literatura, da arte, da geografia e da vida, conforme lhe foram servidas.

1993

> *Sou leitor de diários. Da colegial que anota suspiros ao militar que registra suas emoções ao montar e desmontar um fuzil-metralhadora, acho que todos têm alguma coisa a contar – e como o gênero não requer técnica nem cultura, indispensáveis ao romance e ao ensaio, qualquer diário, para mim, além do sabor com que se penetra na intimidade de alguém, tem a validade do testemunho não solicitado, do ressentimento disfarçado, da confissão nem sempre voluntária.*
>
> Carlos Heitor Cony – *Folha de São Paulo* Domingo, 4 de julho

LONDRES, VICTORIA STATION, quase 13 horas. Instalado na minha poltrona, vagão segunda classe, faltam sete minutos para o trem partir. Será que vai dar certo? Vou para a Escola de Verão na Fazenda Charleston.

Daí o trem partiu e uma hora depois chego à estação de Lewes, no condado de Sussex. Espero 15 minutos até chegar um táxi. Chego à pousada – que por estar numa área rural e pelo nome, Southerham Old Barns, deduzo ter sido em outra época celeiro, estábulo ou cocheira, mas agora é uma hospedaria. Escreverei sobre ela na seqüência. Mas será que é aqui mesmo? A placa diz outra coisa. Há um homem na porta, e ele vai logo perguntando (com sotaque de John Wayne e parecendo o próprio, idade avançada, mas cheio de vitalidade e entusiasmo): "Você é Antonio Bivar, do Brasil?"

"Graças a Deus, é aqui mesmo", pensei, relaxando um pouco. Saí do táxi, peguei minha mala, paguei a corrida, duas libras. E o John Wayne se apresentou: "Eu sou Jimmy Smith, muito prazer. Eu também sou da turma de Charleston."

Notando pelo sotaque que ele não era inglês, perguntei: "Você é americano de onde?" E ele: "De Albuquerque, New Mexico."

Imaginei que, por ser domingo e não havendo nenhum empregado da hospedaria, Jimmy fazia as vezes. Daí ele me deu uma explicação prática do funcionamento da casa. Subimos as escadas de madeira rangente, ele mostrou meu quarto. Na porta havia uma etiqueta de cercadura florida e meu nome escrito assim: "Antonio Beevar".

Jimmy disse que eu não era o único não-americano ou inglês, havia Dianne Hubbard, da África, que logo eu iria conhecer. E me levou a um anexo onde estava um moço que se apresentou como Clive Wilson, e aí sim, ele era o gerente da hospedaria.

Jimmy deixou-me com Clive e este me mostrou todas as regalias da casa – a piscina, a sauna, a *jacuzzi*, etc. E perguntou se eu podia pagar adiantado a estadia. Paguei: 204 libras até sábado ao meio-dia. Daí ele foi me mostrando mais – a cozinha, a geladeira, o banheiro, como abrir as janelas do quarto, me entregou duas chaves (a da casa e a do quarto). E disse para eu aproveitar. E se foi.

Desci. Encontrei Dianne Hubbard e ela me ensinou como fazer café. "De que parte da África você é?" perguntei. E ela: "Da Namíbia." Conversamos um pouco. Dianne é uma bela africana branca. Deve ter pouco mais de 30 anos.

Subi para o meu quarto. Estava realmente exausto. Esvaziei a mala, pendurei no guarda-roupa o que pedia cabide e enfiei nas gavetas o resto. Tirei o sapato, a camisa (para não amarrotar) e deitei-me na cama – a mais fofa dessa minha temporada inglesa. Tão fofa a cama e tão fatigado eu que logo caí num sono profundo, antes ligando o despertador mental para dali a 25 minutos.

Acordei no ponto. Lavei o rosto com água fria na pia do quarto – o calor, o calor. Enxuguei o rosto com a toalha limpa e amarelo-claro como as paredes impecáveis do quarto, vesti a camisa e desci tonto, ainda sonado e preocupado com o silêncio sepulcral da casa: "Será que a condução já passou e foram todos para Charleston?", pensei. Ninguém à vista. "Perdi o primeiro dia de aula", imaginei, arrasado. Mas não. Entrei na sala e Dianne Hubbard estava calmamente instalada no sofá lendo *Deceived with kindness* (*Enganada com carinho*), a autobiografia de Angelica Garnett, uma filha de Bloomsbury, livro que eu mesmo já havia lido fazia alguns anos.

"Que bom", suspirei aliviado (mas ainda meio tonto). Dedo de prosa: "Você vai levar bolsa, papel e caneta para escrever?" perguntei, um tanto abestalhado. "Vou, porque é um curso e certamente vai ter coisa para anotar", respondeu Dianne. "Então vou pegar minha bolsa", falei, subindo as escadas como se atrasadíssimo. Peguei a pequena bolsa escolar e enfiei nela às pressas um suéter, caderno e caneta. Desci e logo chegou o microônibus já com outros estudantes vindos de Lewes – depois me contaram que preferiram ficar em hotéis na cidade. Entramos no micro, Dianne e eu – Jimmy Smith e outros hóspedes do "velho estábulo" já tinham ido de carro.

O motorista do microônibus chamava a atenção por ser ruivo, vermelhão de sol, rechonchudo e muito comunicativo. Os passageiros foram se apresentando, a paisagem rural linda, com as colinas (os famosos *Downs* de Sussex), as casas do caminho – *cottages* típicas aqui e ali, o céu claríssimo e o calor abrasador. E o ônibus passou pela cidadezinha de Firle, para apanhar a única aluna hospedada no The Ram, misto de *pub* e estalagem. Monica Cortés é uma jovem espanhola, estudante de História em Londres, depois ela me contou.

Pouco mais de uma milha de estrada e chegamos à Fazenda Charleston. Alguém nos indicou o caminho até a casa. Passamos pelo vestíbulo, onde assinamos presença e a seguir fomos encaminhados a um pequeno jardim interno onde havia uma mesa com canapés (inclusive de salmão com caviar), biscoitos, vinho Chardonay branco, suco de laranja, café, leite, chá, água. E duas senhoras simpaticíssimas para nos servir. E todos muito animados, falando e se apresentando. Peguei uma taça de vinho e engoli alguns canapés, morto de fome que estava e só não literalmente pálido porque ainda na hospedaria (esqueci de contar), assim que estávamos todos juntos – Clive o gerente, Jimmy Smith e Dianne Hubbard – eu pedi socorro, dizendo estar morto de fome, perguntando se havia alguma coisa para comer, e Dianne, rapidíssima, me levou à cozinha, ofereceu pão, queijo e leite e resolveu o meu problema.

Mas já passa da meia-noite e preciso dormir. Amanhã acordo mais cedo e continuo. Tenho ainda de estudar toda a programação do dia.

Segunda, 5 de julho.

Despertei por volta das 7h30 e tratei de adiantar minha parte, tomando o banho e engolindo o *breakfast*. Banho excelente, ducha forte, muita água. Encontrei Jimmy Smith na cozinha, e ele me deu um pouco do sucrilho e do leite dele e ficamos conversando. Professor aposentado, Jimmy me contou ter-se tornado anglófilo há uns 15 anos. Vem todos os verões para a Inglaterra. A mulher reclama: "Sempre Inglaterra!" De modo que ela não vem mais. Como o casal viaja duas vezes por ano, verão e inverno, no verão ele vem sozinho e no inverno o casal procura outros lugares.

Falamos de E. M. Forster e de como Hollywood o descobriu. Jimmy acha que Hollywood não tardará a descobrir Virginia Woolf e acabará filmando os livros dela. *To the lighthouse* (*Rumo ao farol*) daria um filme tão lindo quanto *Howards End*. Se cair nas mãos de um James Ivory. Jimmy conta que seu filho é interessado em cinema. Conto para ele dos pioneiros norte-americanos que fundaram no Brasil a cidade de Americana, na segunda metade do século dezenove e Jimmy diz que daria um ótimo filme, que Hollywood está sempre atrás de idéias.

Bem, mas agora preciso contar de ontem, o primeiro dia, porque já são 8h15 e às 9 horas o microônibus chega. Onde parei?

Sim, depois da recepção – e que simpatia alguns membros do conselho de Charleston: Diana Reich (a coordenadora geral da Summer School), Christopher Naylor (o diretor da Fundação) e alguns dos estudantes que vieram conversar comigo – fomos então levados a uma sala pequena, quase um porão, onde acontecerá a maioria das aulas. É uma sala despretensiosa e ajeitada como o resto da casa.

No *folder*, que há cerca de um mês apanhara na minha primeira visita a Charleston e falava da Summer School, constava que o curso admite apenas 30 pessoas a cada verão, para que todos possam aproveitar melhor a experiência. Mas ontem contei na folha da pasta do programa que Diana Reich nos entregou, que somos 22 participantes. Meu nome, por ordem alfabética, encabeça a lista. Então, Diana Reich pediu que cada um se apresentasse contando de onde vem e o que faz, na presença da escritora Frances Spalding – autora de várias biografias famosas, inclusive uma de Vanessa Bell, e de um volume ricamente ilustrado, *Paper darts* (*Dardos de papel*), com cartas de Virginia Woolf, lançado em 1991, no cinqüentenário de sua morte. Ela é também editora de *The Charleston Magazine*, uma revista que sai duas vezes por ano, envolvendo Charleston, Bloomsbury e as artes.

Quando chegou a vez de me apresentar fiz todo mundo rir ao enfatizar, espontaneamente, que aquela era a primeira vez que frequentava uma *school*. E que não imaginava fosse a Frances Spalding tão jovem. Ela também riu, gostou. Dianne Hubbard (da Namíbia) disse que até vê-la pessoalmente não sabia se a Spalding era homem ou mulher (por causa do nome, Frances). Entre os 22 participantes três são professores, uma é terapeuta, outra é lobista política, três são estudantes universitários, uma é assistente social, um é químico (também professor), uma é livreira, outra é pesquisadora de arte, duas são conferencistas, uma advogada, duas são editoras aposentadas, uma jovem é membro do conselho de artes do condado de Sussex, um é economista e uma é misteriosa (ela prefere não revelar a profissão). Vários são aposentados. Da América do Sul – e mesmo da América Latina – apenas um, eu. De sangue latino, três: eu, a Monica Cortés (espanhola) e a Carla Danby, que apesar de Danby e de ter nascido na Califórnia, do lado materno é italiana e se chama Carla Francesca. Somos, então, nove ingleses, nove norte-americanos, uma canadense, uma africana do sul branca, uma espanhola e um brasileiro. Daí começou a palestra de Frances Spalding tendo por tema "Bloomsbury Connections".

Depois da palestra e de um bate-papo ligeiro, o ônibus, que já nos esperava, levou cada um à sua hospedaria. Na cozinha da nossa, Dianne Hubbard perguntou se eu queria jantar, e jantamos, ela, eu e Jenny Thompson: massa e uma salada de tomate com anchovas e vinho branco Chardonay. As duas prepararam o jantar de modo que me ofereci para limpar a pia, embora a cozinha seja apetrechada com máquina de lavar louça. Depois, a Hubbard fez um café e fomos sorvê-lo na sala. Jimmy Smith veio nos fazer companhia e conversamos sobre Bloomsbury, os quatro, com a intimidade de conhecedores. Jimmy, vendo na sala a estante com livros raros, primeiras edições em capa dura, disse: "Não posso acreditar que deixem livros tão raros e belos assim na sala de uma hospedaria, se fosse nos States não deixariam porque os hóspedes os roubariam."

Jenny Thompson foi buscar em seu quarto alguns livros que trouxe de Londres, ligados aos temas da Summer School. Folheei um deles, uma linda edição grande, larga, capa dura, ricamente ilustrada, sobre o pintor Duncan Grant. Depois, já no meu quarto, deitado, nu sob o edredom de penas, me senti um nu de Duncan Grant. Dormi feliz. Agora preciso correr, pois faltam três minutos para as nove e o microônibus já deve estar chegando.

Terça, 6 de julho, manhã.

Hoje Charleston começa um pouco mais tarde, de modo que tenho pelo menos uma hora para escrever sobre ontem. Uma coisa que preciso é aprender o nome de vários dos participantes que têm me tratado com grande simpatia. Sei ligeiramente quem são, mas na hora de chamá-los para dizer qualquer coisa fico em dúvida quanto aos nomes. Deixe-me dar uma olhada na lista: Caroline Hillery – a outra editora, inglesa; Anne Hughes - professora, inglesa, baixinha, cabelos curtos, ao mesmo tempo durona e gentil; Jenny Thompson – editora aposentada, minha vizinha de quarto na hospedaria; Joan Draper - canadense, dona de uma livraria de livros raros em Ontário; e por enquanto basta.

A aula ontem de manhã foi sobre a "Estética de Charleston", com a Spalding palestrando sobre os artistas e Christopher Naylor (o animado diretor da fundação) projetando *slides* dos artistas e suas obras – Vanessa Bell, Duncan Grant... Depois tivemos um pequeno intervalo – chá, café, leite, suco, biscoitos, bolo, conversa animada – e voltamos para assistir a um filme em vídeo, *A painters' paradise* (*Um paraíso de pintores*), sobre a restauração da casa, feito em 1985 em co-produção com um canal da televisão inglesa. A fita mostra como Charleston foi restaurada já em estado decadente, anos depois da morte de Duncan Grant, seu último habitante. No filme aparecem Quentin Bell, Angelica Bell (meia-irmã de Quentin, filha de Vanessa e Duncan Grant), um pequeno *flash* de Duncan, simpático, alguns anos antes de morrer, com mais de 90 anos, Anne Olivier Bell (mulher de Quentin Bell e editora dos *Diários de Virginia Woolf*) e Julian e Cressida, filhos dela e Quentin. O filme é também enriquecido com imagens estanques – fotos, *memorabilia*, etc.

Entre um evento e outro, Diana Reich interfere explicando que Charleston tem pouca ajuda (subvenção) e que está sempre sob o risco de acabar. Os participantes suspiram: seria um crime se, por falta de dinheiro, este sonho acabasse. E a aula continua, com imagens artísticas: a cozinha, portas para o jardim murado, uma cadeira, um livro, mesinha com vaso de flores...

Enquanto os *slides* são exibidos, a Spalding diz que visitar casas onde viveram escritores, casas preservadas por fundos estatais, é comum, mas que casa de pintores preservadas são muito raras; *slides* de quadros pintados por Vanessa e Duncan no Sul da França...

Lembranças, associações. A Sra. Ramsay, personagem de *To the lighthouse* (*Rumo ao farol*), de Virginia Woolf: "A vida aqui paira suspensa." Naturezas mortas. Vanessa aos 14 anos passava horas lendo John Ruskin – *The elements of drawing* (*Os elementos do desenho*).

Opiniões dos participantes adivinhando o que acontece num quadro pré-rafaelita, uma cena vitoriana sobre uma família jovem – o marido em abandono (a postura), segurando uma carta (com má notícia) sugerindo algo trágico; a esposa deitada de bruços no chão, mãos crispadas em desespero, as crianças alienadas, brincando. Uma delas parece mais preocupada com o brinquedo; outra, mais velha, de rosto voltado para a cena dos pais – mas no olhar sua expressão parece acusar os pais de estarem mais é fazendo drama do que recebendo uma notícia realmente trágica.

Uma das participantes, ao meu lado, em tom confessional, diz que tudo gira em torno de dinheiro: salvar Charleston, o quadro vitoriano projetado em *slide*... E a Spalding continua. Fala sobre a primeira exposição pós-impressionista na Inglaterra, organizada por Roger Fry em 1910. Clive Bell e Fry se conheceram num trem. O interesse de ambos pela nova pintura francesa. Clive Bell, que era muito rico – e já um *homme du monde* – ajudou Fry. E Christopher Naylor continua projetando *slides*. Esguicho de cores. O retrato de James Strachey (o primeiro tradutor de Freud para o inglês, irmão de Lytton Strachey). E na seqüência é projetado um quadro por Duncan Grant antes de ele ficar moderno. As tentativas expressionistas, algo deu errado. Um quadro horroroso (sem inspiração, desenho malfeito, engraçado). Nos anos 70, antes de morrer, Duncan Grant foi ao famoso programa de rádio, o *Desert Island Discs*, e disse que esse quadro ele incluiria entre os tesouros que levaria para uma ilha deserta.

Tudo é artístico, nos quadros. Luvas sobre um livro de capa dura. Os Stracheys. Lady Strachey – a Spalding conta, enquanto dela é projetado um quadro pintado por Dora Carrington – Lady Strachey, mãe de Lytton e James, que eram primos de Duncan Grant, foi graças à intervenção dessa veneranda senhora que ao sobrinho Duncan foi permitido deixar uma faculdade que não tinha nada a ver com ele para estudar arte. E agora é projetado o *slide* do quadro de uma senhora chorando depois que acabou de ler um romance. O romance é *Crime e castigo*, de Dostoiévski.

Vanessa Bell e Duncan Grant chegaram à maturidade artística depois da exposição pós-expressionista de 1910, que foi espezinhada pela imprensa e pelo público londrino na época. Aquarelas de Cézanne, óleos de Matisse, figuras de Picasso, Bonnard... Bloomsbury era fortemente francófila.

Reparo que Frances Spalding hoje está com a mesma roupa que usava ontem, uma saia folgada, comprida, salpicada de cores escuras (derivadas do vermelho, do azul...) à guisa de flores; blusa de um azul forte, delavado, sob um blusão verde-cinza. Matisse (em *slide*) – as cinco figuras dançando; Picasso – semelhança com Duncan Grant, numa obra deste, de 1912. E a Spalding conta que foi a mostra pós-impressionista organizada por Roger Fry a divisora de águas na Inglaterra de 1910. Com a exposição, uma facção inglesa deixou de ser vitoriana e ficou moderna. Antes, as cores inglesas eram pesadas. Foi Bloomsbury que ousou cores mais vivas, claras, alegres.

Cerâmica como escultura – xícaras, vasos, pratos... As cores voltaram a ficar mais escuras durante a primeira guerra. Vanessa e Duncan pintavam próximos um do outro, cada um sua tela, sobre o mesmo tema, um num canto e o outro em outro. Nos anos 20 as cores voltam a ser claras e fortes. Eles não pintaram muitos abstratos. Os quadros lindos nos *slides*, a voz doce e monótona da Spalding, neste instante me bate o sono e penso que a melhor coisa agora seria poder tirar um cochilo. Tudo é muito agradável, mas estou doido para chegar a hora do almoço.

Tudo à Matisse. Depois sombras e austeridade, a vida difícil, mas deliciosa nos anos 30. E a participação entusiasmada de nossa classe. Algumas perguntas idiotas, tipo a de Monica Cortés, sobre uma tela em que duas mulheres, cada uma na sua, uma vestida e outra nua, qual delas é a artista e qual a modelo? (Supõe-se, sempre, que o nu seja o modelo, ora bolas!) Xícara de café, água, fruteira – tudo nos quadros.

No intervalo, do lado de fora ao sol perto das privadas, presto atenção ao diálogo de duas das moças participantes, Carla Danby e Jane Morgan, comentando os tecidos de Charleston: "São tão lindos", diz Carla, "comprei uma vez um lenço, mas solta fiapos na outra roupa. Mas adoro." E Jane Morgan, que tem um visual pós-punk, cabelos curtos e *piercing* no nariz: "Comprei um que tinha um desenho com tinta preta, a tinta saiu e manchou a outra roupa, mas acho lindo!" Elas riem e o entendimento é perfeito.

O almoço é no jardinzinho interno – mesa posta, as duas senhoras servindo, vinho branco gelado e nós, servidos, sentados em bancos de madeira, cadeiras de armar e duas espreguiçadeiras. Conversa animada, estou adorando tudo. Todos são muito receptivos. A conversação era a arte maior de Bloomsbury, somos lembrados. Preciso decorar o nome dos outros colegas para contá-los aqui. No almoço, fomos apresentados à Sophie MacCarthy, que é neta de Desmond MacCarthy, grande figura do Grupo de Bloomsbury original e muito citado nos diários de Virginia Woolf. Foi a avó de Sophie MacCarthy que deu o nome ao Grupo de Bloomsbury. Sophie é ceramista e está em Charleston trabalhando no pequeno estúdio ao lado do jardim onde fazemos as refeições. O trabalho dela é sofisticado, mas muito caro – uma canequinha custa quase 50 libras. No entanto, seria evocativo ter uma.

Depois do almoço e da conversa gostosa com Jackie Clements, Carla Danby, Monica Cortés, Celia Hunt, Jane Morgan, Jenny Thompson e Karen Wadman, somos convidados a um *tour* pela casa, divididos em duas turmas. Jenny Thompson me segreda querer ir na turma guiada por Peter Miall, que é o curador de Charleston. Aproveito a dica e dou uma escapada para não ser incluído na primeira turma, porque o guia, James Beechey, apesar de ser um amor de pessoa, como monitor é muito novo, inexperiente (embora entusiasmado) e diz "Ahn" entre cada três palavras, para não perder o fio do pensamento.

Aguardamos um pouco no jardim e entramos, guiados por Peter Miall, que é um encanto. A sala, os quartos, o quarto onde Maynard Keynes escreveu *The economic consequences of the Peace* (*As conseqüências econômicas da Paz*), livro que o tornou, mundialmente, o economista mais influente desde Marx; o quarto de Duncan Grant, o de Clive Bell, o de Vanessa...

Miall lembra que os quartos dos homens eram no andar de cima e que tanto Virginia Woolf na Monk's House quanto Vanessa em Charleston, ambas preferiam seus quartos no térreo. A biblioteca de Clive, o quarto de hóspedes, o quarto de Vanessa (com a banheira e a privada separadas por um biombo) e, ao lado, o estúdio de Duncan, que é o cômodo mais charmoso de toda a casa.

Mais um intervalo para chá e biscoitos, e a seguir vamos (uns no microônibus, outros em seus carros) para o vilarejo de Berwick visitar a igrejinha de São Miguel e Todos os Anjos. Nela os murais, o púlpito, etc., pintados por Vanessa, Duncan e Quentin Bell nos anos 40.

Do púlpito a palestra é dada por James Beechey, cheia de "Ahns", o que causa uma certa impaciência nos que o ouvem. Embora seja uma doçura de pessoa, Beechey não consegue fazer com que os participantes disfarcem os bocejos. Também, a programação é a mais intensa. A seguir vamos caminhando até o *pub* próximo – idéia de Jimmy Smith e Jackie Clements. Jimmy, Jackie, Jenny, Dianne, Monica, Caroline, Carla, Rosemary Evison, Sarah Phillips e eu. Depois, nos carros, vamos – idéia de Jimmy e Jackie – jantar no The Golden Galleon, à beira de um rio lindo cercado de verde e enriquecido pela presença de majestosos cisnes, pertinho do mar. Keith Clements, marido de Jackie, já nos esperava no restaurante. Keith é também pintor e biógrafo. Sua tese de doutorado em 1985, a biografia que escreveu de outro pintor, Henry Lamb (que no seu tempo inspirara paixão em Lady Ottoline Morrell e Lytton Strachey), é muito respeitada, dizem. Comida deliciosa, conversa animada – um certo silêncio entre Caroline Hillery e eu, depois de ela ter me perguntado se sou casado e eu respondido ainda não ter tido tempo. O restaurante é elegante e barato (não gastei nem sete libras) e, penso, se for assim todos os dias, vou poder economizar e comprar uma caneca da Sophie MacCarthy.

Terça, 6 de julho, noite.

Registro dos acontecimentos desta terça-feira: tivemos, pela manhã, contato com aquela que me pareceu, até agora, a primeira estrela entre tantas nesta Summer School (sim, porque a Frances Spalding, com quem estivemos trabalhando os dois primeiros dias, apesar de importante, é de natureza anti-estelar). Pois bem: a estrela em questão é Michèle Roberts. Ela chegou irradiando vibração simpática, num misto de ligeireza e condescendência. Chegou com um bloco de papel, a palestra escrita e foi rápida. Isso me fez constatar que nos anos 90 as pessoas antenadas com a década falam feito metralhadoras. Michèle não perdeu tempo: disse que de Virginia Woolf gosta mais dos diários e das cartas que dos romances, que os romances eram *trabalhados,* mas que nos diários Virginia estava como que frente ao espelho e que também o diário era como carregar uma bolsa onde ela punha tudo. Gostei dessa idéia de diário como bolsa.

Michèle Roberts, que também tem sangue latino – é metade francesa e metade inglesa – nos leu trechos escolhidos dos diários de Virginia. Enquanto ela lia, eu prestava atenção em sua figura: os cabelos anelados presos no topo da cabeça; nas orelhas brincos pingentes azuis, de turquesa; lenço de pescoço em cor acastanhada, paletó de linho cor creme, saia xadrez cinza escuro. Michèle exala sexo escondido atrás de toda a roupa, desde a echarpe generosa no comprimento até a barra da saia abaixo do joelho. Volúpia de viver. E um colar de pérolas que, apesar de uma volta só, a todo momento ressurge no decote, nas viradas da echarpe conforme ela se movimenta. E ela vai em frente: "Nos diários, Virginia conta como escreve, porque escreve e passa mais traços corporais. É *voyeuse*. Nos diários o registro do dia-a-dia, reclama dos amigos que a interrompem aparecendo para um chá."

Michèle é um feixe de nervos. Mas não é magra, é carnuda, eu diria até boazuda. E continua: "Em 1919, Virginia escrevia que diário não conta como literatura. Em 25 de janeiro de 1920: 'Dia do meu aniversário. 38 anos. Mais feliz hoje que aos 28'. Generosidade. Muda de rota. Gênio é uma eterna paciência. Uma eterna paixão. A idéia como obra de arte perfeita. Mas quando se vai pôr a idéia no papel..."

E Michèle segue. Dom, trabalho, estação, paixão. James Joyce, Virginia escreveu demolindo *Ulisses*, detestando no começo, gostando no meio e odiando no final. Chega T. S. Eliot (no diário de Virginia).

E Michèle não pára, impávida, falando de Virginia. Escrever vem de um desejo. E de caminhar, a prática. Ir, andar. Voltar da caminhada. Andar, a fonte da inspiração. Os perigos da fama (Virginia comentava). Michèle conta que ela própria os vive presentemente (foi muito elogiada pela crítica e premiada por um romance).

Virginia escrevia diferentes tipos de romances todo o tempo. Os esgotamentos aconteciam quando algo interferia impedindo-a de escrever. E aqui Michèle conta dos poemas que ela própria escreveu ontem, quando chegou, caminhando pelas colinas aqui perto. Michèle Roberts também é poeta e já publicou dois livros de poesia.

Diana Reich, a organizadora, e que está na sala ouvindo a Roberts, lembra que Virginia Woolf conheceu Freud. A editora dela e de Leonard Woolf, a Hogarth Press, foi, na Inglaterra, a primeira a publicar Freud. E que Adrian Stephen, irmão caçula de Virginia e que mexia com psicanálise consultou Freud sobre a irmã. Virginia foi ver Freud. Este sentiu que se cuidasse dela poderia destruir a arte da escritora. Freud presenteou-a com uma flor, um narciso. Virginia, para a época, era considerada psicótica. E ela gostava de ser magra.

Caroline Hillery diz que Virginia escrevia os diários para ser lida. Michèle, expressão de modéstia, responde: "Não sei, mas ela sabia que no futuro os diários seriam lidos. Mas só depois de morta."

Respondendo a uma pergunta de Jimmy Smith sobre como a crítica afetava Virginia, Michèle aproveita para explicar que ela mesma, que já tem seis livros publicados, 20 anos de carreira (logo no alto da primeira página de seu livro mais famoso consta que Michèle Roberts nasceu em 1949, logo, está com 44 anos – mas não parece, eu diria que ela aparenta, no máximo, 37), foi uma das três ou quatro indicadas para o Booker Prize no ano passado e, nesse mesmo ano, recebeu o prêmio W. H. Smith, que em anos anteriores premiou Nadine Gordimer, V.S. Naipaul e Doris Lessing, entre outros. E ela nos leu um trecho de seu livro premiado, *Daughters of the house* (*Filhas da casa*), página 62, por coincidência a página onde eu tinha parado, no meu exemplar comprado em Londres antes de vir para o curso.

Ela leu a cena em que as duas mocinhas, Thérèse e Léonie, primas, inventam uma fantasia e acabam brincando deliciosamente com o sexo uma da outra. Sem culpa. Michèle, ela própria nos conta, gosta disso. Uma participante conta que ela e a irmã gostavam de brincar de médicas com o pinto do irmão, mas tudo isso contado com contenção e um certo pudor. Daí eu conto para a Michèle que recentemente uma amiga minha, a Loppy Garrard, aqui perto em Salisbury, pegara um livro dela, Michèle, na biblioteca municipal da cidade, um romance com o personagem principal baseado na Maria Madalena e ficou frustrada quando, na parte mais quente do livro, as duas páginas haviam sido arrancadas. Pergunto se Michèle acha que pode ter sido a censura. Uma das participantes, Jane Morgan, nos conta que trabalhou em uma biblioteca pública e que em algumas delas o Conselho faz isso, arranca páginas tidas como ofensivas. Michèle disse que não sabia de nada a respeito, mas que achava possível.

Intervalo para o almoço. Almoço ótimo, bem servido – tortas, salada, vinho branco, sucos de frutas, água, sobremesa, chá, café. Preciso me informar do nome das duas *ladies* que servem. Uma delas, a mais velha, é uma *lady* superior. A outra é a serviçal típica, de classe inferior, mas não menos interessante. Reparei que Sophie MacCarthy estava um pouco entediada. Diana Reich nos lembrou duas vezes nesses três dias que o pequeno estúdio de cerâmica onde Sophie trabalha está à disposição para visita. Mas parece que poucos lá foram. É que nossos intervalos são curtos para tanta prosa entre nós. Eu adoraria ir mas estou tímido. Afinal, ela é neta do Desmond e da Molly MacCarthy. Mas quem sabe amanhã. Tento economizar ao máximo para comprar uma caneca de Sophie. É meu grande desejo de consumo aqui em Charleston. Nunca comprei arte. Seria minha primeira aquisição. Acho chique começar por uma cerâmica de Sophie MacCarthy.

Depois do almoço voltamos ao trabalho. Diana Reich nos alertou para duas opções: oficina de escrita com a Michèle Roberts ou, com a muito jovem Sue Roe, a discussão "Virginia Woolf agora – uma escritora para hoje". Sobre a mesa da copa (toalha limpa, mas gasta, padronagem Charleston) está à venda o livro da Sue Roe sobre Virginia e o romance premiado da Michèle Roberts (que já tenho). Eu não perderia o debate com Sue Roe, mas uma oficina com Michèle me pareceu mais útil. E assim, lamentando perder a experiência com Sue Roe, optei por Michèle.

E aqui a coisa também foi perfeita, porque metade da turma ficou com Michèle e a outra metade com a Roe. Sue Sullins, por exemplo, dizendo que não é escritora, mas leitora, foi para a de Sue Roe. Os boêmios Jimmy Smith e Jackie Clements disseram em uníssono que os dias de escrever, deles, já passaram. Mais tarde, no microônibus entre Charleston e a visita aos Bells, uma das participantes me contou que a discussão com Sue Roe foi chata, porque a Roe é uma adoradora de Virginia sem nenhuma visão crítica. É que a Roe ainda é muito jovem, pensei.

A oficina com Michèle Roberts foi bárbara. Primeiro ela nos fez ajeitar nossas cadeiras formando um círculo. E aí, da esquerda para a direita, mandou que cada um se apresentasse acrescentando um superlativo antes do primeiro nome. Deu exemplo, apresentando-se como "Maravilhosa Michèle". E assim todos fizeram, a começar por Betty Givens, que se apresentou como "Sexy Betty", até chegar a vez de Carla Danby, que se mostrou embaraçada em se pôr para cima, no que foi rapidamente socorrida por Dianne Hubbard, que sugeriu "Carismática

Carla". Todos riram, Carla ficou vermelhíssima, mas assumiu. E chegou a vez de Dianne, que se apresentou como "Divine Dianne".

A seguir, o segundo passo da oficina. Michèle nos deu três minutos para que cada um escrevesse um texto aleatório usando três onomatopéias. Escolhi pluft, clic e toc-toc. Em seguida, Michèle mandou que cada um lesse o seu, o que foi feito. Ela considerou todos excelentes. E passou para outro exercício. Desta feita, com três palavras dadas por ela formando o começo de uma frase, e que cada um, sem pensar, contasse um caso. E dando o sinal: "Um, dois, três: começa", mandou o primeiro começar. Quando um participante começou: "O vento estava forte, mas mesmo...", Michèle cortou, dizendo: "Stop." E acrescentou "Excelente." E passou para o próximo estágio.

Mandou que todos saíssemos da sala e fosse cada um procurar seu canto fora da casa. Tínhamos 15 minutos para escrever um texto a partir de algo que chamasse nossa atenção do lado de fora – um objeto, uma planta, um pedaço de porteira, qualquer coisa, e que observássemos essa coisa e que começássemos a partir de impressões, imagens, frases, o que bem sentisse, sem intelectualizar. Passei pela cozinha, preparei uma caneca com chá e fui para perto do curral, mas o cheiro de bosta de vaca estava muito forte e busquei outro canto. Passei por Kathy Chamberlain, que já estava concentrada no canto escolhido por ela, atrás da casa, e cheguei a uma porteira, saltei-a e entrei no campo. O calor estava forte e eu com preguiça mental. Escrevi:

"Chá e simpatia. Esplendor na relva, que felicidade! Sinto espíritos. Invisíveis, mas presentes. Dianne Hubbard foi para o jardim. É o lugar favorito dela. É uma jovem intelectual sensível, de fino trato. Determinada. Sabe o que quer e sabe discriminar. Não posso imaginar onde terá ido Carla Danby procurar seu canto. Ela é cheia de viço. Mas não devia ler agora os livros, tantos livros comprados em Londres, com o intuito de fazê-lo em sua volta à Califórnia – o marido, os filhos crescidos, a casa em um subúrbio de San Francisco. Ela não devia ler agora, nestes dias, na cama antes de dormir, na hospedaria, como nos contou. Carla devia guardá-los para os ler em seus dias vazios, de volta ao lar. Pássaros cantam. O ser humano é uma espécie comovente. É um milagre eu estar aqui. Antes de deixar o Brasil e nem imaginando que viria parar neste curso, fiz uma oração plena de fé para que algo fortíssimo me transportasse ao inimaginável, e que fosse uma coisa muito boa, um milagre que mudasse a minha vida... e aconteceu! Mas sobre isso guardarei segredo."

E voltei para a sala. A maioria já estava lá. Todos certamente excitados, divididos entre a timidez e o desejo louco de mostrar o que escreveu. Michèle certamente nos mandaria ler. Mas não! A oficina dela segue um método imprevisível. Michèle frustrou a nós todos dizendo que o exercício não seria lido. Que podia ser jogado no lixo. Embora, ela tinha certeza, devia estar excelente. E nos despachou ao próximo estágio. De novo nos mandou para fora da sala escrever não mais que duas páginas, algo fictício, mas na primeira pessoa e que contivesse a essência dos outros estágios. E acrescentou:

"Podem escrever o que quiserem, podem dizer que Michèle é uma vaca, etc. Vocês têm 45 minutos." No pasto, no jardim, nos recônditos, solitários, cada um concentrado nos seus 45 minutos de Virginia Woolf. Eu, no meu canto na grama, senti espíritos fraternos, como anjos abanando suas asas e refrescando nossas almas, a minha e a de todos nós, alegres, aqui reunidos. Foi Virginia quem descobriu Charleston, ela e Leonard. E ela escreveu à Vanessa: "Você devia deixar Wissett e alugar Charleston. Leonard diz que é uma casa adorável e aconselha você a tomá-la. Tem um jardim charmoso, um pequeno lago, árvores frutíferas e vegetais. Tudo agora está um tanto abandonado, no entanto você poderá transformar em algo adorável. A casa é muito simpática, com cômodos espaçosos e um dos quartos com amplas janelas é perfeito para um estúdio. A casa necessita de reparos – o papel de parede está em estado deplorável. Mas é um lugar muito atraente e apenas quatro milhas distante de nossa casa [Asheham]." E Vanessa alugou Charleston em 1916.

E escrevi (em inglês, lógico, porque a oficina é na Inglaterra e um dos quesitos para participar da Escola de Verão em Charleston é dominar a língua): "Michèle não é uma vaca. Absolutamente. Ela é, isto sim, uma excelente professora. Nos liberou a todos, nos dando 45 minutos, tempo mais que suficiente para escrever, na primeira pessoa, o que ela sugeriu. Sou um marinheiro escolado. E é uma aventura fabulosa estar aqui."

Voltamos à sala. Todos sentados. Michèle então mandou que cada um lesse seu texto – alguns deles fortes, como o de Anne Hughes: "Virginia era lésbica? - as pessoas sempre colocam esse tipo de pergunta". Mas o texto mais hilário foi o da sessentona Betty Givens. A gente ficou sabendo que ela é conferencista e escreve contos para a revista de bordo da American Airlines. Cabelos tintos de ruivo flamejante, quinquilhada de bijuteria coruscante, roupas coloridas, traços sensuais, óculos enormes, Betty Givens escreveu:

"Vou comprar um novo maiô e vou me entregar sexualmente, despudoradamente, ao sol, até o sol me fazer semelhante às flores caidaças do jardim da Vanessa Bell, maravilhosa!", etc. e tão brilhantemente verdadeiro e corajoso que foi a mais aplaudida. Depois Michèle nos separou de dois em dois e nos mandou dizer a ela o que um tinha gostado mais no texto do outro. Por exemplo, eu e Caroline Hillery. Do meu texto a Hillery gostou do humor inocente e da parte que escrevi ser um marinheiro escolado. Do texto dela eu gostei da parte em que ela assume a idade.

E foi depois da oficina da Michèle Roberts que fomos todos para a casa de Quentin e Anne Olivier Bell. A residência do casal fica na periferia do vilarejo de Firle, tão solitária que pode ser considerada casa de campo. E a cinco minutos de carro de Charleston.

Foi mágico – que mais posso dizer? Todo o grupo foi lá. Além dos 21 participantes (a única que não pode ir foi Monica Cortés, que tinha prova de faculdade, em Londres), foram também Michèle Roberts e Sue Roe, assim como Sophie MacCarthy, além dos de Charleston – Diana Reich, coordenadora do curso e James Beechey, seu ajudante. Keith Clements, o pintor e biógrafo, marido da Jackie, nossa colega, também.

Chegamos e fomos recebidos pela senhora da casa, Anne Olivier Bell, que nos guiou através da sala até o jardim interno. Ao passar pela sala e avistar a mítica figura de Quentin Bell, sentado em uma poltrona, senti uma fortíssima emoção. Em camisa e calça no mesmo tom azul claro, meias e chinelo, a barba longa e branca como o cabelo. O cachimbo na mesinha ao lado. Foi uma visão rápida e impactante – atravessamos a sala e ganhamos o jardim interno e aberto para um gramado vistoso, uma macieira carregada de frutos ainda verdes, mas crescendo viçosos e a colina verdejante ao fundo.

Depois de recobrar o fôlego do impacto causado pela visão de Quentin Bell, parte do grupo, sem a menor cerimônia, voltou à sala para cumprimentá-lo e fotografá-lo. Apresentei-me como o único latino-americano do grupo. Contei que a biografia dele sobre sua tia Virginia tinha uma boa tradução brasileira e Quentin, com a discreta modéstia dos superiores, disse que sabia que os livros de Virginia estavam traduzidos em português. Os alunos da escola de verão sentados, uns em cadeiras, outros no assoalho sobre o tapete, em torno dele para ouvi-lo, fazer perguntas e receber as mais deliciosas respostas. De pé, à porta que dá para o vasto quintal ajardinado e ligado à verdejante colina, sua mulher, que é tratada simplesmente como Olivier (pronunciado como Olívia). Com ela, também de pé e do lado de fora, já que a sala ficou pequena para tanta gente, Sophie MacCarthy, Diana Reich e James Beechey.

Quentin Bell está com 83 anos. Parece frágil, mas o brilho no olhar cinza-azulado é esperto; sua presença é espirituosa e sagaz; nas duas horas (marcadas no relógio) em que nos entreteve, permaneceu todo o tempo sentado na poltrona. Ele, filho de duas figuras formadoras do Bloomsbury, e crescido no coração dessa matéria, parecia não sacralizá-la. O tempo todo ironiza, como que para nos fazer ver que ninguém era excepcional. Enquanto vai nos contando casos, seus pinotes retóricos e vernaculares, enérgicos e transbordantes de humor, me fazem lembrar um pouco o estilo de sua tia Virginia, que, no prefácio de *Orlando*, com cúmplice ironia assim o inclui nos agradecimentos: 'Meu sobrinho, Mr. Quentin Bell, antigo e apreciado colaborador em assuntos de ficção'. Isso escrito há 65 anos!

"Eles eram brilhantes?", perguntou um dos presentes.

Vi a expressão feliz e reavivada de Sophie MacCarthy quando Quentin nos contou que o avô dela, Desmond MacCarthy, era, do grupo inteiro, o mais brilhante. Virginia, de vez em quando. Mas que nenhum tinha o brilho, o espírito da geração anterior, a geração de Max Beerbohn e Oscar Wilde.

Olivier, de 77 anos, alta, forte de corpo, cabelos grisalhos presos em coque, humor afiado, encostada à porta envidraçada do jardim, filou um cigarro de James Beechey e parecia ligadíssima ao que o marido ia contando. Olivier sorria com algumas tiradas dele e não perdia a chance de provocá-lo. Uma aristocrata ela mesma, neta do Barão Olivier, um dos fundadores da Sociedade Fabiana e que, segundo a história, era o pai das quatro moças mais bonitas (e antipáticas, segundo outros) da Inglaterra no começo do século 20, uma delas a mãe de Olivier. Braço direito do marido na organização da escrita dele, Olivier foi, ela mesma, a editora perfeccionista e incansável dos cinco volumes dos diários de Virginia Woolf.

Mas o grupo continua perguntando e Quentin respondendo. Diz que o jardim de Charleston hoje está irreconhecível, se comparado ao jardim de sua infância e adolescência lá: "Evidentemente, hoje está bem melhor do que o jardim do meu tempo."

Um dos estudantes pergunta por que, com tudo o que se disse e se diz sobre a permissividade sexual dos *bloomsberries*, as camas em Charleston eram todas camas de solteiro? Quentin gostou da pergunta, riu e respondeu qualquer coisa que me escapou, mas que fez todos caírem na risada.

Quentin respondeu as perguntas sobre seu irmão mais velho, Julian Bell, morto na guerra civil espanhola, ao lado dos republicanos; sobre a política do grupo – Leonard Woolf era socialista, Virginia um pouco ('mas ela realmente não era política'); seu pai, Clive Bell, com o tempo tornou-se conservador e até reacionário; sobre o teatrinho que ele e as crianças faziam na casa, como era o dia-a-dia em Charleston – e alguém perguntou se Vanessa e Duncan se importavam com a interrupção das crianças enquanto estavam concentrados pintando. Quentin respondeu que eles preferiam não ser interrompidos, mas que mesmo assim ele, Julian e Angelica os interrompiam. Os mais velhos, em Charleston, eram todos como pais para as crianças. Clive nunca entrava no estúdio.

Bloomsbury recebia ataques de todos os lados e o grupo foi decretado morto pela geração seguinte. Quentin falou de seus três filhos com a Olivier: Julian (que recebeu o nome em homenagem ao tio morto na Espanha), Cressida e Virginia (que tem o mesmo nome da tia-avó). Na despedida, segurei a mão dele e ele apertou gentilmente a minha. Ficamos assim de mãos dadas, olhos nos olhos e, muito emocionado, falei que ia voltar para o Brasil mais feliz por tê-lo conhecido; ele abriu um sorriso de surpresa e ficamos um tempão esquecidos dos outros, embevecidos um com o outro, nos comunicando loucamente com gestos cúmplices, assistidos pelos presentes, também emocionados. Deixei a casa dos Bells como quem acabava de passar por uma experiência divina.

É tanta coisa que nem dá para escrever agora, que já são duas horas da manhã e estou no meu quarto ainda sob o efeito do encontro com Quentin

Bell. Amanhã iremos aqui perto, a Rodmell, visitar a casa de Virginia Woolf, que conheci numa viagem solitária em 1991 em um frio começo de abril, tendo caminhado desde o trecho onde, imagino, ela entrou no rio Ouse para se afogar, e fui seguindo pela margem às vezes pantanosa, todas as longas milhas até Lewes, uma das experiências mais românticas e emocionadas da minha vida desde que fora fisgado pelo espírito de Virginia, tendo naquele mesmo ano, algumas semanas depois, pego o trem para ir passar o meu aniversário em St. Ives, na Cornualha, cidade onde ela, os pais e os irmãos passavam as férias nos verões de sua infância, cenário de seu romance autobiográfico, *To the lighthouse* (*Rumo ao farol*).

Quarta, 7 de julho.

Hoje, quarta-feira, o dia em Charleston foi calmo, sem as fortes emoções de ontem. Pela manhã, em nossa sala de trabalho, assistimos a um documentário sobre Duncan Grant feito pela BBC quando Duncan ainda estava vivo, em 1969, nove anos antes de morrer. Depois tivemos uma palestra com o tema "Changing Reputations", por Richard Shone, seguida de debate. Foi ótima. Shone é hoje tido como um dos grandes críticos de arte da Inglaterra. Jovial, aparentando pouco mais de 40 anos, descontraído, irônico, voz clara e agradável, bem articulado, entendi tudo. Não fala feito metralhadora como a Michèle Roberts. Shone foi editor do *Burlington Magazine* (a antiga revista de arte, líder de todas as outras), tem vários livros publicados, inclusive um de pinturas de retratos do Grupo de Bloomsbury, que terá nova edição em outubro, e, recentemente lançada, uma edição luxuosa sobre o pintor Walter Sickert.

Nos anos 60, quando tinha 15 anos, três anos depois do falecimento de Vanessa Bell, Richard Shone visitou Duncan Grant em Charleston. Tornaram-se amigos até a morte de Duncan. E agora, à nossa frente, ele comenta e eu anoto, telegraficamente:

"Hoje, o trabalho deles (Duncan e Vanessa), talvez não pareça muito bom, mas a idéia do que a casa representou e representa é que é importante. Charleston era uma casa *estrangeira*. De gosto mediterrâneo – francês, italiano." (O forte cheiro de bosta de vaca vindo do curral muito próximo invade a sala enquanto Shone palestra.) Os livros de cabeceira de Duncan Grant eram mais franceses que ingleses. Sartre e Simone de Beauvoir, Albert Camus... E Shone fala de Maynard Keynes na fazenda Tilton, a uns 300 metros de Charleston, agora residência de seu biógrafo, Robert Skidelsky (que estará conosco no sábado). Depois que Keynes morreu, sua viúva, Lydia Lopokova, ex-bailarina de Diaghilev, tornou-se totalmente reclusa. O casal era usura, temia que os quadros fossem roubados e os seis Cézannes ficavam pendurados bem alto nas paredes, praticamente grudados ao teto. Lydia era obcecada por frutas, a casa parecia uma quitanda. Lydia, conta Shone, era chata, pesada, só conversava sobre assuntos que a interessavam: balé, Diaghilev, Nijinsky. No fundo, era uma camponesa russa. Fumava cinco maços de cigarros por dia. A decoração, a mobília pesadíssima.

E Shone continua a palestra: "Virginia Woolf ficou fora de moda nos anos 40 e 50. Voltou à moda nos 60. Vanessa não era nunca criticada por sua pintura, mas sempre no contexto de Bloomsbury. Mas Keynes foi um dos maiores patronos de arte do século. Não dissociava arte de política. Ambas tinham importância semelhante. Leonard Woolf tinha o rosto comprido, as mãos tremiam desde a malária que pegara no Ceilão. Sombrio, não era realmente um personagem do Bloomsbury."

Shone nos conta, então, que ele mesmo trabalhou com Leonard Woolf na Hogarth Press. Empacotava livros, grudava selo, ia ao correio. Mas aí Virginia já estava morta há uns 30 anos. Shone ganhava seis libras por semana.

Eu e outros participantes lembramos do livrinho de Richard Kennedy, *A boy at The Hogarth Press* (*Um garoto na Hogarth Press*). Kennedy, assim como Shone, também foi *office-boy* e *factotum* na Hogarth Press. O livro publicado há 21 anos pela Penguin, conta, do ponto de vista de um adolescente, como eram as coisas na editora de Leonard e Virginia Woolf por volta de 1928, na época da publicação de *Orlando*. Shone não se detém em nossa lembrança e continua:

"Quando Leonard morreu (aos 89 anos, em 1969), Duncan disse que ele já fazia parte da mobília."

O assunto agora é sobre os colecionadores da arte de Bloomsbury. Lembro que um popstar dos anos 80, Holly Johnson, do grupo Frankie Goes to

Hollywood, comprou uma batelada de obras de Vanessa e Duncan, muitas obras famosas. Shone gostou por eu ter virado o assunto para o pop e disse que o Bryan Ferry também.

"Bryan Ferry!?", exclamei. Todos os participantes se voltaram, admirados, para mim. A maioria não sabia quem era Bryan Ferry nem Holly Johnson. Shone disse que Bryan Ferry tem uma vasta coleção de Duncan e Vanessa. No começo dos anos 70, Ferry com sua banda Roxy Music, e mais David Bowie e Lou Reed, entre outros, deram surto a um movimento musical pop chamado *Glamour Rock*, de efeito *camp*. Anos depois, já rico com o sucesso, Ferry deve ter comprado obras de Duncan e Vanessa.

E Shone continua contando: "Eles eram muito pobres, em Charleston. Viviam da venda das obras. Mesmo Clive Bell, que era de origem rica, a família de repente perdeu tudo."

Alguém perguntou se depois da morte de Vanessa, Duncan falava dela para ele, Shone. "Não muito. Duncan não era de explorar os próprios sentimentos. Mas um dia falou. Disse que estava deitado e olhando distraído os quadros de Vanessa na parede e constatou que ela era uma grande pintora." E Duncan sabia de Frida Kahlo? – perguntou alguém. "Sabia", responde Shone, "mas não era muito interessado. Mas ia assistir aos filmes de Andy Warhol. Foi ver a retrospectiva da obra de Warhol na Tate Gallery, em 1971. Simpatizava com a Pop Art, curtia o espírito da coisa. Mas não gostava muito de David Hockney, comparando-o a um menor de seu tempo."

Depois da palestra, na mesa com toalha de padronagem Charleston, vários exemplares do livro de Shone sobre Walter Sickert, para quem quisesse comprar – e ele estava ali para, eventualmente, autografá-los. A maioria dos participantes, da delegação americana, comprou. Diana Reich nos lembrou a todos que hoje era o último dia de Sophie MacCarthy e que deveríamos visitá-la no trabalho, no estúdio ao lado. Fui lá. Bonito. Mas a Sophie estava na cozinha tomando chá e conversando com a Reich. Daí fomos todos (inclusive Richard Shone) almoçar no The Ram, em Firle. Caroline Hillery me convidou a ir no carro dela, um reluzente conversível francês. No caminho fomos elogiando a palestra de Shone.

Depois do almoço, guiados por Peter Miall, fomos ao cemitério onde Vanessa Bell (1879-1961) está enterrada ao lado de Duncan (1885-1978). Richard Shone veio conosco. A seguir fomos a Rodmell visitar a Monk's House, a casa de Virginia e Leonard Woolf que, como já disse, eu conhecia de uma visita em 1991. Fui com Caroline Hillery no carro dela. Acho de uma solidão ir apenas com uma pessoa em seu carro quando é muito mais divertido ir com a turma toda no microônibus.

A Hillery, enquanto dirigia, falava de poetas. Ela ama Keats. Eu disse que atualmente ando gostando de Swinburne. Parece que as mulheres não gostam dele. "Ele era uma pessoa estranha", disse a Hillery. "Gosto dele justamente por isso", retruquei. Falamos de outros poetas, de Byron, Yeats, Rupert Brooke, tudo muito formal. Hillery, então, disse que sem dúvida também sou poeta. Pelo que entendi, a Hillery está separada do marido e vive com os filhos adolescentes em uma casa de fazenda no condado de Durham, no norte da Inglaterra.

Uma coisa que notei entre os 22 participantes da Escola de Verão é que algumas das mulheres são muito carentes. Não a maioria, mas no mínimo umas três. Ao contrário dos homens, que estão aqui para estudar o Bloomsbury, algumas das mulheres estão nessa mais a fim de descolar um romance.

A visita à casa de Virginia Woolf foi uma festa. Mas a Monk's House ficou muito pequena para tanta gente. É uma casa mais modesta que Charleston – mas também, nela só viviam Virginia e Leonard. Enquanto Charleston era uma casa de artistas, pintores, a de Virginia era uma casa de escritores. E em todos os cômodos o forro é muito baixo. No quarto de Virginia, então, tanta gente, dia quente, foi sufocante. Mas as traduções dos livros dela para o português, algumas edições da Nova Fronteira, estão lá, na estante, entre traduções do mundo inteiro, inclusive do Japão. Fiquei feliz ao constatar que a nossa Cecília Meireles estava ali representada em sua perfeita tradução de *Orlando*. E a lombada de *Os Anos* (tradução de Raul de Sá Barbosa) aparece no cartão postal do quarto de Virginia.

Chá e bolo sobre a mesa posta no jardim e muitas fotos. As norte-americanas são deliciosas: Kathy Chamberlain (NY), Betty Givens (Texas), Carla Danby (Califórnia), Sue Sullins (Texas). São muito animadas, interessadas e comunicativas. As outras duas americanas, Mildred Cohn e Ann Canfield são aquelas com quem, até agora, menos comunicação tive. Mildred, com seu corte de cabelo à Louise Brooks, me contaram, tem um apartamento em Londres onde passa três meses por ano.

Do Missouri, Mildred é lobista política. Já a Ann Canfield, que também é do Missouri, até agora, e deve ter lá as suas razões, é séria, introspectiva, fala com pouca gente e nas palestras senta-se sempre à frente perto do conferencista, faz perguntas objetivas e compra sempre os livros mais caros (os grandes, de arte, capa dura). E também, entre as adoráveis norte-americanas, porque afinal ela é do Canadá, Joan Draper, veterana da Summer School de Charleston - esteve também na do ano passado. E como foi?, a gente pergunta. E ela nos conta: "Uma das participantes dizia-se Virginia Woolf reencarnada."

Grandes figuras, essas americanas do norte. E a enfeitada e alegre Betty Givens, que tanto cresceu no nosso conceito depois daquele conto em que, de maiô novo, ela se entrega ao sol, na oficina de ontem, com a já saudosa Michèle Roberts.

Mas então estou no jardim de Leonard e Virginia Woolf conversando com Sue Sullins. O que ela faz? perguntei. É escritora, pesquisadora, conferencista, professora? E a Sullins me conta que não conseguiu terminar nenhuma faculdade. Diz que é uma eterna estudante. E assim como eu, e outros, já estivera antes na casa de Virginia.

Depois da casa da Virginia Woolf fomos para vinhos e salgadinhos na casa de Jackie e Keith Clements em Newhaven, perto de Brighton – aqui é tudo perto. É uma casa de três ou quatro andares e não sei quantos cômodos, todos apertadíssimos e decorados com milhares de miniaturas. E os quadros e desenhos de Keith, inclusive retratos feitos por ele de Duncan Grant e Quentin Bell. E, ainda, jovens nus masculinos. Em nenhum dos cômodos cabiam, juntos, os 21 participantes mais a coordenadora Diana Reich, o curador Peter Miall, o jovem James Beechey e o crítico Richard Shone, além dos donos da casa.

Notei que Richard Shone estava um tanto irônico. Peter Miall, então, mais ainda. Os dois logo foram embora. Os que conseguiram se apertar nos bancos do mini jardim interno tiveram uma conversa emocionante e cheia de espírito sobre origens. Perguntei a Diana Reich a origem dela. Austríaca. E o nome de solteira. Royce. Mas daí Jimmy Smith me chamou e saímos os três, ele, eu e Monica Cortés. Me deixaram em casa e foram se reunir com outros para jantar fora. Preferi não ir, porque se não aproveitasse este anoitecer para fazer uma caminhada solitária pelas colinas, com certeza outra chance não teria, já que a cada dia o social torna-se mais intenso. Amanhã vamos visitar o castelo de Knole e depois Nigel Nicolson (o filho de Harold Nicolson e Vita Sackville-West) em Sissinghurst. E amanhã o dia prático começa duas horas mais cedo, de modo que vou dormir. Passeando pelas colinas, mastigando um pedaço de queijo suíço, Gruyère, que levava no bolso, fiz dois haikais: "Sussex so sexy", e "Sun's going down, down South Downs". Mas nem sei se isso chega a ser haikai. Acho que é mais jogo de palavras.

Quinta, 8 de julho.

O condado de Kent é cenário de muitos romances de aventura de Jeffery Farnol (1878-1952) – um escritor popularíssimo no seu tempo, primeira metade do século vinte, mas hoje praticamente esquecido. Graham Greene, em um de seus livros de memórias, conta que na adolescência devorava os romances de Farnol. Dele li um único livro e adorei, *Peregrine's progress*, de 1922. Descobri o livro em um sebo em São Paulo, nos anos 80.

Comprei-o muito pela sobrecapa e um tanto intrigado pelo prenome do autor, Jeffery, que me pareceu bastante original, já que o comum é Jeffrey ou mesmo Geoffrey. Sobrecapa é aquilo que na Inglaterra chamam de *dust jacket*, capa guarda-pó. Era um volume antigo, de capa dura. A sobrecapa trazia uma ilustração evocativa de tempos mais românticos, não exatamente do século 18, o tempo da ação do livro, mas dos anos 20 do século 20: uma carroça cigana repleta de panelas, tachos de cobre e outras bugigangas que esses nômades transportam e vendem, carroça puxada por um único cavalo; o carroceiro de costas e ao seu lado, de frente para o leitor, sua filha, uma bela jovem de vestido florido, lenço vermelho no pescoço, chapéu com fita da mesma cor, conversando com um rapazola de perfil, ao qual deram carona. Ele, de chapéu e paletó escuros, camisa branca aberta no peito, calça justa e de comprimento pouco abaixo do joelho remendado, meias longas e sapatos gastos. (Essa sobrecapa pode ser vista pela Internet em algum *site* dedicado a Jeffery Farnol.) É uma cena evocativa de verões há muito idos, de muitas décadas antes de eu mesmo ter nascido, e me fez sonhar com um mundo bem mais romântico – ciganos, carroças, namorados, tachos de cobre e remendos.

O enredo desse livro, ainda hoje encantador, se passa na região onde estou nestes dias – Kent, Surrey e Sussex. E o fato de estar neste exato momento dentro de um microônibus indo de Sussex para Kent, me faz lembrar o livro de Farnol, que como eu, aliás, foi um escritor autodidata. Além de suas aventuras, com forte tônica sobrenatural, centradas nesta região, ele escreveu também histórias de piratas, romances passados na América do Sul, em Nova York, teve livro filmado por Hollywood com Douglas Fairbanks Jr, e seu livro mais famoso, *The broad highway*, foi *best seller* quase 50 anos ininterruptos.

Mas se agora estamos em Kent, não é por causa de Jeffery Farnol e sim por outra aventura literária, pois aqui também fica o cenário principal do delicioso *Orlando*, de Virginia Woolf, o qual, aliás, já li cinco vezes. Agora o ônibus atravessa a cidade de Tunbridge Wells e da janela avisto um pôster desbotado de Marilyn Monroe em uma loja de quinquilharias. E chegamos à região de Sevenoaks, onde fica o castelo de Knole, que foi a sede residencial dos Sackville-West.

Está no livro-guia: Knole é uma das maiores e mais belas casas baronais da Inglaterra desde tempos ancestrais. Em junho de 1924, Virginia Woolf foi com Vita Sackville-West jantar com o pai desta e conhecer o lugar. Woolf escreveu no seu diário: "Knole é um conglomerado de edifícios tão grande quanto Cambridge, creio; há 100 anos que os moradores não se sentam para jantar no salão nobre. Depois, há o altar de Mary Stuart, onde ela rezou antes de ser executada. 'Foi um antepassado nosso que lhe levou a sentença de morte', disse a Vita. E em sinal de reconhecimento pela cortesia com que ele desempenhou esse doloroso dever, Mary Stuart ofereceu-lhe um tríptico de madeira talhada com santos e a subida para o calvário, que ainda hoje se conserva na capela de Knole."

E continua Virginia no diário: "Todos esses antepassados e séculos, e prata e ouro, produziram um corpo perfeito. Com o cenário e preparativos sinto que esta casa, ou a de Ottoline [Morrell], ou a de qualquer aristocrata que conheço, é a perfeição. Mas a pessoa fica à espera e não acontece nada."

Virginia não esperou. Inspirada na amizade com Vita e no estonteante cenário de Knole escreveu *Orlando*, uma declaração de amor em forma de biografia altamente *camp* desta Sackville-West que, personificada em "Orlando", primeiro como homem e depois como mulher, atravessa quatro séculos da história inglesa (e de Knole), desde os tempos da Rainha Elizabeth I, que freqüentou o lugar, até os dias em que a própria Virginia termina e data o livro.

E agora, 65 anos depois, nós, participantes do segundo ano da Escola Internacional de Verão de Charleston, estamos aqui, quase chegando ao castelo de Knole, porque hoje é o dia de *Orlando*.

Toda a entrada quilométrica que antecede a chegada ao castelo é espetacular e verdejante. Bandos de veados, com altos chifres galhados, soltos pelo parque. Saudáveis, bem alimentados, e firmes como feixes de nervos. O grande vazio – só o nosso grupo – faz com que sintamos um ar mais puro, mais fresco e delicioso sob as árvores frondosas. É pleno verão e ao sol sente-se realmente o calor da estação. Na entrada deste parque e desta maravilhosa reserva de árvores altas e antigas da Inglaterra que é o antigo feudo de Knole, vou notando troncos gigantescos pesadamente espalhados pela relva.

Anne Hughes, sentada ao meu lado no último banco do microônibus e com o *The Guardian* do dia no colo, me conta que foi um furacão, no outono de 1987, que arrasou Kent derrubando mil árvores e dando origem a uma piada que diz que o furacão foi tão terrível que até mudaram o nome do lugar, de Sevenoaks (Sete Carvalhos) para One Oak (Um Carvalho). Que, segundo a piada, foi o único que ficou de pé. Mas não. Embora fossem muito mais de sete carvalhos derrubados e, mesmo seis anos depois, toras e troncos ainda estarem no chão criando uma beleza desolada, o que se avista é uma infinidade de árvores majestosamente eretas. Anne Hughes me conta que o povo esperou que o preço dos móveis baixasse, tamanha e inesperada fartura de madeira, mas tal não se deu, porque as toras, ainda que serradas, continuam no lugar da queda.

O castelo é tão grande que dizem ter 375 cômodos. James Beechey nos lembra que em *Orlando* Virginia Woolf faz referência a isso. Peter Miall, que nos monitora, fala do monograma da família nos móveis enquanto atravessamos os imponentes quintais. O castelo, que é pós-medieval, teve sua época mais feliz no tempo de Lady Sackville, mãe de Vita, que o modernizou com luz elétrica, aquecimento central, etc. Mas o gosto é pesadão, criando uma atmosfera claustrofóbica, cansativa e irritante. Milhares de telas, retratos de todos os tamanhos, pintados por Reynolds, Van Dyck, Gainsborough, mostrando a nobreza e os titulares de Dorset (a família Sackville). Aqui e ali é repetido o lema da família, 'honni soit qui mal y pense' (em francês: maldito seja quem pensa mal), da Ordem da Jarreteira. Mas como eu dizia, Peter Miall nos conta que a mãe de Vita gastou uma nota para modernizar as condições de conforto do castelo.

É tudo tão vasto que, em momentos de solidão, em lugar tão nobre, constato que a minha própria postura assume, naturalmente, a de um par da corte. A idéia em si me diverte. De resto, e, como bem expressou a mais jovem do nosso grupo, a espanhola Monica Cortés, a atmosfera é sombria. Uma das mesas, do século 17, de volumosa madeira de lei, é duas vezes mais longa que a que meu irmão Leopoldo fez, em Ribeirão Preto, encomendada por um conhecido seu, de exasperante pretensão.

Percebo que um dos participantes de nosso grupo, Ralph Drake, de Cleveland, Ohio, sempre o mais brincalhão, hoje, talvez se imaginando descendente de outro Drake, o pirata Francis Drake, cujo retrato a óleo está numa das galerias de Knole, está sério, reverente.

Em outra sala, nessa galeria de personagens retratados, há a Rainha Charlotte, por Reynolds; e Thomas Sackville (1536-1608), o primeiro conde de Dorset, estadista e poeta, 'o favorito de Elizabeth I' – está lá na legenda.

A escultura da amante de um dos Sackvilles, nua, e que além de apetitosa – a bunda, os seios – deve ter deitado e rolado, pelo que denota no semblante de alpinista social, mesmo naquele tempo.

O epitáfio escrito por Pope, um poema, para o Conde de Dorset. E agora passamos todos ao quarto de dormir de Lady Betty Germaine – e, por coincidência, estou ao lado de nossa Betty Givens, a texana do conto *sexy* na oficina da Michèle Roberts. La Givens hoje está paginada de perua de castelo. E nos entregamos a uma descontraída intimidade de diletantes e cúmplices. Pergunto a ela se o nome de Betty Germaine não lhe inspira um conto delicioso, como que sugerindo que o escreva. Ela ri, adora a idéia. Nisso, Peter Miall nos conta que Lady Betty Germaine era tão amiga da família, tão de casa, que quando vinha nunca ia embora, e que por isso até prepararam uma suite só para ela com o seu nome inscrito na porta.

Paredes forradas de madeira entalhada, tudo escuro. Os móveis, as cortinas, tudo caríssimo, mas pesadão. Os meus colegas estão deslumbrados. Menos Jimmy Smith, do Novo México, que deixa escapar: "Eu não viveria em um lugar assim; em pouco tempo ficaria *nervoso*."

E agora entramos no salão de bilhar. Fico a imaginar Vita convidando Virginia, coitada, para uma tacada. E continuamos explorando os interiores de Knole. Em uma das salas, que grande reconhecimento!, está exposto em uma redoma de vidro o manuscrito de *Orlando*, que Virginia deu para Vita e que depois da morte desta – quando Knole já há tempo estava sob os cuidados do National Trust – passou a ficar honrosamente exposto. É um caderno sóbrio, de capa dura, grande e grosso, páginas não pautadas, e Virginia – e que bela caligrafia, miúda, mesmo na evidência da escrita rápida – só escrevendo nas páginas da direita, deixando em branco as da esquerda para acrescentar e fazer anotações posteriores. E sempre deixando, mesmo nas páginas da direita, uma boa margem – mais espaços para anotações posteriores, se preciso.

Jackie Clements chama nossa atenção para a página exposta: é a de um dos episódios mais memoráveis de *Orlando*, a passagem que conta da grande nevasca que congelou o país.

Depois de outra circulada solitária pelos aposentos do castelo, volto a encontrar Betty Givens e, que coincidência!, em mais um dos cômodos de Lady Betty Germaine, o cômodo das porcelanas chinesas, e o nome da sala é Lady Betty Germaine Closet China.

Em outra galeria, que boniteza de moço, retratado maior que o tamanho natural! Trata-se de o IV Duque de Dorset que, segundo Peter Miall, morreu logo depois de seu retrato ter sido pintado por Saunders. É o quadro em cuja frente mais demoro para prazerosamente apreciar. Porque é alegre e nada sombrio.

Mas chega de interiores históricos. No geral é sufocante, não gosto. Saímos, alguns. Do lado de fora é bem melhor. O exterior de Knole, por se tratar de natureza, e magistralmente cuidada, reflete mais a Eternidade e prefiro esta à História. O dia, à sombra, está fresco – os ingleses do grupo reclamam que está frio e ventoso, mas é assim que me sinto bem, na Inglaterra. E retornamos ao microônibus para irmos a Sissinghurst.

Sissinghurst, 14h, mesmo dia.

Sissinghurst é outro astral. Não é um castelo grandioso quanto Knole, é mais um *château* no estilo francês. Nos pareceu mais natural, claro, delicado, gasto, lindo. E é nele que fica o aglomerado de jardins, considerados os mais belos da Inglaterra. Jenny Thompson, a participante inglesa que me adotou como seu protegido, me convida a ir com ela explorar os jardins, logo me conduzindo ao mais famoso deles, o jardim branco, The White Garden, que, fazendo jus ao nome, é todo só de flores brancas de mil espécies.

Confesso que nunca tive muita paciência com jardins abundantes de perfeição. A beleza e o arranjo formal dessas flores me dá outro tipo de claustrofobia. Mas Jenny adora jardinagem. Por isso, e sendo ela tão fina e atenciosa, me ligo na chave elegante procurando não decepcioná-la, tentando disfarçar o tédio e fingir interesse. De fato, as flores são tantas e tão perfeitas e esquisitas, como se parentes ricas de flores mais simples que conheço, de jardins menos maravilhosos e dos quais gosto mais. Mas não vejo a hora de atravessar o portal e passar para outro dos sete jardins e acabar logo com essa farsa. Jenny me convida e vamos tomar um chá com bolo na lanchonete.

Depois do chá com Jenny, encontro Jimmy Smith, que me convida para subir à torre onde fica o estúdio, privadíssimo, de Vita Sackville-West. O estúdio da Vita, imortalizado numa foto célebre, é agora fechado por uma porta de grades de ferro que faz com que só seja possível apreciá-lo de fora. Prático, como bom americano que é, Jimmy me chama para acompanhá-lo até a torre, que tem uma vista de 360 graus para os sete jardins e os campos a perder de vista. Assim, não precisamos nos deter em cada um dos sete jardins – lá da torre a gente já dá uma geral nos sete. Feito isso, descemos e fomos até a antiga estrebaria, agora uma galeria, onde fica a exposição permanente de fotos desde que Vita e o marido compraram o castelo, na época em total abandono.

Peter Miall, Diana Reich e James Beechey nos conduzem, através de um portal simples, com a placa PRIVATE, passando por um quintal ajardinado – que bem poderia ser qualquer quintal, meu, seu – e entramos na sala de estar onde Nigel Nicolson já estava de pé para nos receber. Nigel é um senhor alto, forte e expedito, 76 anos e, embora trajando roupa gasta, é sem dúvida um aristocrata. É o caçula dos dois filhos de Harold Nicolson e Vita Sackville-West. E ele, no comando, manda que nos sentemos. Ajeitamo-nos entre sofás, poltronas e cadeiras de lona postas na sala para esse encontro. E ele, de costas para a lareira (desligada, claro, já que era verão), começou assim:

"Vocês vieram de milhas e milhas e milhas distantes e eu só tive que descer a escada."

Riso geral e descontração. A sala, para sala de castelo, até que me pareceu convencional. Poderia ser a de um senhor de classe média alta, de bom gosto, mas nada ostensivo. E sem fitar nenhum de nós em particular, mas ligado na palestra que tinha não no papel, mas na cabeça, Nigel começa. E começa contando dos jardins de Sissinghurst:

"Meu pai projetou e minha mãe plantou. O romantismo de Vita e o classicismo de Harold. Vita, flores, flores e flores. Harold, os vasos, os canteiros e o resto. Vieram para cá em 1930. E aqui viveram o resto de suas vidas. Vita morreu em 1962. Harold seis anos depois. Vim para cá criança, com 13 anos. Não havia jardim, mas lixo acumulado de vários séculos. Eu e meu irmão [Ben] colaboramos. Éramos muito laboriosos. Papai plantou bambu, tentou fazer uma cerca de bambu no fim do jardim, à margem do rio, mas não pegou."

Nigel Nicolson está vestido na linha casual esportivo surrado: paletó creme sobre camisa branca com listas verdes bem separadas; calça cinza clara (ele tem uma barriga notável); os pés grandes como a maioria dos ingleses, em tênis branco muito usados. Alto, rosto sangüíneo, corado de verão, calvo no topo da cabeça, cabelos em desalinho. Percebo que ele deve ter feito a barba às pressas, porque sobrou um tufo de pelos entre a base do nariz e o lábio superior.

"Virginia e minha mãe foram amigas até a morte de Virginia, em 1941. Ela podia ser alarmante, todos do grupo de Bloomsbury eram. Me lembro, eu tinha dez anos, que Virginia era muito engraçada. Ela nos pedia para contar histórias. Era extremamente gentil e nos dava pistas: 'Nada acontece até ser descrito'."

Os diários. "Ela fez histórias sobre as nossas histórias. Ela me pedia: 'Me conte de sua professora de Francês, como ela é, como ela dá aula?' Virginia nos treinou em descrição. Ela adorava borboletas. 'Como é ser criança?', perguntava. E nós, crianças, respondíamos: 'Virginia, você sabe como é, porque você já foi criança.' E ela: 'Mas conta o seu lado, porque nunca cresci.' Minha mãe dizia que se um dia Virginia amadurecesse, ela seria política. Um dia, viajávamos num ônibus, e ela conosco inventou uma história sobre a vida do motorista. Ela era brincalhona. Sabíamos muito pouco o que acontecia na cabeça dela, o gênio."

Nigel continua contando: "Virginia e minha mãe, vocês todos sabem, se apaixonaram. O romance durou três anos e meio. Foi um caso físico, nenhuma dúvida a respeito. Foi a primeira e única vez na vida que Virginia teve um caso extraconjugal. Vita já era acostumada. Virginia era dez anos mais velha que minha mãe. Meu pai disse a Vita: 'Cuidado, você pode estar atiçando fogo num barril de pólvora'. Nas crises de loucura, Virginia odiava os que a amavam muito. No período do caso com Vita, Virginia era muito ciumenta. Tinha muito ciúmes de Mary Campbell (a poetisa sul-africana casada com Roy Campbell). Virginia achava que Vita a estava trocando por uma mulher mais jovem."

Nigel é afetado, mas simpático. Às vezes dá a impressão de respeitar mais a Virginia que a própria mãe. E continua: "Meu avô, Lord Sackville morreu. Vita adorava minha avó. O retrato dela está ali (aponta), desenhado por John Singer Sargent. Meu avô, honrado, honesto, doce, egoísta, criado com grande riqueza, foi primeiro-ministro. Morreu em 1928, no período em que Virginia escrevia *Orlando*. A morte dele fez acontecer uma mudança no livro. Porque Vita nunca mais foi a Knole. Ela só voltaria 30 anos depois, uma única vez, com uma chave do jardim. *Orlando* foi um prêmio de consolação."

Sobre *Orlando*: "Há, no personagem, muito pouca diferença entre os dois sexos. Orlando é andrógino, não hermafrodita. A reação do personagem ao mundo lá fora é a mesma, quando ele é homem e quando vira mulher. Ele, ela, sempre um grande romântico, aventureiro, a casa, os amigos. O longo poema *O carvalho*, que Orlando levou 300 anos para escrever, era *The land* (*A terra*), o longo poema que Vita escreveu e reescreveu durante anos a fio e que foi publicado em 1926, dois anos antes de *Orlando*, e que deu à minha mãe o famoso prêmio."

Sobre o filme *Orlando*, lançado alguns meses antes desse nosso encontro: "Vi o filme duas vezes. É uma pena não ter sido feito em Knole. A atriz [Tilda Swinton] está muito solene. Ela não é nem garoto, nem garota, nem masculino (quando garoto), nem feminina (quando mulher). Nem jovem. A cena mais bonita é a do gelo no Tâmisa. A atriz que faz Sasha [Charlotte

Valandrey], a princesa russa, é encantadora. A cena do funeral da Rainha Elizabeth I [papel feito por Quentin Crisp] é uma das mais belas cenas cinematográficas que já vi. Mas o filme tem liberdades excessivas, terminar a história em 1992 foi um exagero. O ator que faz Shelmerdine [Billy Zane] foi outro erro de escolha" – e aqui Nigel aponta, na parede, o Shelmerdine ideal, um retrato a óleo, antigo, que Vita e Virginia um dia, passeando por uma rua, descobriram e Vita comprou por uma bagatela, dez libras, o retrato de um jovem inglês, belo, louro e romântico, andrógino, mas viril. A tela não é assinada e o pintor nunca foi identificado.

Ainda sobre *Orlando*: "Os erros do livro, as fantasias. No livro, já que a ação atravessa quatro séculos, Virginia ignorou outros acontecimentos, as guerras na Europa, Napoleão..."

E Nigel volta a falar de Sissinghurst. Diz que quando a família veio para o castelo, no princípio ele o odiava. Não tinha água encanada – era água de poço e ele estava acostumado ao conforto das embaixadas (o pai diplomata). Nigel nos conta que agora tem seis netos. E o jardim, dez mil espécies de flores, sete jardins diferentes – e ele nunca se interessou muito por flores. E guinando, agora nos convida a uma mudança de cenário. E vamos, cada um carregando sua cadeira, para o quintal-pomar ao lado de sua sala, um recanto (ele explica) que não é aberto aos turistas, é um quintal particular, dele. E à sombra da amoreira nos servimos de vinho branco. Estamos todos agora sentados enquanto o anfitrião continua: "Nossa vida aqui era uma vida de regime severo. Meus pais já não tinham muito dinheiro. De manhã, os estudos e depois do almoço, trabalhávamos no jardim. Às três horas estávamos livres. Desaparecíamos, cada um na sua. Só voltávamos a nos reunir para o jantar."

Breve história do casamento de Vita Sackville-West e Harold Nicolson: Harold era diplomata e Vita duas vezes Sackville-West (a mãe e o pai eram primos e ambos Sackville-West). Vita e Harold se casaram em Knole, 1913. Mas foram morar perto, em Long Barn, um *cottage* de sete dormitórios e cinco banheiros. O casal tinha três serviçais e dois jardineiros. E os filhos. Primeiro nasceu Benedict (Ben) em 1914, ainda em Knole; quase três anos depois, ele, Nigel, em Londres, 1917.

Vita e Harold eram homossexuais. Vita, por conta do sangue espanhol da avó Pepita, estava sempre amando alguém. Era uma lésbica apaixonada – existe até um pequeno texto dela onde lamenta não ter nascido homem. Mas foi um casamento feliz, excetuando-se algumas crises de percurso, como a vez em que Harold pegou uma gonorréia por causa de uma aventura homossexual no estrangeiro, deixando Vita arrasada, e uma crise mais forte quando Vita fugiu para o continente com sua amante, Violet Trefusis, também casada. Esse escândalo meio que abalou a aristocracia inglesa e chegou a ameaçar os alicerces de Knole. O romance entre Violet e Vita durou pouco mais que três anos. De resto, o casamento de Vita e Harold foi perfeito e durou 50 anos – até a morte de Vita, aos 70. Foi perfeito porque as duas partes se entendiam, se aceitavam e, quando preciso, um acudia o outro nas fraquezas.

Vita conheceu Virginia Woolf em 1923, um ou dois anos depois de terminado o caso com a Trefusis. Vita e Virginia foram apresentadas em uma festa, por Clive Bell, cunhado de Virginia. Clive, bem nascido, brilhante homem de sociedade, não era homossexual, mas amigo de todos – e do Bloomsbury um dos mais independentes. E muito mulherengo. Se dava bem com Vita porque ela também era mulherenga.

O caso entre Vita e Virginia está explicado detalhadamente nas várias biografias e ensaios sobre ambas e, explicitamente, nos diários de Virginia e nas correspondências entre ela e Vita. Consta, e isso é o próprio filho de Vita quem agora nos conta, que elas foram para a cama apenas duas vezes (investida de Vita), mas a amizade durou até o suicídio de Virginia, aos 59 anos, em 1941, com fases de maiores freqüências e períodos de afastamento. Sobre a primeira impressão uma da outra, Vita escreveu ao marido – em serviço diplomático no estrangeiro – ter achado Virginia a mais deliciosa das criaturas, bela, embora velha (40 anos). Virginia, por sua vez, mal chegada em casa e ao seu quarto correu ao diário e registrou: "Vita tem traços de uma uva demasiado madura, bigoduda, tendência à papada e com as cores de um periquito".

O resto é história e alguns outros lances dessa história nos serão contados daqui a pouco. Quanto ao currículo de Nigel Nicolson, consta: co-fundador da editora Weidenfeld & Nicolson (que ganhou processo nos anos 50 ao publicar *Lolita*, de Nabokov), foi membro do parlamento, editor e autor de muitos livros de história, política, arquitetura e literatura. Entre suas obras, *Portrait of a marriage* (*Retrato de um casamento*), sobre as personalidades de seus pais (parte desse livro são textos de Vita), que se tornou um clássico moderno sobre um casamento estranho para os padrões, mas um dos mais duradouros de que se tem notícia. Lançado em 1973, o livro tornou-se um *best seller* mundial e é constantemente reeditado na Inglaterra.

Nigel Nicolson foi também, com Joanne Trautmann Banks, co-editor dos seis volumes das cartas de Virginia Woolf, assim como o autor de *The world of Jane Austen*. Mas e ele mesmo, filho de um casamento tão pouco comum, como foi que se casou? No livro ele conta: "Meu irmão Ben e eu, ambos casamos, tivemos filhos, mas nossos casamentos, apesar do exemplo que este livro registra, não duraram; a natureza nos deu um talento maior para a amizade do que para a coabitação, um talento maior para a paternidade do que para as amarras do casamento".

E aqui voltamos ao seu quintal no castelo de Sissinghurst. E Nigel nos conta: "A amoreira foi plantada em 1960, dois anos antes de mamãe morrer. A mesa em torno fui eu que inventei (é uma mesa sextavada, cercando o tronco da amoreira, que a atravessa por um furo circular no centro). É para 12 pessoas. Vocês podem fazer uma igual nos seus quintais. Vocês têm quintais?" Alguns respondem que sim. Kathy Chamberlain conta que em Long Island... "Ah, você é de Long Island?!" Nigel diz que tem uma filha em Long Island. Ele vai visitá-la ou ela e a família vêm visitá-lo uma ou duas vezes por ano. E rola entre Nigel e a Chamberlain um diálogo engraçado a respeito de jardins e quintais em Long Island. Carla Danby, da Califórnia, pergunta a Nigel o que ele sentiu ao ler a correspondência dos pais para o livro que editou recentemente. E ele: "Cresci acostumado com isso. Quando era criança uma senhora me perguntou: 'Suponho que você sabe que a Virginia Woolf ama a sua mãe?' E Nigel respondeu: 'Claro, todos nós a amamos'."

"E Leonard Woolf?" – alguém pergunta. Nigel responde:

"Imprevisível. Podia, de repente, ser muito feroz. Gritava com os empregados. As mãos eram trêmulas, não podia segurar direito um copo. (E segurando o copo de vinho, Nigel nos mostra, imitando as mãos trêmulas de Leonard Woolf.) Era um homem notável. Se não tivesse sido marido de Virginia teria sido famoso."

Conversa vai, conversa vem, Nigel nos conta agora da ternura incomum de seu pai por sua mãe. "E os pais conheciam bem os Sitwells?" pergunta alguém. E ele responde: "Não muito, realmente. Edith [Sitwell] criticou o livro de minha mãe [*The land*] chamando-o de 'jogos poéticos'. Os Sitwells eram arrogantes."

"*Orlando* foi o livro de Virginia que mais vendeu, 25 mil cópias na primeira semana. E muito mais, depois, nos Estados Unidos. É um livro fácil de ler. Não consigo ler os outros romances dela."

"E a reação da família, quando o livro saiu?", alguém pergunta.

"Minha avó ficou horrorizada", responde Nigel.

Em *Retrato de um casamento* há um trecho em que Nigel colhe um depoimento do irmão, Ben, quando, em 1933, aos 18 anos, fez uma visita a avó, então vivendo sozinha em Brighton. Lady Sackville, sofrendo as vicissitudes da velhice, tentou envenenar a mente do neto, contando o caso da mãe, que abandonara o marido e os dois filhos pequenos para fugir com aquela *Circe* [Violet Trefusis], e de como, alguns anos depois, uma outra mulher entrou na vida de Vita, "Aquela senhora Woolf, que escreveu naquele livro sobre como sua mãe mudou de sexo, arruinando a reputação e quase acabando com o casamento de Vita".

Em seguida, Lady Sackville passou a falar de Harold, o genro, descrevendo os garotos que ele teve por amantes na Pérsia e em todas as capitais do mundo onde serviu. Depois, achando ter ido longe demais, Lady Sackville pediu ao neto que não comentasse nada com os pais. Mas Ben, de volta a Sissinghurst, no jantar, só os três – Nigel estava em Eton – contou tudo aos pais. Os pais ficaram passados. O pai não negou nem confirmou. Foi Vita que, mais tarde, sentada à cama do filho, disse que tudo era verdade, exceto a parte sobre Virginia "arruinando o casamento dos pais".

Mas agora é hora de mudarmos novamente de cenário, e Nigel nos chama a uma *promenade* ao gabinete de trabalho de Vita, na torre do castelo. E subimos até lá. Nigel vai nos contando que, nos 30 anos que viveram em Sissinghurst até a morte da mãe, ele entrou apenas seis vezes no local de trabalho dela. Era um santuário, ninguém tinha permissão de entrar lá, só ela. Mesmo hoje, nunca é aberto a visitas. Estas têm que olhar do lado de fora, por isso foi feita a grade de ferro. Mas a nós, por uma deferência toda especial (a Charleston, ao Peter Miall, a Diana Reich) e para horror da guarda da torre, entramos.

Foi como atravessar a porta mágica e entrar na lenda. E Nigel torna a lenda ainda mais viva e real, ele próprio nos mostrando: a mesa de trabalho de Vita, as estantes, as pedrinhas que Vita colecionava, as coisas usadas, os porta-retratos sobre a mesa de trabalho – são três: um com o retrato de Harold, outro com o de Virginia (da época em que elas se conheceram) e, no terceiro, a imagem de uma das três irmãs Brontës.

Os livros – e Nigel tira da estante o volume de *Orlando*, com a dedicatória simples e seca de Virginia, assim: "Vita from Virginia", e a data: "11 de outubro de 1928". E Nigel nos mostra a última página, as palavras finais, que é a mesma data da dedicatória, ou seja, como a autora era dona da editora (Hogarth Press), a primeira pessoa a quem ela mandou o livro foi para a musa, no momento em que acabou de ser impresso. E Nigel nos mostra também um pequeno recorte de jornal que Vita colou no interior da contracapa: "*Orlando* é o melhor livro escrito por Rebecca West" – erro do articulista, risada geral.

E nesse prazer de nos mostrar pérolas, Nigel apanha outro belo volume, outra primeira edição (à primeira vista, pela capa) de *To the lighthouse* (*Rumo ao farol*) com a dedicatória de Virginia para Vita: "The best book that I ever wrote" (o melhor livro que já escrevi). Nigel vira as páginas, todas em branco! Foi uma brincadeira, uma piada muito particular entre amigas íntimas. E o livro em branco está ali, na galeria de honra ao lado dos poetas, a obra completa de Shakespeare, as obras de Stephen Spender.

E ele pega um de Spender dedicado a Vita. E nos conta que emprestou ao Spender (a pedido deste) as cartas que o poeta escreveu para a Vita e ele nunca as devolveu. Diana Reich conta que amanhã Stephen Spender vai estar conosco em Charleston, e pergunta se Nigel gostaria que ela lembrasse ao Spender para devolver as cartas. Nigel responde que não. Que não quer nada "com esse tipo de gente". E mais, muito mais. Mas o tempo se esgota e voltamos ao quintal-pomar para as despedidas. Pediu que o ajudássemos a levar as cadeiras para o vestíbulo – ele próprio apanhou duas cadeiras e eu o segui com mais duas, os outros fazendo o mesmo. Nigel as punha de pé, encostadas à parede, dizendo para eu não ligar que a última cadeira sempre cai.

Sexta, 9 de julho.

Das 11h30 às 15h30 tivemos, com o tema "How to decorate in the Charleston style" (Como fazer pintura decorativa no estilo de Charleston), um *workshop* prático com o artista Robert Campling, que é muito jovem. Campling primeiro nos contou as experiências dele ligadas ao estilo Charleston – experiências iniciadas aos 17 anos numa visita que fez à casa. Falou de têmpera e espontaneidade: "Se algo sai errado, não sofra, você sempre pode mudar."

Depois começou a pintar uma cúpula de abajur; primeiro, o esboço, a lápis, no branco da própria cúpula. Campling nos mostrou a emenda da cúpula, nos lembrando que ela deve ficar sempre escondida, voltada para a parede; e o desenho que se quer mostrar, a parte principal, se houver parte principal, à frente. E com aquarela acrílica, pincel, um prato, vai misturando as tintas e criando tons. E com o pincel vai cobrindo os traços que fizera a lápis, até a cor, espalhada, ir ficando mais fraca no centro. E Michael Zweig pergunta se na parte mais clara não há problema se aparecerem os riscos a lápis. Campling responde que realmente não se importa com isso. A esta altura, Caroline Hillery se levanta, pede licença e sai. Depois de ela ter se retirado, Jenny explica ao nosso mestre que a Hillery teve que sair para ir ao funeral da avó (93 anos) em Winchester.

Depois, para cobrir outros traços, Campling pôs mais um pouco de vermelho, criando um alaranjado mais escuro. Uma gota de cor cinza, da mais escura, no prato e ele, com o pincel, mistura com um pouco de alaranjado para relevar os traços. Campling diz que nunca usa preto – e desenha três peixinhos que vagamente me fazem pensar em helicópteros. Um toque de azul em um pouco d'água. "Tudo pode ser corrigido", diz, enquanto pincela.

Hora do chá. Na volta, cada um pega uma cúpula em branco, lápis, pincéis, pratos, tintas, água, para misturar as cores e começar. Campling indo a cada um que o chama para esclarecer dúvidas. Fui o único a pintar uma figura humana, a silhueta de uma mulher nua, roliça, com pano, almofadas, vasos, inspirado em Matisse e Duncan Grant. Daí Diana Reich entrou para nos interromper para o almoço – o de hoje foi uma variedade de queijos, vinhos, baguetes, uma delícia. Depois voltamos para ver nossos trabalhos.

Todos ficaram ótimos e bastante originais, dentro do estilo de Charleston.

O de Ralph Drake me lembrou Miró; gostei das *feulles mortes* e das cores de Monica Cortés; de Betty Givens eu esperava algo mais sensual, mas saiu muito contido, algo para a sala de uma *lady*, em estilo japonês; o meu foi muito elogiado pela exigente Dianne Hubbard. Eu queria terminá-lo, mas Jenny, me puxando, disse que era melhor deixá-lo como estava, que todos os grandes artistas – e citou Picasso como exemplo – deixam muita obra inacabada; Jimmy Smith, quando voltou do almoço em Lewes, disse que o melhor trabalho era o de Jenny Thompson – e ele não sabia que era dela – e que o segundo melhor era o meu – que ele também, até então, não sabia que era meu. Que pela parte da frente, eu sem dúvida era um artista, mas que a parte de trás destruía essa impressão. Que havia algo de errado ali e que eu deveria ao menos ter disfarçado.

Depois da oficina com Robert Campling, Diana Reich nos liberou para fazermos as compras de despedida na loja de Charleston. Não deu para comprar a sonhada caneca de Sophie MacCarthy, mas, por nove libras, dela comprei um azulejo (assinado nas costas) – minha primeira aquisição de arte, digamos assim. E cartões postais bloomsburianos. E me senti ótimo, porque nunca fui consumista, preferindo deixar as coisas onde elas estão, carregando o mínimo de peso possível.

Jenny, para ela mesma, comprou um vaso de cerâmica, uma caixa para guardar coisas e me deu de presente um saquinho de sementes de uma papoula vermelha. Os americanos mais ricos, como a Mildred Cohn e Jimmy Smith, por exemplo, compraram praticamente metade da loja. Depois das compras, James Beechey nos liberou para irmos explorar, sem guia, toda a casa. E que delícia ver tudo sem guia, estar sozinho nos quartos, no de Vanessa, no de Duncan, no do Clive, do Keynes, nas salas, na biblioteca, no estúdio de Duncan... E depois de a gente meio que brincar explorando a casa mágica, fomos chamados para o encontro com Sir Stephen Spender.

Ele veio acompanhado da esposa, Natasha. Para o encontro também vieram Anne Olivier Bell e o filho Julian. Na pequena sala, Natasha Spender, Olivier e Julian sentaram-se atrás de mim.

Stephen Spender é alto, curvado (nasceu em 1909, estando, portanto, com 84 anos), elegante, terno cinza escuro com jeito de novo, camisa de listas em tom rosa claro, sapato preto, cabelos bastos e totalmente grisalhos, voz trêmula, sorriso bom.

Spender trouxe a palestra escrita num caderno espiral parecido com este em que escrevo. O tema da palestra é "Recollections of Bloomsbury" ("Lembranças de Bloomsbury"). Ele a inicia falando do recém-lançado terceiro volume dos diários (de 1963 a 1966) de Frances Partridge. Segundo Spender, a Frances Partridge, que está com cerca de 93 anos, conta melhor de Bloomsbury que Virginia Woolf nos diários dela. Spender compara Virginia ao gerente do banco – era ela quem dava credibilidade a Bloomsbury.

Bloomsbury era conversação e civilização. "Mas sempre me questionei sobre civilização. Para mim a palavra significava Grécia Antiga ou Roma. Uma palavra desafiadora, civilização."

E Spender continua: "Obras-primas: os romances de Virginia, os *Eminentes Vitorianos* de Lytton Strachey, *Howards End* de E. M. Forster, as críticas de Roger Fry... Mas para mim", diz, "defendo mais Bloomsbury como diálogos sobre civilização. Eram pessoas conversando, trocando idéias, era conversa o tempo todo."

E continua: "A civilização grega foi superior à romana, os gregos conversavam. Sócrates, Platão, os diálogos. E as obras-primas que saíram desses diálogos..." Do Bloomsbury: "A economia de Keynes, as obras de Virginia, Forster, a filosofia de G. E. Moore – *Principia ethica* – se é que alguém já a leu (ele brinca). T. S. Eliot de *The waste land* (*A terra devastada*); não sei se Eliot pode ser considerado Bloomsbury. *The Waste Land* é um produto de isolamento, Eliot era uma figura solitária. Ele adorava Virginia Woolf. Tinha uma foto dela em seu gabinete de trabalho.

Ulisses, de Joyce, outro produto de gênio isolado. O declínio do Ocidente. O mesmo pode ser dito dos romances de D. H. Lawrence, nada de Bloomsbury neles. Conversação... Hoje você escreve diário e depois liga a televisão. O diálogo parece estar totalmente fora de moda. Bloomsbury era esquerda-liberal, exceto Virginia, que era socialista, talvez. Bloomsbury preferia o não-respeito ao respeitável, ao respeitoso. A revista *New Statesman*, que era uma revista brilhante nos anos 30, hoje é horrível. O *Spectator*... As pinturas de Vanessa e Duncan eram como espelhos refletindo os aposentos, cenários para diálogos."

Spender retoma e lembra: "Um chá com os Woolfs: com Leonard você falava de política; com Virginia, de arte e literatura. Leonard falava da Liga das Nações, da guerra, do desemprego; Virginia falava..." – e agora Spender já fala de outra coisa: "Apesar da liberdade sexual, a filosofia de Bloomsbury era de moderação."

E Sir Spender continua: diz que a Inglaterra respeita as construções antigas, mas não respeita as velhas famílias, a não ser como uma aceitável espécie de esnobismo – a família de Vita Sackville-West, por exemplo (ele lembra). E salta: "O escritor escreve para um pequeno público, no máximo cinco mil pessoas. Nenhum romance de Virginia Woolf até *The waves* (*As ondas*) vendeu mais que cinco mil cópias. O mesmo com Lawrence até *O amante de Lady Chatterley*. Se os escritores escrevessem por dinheiro..." (Mas aqui, penso, uma contradição: ontem, com Nigel Nicolson em Sissinghurst, ele disse que *Orlando*, que é de antes de *As ondas*, já na primeira semana de lançamento vendeu 25 mil cópias.)

E o poeta continua: "Virginia ironizava os escritores que vendiam muito. Troçava de Hugh Walpole, por exemplo. Há pouco tempo, conversando com Phillip Roth, que vende 100 mil exemplares, pensei: e se ninguém os ler? É perfeitamente possível. Penso nisso o tempo todo."

A verdade é que Stephen Spender talvez não seja muito lido. Dele eu só havia lido *The temple* (*O templo*, tradução brasileira de Raul de Sá Barbosa, editora Rocco, 1989). É seu único romance. Penso que se Spender tivesse escrito mais romances ele teria sido mais lido e seria mais conhecido. Mas... poesia? Quem, hoje em dia, lê poesia? Comecei a ler sua autobiografia (comprei o livro antes mesmo de saber que viria para este curso em Charleston, e que Spender faria parte do programa) e depois, já tendo feito a matrícula para o curso, comprei o volume de seus diários, comecei a lê-lo e do que li achei interessante. Faz tempo que simpatizo com ele, desde que o descobri personagem das memórias romanceadas de Christopher Isherwood – ele, Auden, aqueles anos na Berlim pouco antes de Hitler tomar o poder... E ele continua a falar de Bloomsbury e volta a *Ulisses*: "A crítica de Virginia. Ela chegou ao ponto de invejar Joyce. Ela o invejava. Não gostava do que a crítica e os outros diziam dele, chamando-o de gênio. Virginia os chamava de fanáticos."

São 17 horas. Diana Reich interrompe para dizer que Spender já falou bastante e que agora é hora de debate. Quem tiver perguntas...

Kathy Chamberlain pergunta algo sobre a autobiografia dele, *World within world* (*Mundo dentro de mundo*). Ralph Drake pergunta do encontro dele, jovem poeta, com Virginia, nos anos 30. E Spender responde: "Ela foi sempre muito simpática comigo."

(Mas eu, Bivar, li, no diário de Virginia, entre outras passagens sobre Stephen Spender, uma em que ela, em 2 de novembro de 1932, dele escreveu: "Ele é um rapaz desmiolado, de olhar dardejante, ossudo, desengonçado, que se tem na conta do maior poeta de todos os tempos. E talvez seja, não é uma questão que me interesse muito no momento. O que é que me interessa? A minha escrita, evidentemente". E na mesma página uma nota de rodapé da editora dos diários de V.W., Anne Olivier Bell, que agora está atrás de mim. Nessa nota sobre a visita de Spender a Virginia, Olivier escreveu que ele, em 1931, apresentara um romance para apreciação de Woolf e que esta o aconselhou a jogá-lo no lixo. Mas convidou-o a tomar chá com ela outro dia. E ao longo dos anos, no diário, Virginia o cita muito. Às vezes com simpatia e outras com impaciência. Spender a defendeu com muita classe, quando Virginia foi espezinhada por Wyndham Lewis no *Spectator*. A Hogarth Press publicou os poetas da geração de Spender: ele, Cecil Day Lewis, Isherwood...)

E Spender continua: "Os romances de Virginia eram pura poesia, mas ela não tinha gosto por poetas modernos. Ela admirava o Eliot de *The waste land*, mas o maior interesse dela era Eliot como ser humano, não a poesia dele."

Spender sorri – e que doçura de criatura. Podia ser meu pai, podia ser minha tia Aida. Como alguns velhos são belos e comoventes!, penso. E tão dignos! Spender ri quando a enigmática Ann Canfield pergunta de Lady Ottoline Morrell. E responde: "Ela era uma pessoa maravilhosa, uma ruína magnífica."

E conta mais de Ottoline e do que ela significava – protetora dos artistas – e de como se ofendeu com o que Aldous Huxley escreveu dela, caricaturando-a maldosamente como personagem do romance dele, *Crome yellow* (*A feira de Crome*, no Brasil, tradução de Edison Carneiro, Editora Vecchi, 1944); e de D. H. Lawrence que também a ridicularizou em *Women in love* (*Mulheres apaixonadas*). E Spender a defende: "Ottoline Morrell era extremamente sincera na sua dedicação às artes. Ela foi um fenômeno maravilhoso."

Alguém pergunta da experiência dele na Guerra Civil Espanhola (Spender foi um dos intelectuais que militaram em favor dos republicanos naquela guerra contra Franco e o fascismo). Spender responde: "A coisa que separou nossa geração da de Bloomsbury foi a Guerra Civil Espanhola. Na Primeira Guerra Mundial, Bloomsbury era pacifista. A minha geração, em 1936, foi participante, ativa. O trágico ponto de rompimento foi o fato de Julian Bell ter sido morto na Espanha. (O Julian, filho de Quentin, que está agora sentado atrás de mim, é sobrinho do outro Julian, mas nascido uns 16 anos depois da morte do tio). Julian era um poeta da nossa geração. Era muito jovem. Estava insatisfeito. Não tinha conseguido *fellowship* (bolsa concedida pela universidade a certos estudantes) no King's College e estava revoltado. Falei com ele várias vezes, tentando persuadi-lo a não ir para a Espanha." (Julian Bell foi morto quando dirigia uma ambulância naquela guerra.)

Alguém pergunta do estilo de vida de Bloomsbury e Spender diz: "Hoje não daria para viver, pelo mesmo preço, aquela vida – sair, viajar, comer em restaurantes, ir todos os dias ao Café Royal..."

Pergunto sobre a geração dele naqueles anos da Berlim pré e durante a ascensão de Hitler – Christopher Isherwood, W. H. Auden, ele... –, e percebo, por sua reação, um certo incômodo. Será que foi um *faux pas* de minha parte perguntar? Foram anos de grandes experiências, especialmente experiências homossexuais, conforme os romances autobiográficos de Isherwood. É que depois daquela fase Spender se casou (a segunda mulher dele está sentada atrás de mim), é avô... E ele responde: "Foi uma época vivida com grande falta de gosto pela minha geração." (Risos da platéia.)

Julian Bell aproveita a minha pergunta para fazer outra bem diferente: "Como a geração de Spender respondia aos ataques de Virginia Woolf?" Spender ri e diz: "Os trabalhos da geração dela que realmente nos influenciaram foram *Ulisses* e *The Waste Land*."

Michael Zweig pergunta algo, mas perdi o fio. Gargalhada geral. Diana Reich se levanta e, indo postar-se ao lado de Stephen Spender, diz que infelizmente há muito o tempo está esgotado. Percebo que Spender está feliz de estar conosco. Agora ele autografa livros. Fotografo-o assinando algumas primeiras edições de suas obras, capas duras, que Jenny Thompson gastando 30 libras fez com que alguém as trouxesse da casa dela em Londres. De repente, um autógrafo de Spender nos pareceu algo muito importante. Eu, como havia esquecido o meu volume do diário dele na hospedaria, peço que ele me autografe em uma página do caderno de anotações. E ele, sorrindo, assina bem no centro do papel. Conto a ele da tradução brasileira de *O templo* e seus olhos se avivam. Percebo que ele gosta. Digo que gostei muito do romance e que muitos amigos meus o leram e gostaram. Sem que eu perceba, Sue Sullins e Jenny Thompson me fotografam aos pés do poeta, conversando com ele.

(Stephen Spender viveria mais dois anos. Morreu aos 86 anos, em 16 de julho de 1995, de enfarte, em Londres. Anos depois, em São Paulo, lendo *Paisagem e Memória*, de Helena Silveira (Editora Paz e Terra, 1986), encontrei um registro da passagem dele por São Paulo, no início da década de 50. Diz Helena que, como guia do poeta pela cidade, ela provocou a ira de Oswald de Andrade, que não conseguiu chegar perto dele. Ressentido, Oswald a acusou de monopolizar Stephen Spender. Outra coisa interessante é que no volume dos diários dele, Spender não registra sua passagem pelo Brasil, mas, comparando os intelectuais norte-americanos com os brasileiros, diz que "[Nos Estados Unidos] ninguém é feliz enquanto toda a existência não for traduzida em jargão pseudocientífico. Isso, para eles, pode ser vantajoso a longo prazo, como parte do processo de cortar suas raízes européias. No Brasil, por outro lado, ninguém questionaria isso. Mas no Brasil, onde todos são poetas, não existem poetas, enquanto que na América, onde mesmo a poesia é racionalizada, são poucos os poetas, e certamente muitos bons romancistas".)

Temos agora duas horas de folga. Devemos estar de volta a Charleston às 20 horas para o jantar de gala. Não sei o que tenho – não tive ainda tempo de pensar a respeito, mas o fato é que as mulheres sempre me protegem. Não digo todas, mas um número relevante delas. Aqui (e agora já escrevo sentado à graciosa escrivaninha do meu quarto em Southerham Old Barns), na minha experiência durante esta International Summer School, são várias as que me *adotaram*.

Em Sue Sullins, que tem um lado rebelde (ela deve ter lá os motivos dela e eu a respeito), sinto um anjo (não sei dizer em quê, mas sinto esse anjo); a Kathy Chamberlain – a Kathy, que é casada com Michael Zweig, me protege de outro modo, mais ou menos como a Sullins, tipo angelical, fraterno – e são mulheres inteligentes, cultas, de brilho lampejante, quando brilham; a Carla Danby, de pontos de vista surpreendentes, é outra grande protetora; a Caroline Hillery também protege bem, mas o fato de ter seu próprio carro, e o carro ser francês, de luxo, conversível, faz com que a proteção soe exclusivista e por isso solitária e triste, quando, honestamente, prefiro estar com a maioria no microônibus, porque é como estar em uma sala de conversação divertida e bloomsburiana.

Seria bom se a Caroline deixasse de ser *princesa* e viesse conosco; tem a classuda Joan Draper, a ligeiramente insatisfeita Monica Cortés (mas generosa a ponto de ter me dado um maço de cigarros cheio, dia desses, quando acabou a aula e eu sem cigarros e sem ter onde comprá-los, depois, no vazio que cerca a estalagem onde me hospedo); mas Sarah Phillips, Celia Hunt, Rosemary Evison – essas não têm muito esse espírito maternal-protetor, talvez por serem jovens e independentes.

Mas são atentas, entusiastas e grandes colegas, gentis por espontaneidade. Da Anne Hughes sou fã. Durona, radical, algo máscula, sim, porém de coração de ouro. Às vezes sarcástica, é inteligente na secura. Me protege num outro sentido, no sentido da camaradagem de caserna. E claro, a Betty Givens. Mas a Betty é coquete, mulheríssima – com ela eu meio que flerto; a interessante e independente Dianne Hubbard, esta me protege no sentido prático. Com ela tenho coragem, na casa que dividimos com outros no Velho Celeiro, de pedir socorro quando a grande fome me faz criança. Dianne corre e me dá o que comer; já com a misteriosa Ann Canfield, jamais, até agora, a quebra de gelo. E nem foi preciso.

Com a Karen Wadman, que é elétrica e contente, nos sorrimos sempre que nossos olhares se cruzam, cúmplices sei lá de quê, ainda que até agora não tenhamos tido uma aproximação maior; por outro lado, a Mildred Cohn, a lobista política, ela definidamente é outra praia, sempre ocupada com outros interesses e conversando com outros (com o Ralph Drake, por exemplo); com a Jackie Clements é diferente: parece que eu sempre a conheci, embora ela dê a impressão de nunca ter me visto mais gordo – ou mais magro. Isto cria uma comédia de erros muito peculiar ao nosso convívio.

E, para terminar este pedaço, de todas as mulheres da escola, Jenny Thompson é a mais persuasiva. E agora, nas duas horas de folga entre o encontro com Sir Stephen Spender e o jantar de gala, ela me convidou a uma caminhada pelas colinas, ou então à sauna – nossa hospedaria tem sauna – com ela e a Carla Danby. Recusei gentilmente os convites argumentando ter de aproveitar essas duas horas para colocar em dia o meu diário (porque é preciso que ele seja escrito enquanto os acontecimentos continuam quentes, já que eles são muitos e não quero deixar de registrar os detalhes mais importantes para ir fazer sauna. Se tivesse ido à sauna com Jenny nada disso que acabo de escrever sobre as mulheres dessa Escola de Verão teria sido escrito. Além disso, preciso escrever alguns postais).

No microônibus, Jenny veio me contando como Stephen Spender, ainda jovem, abandonou o homossexualismo. Uma senhora, que era fã dele, sabia-o pederasta. Como tinha um filho adolescente, escreveu uma carta ao poeta inventando que era o filho dela quem o admirava. E como suas cartas eram interessantes, iniciou-se uma correspondência entre os dois. Até que um dia Spender sentiu-se pronto para receber mãe e filho. Depois desse encontro, o filho não precisou mais ir, só a mãe. Spender e a mulher se apaixonaram. Spender, então, foi contar aos seus melhores amigos, que eram Christopher Isherwood e W. H. Auden, que estava apaixonado por uma mulher e que, portanto, deixava o *clube*. Auden e Isherwood, claro, lamentaram a perda e o consideraram "traidor". Mas continuaram amigos.

Pronto. Escrevi o que tinha de escrever, tomei meu banho e estou pronto para o jantar. Camisa de seda verde-garrafa, paletó preto *Marks & Spencer*, calça jeans preta (comprada outro dia com Andrew Lovelock em Salisbury), meias e botina preta camurçada. Na sala, prontas e esperando o microônibus, Dianne Hubbard e Jenny Thompson. Ambas muito bem vestidas. Dianne já sarada da enxaqueca que a deixara indisposta ontem – o dia de Knole e Sissinghurst. E Jenny nos contando que a sauna lhe dera um novo *up*.

Mesma sexta (9 de julho), após o jantar.

Antes do jantar, drinques no jardim interno menor, vinho branco e a grande Anne Olivier Bell. A confraternização é total. Falta ainda um dia para terminar, mas o sucesso foi além da expectativa (como dirá logo mais Peter Miall, já quase no fim do jantar, no seu curto, bem-humorado e emocionado discurso).

Sem nenhuma timidez ou entrave aproximo-me da Olivier, cercada por dois outros. Feliz, firme como uma rocha solidamente sazonada, alegre, Olivier gosta que aproximem. A conversa flui, falamos de Stephen Spender. Todos concordam: o encontro com ele foi ótimo. E conversa vai conversa vem, a Olivier me pergunta: "Você sabe quem é Dame Edna Everage?" E eu: "Claro." E ela: "Stephen [Spender] é sogro de Dame Edna Everage." E eu, surpreso: "Verdade?!"

Dame Edna Everage na verdade é Barry Humphries, um australiano de vida, digamos assim, dupla, ambas abertas. Em uma delas, ele é um eminente político, brilhante homem de letras, carreira sólida e imaculada naquele continente dos cangurus; na outra vida, é Dame Edna, transformista feminino, travestido como uma senhora classe média que se veste um pouco como um misto da Rainha Elizabeth com as senhoras que se vestem feito ela, emperiquitada mais nos óculos extravagantes. Dame Edna Everage é muito divertida e popularíssima na Inglaterra, tanto em suas aparições na televisão como nas temporadas teatrais.

Estávamos no jardim, nessa conversa – de que Stephen Spender e sua esposa Natasha são sogros de Dame Everage (foi um casamento espetacular, Barry Humphries e Lizzie Spender, ela muito mais jovem que ele, se casaram e os pais da noiva viajaram em um vôo particular de Londres a Spoleto, para o enlace, em 1990) – quando Diana Reich veio nos chamar para o jantar.

O jantar. No estúdio de Duncan Grant. Entramos – Jenny Thompson me conduzindo. Linda mesa em forma de U. Vasos de flores – vasos da cerâmica charlestoniana e flores do próprio jardim. Toalha com padronagem da casa, a disposição de louças, copos e talheres – e o guardanapo, de papel macio com cantoneira florida. Jenny senta-se ao lado de Peter Miall, que está muito elegante em tons palha, com o rosto colorido do sol dos nossos passeios culturais em que foi o guia. Discretamente, Jenny indica-me a cadeira ao lado da sua e frente a frente com Anne Olivier Bell.

Ainda de pé, sinto-me em dúvida, pânico. Sento? Não sento? Honestamente modesto – será que tenho cacife para tanta honra? E se meu inglês não for suficiente para manter uma conversação à mesa?

Já assentada, Olivier está conversando com Anne Hughes ao seu lado. A conversa entre as duas parece divertida. Porque no Bloomsbury – e Stephen Spender nos lembrara nesta tarde – o melhor de tudo era a conversação. E o que é este jantar senão uma aventura celebrando Bloomsbury?

Todos os comensais já estão sentados. Só eu ainda de pé, em dúvida se devo ou não sentar de frente para a Olivier. Nisso, Dianne Hubbard aproxima-se e pergunta a mim e a Jenny se alguém vai ocupar o lugar. A minha boa educação –

talvez se tratasse mais de mero condicionamento cavalheiresco – ante a objetividade e determinação da Hubbard quase fez com que eu lhe cedesse o lugar, mas o tom a esta altura distanciado, formal e ainda mais objetivo e determinado de Jenny, diz para Dianne que o lugar já é meu. E a Hubbard, muito elegante e prática, procura outro assento na redondeza e eu me sento, aliviado.

Olivier e a Hughes agora estão conversando sobre Ethel Smyth e eu, que durante o senta-não-senta, estava ligado no papo delas, assim que assentado entrei na conversa, mais como mediador – e elas gostaram.

Ethel Smyth (pronuncia-se Smáit, por causa do y, acho), compositora erudita e escritora, foi a última grande amizade feminina de Virginia Woolf. Ela era muito mais velha que Virginia, que também já não era moça. A Smyth (ela é, nas conversas, sempre tratada pelo sobrenome), já setentona, apaixonou-se loucamente por Virginia. Não foi um relacionamento físico. Baixota, gnômica, a Smyth era imperativa e voluntariosa. Poucos a suportavam, embora ela fosse de muito valor, talentosa e muito inteligente. E Virginia, sempre curiosa, a adorava por isso mesmo. Achava-a peculiar, engraçada, ainda que não raramente se irritasse com a *Smáit*, que irrompia sem avisar, perturbando sua concentração.

Virginia às vezes tinha de contar com o Leonard para dar um corte na *Smáit*. E aqui no jantar, Anne Hughes, que é devota de Virginia, mas que também adora a Ethel Smyth, diz para a Olivier (por esta ter sido a editora dos diários de Virginia) que alguém deveria cuidar de uma edição das cartas entre a Smyth e Virginia, das quais ela, a Hughes, sabe que existe o bastante para um respeitável volume, porque as duas se corresponderam anos a fio.

Olivier meio que muda o rumo da conversa e conta de uma vez em que a Smyth procurou Vanessa Bell para que esta desenhasse os cenários e os figurinos para uma ópera que a Smyth estava compondo. Quentin estava na sala. A Smyth sentou-se ao piano e – e aqui Olivier a imita – com as mãos pesadas e furiosas massacrou o teclado, para dar à Vanessa uma idéia da atmosfera da ópera. Foi uma demonstração tão brutal e inesperada que Quentin desmaiou!

"Mas Virginia adorava a Smyth", disse a Hughes sem se abalar.

"Mas não a sua música", replicou Olivier, num retruque tão preciso que a Hughes e eu caímos no riso.

E o vinho servido, branco ou tinto, para dar um toque especial à celebração é de marca *Orlando*, procedente da Austrália, escolhido nem por ser tão bom, mas pelo nome. E o sorvemos enquanto degustamos os petiscos de entrada. E mais conversa boa enquanto o jantar é servido. Saladas e frutos do mar, camarões enormes. Mas a conversa com Olivier me entretem tanto que quase nem toco a comida. Uma das adoráveis senhoras que nos serviram durante essa temporada veio apanhar os pratos. Jenny me pergunta: "Você não vai comer os camarões?" E eu: "Não." E ela: "Então vou eu", e os pegou.

Dois tipos de sobremesa: *mousses* assortevadas, uma de chocolate e outra de limão e laranja. Escolhi a segunda, saborosíssima. Até repeti.

Café. E aos fumantes agora é permitido fumar. Os fumantes: James Beechey, Monica Cortés, Anne Hughes, Peter Miall, Olivier e eu. Contei a Olivier e a Hughes que há duas semanas, em Paris, em uma visita que fiz ao cemitério de Montparnasse, deixei um cigarro sobre o túmulo de Baudelaire. Ambas acharam que fiz muito bem. "Belo gesto", disse a Olivier, acrescentando: "Baudelaire fumava muito."

E demos, cada um, nossas baforadas.

Na conversa, pergunto a Olivier dos três filhos dela e Quentin. Julian, ela conta, é pintor, porém no momento trabalha organizando uma enciclopédia das artes, muitos volumes; quanto a Cressida, que também é artista, trabalha com o pai. Já Virginia, a filha caçula, há tempos apaixonara-se perdidamente pelo 'maior poeta de Cambridge' e foram para Veneza. Mas lá o poeta só pensava em poesia, nunca tinha tempo para ela. Então voltaram para a Inglaterra. Entretanto a experiência foi boa para Virginia, que aprendeu italiano e a fazer massas deliciosas. Agora ela trabalha como pesquisadora da BBC e está casada com William Nicholson (Olivier diz que o Nicholson de seu genro é com h, lembrando que o outro Nicolson, o Nigel, é sem h). William Nicholson, ela conta, ficou famoso com a peça teatral *Shadowlands* (sobre o casamento tardio do escritor C. S. Lewis com uma americana que tinha câncer). A peça, depois de ter sido levada à televisão, estourou na Broadway e agora está sendo filmada numa produção de Hollywood, dirigida por Richard Attenborough, com Anthony Hopkins.

Noto que Peter Miall arrancou o filtro do cigarro dele. O isqueiro dele falha e ele acende seu cigarro com o meu isqueiro. Digo que em 1976 li um artigo na revista *Harpers & Queen* que era hábito entre os *haute bohemians* arrancar o filtro e que, em 1968, na minha peça teatral *Cordélia Brasil* a personagem título fazia o mesmo, assim como meu irmão Leopoldo quando fila cigarro de alguém, se o cigarro tiver filtro ele também o arranca fora. Nisso, Diana Reich chama nossa atenção para começar a sessão de pequenos discursos. E Miall conclui o discurso dele, de seis linhas, dizendo: "Esta experiência não vai evaporar, espero."

James Beechey é o próximo a discursar, discurso curtíssimo. E ele não está mais pondo "Ahn" entre as palavras. Venceu a timidez do início do curso. Ralph Drake foi o próximo a falar e, depois das dez linhas de Ralph, levanta-se Diana Reich para dizer que os que ainda não discursaram podiam guardar seus discursos para a despedida amanhã. Diana é sempre a mais expedita – e bem agora que estávamos empolgados para dizer os nossos discursos! De modo que tudo no jantar de gala foi perfeito.

Sábado, 10 de julho (manhã).

Acordei cedo. Hoje é o último dia. Depois do banho e do *breakfast*, ainda no meu quarto, medito sobre estes dias excepcionais quando ouço o motor do microônibus chegando para nos pegar. Desço correndo. No ônibus, Jenny conta que o marido virá apanhá-la depois do último evento em Charleston e que irão velejar na Ilha de Wight, onde têm casa. O marido faz parte de um clube de iatistas, lá. Diz sentir-se entediada com o social dos casais no clube na ilha. Os assuntos e os interesses são tão diferentes dos nossos em Charleston.

Digo-lhe que esse talvez seja o destino da maioria dos participantes da Escola de Verão de Charleston. Pense na Dianne Hubbard, por exemplo. Ela voltará àquela lonjura africana que é a Namíbia! E a pobre da Carla Danby, a um subúrbio de São Francisco; quanto a mim, quem no Brasil se interessará em ouvir essa minha experiência? Jenny leva o assunto para a idade (algumas mulheres sempre o fazem, como que preocupadas com isso). Ela é dois anos mais velha que eu. Não parece, é muito conservada. Eu lhe daria, no mínimo, 10 anos menos. Tem dois filhos, um casal, do primeiro casamento, com um pintor italiano. E me conta que Dianne Hubbard tem 40 anos. É outra que não aparenta. Parece ter 30. Mas isso tem importância? O que importa é a cabeça. E chegamos a Charleston. O toca-fitas do conversível vermelho de Keith Clements toca Noel Coward.

Então chega o Robert Skidelsky. Imagino que ele tenha vindo caminhando de Tilton, que fica a 300m de Charleston. Na ficha dele consta que é professor de Estudos Internacionais, autor da biografia de Maynard Keynes em dois volumes – o primeiro, *Hopes betrayed* (*Esperanças traídas*), lançado em 1983 e aclamado pela crítica; o segundo, *The economist as saviour* (*O economista como salvador*), lançado recentemente. (O terceiro e final, *Fighting for Britain*, *Lutando pela Grã-Bretanha*, seria lançado anos depois.)

A aparência de Skidelsky é a de quem nem se deu ao trabalho de tomar banho. No máximo fez a barba. É calvo e aparenta ter 50 a 60 anos de idade. Veste-se casualmente – malha de moleton azul-claro, calça chumbo, meias vermelhas, sapato preto de camurça. Dá a impressão de ter tirado apenas os sapatos para dormir a noite passada. Estatura mediana, óculos de lentes grossas. Bem articulado, entende-se tudo o que ele fala. Trouxe escrita a palestra, em papel de impressora de computador. A seguir, fragmentos do que anotei de sua palestra:

"Keynes escreveu *As conseqüências econômicas da paz* aqui em Charleston. É considerado seu melhor livro. Em nenhum outro ele foi tão bem-sucedido. Os fracassos de Georges Clemenceau (primeiro-ministro da França por duas vezes), Woodrow Wilson e Lloyd George são expostos com cruel precisão. Charleston era o segundo lar de Keynes até se casar com Lydia Lopokova e fixar residência na Fazenda Tilton. Depois do casamento, afastou-se do grupo de Bloomsbury, que não gostava muito da Lopokova. Keynes criou The Arts Council of Great Britain (O Conselho das Artes da Grã-Bretanha). A construção de centros artísticos. Inflação, burocracia, dependência cultural, o legado atacado. O estado das artes, o Estado e as Artes. Keynes era o economista do grupo desde quando estudavam em Cambridge. Valorizava a literatura em particular e também as outras artes. Não o que era bom no geral, mas o que era bom em si. Comprou um Cézanne e disse aos amigos que era o pior Cézanne. Era um poeta, um mago em economia. Era um mestre na língua inglesa."

"Keynes gostaria de ser lembrado como um grande escritor, um grande artista e não como um grande cientista econômico. Foi muito bem-sucedido em fazer dinheiro. Gastou a vida em negócios. Mas não valorizava altamente a economia. Dizia que ter bons dentes era condição *sine qua non* para uma grande vida. Era cético quanto à condição da saúde na Inglaterra (e no mundo). Amor, beleza e verdade. Herdou do pai a paixão pelo teatro, pelos *hobbies* deliciosos.

Para ele, o que a vida tinha de melhor e de mais importante estava mais relacionado ao lazer que com o trabalho. E o que se tinha a fazer era ganhar o bastante para levar uma boa-vida.

Na época de Bloomsbury, vivia-se magnificamente com pouco dinheiro. A criadagem era barata. Os aluguéis eram tão baratos que ninguém pensava em comprar casa. Vivia-se uma vida de classe privilegiada. Foi uma idade de ouro. Bloomsbury tomou para si, na Inglaterra, o pós-impressionismo, que era a nova forma de pintura. Por volta de 1946, 1947, Keynes, que não gostava de Woodrow Wilson, estava estabelecido na rede de influências, dominava a arte de fazer dinheiro como patrono das artes. Fez a National Gallery comprar Degas. Na guerra, quando os alemães iam tomar Paris e os preços dos quadros caíram, ele usou isso como argumento para que a Inglaterra comprasse quadros.

Os Cézannes que o próprio Keynes tinha em sua coleção particular ele os comprou não com o dinheiro público, mas com dinheiro do próprio bolso. Em 1921, já fazia dinheiro com especulações. A civilização tinha de ser subvencionada. Abater os impostos se você ajudasse as artes."

"Em 1937, a Lopokova encenou um Ibsen. Mas Keynes não era paternalista. E nada de ficar eternamente ajudando os que não aconteciam. Nada de saco sem fundo. A arquitetura era o ponto inicial da beleza. Naquele tempo era possível ser otimista. Mas agora", continua Skidelsky, "o que temos, a arte contemporânea, é horrível. O ultraje da arte é decadente. Kenneth Clark dizia: 'Keynes não era homem para menestréis ambulantes nem teatro amador'. O que o público quer ver não é necessariamente o que o Conselho das Artes quer oferecer. E isso levou as massas à música clássica."

"A filosofia de Keynes era: arte tem de ser verdadeira ou não é arte. E se não, pior para você. Acreditava na arte." Skidelsky fala de hoje: "O valor do dinheiro é o que rege agora e ainda regerá por um longo período. Então, como viver sabiamente, agradavelmente e bem? No momento vivemos em uma sociedade obcecada com o trabalho. E o dinheiro público é usado para sustentar pornografia." (Michael Zweig, que também é economista, faz uma pergunta; Skidelsky a responde, mas noto que alguns dos participantes já estão começando a bocejar.) No entanto, é um debate muito interessante e Skidelsky é brilhante.

Zweig diz que no mundo científico é a mesma coisa: "Dinheiro público sustentando obscenidades" – se foi o que entendi. Skidelsky fala de uma palavra nova que ganhou espaço nos anos 80: "transparente". "Bolhas burocráticas", ele diz. O conflito entre arte e audiência. E o capitalismo de novo em crise. Mas aí já não consigo mais me concentrar. Começa o debate. Betty Givens, que há dois dias vem se vestindo mais sobriamente, pergunta a Skidelsky o que teria acontecido à carreira de Virginia Woolf se seu marido não tivesse a editora.

Tudo é interessante – por que, então, este sono? Também, a semana foi das mais intensas. "Existe uma chave para isso?" Skidelsky pergunta e ele mesmo responde: "Não." E fala de talentos trabalhando abaixo de suas capacidades, em casas de hambúrguer. Mas nesse exato instante ergue-se Diana Reich e diz que o tempo se esgotou e que Lord Skidelsky nos deu uma belíssima palestra sobre o valor do dinheiro.

Aplausos. Faltam 15 minutos para o meio-dia. Diana convida Skidelsky para a confraternização de despedida, mas ele agradece o convite e se desculpa por não poder ficar. Entretanto, permanece mais alguns minutos autografando exemplares do segundo volume de sua biografia de Keynes. Não pude comprar o livro porque não tenho mais dinheiro, mas assim que chegar a Londres trocarei uns dólares que lá deixei de reserva e correrei atrás. Não posso deixar de ler o Skidelsky.

Mesmo dia (10 de julho), no trem de volta a Londres.

Estávamos ainda na pequena sala onde aconteceu o encontro com Robert Skidelsky – ele já tinha até ido embora – quando Rosemary Evison, a mais jovem do nosso grupo, excitadíssima, veio nos avisar que Quentin Bell acabava de chegar com a Olivier. Sarah Phillips fora de carro buscá-los em Firle.

Saímos da sala em disparada ao encontro do casal. Quentin acabava de sair do carro com a ajuda da bengala e de Christopher Naylor. Foi a primeira vez que o vi de pé – e como é alto! Bastante curvado (depois Olivier nos contou que há quatro anos Quentin quase morrera do coração, teve de ser levado às pressas para o hospital), magro, elegante, fragilizado, mas espertíssimo – foi a impressão. De todas as figuras com as quais tivemos contato nesta semana, Quentin, ao menos para mim, por sua ligação sanguínea direta com a tia Virginia e por ser ele mesmo o primeiro historiador do Bloomsbury, também por sua figura angelical que nem parece ser deste mundo, enfim, de todos, foi ele quem provocou a maior das tantas emoções que tive durante a Escola de Verão. E o mais louco nisso tudo é que, assim que, ao sair do carro, me avistou e me reconheceu, seu sorriso se abriu e ouvi-o exclamar: "The gentleman from South America!" (O cavalheiro da América do Sul!)

Era como se ele tivesse vindo especialmente por minha causa! Porque, e tive certeza, naquela terça-feira em sua casa, na despedida, quando um impulso doido me fez agarrá-lo despudorada e apaixonadamente pelas mãos e ele as minhas, aconteceu entre nós aquilo que os franceses chamam de *coup de foudre* – um sentimento amoroso subitamente inspirado. Brotou entre nós um elo, uma certeza de amizade. E imagino, também, que a Olivier deve ter-lhe passado suas impressões sobre mim, impressões captadas ontem durante o jantar (quando sentamos frente a frente), impressões com certeza estimulantes, não apenas pelo que se conversou à mesa e nem como se conversou, mas sobretudo pela energia positiva.

Não estou de maneira alguma querendo contar vantagem ou me vangloriar, nem me achando, mas também não vou ser falso modesto fingindo que não aconteceu algo de muito especial entre nós três – Quentin, Olivier e eu. (Meses depois desta semana, em nossa correspondência, e no tratamento de intimidade proposto por ele, Quentin respondeu a uma de minhas cartas me chamando de 'ligeiramente louco': "Você é ligeiramente louco, entretanto talvez seja sua extrema modéstia o que o faz supor que eu não saiba quem você é. De fato sei muito bem que você é o notável representante latino-americano de nossas reuniões em Charleston.")

E Quentin veio vindo, caminhando com dificuldade, mas feliz. Christopher Naylor, o jovem diretor da Fundação Charleston, o acudiu, conduzindo-o através do caminho de pedregulhos até a passagem pelo pequeno cômodo anexo à cozinha que dá passagem ao menor dos jardins murados, situado junto ao estúdio de cerâmica que foi dele, Quentin, e também porta para o estúdio que pertenceu a Duncan.

Quentin é conduzido até uma cadeira de madeira onde o ajudam a sentar. É claro que todos querem e merecem um dedo de prosa com ele, afinal todos nós o adoramos. As duas senhoras que nos atenderam durante a semana estão junto à mesa de petiscos e nos servem vinho *Orlando*, branco. E enquanto Quentin atende a um de cada vez, eu e a Olivier, já como velhos amigos, conversamos e fumamos. Pergunto quantos cigarros ela fuma por dia. Ela diz que o médico permitiu 20 por semana, mas que em dias como ontem e hoje ela fuma 20 por dia.

Na minha vez de sentar ao lado de Quentin, quando ele vai me autografar a nova edição (de 1990) de seu livro *Bloomsbury*, digo meu nome, Antonio, que é como todos em Charleston me chamam, e ele, olhos nos meus olhos, pergunta: "Devo assinar apenas Quentin?"

Eu, burro, respondo: "Não! Põe Bell também!"

E ele dedica: "For Antonio, from Quentin Bell".

Aí conversamos um pouco, eu falo um monte, pergunto se posso escrever para ele, e ele: "Por favor, faça-o. Será um prazer receber carta sua."

O momento me parece nosso e até esquecemos que os outros, ansiosos, esperam a vez para um dedo de prosa com ele. Kathy Chamberlain, Sue Sullins, Dianne Hubbard e Jenny Thompson perceberam que aconteceu algo forte entre Quentin e eu. Daí, enquanto ele atende os outros, corro para a Olivier e digo a ela que ele se ofereceu para assinar apenas Quentin sem o Bell! Olivier explica, diz que foi um sinal de reconhecimento e proposta de *intimacy* (intimidade) entre nós. Pena eu não ter tido o espírito de entender o sinal no instante em que foi dado.

Pedi que ela também assinasse o livro e ela acrescentou, depois de Quentin, "and Olivier Bell" e perguntou: "Devo acrescentar 'Charleston, 10 July 1993'?" E eu: "Please." E ela o fez. Então conversamos mais e ela quis saber se eu leio outros livros de Bloomsbury. Respondi que leio todos os que encontro. E é verdade. Contei-lhe, nesse momento, que encontrei em um sebo em São Paulo uma tradução brasileira antiga de *Rainha Vitória*, do Lytton Strachey, com a orelha escrita pela Virginia e com foto da atriz Anna Neagle na capa.

E Olivier, surpresa e divertida: "Anna Neagle?!"

Lembrei a ela que a Neagle tinha feito o papel de Rainha Vitória num filme de 1937, por isso usaram foto dela como Vitória na capa do livro. *Trivia* – quem não gosta? Daí comentamos o filme *Orlando*, bastante falado já que recente. Olivier e Quentin foram assisti-lo em Brighton. Olivier achou o filme chato, muito sem ação. Quentin dormiu o filme inteiro. Então puxei o assunto para outro Quentin, o Quentin Crisp, que, em *Orlando*, travestido, interpreta Rainha Elizabeth I.

"Ele é uma figura formidável", disse Olivier. Então contei a ela que eu e Quentin Crisp mantemos uma correspondência há anos, umas três cartas anuais cada um. Olivier, admirada, exclamou: "Verdade?!"

A seguir fomos chamados por Diana Reich para uma foto de grupo, com Quentin Bell no centro e todos sentados aos pés dele ou em pé, atrás. Entre um clique e outro, Olivier projetou a voz sugerindo a Diana Reich que essa foto daria um bom cartão-postal de Charleston. Ela respondeu que iria providenciar isso.

E acabou. Agora as despedidas. Todos estavam emocionados, não só os 22 alunos da classe de 1993, mas todos. Todos verdadeiramente emocionados – porém fui o único que chorou. Chorei feito bezerro bruscamente desmamado. Ao abraçar Dianne Hubbard, ela comovida me disse: "Você trouxe emoção à nossa experiência." E chegou o microônibus para nos levar embora, cada um à sua hospedaria. Um certo lamento em muitos de nós: voltar à vida normal, a milhas e milhas e milhas de Charleston. Kathy Chamberlain e Michael Zweig, Ralph Drake, Ann Canfield, Sue Sullins, Mildred Cohn, Monica Cortés, Karen Wadman, Jenny Thompson e eu, fomos entrando no microônibus.

Aos prantos passei por James Beechey, de relance acariciando sua barriga e ao mesmo tempo pensando: "Ele é muito jovem, tem futuro, precisa perder a barriga." Alguns ainda iam almoçar em grupo. Dos americanos, alguns ficariam um dia ou dois em Lewes, antes de voltar para os States – nessa noite havia concerto musical na igreja em Berwick. Alguns insistiram para que ficássemos, mas Michael Zweig, entrando no microônibus, agradeceu o convite e, como eu e vários outros, resolveu não ir, respondendo com humor, lembrando o que Richard Shone nos contara: "Bloomsbury não gostava de música."

Rimos todos com a tirada de Zweig. E o microônibus, com o motorista ruivo, gordinho e simpático na direção, tomou a estrada. Na curva, os que ficavam acenavam para nós. Peter Miall, Diana Reich, Dianne Hubbard, James Beechey, Jackie e Keith Clements, Rosemary Evison, Carla Danby, Jimmy Smith, Betty Givens (antes de voltar para o Texas, a Givens passaria um tempo lecionando inglês em Paris), Celia Hunt, Jane Morgan – Sarah Phillips tinha ido levar Olivier e Quentin Bell de volta à casa deles. E nem sinal de Anne Hughes que, discreta, não se despediu de ninguém, saindo antes, à francesa. Afinal, deve ter pensado a Hughes, Bloomsbury era francamente francófila.

Em Southerham Old Barns, o marido de Jenny Thompson, ágil e prático como todo esportista, e parecido com o coelho branco da *Alice*, a esperava de carro. Iam passar na casa dos Clements, em Newhaven, onde Jenny ia escolher e comprar uma ou duas obras de Keith. Almoçavam com o casal antes de irem para a Ilha de Wight velejar. Jenny perguntou se eu não queria almoçar com eles. Agradeci a gentileza, mas preferi mesmo voltar para Londres. E agora chego a Londres, onde a multidão nem sabe que Charleston existe. E me perco nessa multidão, tomando o metrô rumo a Notting Hill e ao apartamento do amigo brasileiro que sempre me hospeda.

Meses depois, no número 8 da revista *The Charleston Magazine*, ilustrado com a foto oficial de todos nós com Quentin Bell, dois artigos sobre a Summer School. No primeiro artigo, por Michèle Roberts, ela escreve sobre o "adorável feixe de jovens e velhos, europeus, americanos do Norte e do Sul. Estilos de vestimentas ecléticas, desde o preto básico longo e sem mangas até o estilo punk de estudantes de arte e camisas de algodão ao cabelo vermelho".

E ela continua: "Eu usei minha melhor jaqueta de linho creme com ombreiras. (...) A música de diferentes sotaques falando inglês. (...) Na oficina de escrita criativa buscou-se inspiração em elementos dos arredores, observados de perto e meditados e, a partir daí, descobrir um jeito de escrever sobre o desejo. [O resultado] foram textos maravilhosos e surpreendentes sobre os mais variados tipos de desejo. Tornamo-nos um grupo unido partilhando nossos segredos. Risos desbragados e algumas lágrimas. Todos trabalharam duramente em como dominar a linguagem e construir a narrativa. Fiquei impressionada." E encerrando seu artigo Michèle escreveu: "Charleston foi um excelente lugar pé na terra, um santuário talvez, mas um santuário onde o trabalho segue em frente; onde as pessoas são estimuladas a reconhecer e a fazer uso de seus próprios dons criativos. E isso é valioso."

No outro artigo, James Beechey faz um apanhado positivo de todos os eventos. Comenta os encontros proveitosos e a variedade de temas sobre a cultura bloomsburiana. Com a Frances Spalding, com Quentin Bell e suas lembranças; com Richard Shone sobre a casa e seus artistas; com Peter Miall no castelo de Knole; com Nigel Nicolson sobre sua mãe, Vita, e Virginia, e *Orlando*; e os três escritores – Michèle Roberts, Sue Roe e Stephen Spender – com suas considerações sobre Virginia Woolf; Robert Skidelsky e a influência de Bloomsbury em Maynard Keynes, resultando em tudo o que Keynes, como patrono, fez pela Grande Arte na Inglaterra.

E a parte mais positiva disso tudo, o efeito da experiência sobre os participantes da Escola de Verão, liberando seus impulsos criativos, como a explosiva oficina de escrita com Michèle Roberts e a outra oficina, de arte decorativa no estilo de Charleston com o jovem artista Robert Campling. Ainda as visitas à igreja em Berwick e à Monk's House e o fato de os estudantes terem sido generosamente recebidos por Quentin e Olivier Bell na casa deles, em Firle, e também por Nigel Nicolson em Sissinghurst. E James Beechey encerra seu apaixonado artigo assim: "One participant – from Brazil – described the week as one of the greatest experiences of his life: we couldn't hope for more than that."

Precisa traduzir?

1994

> *Really I think that I should scold you, it does seem terrible that the only friend Charleston has in Brazil should choose to drive 120km per hour at a time when he was half asleep. I am very glad that your injuries were under the circumstances marvellously slight. Please don't do it again. It would be a disaster to loose you.*
>
> Quentin Bell em carta ao autor

No começo de maio de 1994, depois de me esgotar com os eventos em um festival de teatro no Paraná, voltei a São Paulo estressado e aflito para pegar meu velho carro, uma Brasília, e tomar a estrada para a casa de minha mãe, no interior. Depois de dirigir uns 200km comecei a sentir sono e acabei por cochilar na direção – era meio-dia de um dia útil, no meio da semana. Depois do cochilo devo ter caído no sono, pois, repentinamente desperto, me dei conta de estar dirigindo a 120 km por hora no acostamento, um capinzal crescido.

Bruscamente, tentei voltar à rodovia, mas o carro, feito um cavalo indomável, se desgovernou, capotou e continuou capotando e mesmo assim não parou nos próximos duzentos metros, só o fazendo ao cair em uma vala e a essa altura, de tanto capotar, já ter tomado a forma de uma sanfona. Fui socorrido por uns 30 homens, vindos de todas as direções, jovens, todos com caras arrepiadas parecendo anjos e santos (suas expressões eram a de quem não acreditava que, com tudo o que viram o carro fazendo, seu motorista, apesar do sangue na cara e de outros ferimentos, aparentasse estar vivíssimo e bem desperto). De minha parte, vendo as expressões deles eu me sentia como se estivesse sendo recebido já no outro mundo!

Mas não, eu estava vivo. Só não morri porque realmente não era o dia. E felizmente também não atingi ninguém na estrada, tendo em vista o horário, meio-dia, e tratando-se de uma rodovia muito transitada, a Anhanguera. Fui levado, por um dos que me socorreram, ao pronto-socorro de um hospital em Pirassununga e o resto é história. (O carro foi para o ferro-velho.)

Na casa de minha mãe, em Ribeirão Preto, escrevi uma carta para Quentin Bell (com quem, conforme combináramos, vinha mantendo correspondência) contando, como quem se coloca em conta de herói, ou no mínimo de sobrevivente, a coisa toda. E Quentin me escreveu de volta, sua carta datada de 17 de maio:

"Caro Antonio, agradeço sua carta de 6 de maio. Uma bela e longa carta merecedora de uma resposta ainda melhor e mais longa da que posso fazer. Realmente, penso que eu deveria repreendê-lo severamente, pois me parece terrível que o único amigo que Charleston tem no Brasil escolheu dirigir a 120 km por hora estando quase a dormir. Fico contente que os ferimentos, sob tais circunstâncias, tenham sido maravilhosamente leves. Por favor não faça isso outra vez. Seria um desastre perder você." E mais adiante, sobre uma pergunta que lhe fiz na minha carta: "Sim, a Olivier continua fumando. Mas só três cigarros por dia. Como diz o apóstolo Paulo, faça você o mesmo. Cuide-se e os melhores votos, do Quentin."

E assim, nas duas semanas em que passei a maior parte do tempo na cama, me recuperando do desastre, fui trabalhando idéias para descobrir um meio de poder voltar à Inglaterra. Consegui que uma revista pagasse a passagem e um bom dinheiro em troca de várias reportagens culturais e turísticas que eu faria lá. E fui. Pena que, chegando lá, fui informado que a Escola de Verão desse ano fora suspensa. Mesmo assim, com a amiga Jenny na direção de seu Volvo, fomos, de Londres a Charleston, para matar a saudade.

Lá encontramos James Beechey e outros. De lá (coisa previamente agendada por minha amiga) fomos visitar Quentin Bell em sua casa em Firle. Quentin estava sozinho em casa – a Olivier tinha ido para o norte receber, na Universidade de York, o título de Doutora Honorária em Literatura, mais um reconhecimento por seu extraordinário trabalho na edição dos cinco volumes dos diários de Virginia Woolf.

Quando chegamos, Quentin, que estivera fazendo a sesta, desceu e nos recebeu. Sobre a roupa ele estava com o avental sujo de tinta. Sentamos em volta da mesa da cozinha, onde me chamou a atenção uma fruteira de cerâmica feita por ele, com laranjas e maçãs já meio passadas. A visita durou pouco mais de uma hora. Quentin disse que meu aspecto não parecia o de quem sofrera um desastre automobilístico como o que eu lhe descrevera.

Falamos de vários assuntos, do belo livro que seu filho Julian fez sobre Bonnard, lançado naqueles dias para acompanhar a retrospectiva do pintor francês em Londres. Ele falou do livro de memórias que escreve – o título será *Elders and betters*. Quis saber o que estou escrevendo. A conversa foi descontraída, embora eu me sentisse constrangido. Afinal, já com 84 anos, Quentin me pareceu ainda mais fragilizado, com tanta gente atrás dele, sendo ele uma enciclopédia viva do Bloomsbury, e a gente tendo ido lá tirá-lo do sossego!

Na despedida, ele comentou o sucesso da seleção brasileira na Copa nos Estados Unidos. Uma semana depois dessa visita, a Quentin Bell, o Brasil sagrava-se tetracampeão. Alguns dias depois da visita escrevi-lhe de Londres pedindo desculpas por ter ido importuná-lo e pondo a culpa na Jenny, pois fora dela a idéia da visita. Dois dias depois recebia resposta dele, dizendo que eu não tinha de pedir nenhuma desculpa, e que a Sra. Thompson fez muito bem em ter-me levado lá para vê-lo, mas que lamentava só ela ter falado e eu permanecido praticamente mudo o tempo todo.

Ainda nessa temporada de 1994, Jenny me levou à biblioteca do British Museum para, graças à sua amizade com Sally Brown, curadora dos manuscritos do século 20, eu ter acesso a algumas preciosidades. Jenny saiu para fazer umas coisas e Sally me pôs em uma sala sozinho e sobre a mesa, sem luvas, pude ficar em contato manual e visual com os escritos de Virginia Woolf, de quando ela era menina em Hyde Park Gate! Os jornaizinhos que ela e os irmãos escreviam a mão, o *Hyde Park Gate News*, muito antes de nem sequer imaginarem que um dia inventariam o Bloomsbury!

O primeiro exemplar é de 1891, quando Virginia era uma menina de 9 anos! Que delícia os erros gramaticais dela! Foi uma experiência tão emocionante que me senti até mal, querendo fugir correndo dali como se não merecesse tamanho privilégio. Eu, a sós, sem nenhum vigia, sem nem a Sally Brown ter me mandado usar luvas, nada! Eu, em contato manual direto com um dos legados mais preciosos de minha escritora favorita! E além disso, também as cartas de [Dora] Carrington, cartas que ela ilustrava com desenhos. Tudo aquilo era meu! Meu porque a Sally Brown me liberara para ficar a sós com aquele tesouro por quanto tempo quisesse! A verdade é que fiquei pouquíssimo tempo, com medo que aquela preciosidade (os jornaizinhos escritos à mão por Virginia e com uma única cópia cada exemplar) pudesse se desfazer diante dos meus olhos.

"Asheham as you perceive is surrounded by sunshine" (sketch by D. Carrington em carta p/ Lytton Strachey, 29 janeiro, 1917) cópia: A. Bivar 1994

1995

Sinto-me sempre constrangido quando as pessoas me elogiam;
nunca acho que elas estão me elogiando o bastante.

Mark Twain

DESDE AQUELE JULHO de 1993, continuei mantendo correspondência com alguns colegas da Summer School. Com Sue Sullins, Kathy Chamberlain... e principalmente com Jenny Thompson – e assiduamente com Quentin Bell; a Olivier disse não escrever cartas, só cartão postal, de vez em quando. Em 1995, sem avisar nenhum deles, resolvi ir conhecer um outro evento anual promovido na fazenda Charleston – o festival, realizado anualmente em maio.

Nessa época eu ainda não tinha computador e fiz minha inscrição por fax. A direção de Charleston me orientou onde eu poderia me hospedar e dessa vez, em vez de ficar em Southerham Old Barns, fiquei na Fazenda Gibraltar, cuja sede é do século 17. Nesse lugar, imaginei, não precisaria depender de condução, podendo caminhar até Charleston, embora fosse uma longa jornada cruzando pastos, campos, colinas e outras quebradas. Como o sapato que usava não era o ideal, meus pés iriam demorar anos para se recuperar da experiência. Mas de qualquer forma foi outra experiência fantástica no terreno da literatura.

Assim como a Escola de Verão, a cada ano o Festival de Charleston explora um tema. O de 1995 foi "Debatable Land", que aqui traduzo mal e porcamente por "Terreno Discutível". No programa: "Bloomsbury sempre foi um território crítico onde temas políticos e artísticos eram debatidos. Continuamos a tradição com alguns de nossos principais escritores."

Os eventos se sucederam como em um curso intensivo, um após outro, o dia inteiro e todos os dias. De modo que o que se segue é o meu diário do festival.

Quinta, 25 de maio.

Enquanto na Escola de Verão em 1993 tudo fora pura magia, emoção e revelações, agora sei que terei de estar preparado para não mais a privilegiada situação de ser um dos poucos felizes, mas, em se tratando de um festival, ser um a mais na multidão. Na solitária hospedaria a dona me arranjou, nos fundos, um quartinho aconchegante e cheio de livros.

Cheguei, deixei minhas coisas no quarto e, por ser uma boa caminhada até Charleston (duas milhas, aproximadamente) e eu desconhecer o caminho mais atalhado, achei ajuizado sair mais cedo. A senhora Barnes, proprietária da hospedaria (posso chamá-la de Anne, ela logo o disse), deu-me um mapa e me apontou as trilhas. Fiz que entendi – os mapas ingleses sempre me confundem. Faz tempo desisti de entendê-los, porque sempre tomo um lado por outro e acabo levando um tempo exaustivo até chegar aonde devo.

De modo que logo à saída da hospedaria em vez de dobrar à esquerda dobrei à direita, e só nessa roubada já perdi mais de um quilômetro. Perdido, passei pelo vilarejo de Firle. No correio-quitanda, a senhora me arranjou outro mapa (que devo devolver amanhã). E me explicou a trilha. Que devo ter entendido mal, porque em vez de dobrar à direita segui sempre em frente e fui parar onde meus pés já pediam arrego. Tive de me sentar num tronco tombado e tirar os sapatos.

Enfim, depois de ter desviado de mil bostas de vaca, cheguei aos fundos de Charleston. E tive certeza que era Charleston porque, ainda de longe, a primeira pessoa que avistei e reconheci foi James Beechey retirando grandes caixas de papelão de um furgão. Imaginei tratar-se de ingredientes para o festival. James também me reconheceu e de longe me saudou com um "daqui a pouco falo com você", sempre atarefadíssimo.

Me senti em casa, mas com os pés em pandarecos. Fui para o jardim em frente ao pequeno lago, sentei-me num banco e tirei os sapatos para descansar os pés antes de ir falar com Myra Harud e outros conhecidos da casa.

O primeiro debate é com os escritores Alan Hollinghurst e Candia McWilliam, que vão falar do trabalho deles e de seus contemporâneos. A mediadora será a Doutora Harriet Harvey-Wood, antiga diretora de literatura do Conselho Britânico. O último livro da Candia tem por título justamente *Debatable Land*, título aproveitado para ser também o do festival este ano. Li em algum lugar que o romance de Candia é uma espécie de versão para os nossos dias de *As Ondas*, de Virginia Woolf. Diz que até o número de personagens é o mesmo: seis. Com esse livro, Candia recebeu o prêmio de ficção do jornal *The Guardian* no ano passado. Diz que o romance mexe com lembranças. Já quanto a Alan Hollinghurst, seu novo romance, *The folding star*, que foi escolhido um dos finalistas do último Booker Prize, também tem por tema meditação sobre a memória e nessa memória entra sexo, arte e traição em uma sociedade pós-Aids. Dizem que ambos os escritores são muito bons. Vamos ver o que eles têm a nos dizer.

Marcado para as 19h30, o evento começou pontualmente. Por ser quase verão, ainda estava claro. Começou assim: Diana Reich apresentou os dois autores e a Dra. Harriet. Esta, inglesíssima, falou da literatura inglesa no mundo, dizendo que até na Coréia existe uma Sociedade Jane Austen. Disse que nos Estados Unidos ainda pensam que literatura inglesa é P. G. Woodhouse e Dickens. E agora Martin Amis (por causa daquele contrato de US$ 800 mil por seu último livro, o que matou de inveja outros escritores ingleses de sua geração).

A doutora Harriet fala depressa, o tempo é curto, o Conselho Britânico na Rússia, a *New Writing* (uma publicação que ela dirige e que em cada número publica trechos de romances e contos dos novos escritores e, mesmo, dos antigos, pelo que entendi) já está no número cinco, custa cinco libras e é grossa, em formato de livro. O último número traz introdução de Alan Hollinghurst. Ele é também o autor de *The swimming pool library* (*A biblioteca da piscina*, traduzido e publicado no Brasil pela Companhia das Letras), muito comentado no ano passado quando estive na Inglaterra. Também foi indicado para o prêmio *Booker*. Dizem que ele é um mestre na prosa e bom de estilo. Deve ter entre 40 e 50 anos, fala rápido, com clareza e tem voz grossa. Os cabelos grisalhos e a barba preta. Está de terno azul escuro de lã fria. A camisa, sem gravata, também é azul, só que um pouco mais clara que o terno.

Candia McWilliam é alta, cabelos longos, claros e lisos. Não é muito gorda, mas magra também não é. Diz que não é verdade que os leitores não gostam de contos. São os editores que evitam o gênero. Os leitores dela sempre lhe pedem contos.

Alan H. diz que a nova edição da *New Writing* traz jovens poetas, entretanto também traz a Muriel Spark e outros consagrados e não tão jovens. Dra. Harriet interfere e diz que muitos jovens escritores são chamados de "jovens" porque nunca foram publicados antes, mas que na idade não são tão jovens. Hollinghurst diz que escrever é "trabalho árduo". Dra. Harriet concorda, diz "yes". Aliás, ela diz "yes" o tempo todo, concordando com tudo, porém de maneira um tanto impaciente. "E Candia?" ela pergunta, dirigindo-se à outra.

Candia é escocesa. E volta a falar de contos (afinal é uma contista) dizendo que o processo de escrevê-los é diferente do extenso e sinfônico trabalho de escrever romance. "Adoro a oportunidade de escrever contos quando as revistas me encomendam", diz. E fala das vantagens de escrevê-los, não precisa ficar muito tempo presa, como no romance. Ela se levanta – é altíssima – e lê um de seus contos, *Seven Magpies* (*magpie* é um pássaro preto, em Portugal chamado de pêga, ligeiramente parecido com o brasileiro anu). E como que pedindo desculpa, diz que o conto é muito chato.

Estou com sono. Quase cochilo. Mas também, depois daquela caminhada vietnâmica para descobrir como ir da Fazenda Gibraltar a Charleston!

Enquanto Candia lê, Hollinghurst dá a impressão de concentrado, prestando atenção. Dra. Harriet observa a reação do público à leitura da moça. Candia lê friamente, mas repentinamente se torna dramática com uma ação descrita no conto. Humor. O público ri. E ela lê, lê, lê – o conto é longo! –, aqui e ali o público ri e ela pergunta aos da mesa: "Tenho tempo para ler mais um pouco?"

A doutora Harriet e Hollinghurst dizem que sim e Candia conta as páginas que faltam, seis, e continua. E eu com tanto sono! Quase despenco. Candia inflexiona interpretando os personagens. Ludovina, em *djelaba*, é um dos personagens. O conto parece não ter fim. E eu já quase me entregando. Mas de repente o conto acaba, o público aplaude educadamente e agora é a vez de Alan Hollinghurst ler.

Ele se levanta e vai ao púlpito. Lê um capítulo de seu novo romance, no qual Eduardo vai para a Bélgica. É um livro *gay*. A voz de Hollinghurst é acintosamente grave. "Continuo leal à poesia", diz um dos personagens, talvez o próprio Eduardo. Pela reação do público, umas 120 pessoas, parece que o autor é brilhante. Erudito. Tem um cachorro chamado "Sibelius", no capítulo que lê. Os olhos de Candia (agora já sentada) parecem fixos na distância enquanto Hollinghurst continua lendo. A casa (no romance de Hollinghurst) é vitoriana e sombria, dentro. Sibéria. Risos. Belas letras. Soneto de Meredith. Tennyson, Swinburne, Henry James, T. S. Eliot. Sofisticado. Aplausos.

O debate é conduzido pela doutora Harriet. Poesia. Hollinghurst diz: "Meu maior prazer em descrever coisas..." – sua voz agora é sonolenta e eu quase desmaio de sono. Dra. Harriet pergunta se Alan já escreveu contos e ele diz que escreveu um. Alguém, um homem, na platéia, pergunta qualquer coisa sobre Virginia Woolf e poesia. Uma moça pergunta se Alan fica muito nervoso quando escreve – no entanto não entendi muito bem a pergunta e menos ainda a resposta. Meu Deus, que sono!

Candia conta que lê um romance por dia. E diz que Martin Amis é difícil de ler. Parece que o texto dele é travado, não deslancha, tem qualquer coisa... Candia agora parece inteligentíssima falando do esnobismo da imprensa que venera Martin Amis. Nisso, Diana Reich sobe no estrado e com sua eficaz pontualidade corta o debate para dizer que o primeiro dia do festival terminou satisfatoriamente.

Na platéia, agora percebo, estão algumas pessoas com as quais convivi muito bem durante a Summer School de 1993: Rosemary Evison (que em 1993 era a participante mais jovem e tinha os cabelos longos e encaracolados, agora os tem lisos, curtos, e está mais magra); o casal Jackie e Keith Clements; Anne Olivier Bell... Mas não falei com nenhum desses conhecidos e eles também não me viram. De modo que saí rapidamente pois embora fossem 21h30 e ainda estivesse claro, achei melhor me apressar, porque precisava descobrir o caminho de volta até a fazenda Gibraltar antes que escurecesse.

Desse primeiro dia chamou-me a atenção uma figura muito jovem, um *boy*, que avistei chegando sozinho a Charleston à tarde. Com sua mala, seu terno de lã azul escuro (apesar do calor). Na sua idade, o único até agora. Interessante constatar o interesse de alguém tão jovem por tudo isso.

Sexta, 26 de maio.

In vino veritas - cansado e *vinhado* (do vinho servido na abertura do festival) cheguei na hospedaria, tirei a roupa e caí no sono. Tantos detalhes dignos de nota, mas não há tempo para anotar tudo. Ontem, a aventura que foi chegar em Charleston atravessando os campos. E na volta, mesmo com fome, a falta de coragem de entrar no The Ram, o *pub*, repleto de ingleses barulhentos bebendo toda aquela cerveja. Me sentindo um peixe fora d'água, às 22h30 já estava no meu quarto na estalagem Gibraltar, me enfiando na cama.

De algum modo me sinto um invasor, um espião, um xereta. Mas o escritor tem que sair à cata de sobre o quê escrever. Sempre não existiram escritores europeus que foram xeretar o terceiro mundo para escrever a respeito? Eu sou o inverso, venho do terceiro mundo xeretar isto aqui para escrever, criticamente espero, sobre o que aqui percebo. E, assim, tratei de me alimentar bem no desjejum esta manhã e bem despachado (neste sentido) pela senhora Barnes, que me preparou um *breakfast* de levantar qualquer defunto, de modo que, de estômago cheio, saí para enfrentar o dia e dele voltar com o que dele foi colhido.

Não fui à oficina de escrita criativa dada por Candia McWilliam, porque na Escola de Verão de 1993 tive uma oficina ótima com a Michèle Roberts e não preciso de outra. Mas, quando caminhava as duas milhas, desde Gibraltar até Charleston, por campos e pastos, encontrei, na altura da torre solitária, o jovem de que falei no fim do registro de ontem. Reconhecendo-o perguntei: "Você está vindo da oficina com a Candia McWilliam?" E ele: "Estou." Sua cara era de que a experiência fora realmente proveitosa. E eu: "Foi boa?" E ele: "Excelente." Agradeci a informação, falei tchau e seguimos rumos contrários. Eu, o caminho de Charleston.

Eleanor Gleadow, que faz parte do *staff* de Charleston, desde 1993, quando a conheci, costuma conversar comigo sobre música popular brasileira. O marido é percussionista. Ela me conta que o casal foi ver um *show* brasileiro em Londres e gostaram muito. E eu constato que é tudo meio assim, a vida fã. Eu, fã de Virginia Woolf, o marido da Eleanor, fã da MPB. De modo que não podia deixar de anotar isso: a vida fã. Mas esquecia de anotar sobre as vacas xeretas. Ontem, quando voltava de Charleston, atravessando o pasto, fui seguido por uma, no escuro. Há muito tempo reparei: vaca inglesa é muito curiosa.

Hoje, o segundo dos cinco dias, tivemos Dame Iris Murdoch e seu marido, o crítico John Bayley, e Victoria Glendinning, em uma conversação sobre o trabalho deles e sobre a saúde literária da nação numa época de premiações controversas, *sound-bites*, a imprensa diária dos tablóides escandalosos e o advento do CD-ROM.

Iris e Bayley, que são casados e velhos, estavam na platéia durante o evento de ontem, agora no palco os reconheço. Iris (depois fiquei sabendo que ela sofre do mal de Alzheimer) é constantemente incensada como a maior escritora inglesa viva (nunca a li, nem na época, 1977, em que meus amigos em São Paulo, liam *O mar, o mar*); John Bayley, professor aposentado de inglês em Oxford, foi o presidente do júri que escolheu o Prêmio Booker do ano passado; Victoria Glendinning, que é alta, magra, ossuda, vivaz (e está num *slack* justo e sapato baixo confortável), é a biógrafa de Edith Sitwell (que li em 1985 e gostei muito), Rebecca West, Vita Sackville-West e Anthony Trollope.

Instalado na platéia – a tenda hoje está lotada, umas cento e tantas pessoas – e sem ser notado, avisto Anne Olivier Bell com a filha Virginia Nicholson. Avistei Keith Clements, e Ralph Drake me cutucou pelas costas. Jenny Thompson, sentada do outro lado, não me viu.

E Diana Reich no estrado fez as apresentações. A conversação começou por John Bayley. Ele é gago. E a cada instante demora o que parece uma eternidade para completar uma simples palavra. Porém, quando o consegue, metralha umas outras tantas, trespassando os titubeios. A platéia em suspense, quando Bayley empaca na segunda sílaba de alguma palavra. Repetindo a sílaba seguidamente, faz a platéia temer que ele venha a ter um treco antes de concluí-la. Mas é brilhante. E careca. Tem uma coroa de cabelos grisalhos que vai de uma orelha à outra, começando das têmporas.

O traje de Iris Murdoch combina tons de verdes – a blusa é num verde mais claro que a jaqueta. Rosto vermelho, cabelos lisos, curtos – pouco abaixo da altura do queixo, franjados na testa. Óculos pendurados presos por um fio. Sapato baixo. Iris (ela também gagueja, menos que o marido – em casa como serão as conversas entre os dois?) diz ter estado antes em Charleston e gostou de estar na platéia ontem ouvindo gente falando, mas que hoje é ela quem está no palco para falar. Põe os óculos e começa a ler o texto que escreveu: "Um dos meus personagens favoritos (...)". "Nomes colhidos em outros lugares (...)".

Olivier Bell está sentada na minha frente. Robert Skidelsky, o biógrafo de Keynes, também está na platéia. Simpático, apresentou o filho a algumas pessoas. Falou com a Olivier antes dos palestrantes subirem ao praticável.

Victoria Glendinning, além de alta e magra, tem um nariz protuberante, cabelos à Greta Garbo, o sapato dela é tipo tênis (mas não é tênis). Enquanto Dame Iris lê, a Glendinning se estica, a bolsa no chão do estrado, a jaqueta bastante usada – mas ela é muito chique –, tudo em preto e azul. Descontraída. No pescoço uma corrente larga e achatada, de ouro; no pulso, relógio pequenino de pulseira prateada. Na mesa, o seu primeiro romance, *Electricity*, que acaba de sair.

Iris Murdoch continua lendo para a platéia um capítulo do romance que está escrevendo. O trecho que lê é sobre um pacto de suicídio bem moderno envolvendo um casal de amantes cujos carros se chocam. "Que gente maravilhosa, brava gente!", penso. Hoje estou bem desperto, embora desconcentrado. E Iris lê, lê, lê, e o público quieto, atentíssimo. Mas eu mesmo não consigo me concentrar. E Iris pára um pouco, comenta qualquer coisa, pede desculpas ao público e pergunta se deve continuar lendo. Deve. Continua. E termina. Aplausos. Comentários. John Bayley compara o novo romance da Murdoch ao *Longe deste insensato mundo*, de Thomas Hardy.

Agora é a vez de Victoria Glendinning. Seu primeiro romance, muito elogiado, é sobre – pelo que entendi – um personagem no começo da era da eletricidade e seu convívio com ela. Para ele, a eletricidade é tudo. Como os outros acreditam em Deus, o deus dele é a eletricidade. E a Glendinning lê um capítulo, inflexionando, interpretando os personagens.

Atenta, fitando o infinito (o teto de vinilona da tenda), o olhar de Iris Murdoch, enquanto ouve a leitura de Victoria Glendinning, é um olhar de angústia, um olhar molhado, de dor, embora ela não faça esforço para que isso não transpareça; é uma angústia controlada, quase serena.

A Glendinning passa dos limites, lendo muito tempo. Bayley boceja. Victoria termina. O público aplaude. Iris sorri, complacente. Bayley elogia a destreza de Victoria em termos de extraordinária contemporaneidade. Conversação. Victoria compara a luz elétrica (como inovação) à luz de gás. Ela é mesmo chique. É brilhante. Lembra-se do avô. Fala de seus vários sangues. Sangue judeu, sangue celta, sangue isso, sangue aquilo. Por ter vários sangues nas veias e ser tão miscigenada, sente-se livre para fluir em todas as direções literárias.

E fala das diferenças entre editoras inglesas e americanas. De como os americanos enfiam "horrores" nas edições lá publicadas. O racionalismo americano. Victoria Glendinning é de fato inteligentíssima. Bayley fica assanhado (ele é assanhado), conversa com Victoria. E passa a peteca para Iris: "Não é, Iris?" – pergunta. Então fica difícil, porque os dois são gagos. Bayley é o mediador.

Sobre leitores. Victoria diz que há leitores que não querem ser perturbados pelo romance que lêem e os que *querem* ser perturbados. (Acho que ela e Iris escrevem para os que querem ser perturbados).

Conselho de Iris Murdoch para quem quer escrever: "Profunda reflexão e situações originais. Reflexão sobre religião ou sobre o que vai acontecer no próximo século."Victoria participa, concorda, enriquece. E volta-se a falar de Martin Amis e seu novo romance, *The information*.

Diana Reich sobe ao tablado, interfere e abre para a participação da platéia com comentários e perguntas. Uma ouvinte pergunta: "Como se pode dizer que um romance será bom daqui a 35 anos?" E outra, uma americana, pergunta sobre o lado visionário da Murdoch nos livros dela. Iris responde qualquer coisa sobre estar inspirada, ser espiritual: "Eu não acredito nem em Deus nem em Cristo, mas num aspecto profundo do ser humano."

Uma inglesa pergunta sobre os desafios físicos nos personagens de Iris e se ela própria se desafia. Iris demora, reflete, enrola e diz que sim, embora reconheça não ter respondido claramente à pergunta da moça.

E a conversação se aquece e segue, Bayley falando dos escritores americanos que precisavam "viver" para escrever seus romances. Cita todos ou quase todos. Jack London, Fitzgerald, Hemingway, eles viveram o que escreveram, mas que Henry James...

Conversa sobre computador. Bayley diz que escreve com uma caneta Mont Blanc e que não sabe nem datilografar. Victoria diz que quando escreve não pensa em leitor de jeito nenhum, esteja ela escrevendo em computador ou com caneta Mont Blanc. Já a Iris escreve todos os seus livros com a mesma caneta, uma Sheaffer, há 40 anos. E como ela mexe e remexe os manuscritos, costuma levar à loucura quem os datilografa. E Iris não permite que uma palavra, uma vírgula, nada, seja mudado. E Diana Reich agradece, encerrando a noite com seu habitual e certeiro despacho. Os autores estão à disposição para autografar seus livros, à venda na entrada da tenda.

Surpresa de Jenny Thompson ao me ver. Como?! Nem avisei que vinha! De modo que fomos jantar no The Ram, em Firle. Jenny, a amiga Wendy Neill, Keith

Clements, Ralph Drake e eu. Jenny e Wendy, que estão hospedadas no The Ram, já tinham antes encomendado o jantar. E que bom me sentir novamente em casa com estes velhos amigos, *a classe de 93*. E conversa de arte em geral e do evento no festival em particular. Ralph Drake, americano de Cleveland, Ohio, muito engraçado. Espirituoso. Brilhante. Gordo. Cinqüenta e nove anos. Um Oscar Wilde destes tempos com sotaque (muito bem articulado) de Cleveland. Passa parte do ano nos *States* e parte em Londres, lecionando. "A pobreza acadêmica", ele diz. Em Londres hospeda-se no Tavistock Hotel, em Bloomsbury.

No The Ram, sozinho, o jovem que avistei chegando em Charleston no primeiro dia e com quem hoje cruzei no campo perto da torre solitária. Ele nos observa, parece interessado na excitação em nossa mesa. Duas lésbicas muito jovens – uma delas muito máscula e atirada – se apoiam de costas em nossa mesa, que é comprida e tem toda uma parte com lugares sobrando. Keith Clements as convida a sentar em vez de ficarem de pé. Elas sentam. Jenny me convida para ir à Ilha de Wight com ela e Wendy no sábado depois da palestra da Frances Partridge. Agradeço, mas digo que não quero perder o evento de domingo encerrando o festival. Ralph Drake está hospedado com os Clements em Newhaven. Keith me convida para jantar lá no domingo.

Sábado, 27 de maio.

Não sei se foi a reação do reencontro ou por ter sido a primeira vez que jantei desde que cheguei, só sei que não dormi mais que quatro horas. Estou desperto, mas exausto. E tenho que correr para encontrar Jenny e Wendy no The Ram para almoço às 12h.

Ontem, no The Ram, conversando sobre livros e sobre a *performance* de Iris Murdoch, Ralph Drake disse que leu "all her novels", todos os romances dela, e que em todos os personagens lutam que lutam para no final fracassarem, "at the end all of them fail". Comento uma autora norte-americana que li recentemente, a Alison Lurie. Alguns de seus personagens são acadêmicos americanos em Londres; Ralph disse que ela o usou como personagem em um dos livros. Era justamente o romance que eu tinha lido. "Qual o título do livro?" – perguntou Jenny. E eu: "Li numa tradução brasileira." E Jenny: "Qual o nome do livro no

Brasil?" E eu: "Agora não lembro." E Jenny a Ralph: "Qual o título em inglês?" E Ralph: "Eu também não lembro." (O título é *Foreign affairs* – por esse romance a Lurie recebeu o Prêmio Pulitzer.)

E mil conversas. De repente, alguém diz qualquer coisa sobre Ivor Novello, ator, cantor e compositor inglês das primeiras décadas do século. A citação do nome de Novello me fez lembrar de uma piada que li não sei onde (acho que foi em uma enciclopédia sobre *Camp*). Diz que a única experiência homossexual de Winston Churchill foi com Ivor Novello. Na época, todo mundo ficou sabendo. E quando perguntavam a Churchill como fora a experiência, ele respondia: "Musical".

Mas isso foi ontem no The Ram. Hoje, conforme o combinado, fui ao encontro de Jenny e Wendy na porta do The Ram para darmos um passeio pelas ruas. Avistamos o rapazola já citado neste diário e, como sempre, sozinho. Jenny e Wendy o reconhecem, trocam palavras com ele e depois Jenny me conta que ele é escocês, tem só 18 anos, viu o filme *Orlando*, se apaixonou por Virginia Woolf e ano que vem vai estudar literatura inglesa em Cambridge e fazer um filme experimental de dez minutos inspirado em *As ondas*.

Então fomos, Jenny, Wendy e eu, almoçar no The Ram, ao ar livre, no jardim dos fundos. Hoje eu pago o almoço, porque ontem Jenny pagou o jantar. Ralph Drake passa de táxi para nos apanhar para o terceiro dia do festival. Hoje, o programa é triplo. Às 14h15 tem palestra de Jon Stallworthy (professor de Inglês em Oxford, sete livros de poesia e premiado pela biografia de Wilfred Owen). A palestra dele será sobre Siegfried Sassoon, soldado, poeta e peregrino. Depois, às 16h45, temos encontro com Frances Partridge, evento que é um dos pontos altos do festival. Ela, com 95 anos, é a última sobrevivente da primeira geração adulta do Bloomsbury.

Frances tem, publicados, cinco volumes de diários. Suas memórias – e isto Stephen Spender já nos dissera em 1993 – são incisivas, bem-humoradas e ela escreve com elegância e *zest* a história da vida intelectual inglesa deste século. Sua paixão pela verdade e por idéias (conforme escrito no programa) é notável. E como este ano celebra os 50 anos do fim da Segunda Guerra, a palestra de Frances Partridge terá esse tema.

Mas vamos ao primeiro evento do dia, o de Jon Stallworthy sobre Siegfried Sassoon. Stallworthy é ótimo, inteiraço (deve ter minha idade, 56 anos), de fala clara (entendi uns 70%). Diana Reich o apresentou. E ele falou de Sassoon, que deixou Cambridge sem se diplomar. Quando jovem, Sassoon foi um poeta muito "floral". Voltou da guerra (a primeira) com algumas balas no peito. D. H. Lawrence o usou como personagem em *Mulheres apaixonadas*. Parece que na guerra Sassoon foi confundido com alemão e os colegas atiraram nele. A fase homossexual, o casamento, o casamento acabou, Sassoon tornou-se católico aos 57 anos e morreu aos 67. *Memoirs of a fox-hunting man* (*Memórias de um caçador de raposas*, o primeiro volume de suas memórias). Não conheceu o pai. Voltar à guerra o mais rápido possível, para encontrar a paz que não encontrava em casa. Ele, que não era modernista, leu algumas páginas do *Ulisses* de Joyce e o achou repelente. No próprio Eliot, não via muita coisa. Tinha mais afinidade com Rupert Brooke. Sentia ternura por moços, sem conotação sexual. A morte de jovens na guerra. Odiava a brutalização do campo. Esperava um futuro pastoril.

Intervalo. Chega a vez de Frances Partridge. O tema de sua palestra é "A Pacifist's War" (título do volume de um de seus diários, relativo ao grupo de amigos pacifistas, na Segunda Guerra). A excitação na tenda é grande e até agora é o evento mais concorrido. Mais ainda que o de Iris Murdoch. Até Quentin Bell veio!

Aos 95 anos, fisicamente frágil, Frances Partridge guarda as feições de suas fotos de quando jovem. Tem a voz bonita e clara, é perfeitamente lúcida, tem humor, presença de espírito, é gentil, mas afiada e arranca risos da platéia. "Porque sou uma pacifista". Responde às perguntas e uma delas, muito inteligente aliás, é feita pelo jovem escocês ao qual volta e meia me refiro neste diário. Jenny, sentada ao meu lado, diz que a pergunta dele foi objetiva. Embora longa. A resposta de Frances Partridge é sucinta, direta e reta, arrancando risos.

Depois do debate, Diana Reich, com sua habitual argúcia, encerra o evento dizendo que os *Diários* de Frances Partridge estão à venda no local habitual e que ela continuará no estrado para autografá-los. Compro um volume e digo a Frances que venho do Brasil, que valeu vir de tão longe para ouvi-la. E ela, brincando: "Habla español?" – isso não por ignorância ou por confundir as bolas, como já virou folclore dizer que Rio de Janeiro é a capital de Buenos Aires & aquelas coisas, mas porque Frances Partridge foi durante anos tradutora para o inglês de livros em espanhol – teve muito contato com Victoria Ocampo – e, sendo o espanhol a língua mais próxima do português, em espanhol poderíamos entabular qualquer conversa. E ela dedicou o *Hanging on* (diários de 1960 a 1963) assim: "For Antonio, from Frances Partridge". Depois da palestra, aquela festa. Anne Olivier Bell, em nosso primeiro encontro neste festival, brincou: "Agora é *normal* você vir à Charleston."

Como tinha muita gente o cercando, cumprimentei Quentin Bell rapidamente, segurei suas mãos, seus olhos brilharam, ele fez um comentário sobre meu acidente automobilístico do ano passado. Quentin, com 85 anos, está ainda mais frágil que no ano passado. Mas deu para sentir que mesmo frágil está ótimo, feliz, ainda trabalhando com cerâmica e preparando seu novo livro *Elders and betters* (*Mais velhos e melhores*) que sai em agosto.

E o social é intenso. Atmosfera típica de festival. Pergunto a Diana Reich quantas pessoas e ela diz que umas 180, se tanto. Mesmo assim, para mim é muita gente. É completamente diferente do delicioso clima de intimidade da Escola de Verão, quando eram, no máximo, 22 participantes.

Domingo, 28 de maio.

Ontem, por volta das 20h, depois do encontro com Frances Partridge, Jenny e Wendy foram tomar o trem em Brighton rumo a Portsmouth e de lá o barco para a Ilha de Wight, onde o marido de Jenny e os filhos (de seu casamento anterior) a esperavam. Keith Clements (com Ralph Drake) foi levá-las de carro à estação. Nem fiquei em Charleston para o último evento do terceiro dia, um encontro com duas senhoras poetas humoristas.

E ao abrir a porteira dos fundos para pegar o caminho até a pousada Gibraltar, através do pasto e dos campos, fui visto por Anne Olivier Bell que, com o xale na cabeça (pois já esfriava), ia pegar o carro, que ela mesmo dirige, e voltar para casa, ela também sozinha (Quentin já tinha sido levado pela filha Virginia). Olivier acenou e mostrou o rumo da casa dela (perto da torre solitária). E disse: "Até amanhã."

Gibraltar, a hospedaria, está lotada para o fim de semana. A maioria dos hóspedes é jovem. Uns vieram para o festival de Charleston e outros para um festival de jazz em Brighton. Ann Barnes e o marido, Hugh – os donos da pousada –, viajaram na sexta-feira e ao sair me ensinaram como fechar a porta. Anne me disse:

"A casa é sua para você explorá-la à vontade. Há muitos livros, e se você depois quiser levar alguns, leve e devolva-os pelo correio depois de lê-los. Muitos dos livros vieram de Charleston há anos, antes da restauração da casa."

De fato, todos os cômodos são cheios de livros. Livros em edições antigas, alguns até em edições do século passado – William Morris, Byron, Henry James, Sheridan, etc., mas não. A tentação é grande, mas resistirei. Mesmo a dona da hospedagem tendo dito que posso. O livro de Byron está com uma assinatura, "Grace Higgens – Charleston, 1944". Quem era mesmo essa Grace Higgens? O nome não me é estranho. E a data, 1944. Vanessa Bell e Duncan Grant eram vivos. Virginia tinha se suicidado fazia três anos.

(NOTA PÓS DIÁRIO: Por que não peguei o livro? A ficha caiu depois: Grace Higgens foi, durante 50 anos, a cozinheira de Charleston. Foi retratada por Vanessa e por Duncan. Ela mesma era levada por Vanessa e família, quando iam para longas temporadas na casa alugada que tinham perto de Cassis, na Provence. Alguns anos depois, Gibraltar já não sendo mais uma hospedaria e os Barnes já tendo se mudado, e eu sem a menor idéia de para onde foram os livros, contei desses livros para o Peter Miall, o curador de Charleston, enfatizando os que tinham a assinatura de Grace Higgens, Miall ficou de orelha em pé. Mas aí já era tarde.)

De hóspede agora só eu. O resto foi embora. Os Barnes viajaram para um casamento em Somerset e ficam fora o fim de semana. A hospedaria ficou sob os cuidados de uma moça máscula, bonita, fraterna, e de sua assistente, mais jovem (provavelmente sua amante).

Resolvi almoçar no restaurante do Firle Place, a mansão baronal da Família Gage durante 500 anos. Um certo Chevalier Le Gage veio para a Inglaterra com William, O Conquistador, em 1066, que deu a ele essas terras. William Le Gage (seu nome) casou-se com uma filha de ricos proprietários de terras de Gloucestershire. Várias gerações depois o Solar Firle (com pedras trazidas de Caen, na Normandia) foi construído por um Lord Gage, amigo de Henrique VIII, que o fez governador da Torre de Londres. Os Gages foram durante séculos os senhores feudais aqui da redondeza – tudo pertencia a eles. Firle Place – o nome do solar – é hoje um museu. Está cheio de obras dos Grandes Mestres ingleses (Van Dyck de montão e também daqueles outros, Reynolds, Gainsborough...). Então, depois de visitar a casa almocei em seu restaurante: salada de truta defumada enriquecida com ervas, tomates suculentos; vinho branco, sobremesa, café, tudo ao preço de seis libras (digamos, uns nove reais, de acordo com o câmbio de 1995 – mais barato que o "meio quilo" perto de casa, lá em São Paulo). E a vista, o lugar, o campo, os cisnes no lago, o jardim onde os faisões correm soltos, os carvalhos, uma coisa! Cenário de filme de Merchant-Ivory.

Bem, mas agora estou de novo na tenda em Charleston, pois vai começar mais um evento. O tema é "Rogues' Gallery" (em associação com a revista *Modern Painters*, da qual David Bowie faz parte do conselho editorial). "Rogues' Gallery" é uma expressão local que significa "coleção de fotografias de criminosos fichados pela polícia" (isto no meu pequeno dicionário *Michaelis*). A idéia do debate é: "Gente má pode produzir boa arte?" Parece que sim. Os participantes da mesa são figuras conhecidas aqui na Inglaterra, celebridades de programas de bate-papo na TV, mas não os conheço nem vagamente. O debate começa às 15h30. A tenda está cheia. Estão lá dois dos participantes, um gordinho e um moreno alto. Está faltando um que, diz o gordinho, deve ter se perdido pelo caminho. James Beechey os apresenta.

O gordinho cita Louis-Ferdinand Céline (1894-1961) nos anos 30, seus panfletos anti-semitas, mas o apelo de seus trabalhos (...); Genet, etc. O moreno alto fala da idéia de que a arte é sacralizada. Picasso, que era misógino e fazia uso da violência como tema. O gordinho fala de arquitetura. Pode-se condenar um prédio dos anos 20 em Hamburgo porque seu arquiteto (...)? A moralidade além (...). E eu vou perdendo o interesse. São humoristas. O gordinho evidentemente é um ególatra. É inteligente, mas imaturo. "Seria naïve dizer qualquer coisa contra o vernacular renascimento? (...). Exortação do nacionalismo e xenofobia." Ele pronuncia zêno-fóbia.

E chega finalmente o outro participante, aliás, dois: um rapaz barbudo e uma moça bonita, lasseada e com cara de perdedora. Ele (o que chega), provocador, referindo-se aos dois que já estavam na mesa, pergunta ao público: "Bons moços fazem má conversação?"

Agora já sei quem são. O gordinho é Jonathan Meades – novelista, apresentador de televisão e especialista em arquitetura e gastronomia; o alto e moreno é Ros Sadler, da revista *Modern Painters*, e o que chegou atrasado com a moça é Howard Jacobson, autor e personalidade da mídia. A moça é que não sei quem é.

E falam da "ideologia do genocídio", do "classicismo dos anos 30", de gente má promovendo má arte. Cristo e a cruz. São cínicos, todos, menos a moça, que é séria e parece deslocada. A platéia ri com a vulgaridade das piadas, mas não me parece muito convencida.

"Pregar uma coisa e praticar outra", diz um deles. "Quão má é a má arte?" – pergunta outro. O que chegou resume *Bullets over Broadway*, o novo filme de Woody Allen, enfatizando: "Se o artista não põe a arte à frente de tudo, não é artista." E o gordinho rebate: "Isso é romantismo. Coisa de gente como... bem, Woody Allen."

E continuam, os trapalhões. Diz um, tanto faz: "A vida do artista geralmente é a menos artística. Pode-se trair a humanidade, mas não trair o próprio espírito." O gordinho concorda: "Não."

"A idéia, as virtudes humanas ou as qualidades humanas – isso é romantismo. Não necessariamente a exclusão das coisas. Pirandello..."

Uma mulher da platéia pergunta: "Por que até agora nenhuma artista mulher foi citada?" (Aliás, a moça que chegou com o Jacobson e subiu ao estrado com ele, entrou muda e pelo jeito vai sair calada.) E da platéia, uma outra, excêntrica, diz que eles estão sendo puritanos nas observações. A excêntrica não é bem excêntrica, mas ridícula (parece fantasiada para um baile carnavalesco e não para um evento campestre). O debate começou bem, entretanto, virou, segundo Ralph Drake – comparando-o com a dignidade e a integridade do encontro com a Frances Partridge ontem –, um amontoado deególatras e foi o pior evento do festival. E é verdade.

Daí eu contava para o Ralph que aqui tem muita gente que dava para escrever uma *novella* cômica. A mulher ridícula (de chapéu disco-voador de um lado e coque grisalho do outro, casaco com apliques de peles aqui e ali, apesar do calor) – ela, pelo jeito conquistou o jovem escocês e agora os dois estão pra cá e pra lá – imagino que ela acabará ganhando papel em um dos filmes experimentais dele.

Intervalo para o próximo evento, o ingresso mais disputado do festival – "Precious Hadji, Darling Mar" – "performance-première", em benefício de

Charleston, roteiro e direção de Patrick Garland com base nas cartas de Harold Nicolson e Vita Sackville-West. Essa leitura dramatizada da correspondência do casal cobre os 50 anos do casamento, uma das relações mais não-ortodoxas do século XX (segundo o programa). Edward Fox no papel de "Harold Nicolson" e Penelope Wilton como "Vita". Edward Fox é um ator conhecido internacionalmente (no cinema, o filme mais célebre estrelado por ele talvez seja *O dia do Chacal*). Penelope Wilton está no filme *Carrington*, em que faz o papel de "Lady Ottoline Morrell".

A *performance* tem um prólogo e um epílogo por Nigel Nicolson (filho de Harold e Vita) em pessoa. E é ele também quem faz a apresentação. Nigel já me deixara com ótima impressão quando, em 1993, durante a Escola de Verão, nós o visitamos no castelo de Sissinghurst, onde ele mora.

Mas o evento ainda não começou e estamos no intervalo entre eventos. No jardim, sorvendo vinho e conversando com Anne Olivier Bell, ela me fala das fotos encomendadas por mim, que Marcia May (fotógrafa brasileira residindo em Londres) fez dela e de Quentin. Marcia enviou cópias para o casal. "Fotos enormes", diz Olivier. E mais: "Ela (Marcia, a fotógrafa) é muito *sweet*." Contei a Olivier que a matéria que escrevi, ilustrada com essas fotos, sairia em julho no Brasil. (Na *Ícaro*, a revista de bordo da Varig).

Transitando pelo festival gente de tudo que é idade, de crianças a nonagenários (como a Frances Partridge, por exemplo). E adolescentes, jovens de vinte e pouco, trintões, cinqüentões, sessentões, setentões brilhantes, octagenários como Quentin Bell (embora ele só tenha vindo ao evento da Partridge). A maioria é gente de meia-idade para cima. O convívio é civilizado e interessante. E o jardim muito admirado. É uma cena rural, por isso todos se vestem apropriadamente. Principalmente os pés. Mas a ridícula alienada que descrevi há pouco, por exemplo, veio de salto alto e agora está lá, patética, com um dos saltos quebrados, *manquée* (depois eu soube, pelo rapazola que vivo citando aqui, que ela é uma nobre italiana, uma condessa de tradicional família de mecenas da Renascença, é poeta, tem muito dinheiro e vai fazer uma doação para o Fundo de Charleston).

Estamos excitados, cada um no seu lugar, prontos para os 50 anos de correspondência entre Harold e Vita. A tenda está repleta. Mais gente ainda que ontem. E começa. Diana Reich faz a apresentação. O diretor Patrick Garland explica rapidamente o trabalho preparado especialmente para o festival. Garland é charmoso, olhos vivos, feliz com o que nos preparou. E a gente embarca prazerosamente.

Nigel explica que *Hadji* (como Vita tratava Harold nas cartas) é uma referência a Hadji Baba, o velho califa (Harold serviu na embaixada inglesa na Pérsia): "A gentileza de meu pai", diz Nigel, "e a ternura de minha mãe... Quando saiu o livro *Retrato de um Casamento*, a resenha no *Sunday Times* começava assim: 'Portrait of WHAT?!' (Retrato do QUÊ?!)" O público entende a piada – Harold e Vita eram homossexuais, que casamento podia ser esse? – e ri. E Nigel continua, fala dos amores e das paixões extravagantes de seus pais, do lar feliz, da infância feliz dele e do irmão, do suporte mútuo que os pais se davam... dez mil cartas sobreviveram e ele, Nigel, para este evento, fez uma seleção.

Penelope Wilton como "Vita" é brilhante, deliciosa, não se perde uma vírgula do que ela diz, que atriz! Edward Fox, como "Harold" começa bem, mas menos bem que Penelope. Com o tempo ele vai ganhando dinâmica e a dupla segue perfeita. No silêncio das pausas ouvimos de fora da tenda os pássaros e não muito distante, no pasto, vacas mugindo. Teatro no campo, na fazenda, a tenda como um pequeno circo armado.

Choveu. Aliás esqueci também de escrever que desde o terceiro dia o tempo, primavera-verão, tem sido de sol e chuva. Mas agora a chuva passou e a leitura continua, sem interrupção, e a tenda repentinamente se torna clareada pela luz solar que a atravessa depois de uma nuvem ter se afastado.

Teatro chique tem intervalo. Intervalo para vinho no jardim. Deixei o *sweater* marcando o meu lugar. Converso com a Olivier Bell no jardim. "Quem é Gus Skidelsky?" - pergunto. É que eu tinha visto um papel com esse nome reservando um lugar na platéia. "É a mulher de Lord Skidelsky", responde Olivier. Gus, abreviado de Augusta.

E voltamos para a segunda parte da leitura das cartas de Harold e Vita. Os anos entre guerras. Os anos da Segunda Guerra. A vida intensa. O público ri com o tom espirituoso das cartas e a gente percebe que, na platéia, Nigel Nicolson infla de felicidade, quando, em uma das cartas, Vita escreve para Harold contando dos filhos maravilhosos, Nigel e Ben. O amor com que ela descreve Virginia.

Que retrato faz da amiga! É aquilo que eu sempre achei, que Virginia é uma delícia e suas crises mentais apenas acidentes de percurso.

Vita comenta a chegada do livro *Orlando*. Que surpresa, que delícia, que revelação! E quando Virginia presenteou Vita com o manuscrito de *Orlando* (hoje no castelo de Knole). E, continuando a leitura teatralizada, quando Vita recebe a notícia de que perdeu Knole, definitivamente, para o National Trust. E ela Vita diz: 'Mas Knole é MEU!' E: 'Odeio o National Trust!' O público ri, porque a atriz dá o tom e o *timing* exatos.

No final – e tantas outras cartas, tantos outros anos – o suicídio de Virginia, de algum modo, em carta ao marido, Vita dá uma rápida e sensível recriminada em Leonard Woolf por este ter, por algumas horas, se descuidado de Virginia. Mas tudo é compreendido e perdoado, embora, para a Vita e para todo mundo, a morte de Virginia tenha sido uma perda irreparável.

Quando a leitura termina os aplausos são calorosos, mas não se aplaude de pé. Parece que não é de bom-tom, num evento assim. E todos, inclusive Edward Fox e Penelope Wilton, sentiram que o aplauso veio da sincera emoção da civilizada platéia.

Aqui vejo e aprendo tanto! E ao término, quando todos se levantam para sair, ele, o garoto escocês, faz gesto que quer falar comigo. "É você mesmo" – ele diz, quando, fazendo que não entendo, olho para os lados e para trás para ver se ele está acenando para outra pessoa que não eu. E ele me convida a lhe fazer companhia logo mais, no jantar, no The Ram, com a ridícula de salto quebrado e chapéu disco-voador. Foi ela que o mandou me convidar. Mas que pena, fica para outra – hoje tenho jantar com os Clements. E amanhã é o último dia do festival.

E conversamos, Olivier Bell e eu. Falamos até de máquinas de escrever. Quando falei que continuo na Lettera 22, Olivier retrucou que escreve em máquina elétrica, mas que instalou nela uma copiadora, o que torna prático o trabalho. E que é ela quem datilografa e corrige os livros de Quentin. Não quer mais outro trabalho tão exigente como foi o trabalho de decifrar e editar os diários de Virginia. Eu concordo, digo que o que ela fez, para uma vida, não precisa mais. Mas ela diz que gosta de corrigir o trabalho de Quentin. Olivier está com 78 anos. E continua fumando. "E vou fumar sempre, não fumo muito. Quentin também fuma, cachimbo. Bem, deixa-me ir que tenho de fazer o jantar dele."

Ela me abraça e retribuo calorosamente, nos beijamos na face – e que gostoso o contato de peles! E sozinha, xale nos ombros – já são mais de 20h, mas ainda não escureceu - lá vai ela dirigindo o Peugeot. Entretanto, se um pouco mais lá embaixo, Terry (uma simpática americana que participou da primeira Summer School, em 1992) está calma, ao seu lado, Ralph Drake, gordo, arfante, engraçado, levando em conta a excessiva pontualidade britânica, se mostra impaciente e irritado com a demora do táxi. Já estamos atrasados para o jantar nos Clements, em Newhaven. E Ralph diz, com seu delicioso sotaque de Cleveland: "I'm going to panic! (Vou entrar em pânico!)"

E de Charleston já se foram quase todos, somos quase os últimos. Edward Fox e Penelope Wilson, assim como Nigel Nicolson e o diretor Patrick Garland, guiados por Diana Reich, James Beechey, Peter Miall e outros entraram para um passeio pelo interior da casa.

O táxi chega. Ralph parece explodir. Terry pede que ele se acalme. Ralph arfa aliviado. O motorista é um moço bem-humorado e se diverte com Ralph num diálogo de comédia.

Chegamos na residência dos Clements em Newhaven. Os outros convidados já lá estavam. Um casal, Peter e Jill, e uma sueca, Margaretta, casada com um músico inglês que não veio porque nessa noite toca no festival de jazz em Brighton.

Jantar requintado, mesa maravilhosa, a toalha, os guardanapos, taças finíssimas em três tamanhos diferentes, velas em castiçais, talheres para os pratos certos, jantar continental, três diferentes vinhos. A entrada. A salada. O prato principal. A sobremesa. O café expresso. E a conversa gostosa, entrosada, divertida, solta. Casa de artista. Aproveito para dizer a Keith como amei a enorme biografia que ele escreveu sobre o pintor Henry Lamb. Keith, que também é pintor, está fazendo uma série de mostras individuais. Tem recebido encomendas. Parece que conheci os Clements a vida toda, mas na verdade os conheci há dois anos.

Ralph Drake criticou um dos eventos em que um dos palestrantes não foi bem ouvido, elocução péssima. Ralph lembra que não é por falta de escola. E cita aquela cena de *My fair lady*: "The rain in spain...", ou seja, como na versão brasileira, "O rei de Roma ruma a Madri...", com os erres pipocando na ponta da língua. E falamos de Ivor Novello. Jill lembra da Carmen Miranda. O mundo é um ovo de Colombo, mas o jantar dos Clements está divino. Peter diz, na despedida, que eu o impressionei com o tanto que sei da Inglaterra – isso porque, entre outras coisas, contei que Lord Mountbatten era fã da Carmen Miranda. E Wittgenstein também. Cavalheiro, amoroso com Jill – é o quarto marido dela, Jill deve ter uns 60 anos; Peter, uns 50.

Segunda, 29 de maio.

Ainda sobre o jantar de ontem nos Clements. Nem Jackie nem Keith fumam. Dos oito participantes do jantar, quatro homens e quatro mulheres, os únicos fumantes eram eu e Margaretta. E quando Margaretta sentia vontade de fumar, eu a acompanhava. Íamos fumar no pequeno jardim dos fundos, subindo por uma escada. Pessoa fina, a Margaretta. Disse que preciso visitar a Suécia. Lembrei-lhe que a rainha Silvia nasceu em São Paulo. Falamos de mosquitos. Eu disse que ultimamente vinha sentindo muitos pernilongos na Inglaterra, no verão, e que, ao contrário do Brasil, que por sua condição tropical é infestado de uma infinidade de espécies picantes, na Inglaterra não há muitos, mas quando picam, a picada leva mais de uma semana para parar de coçar. No Brasil, explico para Margaretta, mosquito picou hoje, amanhã já não coça mais. O problema é que por serem tantos, e no verão, na praia, picam o tempo todo, você está sempre se coçando. Daí a Margaretta conta que mais ao norte da Europa, na Lapônia, por exemplo, é onde há mais mosquitos, e nem passando citronela adianta.

"Citronela?!" – exclamo. "No Brasil também passamos citronela. Eu pensava que citronela fosse uma invenção brasileira contra os mosquitos!" Engano meu. Margaretta me conta que citronela contra mosquito é uma invenção muito antiga, muito usada na Escandinávia.

No final do jantar Keith chamou um táxi para nos levar, Terry, Margaretta e eu. Rachamos o táxi, que primeiro deixou a Terry em Lewes, depois eu em Firle (na Estalagem Gibraltar) e depois foi levar a Margaretta em Brighton.

Hoje, aqui na hospedaria, tomei o café da manhã na grande mesa com seis jovens. Três casais. Um dos casais está aqui por causa do festival de jazz em Brighton e os outros dois para o festival de Charleston. São bem informados e interessados. Sobre o festival e Frances Partridge, uma das moças disse: "Ela tem uns olhos que podem ter qualquer idade."

E é verdade. Notei, uma hora durante a palestra da Partridge, ela respondendo a uma pergunta, que os olhos dela, aos 95 anos, eram olhos de uma menina de dez. Vivos, cheios de malícia e divertidos.

E agora, escrevendo no meu quarto, aqui na estalagem, manhã do último dia do festival, caio em mim – e não sei por que – e sinto que preciso me policiar um pouco, pois vejo que ando me assanhando muito, falando de mim com os outros, como se falasse na terceira pessoa, de um personagem fascinante de romance de aventura. E isso é tão ridículo quanto a ridícula que quebrou o salto do sapato e de quem tenho escrito muito aqui neste diário.

À medida que o festival vai chegando ao fim vou me sentindo melhor, me libertando de uma coisa ao mesmo tempo extraordinária (pelo volume cultural) e alienante (a consciência do estranhamento). Bem, chega de filosofar. A manhã já vai longe e tenho muito gramado e pasto pela frente até Charleston. O evento de hoje, o último do festival, é um encontro na tenda com Margaret Drabble, considerada uma das melhores romancistas vivas da Inglaterra, irmã de outra romancista importante, A. S. Byatt.

A Drabble é há 20 anos casada com Michael Holroyd – autor de três biografias muito consideradas, a de Lytton Strachey, uma do Augustus John e outra do Bernard Shaw. No evento de hoje, a Margaret discutirá a recém-lançada biografia de Angus Wilson, que escreveu. Angus, falecido aos oitenta e poucos anos, era amigo da Drabble. Ele foi, segundo o programa, um ficcionista importante, controverso, divertido, tendo feito parte da cena literária inglesa do pós-guerra, sua vida indo de *enfant terrible* a estadista.

Já a Margaret Drabble surgiu como romancista no fim da década de sessenta. Pelo espaço que os jornais ingleses dão à biografia de Angus Wilson e ela, a Drabble, muito entrevistada, fico sabendo que Angus era homossexual assumido e que teve um caso fixo – com um cara que era pau-para-toda-obra (jardineiro, motorista, secretário, amante, etc.) e que, no final da vida, quando Angus estava inválido, foi seu enfermeiro. Margaret foi durante cerca de 20 anos amiga do casal. E que, anos depois da morte de Angus, quando resolveu escrever sua biografia, Tony Garrett (o nome do parceiro de Angus) foi quem mais a ajudou.

Aqui, no meu quartinho na Estalagem Gibraltar, há um dos romances de Margaret Drabble, *The radiant way* (*O caminho radiante*). A senhora Barnes disse que eu posso pegar o livro que quiser e depois devolvê-lo pelo correio. Mas não vou levar nenhum, decidi. Entretanto, vou sim, fazer um gesto simpático do qual, tenho certeza, ela vai gostar.

Anne Barnes e Hugh, seu marido, voltaram hoje do casamento a que foram no fim de semana. Na cozinha da estalagem, conversando de Charleston, conversa vai conversa vem, falando de Quentin Bell ela disse, passando a voz, geralmente aguda, para grave, como que interpretando, que ele é um homem estranho, sinistro. Surpreso, retruquei: "Não acredito. Ele é tão simpático. Comigo foi até amoroso. Visitei-o no ano passado, ele estava sozinho em casa, e mesmo antes, desde a Escola de Verão em 1993, ficamos amigos, ele respondeu a todas as minhas cartas, na idade e na fragilidade dele..."

E a Barnes: "Agora que está velho acredito que seja bom e simpático, mas antes..."

Bem, agora é hora de tomar o caminho. Primeiro um passeio por Firle. Manhã de sol. Entro no cemitério em volta da igreja onde avisto, sozinho, sentado num banco, perto dos túmulos de Vanessa Bell (1879-1961) e Duncan Grant (1885-1978), o jovem escocês. Sempre, faça calor ou frio, vestido no paletó escuro, de lã. E calça jeans. Ele está entretido na leitura de *Hanging On*, um dos diários da Frances Partridge.

Nos saudamos, conversamos um pouco e por estar quase na hora de tomar o rumo de Charleston pergunto: "Você já foi à Mansão Firle?" Ele não sabia de que se tratava. Explico: "Você, com certeza, já passou por ela indo para Charleston. Lá tem um restaurante. É bom, barato e a comida é melhor que a do The Ram. Almocei lá ontem." Ele topou e lá fomos nós. No caminho ele vai me contando. Seu nome é Paul King. Mora em Dunblane, acima de Edimburgo. Já esteve várias vezes no continente (que é como o pessoal na Inglaterra chama a Europa continental). Quando menino viveu na Austrália, onde o pai foi professor de inglês. Paul é surpreendentemente culto para a idade. Me sabendo latino-americano citou Vargas Llosa e García Márquez – já leu os dois. Falou do cinema latino-americano, viu o mexicano *Como água para chocolate* e gostou muito. E mil assuntos.

Seria uma excelente nova amizade, se eu tivesse tempo. Ele me ouve com interesse, é grande a afinidade. Ele apenas vai começar a fase universitária no ano que vem, em Cambridge, mas já pergunto que assunto desenvolverá. Ele ri, ainda é cedo para decidir, mas, supondo que tivesse de decidir agora, faria um estudo sobre *The waves* (As ondas) de Virginia Woolf. Digo-lhe que foi o primeiro livro dela que li, isso há 22 anos!

Nossa conversa segue entusiasmada no caminho até a Mansão Firle e durante o almoço. E, como estudantes, cada um paga a sua parte. É assim que prefiro. Porque, afinal, não somos estudantes? Depois, entramos para visitar a casa, hoje museu. Ingresso pago. É uma mansão no estilo Tudor, construída sobretudo com material vindo da França, de Caen, ali do outro lado do Canal. Comentei com Paul, depois de ver tanto Van Dyck, Reynolds, etc.: "Parece que desprezavam Charleston, pois entre os modernos não tem nenhum..." – nisso descubro num canto o retrato do último Visconde Gage feito por Duncan Grant. Mas Charleston está muito pouco representado, pensei, pois numa das salas tinha exposta até uma parafernália dos *Beatles*.

Consultando nossos relógios, vimos que era hora de pegar o caminho de Charleston. Ao passar pela última rua antes da campina, contei ao Paul que é nela que fica a residência de Quentin e Olivier Bell. Paul quis que eu o levasse lá para ele olhá-la de fora, mas achei melhor não. Vai que de repente o Quentin ou a própria Olivier nos vêem da janela, íamos parecer curiosos e a minha amizade com os Bell já não permitia esse tipo de invasão de privacidade. Paul compreendeu.

Ajudei-o a carregar uma de suas cargas, uma sacola cheia de livros comprados durante o festival. Livros, livros. Eu também vivo carregando-os. São, e faz tempo, os meus melhores companheiros. É por amor a eles que estou aqui. E o meu conhecimento do Bloomsbury já é tão vasto que prazerosamente o vou passando ao jovem Paul King, que prazerosamente o recebe. Conto da Summer School de 1993 com riqueza de detalhes e Paul diz, rindo: "Você me faz sentir inveja." E eu: "Você é muito jovem, no próximo milênio ainda não terá nem 25 anos!" Paul gosta.

Enquanto caminhamos, penso: Tenho idade para ser avô dele – ou quase. Se tivesse apenas idade para ser seu pai, ou tio, talvez sentisse inveja, mas como avô, não mais. Na fila para ir deste para o outro mundo, sinto-me bem no meu posto, bem na frente. Não recuaria tanto. No entanto, como avô virtual, desejei-lhe de coração, embora nada dizendo, um futuro brilhante.

Logo mais em Charleston, Diana Reich diz a Paul que vai conseguir que ele participe da Escola de Verão este ano, em julho. Porque já não havia mais vaga, o curso é apenas para poucos. Aconselho Paul a escrever um diário durante o curso. "Faça-o às noites, depois de voltar dos eventos." E ele: "Então devo fazê-lo à noite?"

Avistei Anne Olivier Bell e fui conversar com ela. Apresentei-lhe o jovem escocês. E fomos para a tenda ouvir a palestra de Margaret Drabble. Sentamos juntos, os três, Paul entre Olivier e eu. Ela gostou dele e perguntou em que colégio ia estudar em Cambridge. Atrás de nós sentavam Ralph Drake, Terry, Jackie e Keith Clements.

Diana Reich fez a introdução para Margaret Drabble. Que é cheia de vida, humor, clara, engraçada, muito expressiva e brilhante. O vento sacode a tenda, mas Margaret o ignora. E ela conta de Angus Wilson. No começo, ele foi hostil com Virginia Woolf (escrevendo sobre ela em jornal), mas no fim da vida Virginia era a novelista que ele mais reverenciava.

Na hora das perguntas da platéia, Paul King se levanta e pergunta, voz clara e elocução certeira, qual a diferença entre escrever biografia sobre amigos hoje e no tempo em que Virginia Woolf escreveu a biografia do amigo Roger Fry. Margaret responde que no tempo de Virginia era uma outra época e que as pessoas eram "polite", polidas, corteses. E que hoje você não pode ser cortês. Porquê a nossa época não é *polite*. Olivier Bell gosta da pergunta de Paul King e da resposta de Margaret Drabble.

Uma estudante norte-americana pergunta qualquer coisa sobre feminismo e Margaret, nada cortês, responde falando do "feminismo comercial". A americana não gosta da resposta de Margaret e pergunta, desafiando: "Como você sabe?" Margaret responde: "Pelo saldo bancário das feministas."

Risada geral. Margaret Drabble é hilária. Confesso, de tudo o que aconteceu neste festival, para mim ela está sendo o melhor acontecimento. E muito mais, que devo escrever depois. E a pontualíssima Diana Reich, encerrando o evento e o festival: "Agora é hora de Margaret Drabble voltar para casa e terminar o romance que está escrevendo."

Aplausos. Depois de Margaret autografar alguns volumes da biografia de Angus Wilson a platéia se dispersa, os carros vão partindo e ficam poucos, no jardim, onde o jardineiro vem trazer taças de vinho branco para Olivier e para mim. O jovem escocês foi resolver no escritório a vaga dele na Escola de Verão. E converso com Olivier: "São tantas biografias, tantos ensaios sobre Virginia, você não acha que devia ter parado na biografia que Quentin escreveu? Nenhuma outra pode superá-la."

Olivier diz que não é bem assim, que a biografia de Virginia escrita por Hermione Lee, a ser publicada em 1996, é excelente. E estamos no jardim, agora só os de casa – Peter Miall, Myra Harud, Eleanor Gleadow, Diana Reich (que vem voltando com Paul King), os Clements, Ralph Drake, Terry, Rosemary Evison e alguns outros poucos. James Beechey, contente, como todos, diz: "Estamos de novo reunidos."

Mais um festival terminou com excelente resultado, agora só ano que vem. Mas em julho tem a Escola de Verão. E a Olivier tem de ir para casa preparar o jantar de Quentin. E se despede, me abraça com emoção e me beija na boca! Foi um beijo rápido, mas que me tocou como um sopro de vida.

Olivier se foi e sinto que eu também já tive o bastante. Pronto. Chega. Pego a minha pasta escolar e saio em passos rápidos pelos fundos do jardim, sem me despedir dos Clements, sem me despedir de Eleanor, de James Beechey, de Peter Miall, de Ralph Drake e nem de Paul King. E sem olhar para trás. Logo depois, já longe da vista deles, assim que começo a atravessar o pasto, uma solidão, um desejo impossível que ali houvesse um jatinho que me levasse imediatamente de volta ao Brasil e à casa de minha mãe e não voltar tão cedo à Inglaterra.

Jantei uma lasanha no The Ram, o *pub* cheio de gente estranha, nenhum conhecido, como se mais um sonho tivesse acabado e o lugar retomado sua rotina deprimente ou começando outro ciclo do qual eu estava excluído. E a lasanha, requentada no microondas, estava agressivamente fria por dentro. A hospedaria também estava vazia quando cheguei. Onde se metem as pessoas no interior inglês? As casas me parecem sempre silenciosas e vazias.

Terça, 30 de maio.

No café da manhã, ao descer do meu quarto, trouxe o romance da Margaret Drabble, o qual pedi que ela autografasse para a senhora Barnes, explicando para a Drabble que eu o apanhara da hospedaria onde estava e que a dedicatória era para surpreender a dona da estalagem, pois o livro era dela. E Margaret, gostando do gesto, dedicou: "For Anne Barnes with all good wishes from Margaret Drabble". Ao entregar o livro para a senhora Barnes ela achou simpática a minha lembrança e disse: "Excellent!" (Já havia percebido, é a palavra que ela mais usa.)

Eu era o último hóspede a deixar a estalagem – os outros todos haviam partido na manhã anterior. Anne e Hugh me seguraram para um descontraído dedo de prosa. Hugh foi apanhar um grande livro de capa dura ricamente ilustrado com fotos dos lugares de atmosfera mágica na Inglaterra. Isso depois de eu ter contado a eles de minha "possessão" há 26 anos, quando fui pela primeira vez a Stonehenge e, passando por Amesbury, esse vilarejo me enchera o coração de um desejo de simplificar a vida e vivê-la para sempre num pequeno Éden. Daí Hugh me falou de outro lugar ainda mais mágico, Avebury, um outro vilarejo em Wiltshire, também não muito longe de Stonehenge.

Avebury, por não ser tão explorado pelo turismo, detém mais magia. O círculo de pedras é tão antigo quanto Stonehenge, embora menor. Acredito. E enquanto agora ouvia Hugh Barnes, lembrei-me de ontem na tenda em Charleston, enquanto o vento uivava e balançava a lona, de alguém na platéia perguntando a Margaret Drabble algo sobre forças estranhas e feitiçaria em um de seus romances, e Margaret, ultra-racional, respondeu que gosta de trabalhar com esse lado, e que, no romance que está agora escrevendo, ela mexe com o irracional: "Temos sido muito racionalistas ultimamente." E é verdade.

Anne Barnes manda o marido me levar à estação de trem em Lewes e fala para ele dar um passeio comigo pelas ruas da cidade e me mostrar alguns pontos. No furgão, quando deixamos a Estalagem Gibraltar, na estrada, passamos por ela, Anne Barnes, na bicicleta, seguida por Bracken, o velho cachorro, correndo para alcançá-la. E como ela pedala rápido! Acenamos *au revoir*.

Na estrada Hugh e eu continuamos nossa conversa sobre magia. Talvez notando em mim um ceticismo – porque o mundo realmente perdeu muito de seu antigo encanto – ele perguntou: "Você acha que a Inglaterra perdeu a magia?" – esperando sério, preocupado, caso minha resposta fosse afirmativa ela confirmaria o que ele talvez também sentisse. Mas, para não romper nele o fio de esperança, respondo que não. Que a Inglaterra será sempre mágica. Principalmente no inverno.

A verdade é que 26 anos depois a Inglaterra realmente não é mais a mesma. Penso que a senhora Thatcher muito contribuiu para acabar com a magia. E não apenas ela, mas o mundo em geral, com a globalização, o avanço tecnológico, a rapidez da comunicação, enfim... O mundo se arreganhou de tal forma e tantos horrores molestaram os mais reclusos recônditos que... enfim, não devo me aprofundar nesse pensamento pessimista porque agora, à maneira da curiosidade woolfiana, estou perguntando ao Hugh Barnes sobre os Gages, que foram, durante quase um milênio, os barões da terra. Digo, um pouco para instigá-lo: "Parece que não gostavam muito do Bloomsbury, pois só vi um quadro de Duncan lá na Mansão Firle."

Hugh respondeu: "Não é verdade. Eles gostavam sim. Charleston pertencia à família Gage que por cerca de 70 anos a alugou bem barato a Vanessa Bell e Duncan Grant." E continua: "A nossa casa (a Fazenda Gibraltar) também pertencia aos Gages, como aliás toda Firle."

E entendi tudo. Aliás, já havia entendido antes, agora Hugh Barnes apenas confirmava. A Mansão Firle, com seus 100 aposentos, entre o vasto jardim e o extenso gramado entre espaçados carvalhos, era a sede do feudo que se estendia além do vilarejo e das fazendas da cercania. Os Gages eram os poderosos locais. Como, de resto, no Brasil, onde uma ou duas ou três famílias dominam sua redondeza. O mundo, no fundo, é muito semelhante, seja ele primeiro ou terceiro mundo. Só que aqui, pelo tempo de história e civilização, essa evidência tem mais estilo e... *império*.

E já em Lewes, dirigindo o velho furgão por suas ruas, Hugh Barnes me aponta para a casa onde viveu o poeta Shelley. E ali o castelo que já existia antes de ter sido tomado por William, o Conquistador.

E nos despedimos na estação de trem. Compro um *Evening Standard* e leio que Jonathan Pryce recebeu o prêmio de melhor ator no Festival de Cannes – também findo ontem – por sua interpretação de "Lytton Strachey" no filme *Carrington*. Nessa história tipicamente bloomsburiana, em que Dora Carrington amava Lytton Strachey que amava Ralph Partridge que amava a Carrington, mas acabou se casando com a Frances Marshall... Moravam os três não muito longe daqui, em Ham Spray. Os anos passando, Lytton morreu, Carrington se matou e Ralph casou-se com Frances Marshall, que passou a ser Frances Partridge, que há três dias em Charleston, aos 95 anos – e que gracinha! – me perguntou: "Habla español?" – ela, a última das sobreviventes daqueles *bloomsberries*.

Já em Londres, na saída da estação de metrô em Notting Hill Gate, parei na banca de revistas e fui surpreendido com a chamada na sobrecapa do mais recente exemplar da revista *The New Yorker*: "Bloomsbury, live" – e depois de citar Virginia e Vanessa, a chamada de capa ainda reforça: "a casa de memórias mais selvagens que ficção". Comprei um exemplar. Dentro, o título da matéria era "A House of One's Own" – o título uma referência ao livro de Virginia, *Um teto todo seu*, só que aqui, no caso, a casa era a de sua irmã Vanessa, ou seja, a matéria, escrita por Janet Malcolm, era sobre CHARLESTON!

Puxa vida, pensei, estou vindo de lá! A sensação era confusa, ao mesmo tempo boa e má. Boa porque era uma reportagem enorme, a maior da revista, 22 páginas, ricamente ilustrada, um texto brilhante e compreensivo sobre o Grupo de Bloomsbury e sobre Charleston, por uma especialista. Tinha até foto recente de Quentin e Olivier; e má (a sensação), porque me fez sentir enciumado de uma coisa que julgava secretamente minha e de alguns outros poucos. Assim divulgada por uma revista de tão vasta circulação mundial como a *The New Yorker*, senti que teria de dividir Charleston, Quentin e Olivier Bell com milhões de pessoas. Mas eu já não fazia parte desse número? "O que é o fanatismo", pensei, sofrendo.

Uma Palma de Ouro em Cannes e aquelas 22 páginas na *The New Yorker*, o Bloomsbury estava nas bocas! Não tinha porque não me sentir um privilegiado por, de algum modo, estar na franja daquele pequeno grande mundo. (No número 12 da revista *The Charleston Magazine*, meses depois do festival e eu já de volta ao Brasil, o excelente texto de três páginas sobre o festival foi escrito por Paul King, o jovem escocês!)

1996

> *Ela [Virginia Woolf] tornou-se a Marilyn Monroe*
> *dos acadêmicos americanos, gênio transformado em ícone e indústria*
> *através das circunstâncias especiais de sua vida e obra.*
>
> Jean Love, "The case of Virginia Woolf", *Michigan Quarterly Review*, Outono 1984

EM 1996 NÃO fui a Charleston. Mas para mim foi um ano rico em cultura bloomsburiana. Nesse ano fui também presenteado por um generoso novo amigo, editor de uma revista de bordo, com uma viagem para o México, viagem que reforçou minha paixão pela nossa América Latina. E agora, nessa viagem mexicana para os lados do Mar de Cortez, subi o Pacífico rumo ao norte a partir de Acapulco e fui parar, deslumbrado, em San José, no extremo sul da Baja Califórnia, localizada no Deserto de Sonora. Com Fernando Henrique Cardoso em seus primeiros anos na presidência, parecia que o Brasil vivia um milagre: a nova moeda, o Real, estava pau a pau com o Dólar. Com isso nosso orgulho se manifestava e viajar era mais fácil. Pena a ilusão ter durado pouco.

O ano de 1996 foi também de profunda comiseração, pois, em junho, morreu meu irmão Leopoldo Lima, um artista de personalidade e obra originalíssimas e um mestre em carpintaria. Leopoldo, mais velho que eu seis anos, fora de influência seminal na minha formação, desde meus primeiros anos. Sua morte, aos 63 anos, teve efeito devastador sobre toda a família, principalmente em nossa mãe.

Mas, como dizia, em 1996 não fui a Charleston. No entanto, foi um ano em que a cultura bloomsburiana deslanchou para valer. Catapultada pelo filme *Carrington* em 1995, o relançamento na Inglaterra da biografia de Lytton Strachey por Michael Holroyd, revista e ampliada, e a dramatização da correspondência entre Virginia Woolf e Vita Sackville-West estrelada por Eileen Atkins (autora do roteiro) como "Virginia" e Vanessa Redgrave como "Vita", que já vinha lotando desde novembro de 1994 o Union Square Theatre em Nova York (um teatro de 500 lugares off Broadway), faturando cerca de US$ 156 mil por semana, outros acontecimentos ligados ao Bloomsbury faziam crer que essa indústria explodiria de vez.

Ainda em 1996, as cartas. Uma delas, de Kathy Chamberlain, dos colegas da Escola de Verão de 1993. Kathy escreveu e enviou-me cópia de um artigo de sua autoria escrito com muita sensibilidade e publicado no *Hudson River*, uma publicação novaiorquina, sobre o medo e o fascínio de viajar e aquela área intermediária entre as experiências subjetivas e objetivas e as crianças, uma criança brincando sozinha consigo mesma e entretida na perfeita "capacidade de estar só" e feliz.

E eu penso: tanto a ver comigo e com tantos, a sensação! Como o frasco de perfume artesanal comprado em St. Ives, na Cornualha, em 1991, antes que eu conhecesse Charleston, e que agora (em dezembro de 1995) escapou da minha mão, caiu e se espatifou no piso, perfumando meu quarto inteiro com o aroma de violeta daquele pedaço do planeta onde Virginia menina passava as férias com a família e cuja localização geográfica seu pai dizia ser "a unha da Inglaterra"...

E Kathy me responde, tocada pelo meu pequeno e modesto "paraíso", minha mãe em Ribeirão Preto costurando na velha Singer, o cheiro das violetas da Cornualha... e Kathy lá em Nova York, o inverno rigoroso e a pesquisa que ela faz para o livro que quer escrever sobre a sofrida mulher de Carlyle – a Jane Welsh Carlyle. Será um romance ou uma série de ensaios biográficos? Ela ainda não se decidiu. E Kathy envia-me também uma cópia xerox da carta que Quentin Bell lhe respondeu em 21 de novembro de 1995:

"Cara Kathy Chamberlain, agradeço sua carta de 13 de novembro. Fico contente das suas notícias e de Antonio Bivar. Li seu artigo no *Hudson River* com interesse e alguma admiração. Está claro que você tem aquilo que minha tia Virginia chamava de 'um dom para pena e tinta'. Meus melhores votos, sinceramente seu, Quentin Bell".

Kathy pergunta se eu e Quentin continuamos nos correspondendo. Sim. Tenho aqui quatro cartas dele de 1996. Umas mais longas, outras apenas algumas linhas, cartas escritas à mão, sua caligrafia já trêmula.

Em setembro de 1995 foi lançado na Inglaterra seu livro de memórias *Elders and betters*. Quentin com 85 anos. Antes de ler o livro – o que só fui fazer este ano, 1996, a edição norte-americana, que recebeu outro título, *Bloomsbury recalled* (Columbia University Press), título mais objetivo para o público americano – li resenhas e críticas que me foram enviadas por colegas ingleses e americanos. Uma das resenhas, publicada no suplemento de livros do *Sunday Times* e assinada por Humphrey Carpenter, embora ligeiramente *blasé* é uma crítica bastante espirituosa.

Carpenter lembra que o poeta Ezra Pound chamava os homens de Bloomsbury de "Bloomsbuggers", um trocadilho - *bugger* é uma gíria cambridgeana para sodomita. Carpenter lembra também que o próprio Quentin Bell teve uma passagem pela coisa: "Mesmo contando de seu casamento (com Olivier Bell), [Quentin] também conta de John Lehmann, que foi 'por um curto período não apenas meu amigo, mas meu amante'." Carpenter lamenta que o livro seja curto (234 páginas). Na verdade, Quentin foi muito elegante e se detém mais nos "mais velhos e melhores" do que nele mesmo. 'Lydia [Lopokova] me dava lições de russo e Maynard [Keynes] de Economia', Quentin conta, no capítulo sobre Keynes. E lembra da vez em que ele, jovem, foi pessoalmente conseguir de Matisse e Picasso, em suas residências, assinaturas para um manifesto e de como a coisa era complicada. Um admirava e invejava o outro e era difícil saber qual dos dois procurar primeiro, porque se um assinasse, o outro, imaginava Quentin, não assinaria – mas ambos acabaram assinando.

Carpenter continua comentando o livro e vai até a vez que Virginia escreve uma carta para o sobrinho contando: 'Uma velha de 71 anos [Ethel Smyth] se apaixonou por mim. A sensação é de ter sido apanhada por um caranguejo gigante'. Carpenter lamenta o fato de Quentin Bell ter deixado no leitor o desejo de saber mais sobre a vida sexual dele no meio de tantos homossexuais mais velhos e melhores. "Terá ele, Quentin, sido abordado por algum caranguejo gigante?"

Muito mais generosa, porém talvez menos interessante, posto que escrita para o grande público norte-americano, donde ter que ser obviamente mais explicativa, é a crítica do suplemento *Book Review* do *The New York Times* de 3 de março de 1996, que deu sua capa para o livro. De autoria de Janet Malcolm, uma acadêmica de vasto conhecimento no campo – fora ela mesma a autora da matéria de 22 páginas sobre Charleston na revista *The New Yorker* de quase um ano antes. De Quentin, ela elogia "a rara perspicácia e autoridade moral".

E finalmente recebi um exemplar do livro que me foi enviado de Nova York por um amigo brasileiro que lá reside. À medida que o lia, ia escrevendo para Quentin comentando-o. E Quentin respondia. A primeira de suas respostas, de 20 de abril de 1996, fez-me sentir que minha opinião sobre seu pai, Clive Bell, surtira bom efeito. Posto no livro, pelo próprio filho, como reacionário – por suas opiniões e postura política – Clive não deixa de ser um personagem simpático.

No meu comentário, escrevi que seu pai era o meu favorito dos personagens masculinos do grupo. Quentin respondeu-me agradecendo e se dizendo contente com minha boa impressão de Clive que, "sem dúvida, tinha muitas boas qualidades, era bom anfitrião, bom pai, era bom para minha irmã – apesar de saber que ela não era sua filha (Angelica, filha de Vanessa com Duncan Grant). Creio que ele [Clive] foi subestimado por não ser um grande artista –, mas era um bom crítico. Mas não era o tipo de pessoa que os jovens da minha geração admiravam".

E Quentin escreve sobre outras coisas, diz que ao imaginar o meu Brasil ele o faz do mesmo jeito absurdo que "minha tia Virginia o fazia em sua correspondência com uma senhora de Buenos Aires (Victoria Ocampo)". Dos absurdos que Virginia imaginava fosse a Argentina, ele, agora, correspondendo-se comigo, ao imaginar o Brasil pensa em palmeiras ao vento, pântanos, cafezais, cidades habitadas por gente originária da África, cultuadores do vodu, índios, descendentes de europeus e asiáticos, árvores enormes, borboletas gigantescas, rios amazônicos cortando florestas, etc...

No entusiasmo por seu livro e na nossa troca de cartas e tendo ele já três obras traduzidas no Brasil – sua biografia de Virginia Woolf (Editora Guanabara), *Bloomsbury* (Ediouro) e *Os papéis de Brandon* (Companhia das Letras) – propus e a *Folha de São Paulo* aceitou que eu o entrevistasse. Sugeri que as perguntas fossem por cartas, porque por telefone eu me inibiria. Quentin respondeu às minhas perguntas mas, como professor, me fez entender que não era uma entrevista e sim um questionário. Olivier, sua mulher, foi quem datilografou as respostas dele. A seguir, trechos do meu questionário com as respectivas respostas de Quentin:

BIVAR: Quentin, quando você começou a escrever *Elders and betters* (*Mais velhos e melhores*)? Qual foi a disciplina?

QUENTIN: Não sei exatamente. Mais ou menos há cinco anos. Comecei como autobiografia. Nenhuma disciplina.

BIVAR: Há episódios de sua vida deliciosamente narrados no livro, relacionados não somente à sua convivência com "os mais velhos e melhores", mas com outros também: os criados, as babás, os tutores, os professores (na França, Monsieur Pinault, por exemplo), etc. No livro, você dá a impressão de ter aprendido muito com eles nos anos de crescimento. Os criados tiveram algo a ver com a sua formação política?

QUENTIN: Nosso "tesouro", Grace Higgens, era uma figura charmosa, e pude conhecê-la bem quando menino (ela era seis anos mais velha que eu), mas este e outros encontros com criados não foram politicamente educativos, exceto no caso de Blanche, que era uma rebelde irlandesa. Com Pinault foi diferente: um professor que muito me ensinou sobre a França e o socialismo. Mas meus educadores mais importantes foram meu irmão (Julian Bell, morto em 1937 na Guerra Civil Espanhola) e meu tio Leonard Woolf. Também aprendi muito com trabalhadores e homens desempregados em Stoke on Trent (norte da Inglaterra).

BIVAR: Você assiste TV? Lê jornais?

QUENTIN: Assisto noticiários e de vez em quando algum outro programa – documentários, adaptações de Trollope, Dickens, George Eliot, mas não de Jane Austen, que prefiro ler. Dos jornais lemos *The Guardian*, *The Independent*, *The Observer*.

BIVAR: Em *The voyage out* (*A viagem*), o primeiro romance de Virginia Woolf, o cenário, quando o navio chega, é a América do Sul. Para o leitor brasileiro, o lugar onde a ação finalmente acontece fica geograficamente no norte do Brasil, perto do Amazonas. Na edição comentada de *The voyage out*, da Penguin, a comentarista, Jane Wheare, diz não restar dúvida que o lugar é o Brasil.

QUENTIN: As noções de Virginia sobre a América do Sul eram grotescas. Ela tinha uma amiga, Victoria Ocampo, de Buenos Aires, que tinha de explicar a ela que a Argentina não era uma floresta com jacarés e borboletas tão grandes quanto urubus e com nativos perseguidos por pumas. A colônia de língua inglesa de *The voyage out* só existia na imaginação dela.

BIVAR: Qual a sua opinião sobre The International Virginia Woolf Society (IVWS), sediada nos Estados Unidos? Você não acha que há, entre seus membros, uma insistência no lado lésbico, que na verdade na vida de Virginia foi apenas um acidente de percurso?

QUENTIN: Existem alguns acadêmicos altamente inteligentes nos Estados Unidos, entre eles alguns que escrevem apaixonadamente sobre ela, e outros que não sabem praticamente nada. A ala lésbica e militante feminista é eloqüente, apaixonada e tola.

BIVAR: Sobre *Bloomsbury recalled*, na sobrecapa da edição americana, Nigel Nicolson diz: "Ele (Quentin Bell) confessa que achou difícil escrever sobre gente que conheceu tão bem, mas ninguém os descreveu melhor que ele, e seu livro nunca sofre de discrição." Mas, se você fosse realmente indiscreto, quem mais traria para fora do armário?

QUENTIN: Eu mesmo.

BIVAR: Dos eminentes bloomsburianos, Maynard Keynes é mostrado como o mais influente nos seus anos de formação. No fim do livro, no "Apêndice II", você comenta a mudança comportamental que os anos provocaram em Lord Keynes, chegando a julgar as novas crenças dele como deploráveis se comparadas às antigas – antes, o imoralista, agora, o fascista, o reacionário. Você conclui: "Politicamente, a antiga crença de Maynard me faz sentir que suas últimas são deploráveis. Mas o fato de o jovem Maynard sobreviver nos permite perdoar o velho e continuar a amá-lo." Encarando o amoralismo que tomou de assalto o mundo neste fim de milênio, que acha você que Keynes pensaria das conseqüências desse amoralismo? E do futuro do capitalismo?

QUENTIN: Imagino que o velho Maynard deploraria tudo. Mas o jovem Maynard bem poderia gostar do prospecto.

BIVAR: E o que você pensa da política hoje, na Inglaterra? Sendo você uma pessoa politizada desde praticamente a infância, como você vê os conservadores, os liberais e o partido trabalhista, hoje? O que você pensa de Tony Blair, por exemplo?

QUENTIN: Os conservadores me parecem venais, estúpidos e ineficientes. O Partido Liberal faria melhor se juntasse ou formasse uma coligação com o Trabalhista. No geral não gosto do Tony Blair, mas votarei nele.

BIVAR: Para você o que é mais agradável: pintar, esculpir, fazer cerâmica, escrever críticas sobre arte, atuar como professor ou escrever? Qual é mais difícil?

QUENTIN: Escrever, esculpir, fazer cerâmica, pintar, ensinar, criticar, nesta ordem. Tentei ditar a um gravador enquanto fazia cerâmica, mas não deu muito certo.

BIVAR: No início do livro, você escreveu: "Não faz muito tempo, quando pensei que seria agradável escrever minha própria vida, depois de três tentativas mudei de idéia." Bem, ao retratar seus "elders and betters", sua presença no livro é permanente e deixa no leitor o desejo de saber mais a seu respeito. Sua biografia será escrita algum dia. Dos biógrafos de Bloomsbury, quem você escolheria para abraçar a tarefa?

QUENTIN: Já pedi a Andrew McNeillie (colaborador da mulher de Quentin na edição dos diários de VW) para escrevê-la.

BIVAR: Como você e sua mulher, Olivier, se encontraram? Vocês já "brigaram"? Dos seus três filhos, quem é mais velho, do meio e caçula? Quantos netos vocês têm? E a Olivier, sendo ela uma pessoa tão maravilhosa, por que ela é tão determinada em ser "low profile"?

QUENTIN: Vi a Olivier primeiro durante uma palestra de Walter Sickert na Euston Road School, em 1938.

OLIVIER: Mas eu não o vi. Eu o vi pela primeira vez durante a guerra, em um debate na casa de Claude Rogers.

QUENTIN (continuando): Eu a vi de novo em Veneza, em 1946, e pedi dinheiro emprestado a ela porque tinha sido roubado. Conhecemo-nos melhor entre 1950 e 52, quando aprendi a amá-la e nos casamos. Já tivemos nossas brigas, não muitas, ninguém saiu ferido. Nossos filhos nesta ordem: Julian, Virginia e Cressida; seis netos, três são filhos de Julian e três de Virginia. Sim, a Olivier é uma pessoa maravilhosa e seu "low profile" é parte da maravilha.

E continuamos nos correspondendo. Em uma de suas cartas, Quentin escreveu: "Ah, jeunesse!" E: "Gosto do seu rápido, vigoroso e divertido uso do Inglês."

A entrevista (ou questionário) foi publicada no dia 20 de outubro. Enviei imediatamente um exemplar para ele e a 26 de outubro ele me respondia: "Caro Antonio, muito obrigado por mandar-me o recorte da *Folha de São Paulo* com o questionário. Você divulga meu nome no Novo Mundo e eu lhe sou muito grato. Faço votos que um dia você possa vir novamente nos visitar aqui. Muito obrigado de novo. Seu, Quentin. A Olivier lhe manda amor."

Menos de dois meses depois eu recebia a notícia da morte de Quentin Bell. Amigos me enviaram obituários de páginas inteiras, desde jornais ingleses ao *The New York Times*. Olivier também me escreveu:

"Caro Antonio, Quentin morreu em casa em 16 de dezembro, gentil e lúcido até o fim – seu coração falhando. As suas três últimas cartas chegaram depois. A sua amizade entusiástica era sempre uma fonte de grande prazer para ele – e para mim também, e eu o agradeço por isso. Perdoe-me por não escrever mais, mas as homenagens a ele têm sido muitas e tenho que retribuí-las. Mui sinceramente sua, Olivier Bell".

E depois, datado de 11 de março, um cartão postal dela: "Caro Antonio, como você sabe, eu não escrevo cartas, mas como você imaginou, tive de fazê-lo recentemente, por causa das tocantes homenagens à memória de Quentin – cujas qualidades afetaram um número muito vasto de pessoas, criando um caleidoscópio de imagens de nossos 45 anos juntos. Mas gosto de suas frases 'góticas' e sou-lhe grata por elas e pelo seu caloroso interesse. Sim, a primavera já chegou e suavizou as agruras dos meses de inverno. Com os melhores cumprimentos, Olivier".

Quase um ano depois, enviei a entrevista, no original em inglês, para a IVWS nos Estados Unidos, da qual era membro desde 1993 (apresentado por Kathy Chamberlain). Logo recebia uma resposta, de Sally Greene, a responsável pela bibliografia dos estudos woolfianos da sociedade, *on line*. Datada de 12 de novembro de 1997, a resposta da Sra. Greene:

"Caro Senhor Bivar, escrevo para dizer que ficamos encantados ao ler sua entrevista com Quentin Bell. Estudamos qual o melhor meio de divulgá-la para um público maior da Sociedade. Chegamos a uma idéia que esperamos possa deixá-lo feliz. Pedimos sua permissão para transcrever a entrevista e pô-la na

Internet como parte do web site da Sociedade. Se você tem acesso à Internet, dê uma olhada. É o melhor caminho para chegar a uma audiência mais ampla que a entrevista merece. Muitíssimo obrigada por nos envolver neste maravilhoso projeto. Sua, Sally Greene".

E desde então a entrevista, aliás, o "questionário" (como me corrigiu Quentin), está lá, ilustrado com uma foto minha com o entrevistado, foto tirada pela colega Sue Sullins em Charleston naquele mágico encontro de 1993.

AULA COM VICKI WALTON, Charleston 1997 (STUDIO D. GRANT) - A.BIVI

1997

> *As pessoas sempre dizem coisas agradáveis sobre você.*
> *Mas elas nunca entendem realmente*
> *o quanto você é brilhante ou importante.*
>
> Vivienne Westwood

No começo deste ano dei uma escapada até a Inglaterra para cursar a Escola de Verão em Charleston, cujo tema, desta vez, "The Art of Bloomsbury", era menos literário e mais ligado às artes plásticas, embora, como não podia deixar de ser, com bastante de literatura, uma vez que na cultura bloomsburiana literatura e artes plásticas sempre estiveram interligadas.

Desta vez a Summer School foi organizada por Emma Dinwoodie, que contou com a ajuda de Diane Taylor. As duas moças, lindas e eficientíssimas, não pouparam esforço para o excelente resultado de cada evento.

O número de participantes foi de 21, uma pessoa a menos que em 1993. Éramos: cinco inglesas, doze americanos (dez mulheres e dois homens), uma francesa, uma sueca, uma holandesa e eu. De colega da minha primeira Escola de Verão, só uma, a texana Sue Sullins. E, como em 1993, este ano também me hospedei em Southerham Old Barns (o Velho Celeiro).

O que mais me atraiu à Escola de Verão foi poder literalmente meter a mão na massa e mexer com cerâmica – um meio que antes ainda não havia experimentado. Nossa mestra foi a adorável Vicki Walton, que fora, durante dez anos, entre 1978 e 1988, assistente de Quentin Bell, vivendo e trabalhando em Charleston, tendo sido durante um período curadora da casa, além de ter-se envolvido física e ativamente em seu desmanche, reconstrução e restauração. Vicki – depois ela nos contaria – fora também de muita ajuda para Anne Olivier Bell e seu assistente Andrew McNeillie na organização dos diários de Virginia Woolf.

Além das oficinas de cerâmica com a Vicki, tivemos, entre os professores e palestrantes, vários já meus conhecidos de 1993 e 1995, Peter Miall, Sue Roe, James Beechey, Frances Spalding e Nigel Nicolson. Dos outros, com os quais ainda não tivera aula, vários nomes de peso: Paul Atterbury – escritor e especializado na arte decorativa dos dois últimos séculos e curador de mostras do Victoria & Albert Museum; Frances Lord, que terminou recentemente sua tese sobre as Oficinas Omega e no momento envolvida no preparo de uma exposição de cerâmica bloomsburiana; Richard Morphet, emérito guardião da Coleção de Arte Moderna da Tate Gallery; Lisa Tickner, mestra em Inglês em uma universidade, que nos falará da pintura praiana de Vanessa Bell, em especial as da praia de Studland; Virginia Nicholson, filha de Quentin e Olivier Bell, do conselho de Charleston e atualmente completando o livro que Quentin não terminou por ter falecido durante, *Charleston: A Bloomsbury house and garden*; e David Bradshaw, professor em Oxford, autor de livros e ensaios sobre Joseph Conrad, T. S. Eliot, D. H. Lawrence, W. B. Yeats, Clive Bell e que atualmente escreve uma biografia crítica de Aldous Huxley, sendo também o editor do *The hidden Huxley*.

Domingo, 6 de julho.

Emma Dinwoodie abre o curso falando do que teremos durante a semana. Ela é rápida e fala como se disputando pau a pau com o tempo, porque a semana será cheia. E vem o primeiro evento, a palestra de Richard Morphet. E ele também corre. Fala sobre a reação do povo diante da arte de Bloomsbury – isso por volta de 1910. Morphet é magro, comprido, calvo e sua barba crescida é uma mescla de preto e grisalho. Veste tons escuros, usa óculos e lê num caderno a palestra. Diz que o interesse na arte de Bloomsbury nunca foi tão grande como agora. Comenta o lado burlesco e ignorante da crítica contemporânea e dos disparates da imprensa – chegou a sair que Duncan Grant e David Garnett eram filhos de Vanessa Bell! Mas, para a Rainha Mãe, Duncan Grant é um dos artistas favoritos. Ela tem muitas obras dele. Uma vez ela até disse a ele (Duncan): "Pena eu não ter dinheiro, senão eu compraria muitas outras telas suas."

Morphet comenta a resistência à arte de Bloomsbury até a Primeira Guerra. Depois, o silêncio de seis décadas substanciais. A Tate Gallery tem 40 obras de Vanessa, Duncan e Roger Fry. Mas na Tate (em 1997) não há nada de Vanessa em seus últimos 30 anos. E de Duncan, nada em seus últimos quatro anos.

O Grupo de Bloomsbury era formado por profissionais que trabalhavam arduamente: os volumes por Robert Skidelsky da biografia de Keynes; a biografia de Duncan por Frances Spalding. Maravilhas. O que Virginia Woolf pensaria do que a crítica escreveu sobre a arte de Duncan e Vanessa depois da Segunda Guerra. Morphet acha que, com o tempo, essas críticas negativas da arte de Bloomsbury serão superadas. Charleston transcende a moda. E também porque a casa como era nos anos 20 pode ser hoje perfeitamente vista e sentida.

Emma agradece Richard Morphet pela bela palestra, uma perfeita introdução para a Escola de Verão de 1997. Agora a participação dos estudantes na discussão. Alguém pergunta: "Como é decidido se uma pintura é boa ou não?"

E fala um, fala outro; a América (porque um participante norte-americano falou) é responsável pelos pontos de vista mais estreitos e também pela mais interessante abertura de cabeças. Aplicações de cores e formas. As caras das pessoas presentes. O entusiasmo. A excitação. A pose em alguns. Os narizes. As idades.

Charleston, segunda, 7 de julho.

Emma Dinwoodie nos chama para dar inicio às funções do segundo dia. O programa hoje começa com uma turnê pela casa e projeção do filme *Duncan Grant at Charleston*. Alastair Upton, o novo diretor de Charleston, pede silêncio. E diz: "Anualmente, mostramos a casa para cerca de 20 mil pessoas, mas não é a mesma coisa que mostrá-la a vocês da Escola de Verão, que é a melhor turma e tem liberdade para explorá-la. Mas por favor não toquem nas coisas nem se sentem nos móveis." Alastair é jovem. "Espero que tenham uma boa semana." Aplausos. E ele: "Oh, não!"

Às 10h30 a projeção de outro filme, *Charleston & Bloomsbury*, que deveria ter sido exibido ontem. Lord Healey, Quentin Bell, Richard Shone e outros aparecem falando. Virginia Woolf sobre Charleston, em seu diário: "Atmosfera desastrosa e de bom humor; um pintando, outro escrevendo um romance..." Sophie MacCarthy aparece no filme, dizendo que Virginia Woolf nunca escreveu um romance com cenário em Charleston, mas a casa foi muito influente na escrita dela. Angelica Garnett contando do seu tempo de criança na casa. Em 1939 o telefone foi instalado. Frances Partridge aparece no filme e faz um comentário. E Angelica continua: "Foi uma existência maravilhosa. Cada um podia fazer o que quisesse." Depois da morte de Duncan, em 1978, a casa estava em estado de decomposição; foi restaurada e em 1986 aberta ao público.

E o nosso passeio pela casa, hoje guiado por Robert McPherson, o presidente da Fundação Charleston. Começa pelo quarto de Keynes, que mede mais ou menos 4x6m (meço em passos, cada passo largo um metro). Os quadros, o baú, *Uma cena de inverno* (quadro de Vanessa), o retrato de Adrian Stephen... Ao lado, o quarto de dormir de Clive Bell – 3,5x8m – *Angelica*, por Vanessa, 1939. Uma cópia de Picasso por Quentin. Um retrato de Quentin em 1920, por Vanessa. O charme das molduras gastas. O quarto de Duncan, 8x4m. Angelica nasceu neste quarto. Um desenho de Delacroix. Ainda no quarto de Duncan, o livro *The alleys of Marrakesh* (*Os becos de Marrakesh*), de Peter Mayne.

O quarto de hóspedes. Olivier (no filme) diz que este era o único quarto quente da casa porque ficava em cima da cozinha. As janelas pintadas por Vanessa. Usava-se tinta barata. O espelho em que a mãe de Virginia apareceu para ela quando Virginia nele se olhou. E no terceiro andar, o estúdio de Vanessa. É a vista mais bela dos campos de Sussex. Os manuscritos. Páginas do caderno de esboços de Duncan. Grace Higgens (a cozinheira) na tela de Vanessa. *Les Chevaliers de La Table Ronde*, livro com dedicatória de Jean Cocteau para Clive Bell: "A Clive Bell son ami Jean". E de André Dunoyer de Ségonzac: "Pour Duncan Grant avec ma profond sympathie pour son oeuvre et pour lui, André". E o cartão postal de André Gide para Clive Bell...

No térreo. A sala de jantar – Charleston é uma casa do século XVIII. O piano é de 1775. *O gato*, de Duncan. O *vaso de prímulas*, por Vanessa, de 1930; A cópia feita por Duncan do perfil de um nobre por Piero Della Francesca; a mesa portuguesa. O pequeno baú. O pequeno Sickert: *As moças do coro*. E também no térreo o quarto de Vanessa. O retrato de Julian Bell por Duncan; Angelica por Duncan. Vanessa morreu neste quarto. E também, no térreo, o estúdio de Duncan, é sempre um prazer nele entrar. O retrato de Paul Roche seminu deitado, por Duncan, do qual fiz um esboço no meu *sketchbook*; a cristaleira que pertenceu ao Thackeray (autor de *Vanity Fair*); os pratos de cerâmica encomendados por Kenneth Clark com rostos que incluem o de Greta Garbo. E a grande tela com o modelo italiano nu, dos anos 30, por Duncan. O pote de terebentina.

E, de volta ao segundo piso, a biblioteca de Clive Bell, o busto de Lytton Strachey por Steve Tomlin. E, de novo no térreo, a sala do jardim (The Garden Room), onde está aquele livro (um volume com as peças teatrais de J. M. Synge) em que Duncan fez uma colagem abstrata sobre a capa original, e cuja reprodução foi usada na capa do panfleto em que Olivier Bell conta como foi o processo da edição dos diários de Virginia.

Quanto a Paul Roche, há pouco citado a propósito da tela mostrando-o seminu, tela pendurada no alto da parede no estúdio de Duncan, vale a pena falar um pouco dele aqui. Se Vanessa é tida como a companheira de vida de Duncan, foi Roche que cuidou do pintor quando ele já não dava mais conta de viver sozinho em Charleston. Como se sabe, Duncan levava uma vida dupla. Como pederasta teve inúmeros amantes, uns mais duradouros e outros apenas aventuras passageiras. De todos, o maior afeto de sua vida foi Paul Roche.

Quem conta bem essa história, e de maneira discreta, é a biógrafa Frances Spalding. Diz que a primeira vez que Duncan e Paul se encontraram foi em Piccadilly, 1946, quando Duncan viu um jovem marinheiro atravessando a rua. Paul estava vestido de marinheiro, embora fosse padre. Já estava com 30 anos mas aparentava 18. Como padre, Paul tinha relações homossexuais, mas assim que abandonou o hábito tornou-se louco por garotas, virou hétero.

Mas aí ele e Duncan já estavam de caso. Caso que duraria 32 anos (até a morte de Duncan), mesmo Paul se casando e tornando-se pai de cinco filhos (um deles, o primeiro, ilegítimo, com outra mulher). Quando Paul Roche se casou com Clarissa e teve os quatro filhos, Duncan ficou amigo da família e por respeito a Clarissa não teve mais sexo com Paul.

Mas o que ligava um ao outro era uma coisa de *alter ego*, e porque Paul era belo e vaidoso, posava nu com o maior prazer, adorava se exibir, exalando uma sensualidade que inspirava Duncan de modo que a união de artista e modelo foi uma ligação perfeita e feliz. Para um dos murais pintados numa capela da catedral de Lincoln, Duncan usou Paul Roche como modelo para o Jesus jovem pastor de ovelhas, e para o Cristo de braços abertos como na cruz.

Em todos esses murais não há culpa nem miséria mas langor e idílio. Paul, que era de boa família (uma tia-avó fora casada com um filho de Charles Dickens), tinha sangue francês e armênio. Poeta, professor, tradutor do grego, Paul Roche, já mais velho, levava Duncan em viagens a países exóticos e ensolarados, até quando Duncan já estava com mais de 90 anos.

Paul servia até de agente do pintor, quando este tinha de vender pessoalmente suas obras para colecionadores, como a Rainha Mãe, o Duque e a Duquesa de Devonshire, a Lady Dufferin and Ava, entre outras figuras distintas. Duncan morreu aos 93 anos (9 de maio de 1979), em paz, na casa de Paul e Clarissa Roche, em Aldermaston, para onde fora levado. Morreu nos braços de Paul, que a essa altura era como um filho. E também um dos seus herdeiros.

Quando foi discutido onde seria enterrado, Anne Olivier Bell resolveu a questão, fazendo com que todos os envolvidos entendessem que o melhor lugar para Duncan Grant descansar em paz seria ao lado do túmulo de Vanessa Bell, no pequeno cemitério de Firle, onde estão, pois na história da arte os nomes de Duncan e Vanessa estarão sempre ligados.

E pronto. Intervalo para chá e biscoito. Seguido do encontro com a Frances Spalding que nos vai falar de Duncan e Matisse. E a Spalding chega sempre simples, a dignidade em pessoa. Fala da arte hoje, neste fim de milênio, da onda de instalações, do uso de carcassa de animais como arte dos artistas de agora.

Na era vitoriana... Sacarina, *love story* (acho que a Spalding se referia à arte pegajosa do século dezenove, tenho de confirmar depois com a Laura Devaney). Mas o pai de Virginia, Sir Leslie Stephen, não gostava da França. Escreveu que a França era "um corredor desagradável que se tem de atravessar para chegar aos Alpes Suíços".

Duncan Grant chegou a Paris em 1906. Matisse havia exibido no ano anterior, sua tela *Mulher com chapéu*. Em 1910, ano da primeira exposição pós-impressionista em Londres, seu organizador, Roger Fry, comentando o pré-rafaelita Alma Tadema, um dos participantes de outra exposição, a Summer Exhibition na Royal Academy, disse que aquelas cenas de banhos romanos pareciam feitas de sabonete. Foi um escândalo. Alma Tadema era adorado por sua pintura marmórea.

No ano seguinte Fry visitou Matisse. Nesse tempo, a pintura de Duncan ainda não é tão livre quanto a de Matisse nas representações da figura humana. *Os banhistas.* Duncan tornar-se-ia decididamente *matissado* depois. Matisse dizia que a cor devia servir ao máximo como expressão. E para provar, uma outra tela dele, *Estúdio vermelho,* foi exposta na segunda exposição pós-impressionista em Londres. Daí Vanessa disse que em Matisse o que ela mais apreciava era ele evitar coisas deprimentes. A Tate comprou um Matisse, foi o primeiro.

Depois da palestra de Frances Spalding tivemos o almoço. Aproveitei o intervalo para conversar com a Sue Roe e o Julian (filho de Quentin e Olivier).

Mesma segunda, depois do almoço.

Agora é nosso encontro com Sue Roe. E ela começa falando do diário de Virginia Woolf, de um dia em que ela vem a Charleston e descreve Duncan na cama, outros fazendo outras coisas, o espírito de cooperação, Clive Bell lendo à janela, vaso de flores azuis, Dostoiévski. Escrever as palavras certas para começar a luta. O crédito por ter sido ela, Virginia, quem descobriu Charleston. Seu fascínio pelo material de pintura. Matisse, Picasso, Cézanne. As seis maçãs na pintura de Cézanne. A pureza das cores. Vermelho, verde. A forma roliça da maçã. Ela (Virginia) não pensava na seqüência dos eventos. Virginia nunca foi feliz com seu primeiro romance, por causa do enredo. Ficou travada no enredo. Terminou o livro e foi às compras. Trocou os móveis. Comprou da irmã uma tela de vaso com flores. Foi à National Gallery. Estava fechada naquele dia. Entrou numa loja e comprou dois bordados do século 18.

A técnica de Virginia em *O quarto de Jacob* a fez mudar completamente seu estilo. Idéias e opiniões não estão no centro da escrita dela. "O que torna humano um ser?" Origens. As palavras se tornam objetos. O método. O *design.* A janela e o farol. E o corredor de um a outro. A vida precisa ser desenhada. Lily Briscoe (a pintora em *Rumo ao farol*).

Sue Roe falando (lendo) é pura poesia. Com o tempo, ela (Virginia) vai usando menos e menos palavras. Sentimento subjetivo. Armar ondas para a próxima luta. "Amarelo pálido, prata e verde, se eu fosse pintora eu pintaria... Não posso descrever."

Mesmo dia, mais tarde, 16h.

O jogo agora é uma conversa entre Sue Roe e Vicki Walton. Quentin fez Vicki ver as coisas de um jeito completamente diferente. Vicki começou como modelo vivo para Quentin. Então, ela aprendeu a ser corajosa e não ter medo de fazer as coisas. A se divertir e ter prazer. É a atitude necessária para quem quiser fazer arte: não hesitar. Quentin, seu repertório de imagens. Quentin nunca se importou com moda, mas em trabalhar. Começavam às 7h da manhã. Com barro. Pegar a argila, dar forma, levar ao forno... *Slides*. E enquanto os *slides* são projetados eu desenho, copiando-os rapidamente, o desenho saindo do jeito que sai. Por isso, acredito, saem tão bons!

Southerham Old Barns, madrugada, terça, 8 de julho.

Estou tão excitado que durmo pouquíssimo. Acordei por volta das 4h da madrugada porque a cama também não ajuda. Não entendo essa mania inglesa de cama fofa demais. E o calor, de uns dias para cá, parece tropical. Por outro lado, estou muito feliz. O dia ontem foi excelente. Myra Harud disse que a Olivier ficou contente de saber que estou de volta. E trabalhar pintando azulejos com Vicki Walton foi delicioso. Aquela coisa de livre criação que ela aprendeu com Quentin. Não há regras, não há um critério, o que há é espontaneidade, a liberdade, deixar fluir. E para começar, o estúdio de Duncan e o quarto de dormir de Vanessa ficaram à nossa disposição para nos inspirarmos.

Sozinho, no estúdio de Duncan, detive-me nos detalhes. Desenhei, copiei rapidamente uma tela de Duncan – Paul Roche seminu, idealizando-o como meu auto-retrato. Copiei também a figura refletida no espelho (meio hindu, meio japonesa, uma estatueta) e as figuras que emolduram a lareira. Depois fui para o estúdio de cerâmica onde Vicki nos apresentou os pincéis – mostrou os pincéis muito usados que eram os favoritos de Quentin. E, para começar, deu quatro azulejos a cada um de nós. Fiz um nu feminino (meio corpo) muito elogiado pela Vicki, mas que para mim não resultou satisfatório. Mas também não ficou longe do estilo Charleston. Depois fiz outro desenho em outros quatro azulejos – um vaso de flores. Este não terminei.

Se antes a casa tinha o espírito de Vanessa, Duncan, etc., agora tem o vivíssimo espírito de Quentin Bell, que morreu faz nem seis meses. Estou muito feliz de ter voltado, não existe outro lugar como Charleston. Mas hoje também quero trabalhar na oficina de escrita com Sue Roe.

Charleston, mesmo dia, 9h da manhã.

Com Sue Roe na tenda. Palavra como solo. Maçãs. Mastigar maçã no verão é diferente de mastigar maçã no inverno. No inverno a maçã é fria. Sue Roe fala de contrastes. Selecionar. Decidir o que você quer e o que você não quer. Mas entrei na tenda com a aula já começada e perdendo o começo perdi o fio. De modo que no intervalo deixei a Sue Roe e corri para a aula de cerâmica com Vicki Walton; e mal estava começando os traços no azulejo cru, quando Alastair Upton nos chamou para a palestra da Frances Lord sobre as Oficinas Omega. Ela fala da Omega no contexto histórico. Da simpatia de Roger Fry (o fundador da Omega) pelo trabalho de William Morris no século dezenove. Fry olhava o passado e o presente para ganhar inspiração.

Mas a Lord não é boa de palestra e fala muito "ahn" e "and" para não perder o embalo. Ela fala de outros movimentos que aconteciam na mesma época que a Omega, como a Bauhaus. Quem pegava moças da classe operária e as levava ao zoológico? Me distraí e perdi. Será que era o Roger Fry? A Lord é séria, *petite*, e o tique dela de "ahn", "ahn", entre cada duas palavras, "a segunda ahn exposição ahn pós-impressionista ahn em 1912 ahn, eu penso ahn que muitos críticos ahn...", realmente...

Texturas chinesas... Bernard Shaw contribuiu comprando coisas da Omega. E depois de falar 45 minutos, a projeção de *slides* das Oficinas Omega. Interessantes. A Mary Hutchinson... E eu desenho, aleatoriamente, olhando os *slides* sem olhar para o caderno. O resultado fica bem Omega.

Mesmo dia, depois do almoço.

Na tenda para ouvir David Bradshaw falar. Até Anne Olivier Bell veio. O tema é "Those extraordinary parakeets" ("Aqueles periquitos extraordinários").

Clive Bell e Mary Hutchinson (e Virginia Woolf) são os periquitos do título. Parece que Mary Hutchinson será a próxima personagem a ser explorada pela indústria bloomsburiana. Bradshaw é professor do Worcester College, Oxford. É ruivo, jovem, bonito e logo de cara conquista a platéia pela simpatia e vitalidade.

Ele começa a falar dessa mulher que é um ícone da arte britânica das primeiras décadas do século XX, conforme o retrato dela pintado por Vanessa Bell, hoje na Tate Gallery. Vanessa a pintou bem, mas com uma certa maldade, mostrando-a arrogante, na moda, mas não bela, rosto de lua cheia e "lábios de bidê". Mary Hutchinson, que era bem nascida, viajada e bem relacionada, foi também formalmente retratada por Matisse. O que faltava até agora era conhecer seus outros dons, sua esperteza e vitalidade. E é sobre essa Hutchinson que David Bradshaw irá agora nos entreter. Ele trouxe a palestra escrita, mas conhecedor do tema que investigou profundamente irá, no entusiasmo, se liberar do papel e nos fisgar com a rica personalidade da mulher. O gancho dela com Bloomsbury vem de seu caso com Clive Bell.

"De fato", diz Bradshaw, "o papel da Hutchinson em Bloomsbury foi maior do que mera figuração como uma das amantes de Clive Bell. Mesmo não tendo sido uma pintora ou escritora substancial, ela deixou sua marca, como a vez em que, no rigoroso inverno de 1917, com Clive, visitou Roger Fry. Ficaram o dia inteiro em frente à lareira conversando sem parar. A Hutchinson era um tanto calada, mas nem por isso.

Sua educação foi primorosa, como veremos logo mais. Ela morreu em 1977 e em seu obituário, escrito por Raymond Mortimer e publicado no *The Times*, está que ela foi muito amiga de figuras importantes e díspares como Matisse e Samuel Beckett, 'cujo talento', escreveu Mortimer, 'ela foi das primeiras a proclamar'.

A própria Virginia Woolf, no começo enciumada do caso dela com Clive, acabaria por reconhecê-la como espirituosa e cheia de *savoir vivre*. Virginia escreveu: 'A cultura dela [Mary] é uma coisa! E seu bom gosto, surpreendente. Livros, peças teatrais, arte, música. E ela é espontaneamente *avant-garde*. É deliciosamente feminina, capaz de fazer uma simples liga, ou uma luva, parecer chique só pelo jeito de usá-las. Na Paris do século 18, teria sido a *patronesse* ideal de enciclopedistas e pintores'."

E David Bradshaw continua nos contando de Mary Hutchinson: "Entre os que a tinham na mais alta estima registram-se nomes como T. S. Eliot e Aldous

Huxley. Uma Strachey por parte de mãe, Mary era meia-prima de Lytton, que a adorava. Mesmo o geralmente mal humorado, D. H. Lawrence também se curvava ante o charme dessa mulher. Lawrence escreveu para o marido de Mary: 'Ela é uma das poucas mulheres, hoje, que realmente param para ouvir um homem e isso é muito estimulante'."

"Bem, a toque de currículo, Mary nasceu em Quetta, Índia (agora parte do Paquistão), em 29 de março de 1889. Era a mais velha das duas crianças (o outro era menino) do Sir Hugh Barnes e de Winifred (filha de Sir John Strachey). O pai de Mary era uma eminente figura no governo colonial da Índia. Mary estava com apenas dois anos quando a mãe morreu. Então ficou decidido que ela e o irmãozinho deveriam viver na Itália, com os avós maternos.

Muitas décadas depois, ao escrever as memórias, Mary contou que assim que a mãe morreu ela e o irmão foram encaminhados para Florença. É claro que passavam temporadas na Inglaterra, no País de Gales, na Suíça, mas a primavera era sempre nos lagos italianos. E além dos avós havia também as tias e suas filhas solteironas, a criadagem e governantas que eram sempre trocadas para que as duas crianças não se acostumassem muito com elas.

Quando os avós morreram, ela foi levada para a Inglaterra e ficava maravilhada com o chique da madrasta, chegada da Índia – pois o pai se casara novamente. Foi aí que Mary aprendeu a gostar de boas roupas, o que a levaria futuramente aos salões parisienses de Poiret e outros. Aprendeu também a cultivar disfarces e mitos. Mas tudo em casa era muito convencional e ela começou a se sentir um tanto asfixiada. Falavam tão baixo, quase sussurrando. As janelas sempre com as cortinas cerradas. Mas com o tempo ela se rebelaria."

E Bradshaw continua: "Ao deixar a escola na Inglaterra, Mary voltou para Florença vivendo em um pensionato para moças ricas. Dividia quarto com três americanas. Se era verão, na hora da sesta, as americanas ficavam completamente nuas e de janelas abertas. Eram admiradas por soldados que moravam na pensão do outro lado da rua. Mary ficava um tanto perturbada com aquilo, ela mesma sem coragem de tirar a roupa.

No verão de 1909, ela e o irmão James se assentaram em Londres. Em suas memórias, James Barnes escreveu que iam assistir a óperas wagnerianas, discutiam seus *leit-motifs*, aderiram à Sociedade Fabiana, iam a palestras e debates de Bernard

Shaw, G. K. Chesterton e outros. Segundo o irmão, Mary ia se tornando uma moça extraordinária em seu apetite por cultura, idéias e modas. Absorvia lógica, política, sociologia, ética, análise musical, dramatúrgica e a exegese de Dante."

"Em 1910, ela era cortejada por St. John Hutchinson, de uma das casas mais antigas da aristocracia inglesa. E se casaram. E de Barnes que era, Mary passou a ser Mary Hutchinson. Era a época da sociedade eduardiana, e ela, como debutante, logo escapava para a atmosfera mais artística e arejada, primeiro a de Chelsea e depois Bloomsbury. Em fevereiro de 1911 Mary deu à luz Barbara e o marido alugou uma casa de fazenda em Sussex. Mary escrevia com certa assiduidade, mas não chegou a fazer nome nas letras. No álbum de fotografias de Vanessa Bell dos anos de 1913-14, a Mary já aparece em fotos ao lado do primo James Strachey (irmão de Lytton e que será o tradutor oficial de Freud para o Inglês), Duncan Grant, Clive Bell, E. M. Forster e o marido St. John Hutchinson."

"Supõe-se que Clive Bell tenha primeiro encontrado Mary na primavera de 1909 em uma festa em Florença. Virginia Woolf (então ainda Virginia Stephen, pois só se casaria com Leonard em 1912) também estava lá e lembra de Mary chegando com o irmão. Vanessa também a viu por essa época e escreveu para Virginia dizendo não ter gostado nem um pouco da Mary. Ciúmes? Provavelmente. Seis anos depois, Mary Hutchinson era descrita por Virginia em seu diário como 'a atual flama de Clive, mas uma bem embaçada'."

"Para Virginia, nessa época Mary era 'muda feito uma truta'. E se vestia feito um pierrô: laranja, branco e preto. 'Ela é uma forma e não um caráter', Virginia comentou. Clive retrucava, escrevendo para Virginia: 'Só porque Mary se veste bem e você e Vanessa mal...'."

Por falar nisso, o nosso palestrante está com uma camisa salmão, calça clara (gelo), meia azul cítrico e sapato gasto de couro liso, com aquela placa de metal na ponta da sola. Muito chique no casual oxfordiano, imagino.

Ele continua: "Mary estava em gravidez adiantada, da segunda criança, agora um menino, que nascido recebeu o nome de Jeremy. Nessa época ela era distinta, bela testa, belos olhos e uma boca pequena em formato de morango suculento. Obviamente inteligente, mas reprimida. Uma jovem senhora casada em vias de descobrir seu próprio mundo. E por todos os defeitos de Clive Bell, sabemos que

Virginia levava em consideração duas qualidades do cunhado: sua habilidade em fazer os outros brilharem e sua capacidade afetiva.

Sem dúvida", segue contando Bradshaw, "Mary foi atraída pela crescente celebridade de Clive Bell como crítico de arte. Mas é certo também que o que a despertara para ele fora a vitalidade *sui generis* do homem. A ebuliente generosidade de Clive estava se tornando lendária como seu esnobismo e sua incansável sociabilidade. A *joie de vivre* dele era irresistível. Clive era um *homme du monde*. Sua devoção às mulheres as deixavam de periquita acesa. Ao menos algumas delas.

Outras não. Lady Ottoline Morrell, por exemplo. Quando, durante a Primeira Guerra, fora-lhe arranjado, assim como a outros intelectuais pacifistas da aristocracia (Aldous Huxley era outro), para ir servir no campo, trabalhar a terra, Clive foi servir na propriedade de Lady Ottoline, e esta (nessa época ainda amante de Bertrand Russell) dele disse: '[Clive] é divertido, um agradável hóspede para uma noite ou um fim-de-semana, mas fala demais e é muito fofoqueiro para ser uma companhia permanente. Ele tem o charme momentâneo de um entusiasta. Sua sensualidade, da qual ele tanto se orgulha, é estimulada quase que inteiramente pela vaidade. Se essas características fossem a de um jovem Adonis elas teriam seu charme, mas Clive já não é um jovem; seu cabelo cada vez mais ralo e seu abdômen protuberante o fazem mais parecido com um balão do que um príncipe encantado'."

"Em setembro de 1916 os Hutchinsons se mudaram para a River House, uma mansão à beira do Tâmisa, em Hammersmith. Vanessa Bell e Duncan Grant foram contratados para decorá-la. Os murais e os móveis pintados pela dupla, assim como a casa em si, apareceram nas páginas da *Vogue* como o grande chique da temporada, reforçando a já difundida onda artística bloomsburiana. Nas paredes, telas de Matisse, Derain, Dufy e Marie Laurencin. E muitas festas famosas aconteciam ali na River House.

Virginia Woolf era uma que se impressionava com a perfeição da casa. Outra escritora, Katherine Mansfield, de uma festa ali, em 1917, escreveu: 'Oh Deus! Aquelas festas. Em retrospecto, todas muito boas, mas enquanto você está lá e elas acontecendo, como são chatas!' Mesmo com presenças como T. S. Eliot, Robert Graves, Robbie Ross (aquele grande amigo de Oscar Wilde), Max

Beerbohm, Lord Curzon, Roger Fry... todos citados na crônica da Mansfield, que cita também o dente falso de Robbie Ross que não parava de se mover."

"De Clive Bell nessa época, Virginia escreveu no diário em um dia de novembro de 1917: 'Clive é um descanso. Ele não é tolo, embora seus modos às vezes dêem essa impressão. Mas ele tem o dom de um *raconteur*; algo do padrão de Cambridge. Tornou-se um grande escritor de cartas íntimas e eu gosto disso'."

Diz que Mary Hutchinson também gostava. Em suas cartas para ela, Clive é ao mesmo tempo o sensualista delicado, o interessado em tudo e um pouco mais. E David Bradshaw continua: "No ano seguinte Virginia já não se mostrava tão tolerante com as cartas de Clive contando dele e de Mary sentados no Café Royal, dos jovens poetas & pintores, ele conhecendo todos. E o fato de Clive ficar o tempo todo incensando Mary para os outros deixava os amigos irritados.

Nessa época, Duncan escreveu uma carta para Lytton nestes termos: 'Aquela idiota da Virginia contou ao [Mark] Gertler que nós todos desprezamos a Mary e só a suportamos como concubina do Clive. O que não é verdade mas, claro, Gertler imediatamente contou a Mary e ela caiu em prantos no Café Royal tendo de ser socorrida e levada às pressas para casa num táxi, e você (Lytton) foi escolhido como a única pessoa capaz de acudi-la. Realmente, Virginia e Ottoline se parecem muito na maldade'."

"Quentin Bell lembrou que o pai [Clive] criava esses climas por insistir nas qualidades de Mary Hutchinson, comparando-a à Madame du Deffand com o charme de uma Pompadour, mas que, ao insistir nisso, ele só piorava as coisas. Mas no fim tudo acabava mais ou menos bem, e em fevereiro de 1919 Virginia escrevia em seu diário que ela mais o Clive e a Mary foram vistos entrando em um restaurante matraqueando como 'um trio de periquitos'."

"O marido da Hutchinson (que também tinha os casos dele), claro, acabou sabendo do affair da mulher com Clive. A atmosfera em casa ficou tensa e Mary foi se refugiar em Durbins, a casa modernista de Roger Fry em Guildford."

"Enfim, em Paris, em Londres, em Bloomsbury, em Charleston, na River House, em Durbins, etc., o caso entre Clive e a Hutchinson durou 12 anos. Ao separar-se de Clive, Mary teve vários outros amantes, mas ficou com o marido até a morte dele, em 1942. Em 1921, Clive contou para Vanessa que estava de caso novo, uma espanhola, Juanita de Gandarillas."

Terminando sua palestra sobre *aqueles extraordinários periquitos*, Bradwhaw conta que, "em julho de 1927, Clive arrasado e cheio de autopiedade desabafou com Virginia: 'Minha cara Virginia, a vida terminou. Nós estamos com 45 anos. Estou cheio, pensando em suicídio.' Um ano depois, Vita Sackville-West contava ao marido Harold que um Clive sombrio admitiu querer Mary de volta, mas ela estava tendo um *béguin* por outro homem."

Mas parece que Mary e Vita também andaram transando.

E assim se passaram vários anos. Em 1950, Mary Hutchinson estava muito amiga de Samuel Beckett. Trocavam cartas e se encontravam regularmente em Londres e Paris. Quando Mary morreu, em 17 de abril de 1977, ela assistia uma peça dele na televisão. Quanto ao Clive, falecera doze anos antes, em 17 de setembro de 1964.

Quarta, 9 de julho.

Depois de mais uma sessão de cerâmica com Vicki Walton, estamos agora na salinha-porão que leva o nome de Sala Grace Higgens (a lendária cozinheira de Charleston) para ouvir Lisa Tickner nos falar de Vanessa Bell & da Praia de Studland. E Tickner fala da forma significante, da acuidade espiritual, do cheiro de flores secas, do circunstancial.

Alastair Upton projeta *slides* e Lisa os descreve. Pinturas de cenas praianas. Marinhas. Tema refrescante. Roger Fry pintando na praia. "A praia como tema", explica Lisa, "começa no século 18. A praia constituía um importantíssimo elemento na vida humana. Espaços demóticos. Monet, Manet, Degas... todos mexeram com o tema praia. Lily Briscoe, a personagem pintora em *Rumo ao farol*, ela pinta muito na praia. Em 1883, Walter Sickert andou pela Cornualha, pintou em St. Ives. A ligação de Virginia Woolf com o mar. A morte da mãe. Escrever *Rumo ao farol* foi uma necessidade para descansar o espírito. Escrever para não ficar louca, uma necessidade primordial. E a praia..."

Os óculos da palestrante são grandes, sem aro, de lentes grossas presas na haste, quase caem. E ela lê a palestra sobre essa coisa da influência da praia na pintura da Vanessa e na escrita de Virginia.

Mas deixo Lisa Tickner falando de praia e volto a escrever sobre a oficina de pintar cerâmica com a Vicki Walton. Foi uma das duas ou três melhores coisas até agora (as outras duas foram a palestra de David Bradshaw sobre Mary Hutchinson ontem e a de Frances Spalding na segunda-feira). Mas o melhor mesmo, decididamente, é mexer com cerâmica.

Ontem pintei uma cara feminina bem colorida, meio Carmen Miranda, e um abstrato – ambos com os pincéis do Quentin - e um outro, com espátula. E hoje uma caneca, que ficou qualquer nota, mas como em Bloomsbury nenhuma arte se perde, a minha caneca depois de levada ao forno de alta temperatura também dará para tomar chá ou simplesmente servir de enfeite como um pequeno vaso de flores ou para guardar lápis e canetas.

Nesta altura da vida mexer com cerâmica e pintura é tão divertido quanto escrever. E os participantes, tão simpáticos, todos elogiando os trabalhos uns dos outros. E Vicki, sempre com uma palavra boa para cada um. Ela é um amor e não me admira ter sido braço direito de Quentin Bell durante tanto tempo.

Southerham Old Barns, quinta, 10 de julho (7h da manhã).

Nesse universo de letras e livros, argila, tintas e cores, eles construíram uma indústria imortal. Morre um e já logo outro da família cresce, aparece e a indústria segue brilhando e a todo o vapor. Foi esta a sensação ontem, emocionante, na casa da Olivier, com a filha Virginia nos entretendo. Contarei tudo daqui a pouco. Antes, porém, alguns *flashes* relevantes de ontem: manhã pintando cerâmica com supervisão de Vicki Walton; a emoção de nossos trabalhos de anteontem saindo do forno. O esmalte, a surpresa das cores finalmente reveladas, o resultado destinado à longa duração, mesmo se quebrado e grudado em cimento de um jardim feito a calçada mosaicada no jardim de Charleston. O almoço em Firle, no jardim do *pub* The Ram, já tão familiar de anos anteriores.

Depois, o curador Peter Miall, tão gentil e amigo, nos guiou em um *tour* (como da primeira vez, em 1993) pelo vilarejo. O cemitério, os túmulos de Vanessa e Duncan – algumas moças da turma depositaram flores. O túmulo de Quentin (ainda sem a lápide). E no micro-ônibus, dia quentíssimo, mais uma visita (a minha terceira, desde 1991) à casa de Virginia e Leonard em Rodmell, experiência sempre evocativa, mesmo se repetida. De volta a Charleston, fomos caminhando pelo campo entre pastos, gado e milharal até a casa da Olivier. Na entrada, abraço e beijo-a fortemente e ela emocionada exclama: "My friend!"

Olivier está com 80 anos e continua a mais admirável das criaturas. Lembro de uma vez, em Ribeirão Preto, o comentário de minha mãe sobre a correspondência que eu recebia de Olivier e Quentin: "Eles te consideram muito."

No pomar ajardinado de Olivier, vinho servido por um adolescente cavalheiresco, traços que lembram os da família. Imagino que seja neto de Quentin e Olivier. Depois, Olivier confirma: é seu neto, Tom, de 15 anos, filho de Julian. E Tom serve vinho branco (que Peter Miall em seu copo mistura com suco de laranja). Azeitonas e queijos sobre a mesa, o jardim-pomar, a colina – a macieira este ano está com as maçãs atrasadas e não tão viçosas como naquela tarde quando primeiro estive na casa dos Bells com a turma, em julho de 1993.

Emma Dinwoodie nos chama para a sala que vai começar a sessão. Sento-me aos pés de Virginia, que vai nos contar, ler e mostrar o trabalho do livro que seu pai, Quentin, começou sobre a casa de Charleston e morreu sem terminá-lo. É um livro sobre como era a casa antes e não agora, que é museu. A casa de quando ele era menino, adolescente, e já grande, antes de ter sido restaurada e reinaugurada para o público em 1986.

Virginia conta, com humor nervoso, tímido, que ela NÃO TEM ABSOLUTAMENTE NADA a ver com os Nicolsons, que ela é Nic*h*olson, com h, que o marido dela é William Nicholson (o dramaturgo, escritor, e roteirista cinematográfico). E como que brincando, para provar que ela de fato é uma descendente do Bloomsbury, mostra uma foto sua com a família e, na parede, um quadro dela menina, pintada por Duncan Grant. Depois põe no gravador uma fita para a gente ouvir as últimas conversas dela com o pai já no leito de morte. Tanta coisa! A sala lotada (os 21 participantes) mais o pessoal de Charleston – Emma Dinwoodie, Diane Taylor, Robert McPherson, Peter Miall, Lisa Tickner e Andrew Coverly (o jardineiro). E Olivier, que estava no quintal, foi trazida e sentou-se na poltrona que era a de Quentin.

Virginia falou de seu trabalho, continuar a escrever o livro de onde o pai parara, de como a tarefa lhe foi passada, os manuscritos, os editores, como o livro deveria ser feito, todas as dúvidas, a orientação que o marido lhe deu, e que no dia seguinte da morte do pai ela teve de levar os filhos pequenos para ver *Os 101 Dálmatas* e tudo mais.

Os detalhes, a orientação da mãe, como ela (Virginia) mexeu na coisa depois que as fitas das conversas dela com o pai foram transcritas, a voz frágil de Quentin (isso a gente ouvindo as fitas), das provas do livro, marcado para ser lançado em outubro, as exigências dos editores: "Corte meia linha aqui", "aumente seis linhas ali", e que o livro, ao mesmo tempo em que tinha de ser divertido, tinha de ser também informativo, os detalhes, o quarto de Clive, o de Maynard, o de Vanessa, de Duncan...

E de como ela, Virginia Nicholson, precisou continuar frases, sentenças, iniciadas pelo pai e interrompidas no meio, pensamentos não concluídos, e como – e ela mostrou, lendo – ela fez, escrevendo como se fosse o pai escrevendo (ou falando) e de como isso funcionou em alguns lugares e não funcionou em outros e ela teve de escrever como ela mesma, e a confusão, a data de entrega e tudo.

E o livro ficou pronto. Já estávamos lá há horas, mas a Olivier fez questão absoluta que ficássemos mais um pouco. Ficamos e voltamos ao pomar ajardinado, onde tivemos a oportunidade de manusear a prova do livro, que será um elegante livro de mesa. O título: *Charleston: A Bloomsbury house and garden*. Mas parece que todo mundo quer falar com Virginia, de modo que vou conversar com Vicki Walton (que está hospedada na casa) e Vicki me apresenta a vizinhos de Olivier e conta para eles dos meus azulejos e descreve a mulher nua que pintei. Vicki diz que se eu chegar antes que os outros amanhã ela me dará mais alguns azulejos para eu pintar. E Emma nos chama porque já são 21h e estamos na casa desde as 18h30.

Quinta, 10 de julho.

Polly Vaizey (filha de Marina Vaizey, a famosa crítica de arte) lê o *Daily Mail* no ônibus. Polly é uma das 21 participantes da Escola de Verão deste ano. No jornal está que a droga heroína, vendida a 15 libras a grama, está na moda, usada pela alta classe média inglesa como *kick* pós-jantar. E chegamos a Charleston, onde Vicki no estúdio me deu alguns azulejos para pintar. Mostrou um que fiz ontem e que, saído do forno hoje, estava muito bom, mas precisava de um pouco mais de cor. Vicki me ensinou que o esmalte deve ser pincelado da esquerda para a direita e a segunda pincelada no sentido contrário e assim sucessivamente.

Mas agora, 10h10, na Sala Grace Higgens, Emma explica que hoje o dia será dedicado a Roger Fry, com uma visita à Durbins, a casa que ele construiu em Guildford, 1909. Emma comentou como fora surpreendente a visita ontem à casa de Olivier Bell e o encontro com Virginia Nicholson. Disse que Virginia não faria para ninguém aquilo que fez por nós, que ela achou importante para ela e para o livro o que fez - pôr para tocar as fitas de Quentin e nos mostrar a prova do livro. Disse Emma que nem a Olivier sabia que a filha ia fazer aquilo e que foi mesmo muito emocionante. Que Virginia Nicholson é muito profissional no que faz. O que não me surpreende, afinal é sobrinha-neta da outra Virginia, a Woolf.

Mesma manhã, 11h30.

Calvo, magro, modiglianesco, simpático, um feixe de nervos – é Paul Atterbury, escritor especialista em artes decorativas dos séculos 19 e 20 e curador do Victoria & Albert Museum. Historiador apaixonado por cerâmica, sua palestra é sobre o tema. Por mais que eu corra, mal consigo anotar o que ele diz. O homem é uma metralhadora muito bem disparada. A sensação é de estar sendo *injetado*. Anoto fragmentos: "A cerâmica revolucionou a Grande Arte", ele diz. E metralha: "A cerâmica campônia italiana, a chinesa; o barro orgânico crescia do lado de fora de Charleston e o resultado do trabalho dos ceramistas da casa era muito informal. A atitude da época. As pessoas fazendo as coisas elas mesmas. Faça você mesmo. Que podemos pensar da coisa agora? São trabalhos excitantes pela originalidade *naïve*. Como eram vistos na época? A coisa fazia parte do primitivismo, da arte africana. Não se deve analisar..."

E Atterbury continua: "[Charleston] é a casa mais britânica que vocês podem ver, a integridade casual, peças que não têm nada a ver umas com as outras e postas juntas dão certo. O que é o gosto inglês? Isto aqui (Charleston) é." E ele segue metralhando: "O amadorismo: pode parecer malfeito e mesmo assim podemos muito bem conviver com o resultado. O importante é fazer a coisa do seu jeito. E o que emergiu foi um sentimento de que as pessoas podem criar coisas bonitas fora do âmbito industrial. O que saia errado do forno industrial dava integridade à coisa. Gauguin quando voltou do Pacífico correu a fazer cerâmica na França. Ali, o culto da individualidade era mais forte, mas dentro de uma coisa mais industrial - nisso eram melhores que os ingleses.

As atitudes mudavam de país para país." E Atterbury, na projeção dos *slides* faz a classe morrer de rir com a coisa escandinava: "Estamos falando da filosofia que levou Duncan Grant e todos a fazer cerâmica. A coisa americana, a pureza da forma, o interesse em argila, a superfície esmaltada e a impetuosidade. Vasos. Quando se menciona Gauguin a conversa pode mudar para outros meios. E cerâmica é um meio. E que tal a Rússia?" – ele pergunta, enquanto são projetados *slides* de cerâmica russa. *Slides* de 1920, época que antecipa a coisa francesa em cinco ou mais anos. Realmente excitante (a cerâmica russa). O maravilhoso abstrato pintado à mão. E Atterbury pergunta se Vanessa e Duncan teriam visto a cerâmica russa moderna da época. Era mais geométrica.

E o palestrante segue direto e reto, brilhante, sem dar trégua, sem gesticular. A cerâmica italiana da época era um tanto pesada. E os balés russos, a coisa italiana, a moda... Figuras que vêm de diferentes ordens sociais. *Country Living* (a revista), era pura fantasia, gente que nunca viveu no campo. Esta casa (Charleston) não é diferente (na base) de nenhuma outra casa no condado de Sussex. A projeção de *Picardia caipira*, cerâmica desenhada por Phoebe Slabler em 1911, usando pedra moída à guisa de barro. *Mãe e filho*, das Oficinas Omega, futurismo. A cerâmica portuguesa como utensílio. A forma portuguesa. James Radley Young foi muito influenciado por ela, entre 1922 e 1924. Assim como a influência italiana, a francesa... Nessa época o *design* modernista era uma coisa já integrada, linguagem comum. O efeito da mão segurando o pincel. Cerâmica vendida nas farmácias e nas lojas.

Em Viena, na mesma época, as cores ao acaso. Não se sabia que cor ia sair do forno. Na América. A linguagem do abstrato – a Bélgica nos anos 20. O abstrato aceito como coisa decorativa – a arte africana (o nu negro). Sèvres (a fábrica francesa de fama mundial) e o meio abstrato. Sèvres (em 1932) e a relação entre cerâmica e pintura (Léger, etc.). O senso. A cerâmica de Bloomsbury tornou-se um fenômeno. O amadorismo realmente não tinha importância. Se as coisas são malfeitas elas são melhores – era a atitude inglesa, não necessariamente correta. "Enfim", conclui Atterbury, "não precisamos levar nada muito seriamente."

Terminou e foi aplaudido calorosamente.

Debate. "Desde então estamos vivendo em marrom. Todas as outras cores são proibidas. Isso torna a coisa estéril. Cada pincelada tem de ser certeira. Confiança. E o excesso de vasos? Tudo bem, vasos, desde que se ponham flores neles. Função é importante, se o objetivo é ser funcional."

Mesmo dia, visita a Durbins, a casa que Roger Fry construiu em Guildford.

E fomos de ônibus para Guildford, uma hora e meia de viagem, desde Charleston. Peter Miall nos dá uma aula sobre Durbins. "É importante pôr a casa no contexto", diz. Miall lembra que, na primeira década do século, os dois estilos arquitetônicos que ainda imperavam na Inglaterra eram o do austero classicista Decimus Burton *versus* seu fanático oponente, Augustus Pugin. Este, tomando as rédeas como o arquiteto da hora, quase sozinho substituíra o clássico italiano pelo gótico inglês como a imagem da Inglaterra vitoriana. Com ele, a moda era o renascimento gótico. Ao mesmo tempo, no que tangia às moradias populares, dominava o tradicional estilo *cottage*. Havia também a chamada Escola de Glasgow, de Mackintosh e companhia. De modo que na primeira década do novo século não era comum encontrar gente com idéias como as de Roger Fry.

Na época em que Fry construiu Durbins, existiam muitas revistas de arquitetura que mexiam também com a decoração de interiores. Misturava-se o clássico italiano com o vernacular local. Roger Fry não era arquiteto profissional, mas tinha idéias. Queria que a luz natural invadisse a casa. Era forte a influência da arquitetura que se fazia em Viena. O próprio Mackintosh chegou a construir em Viena. A cidade estava aberta ao moderno. A alta burguesia vienense não poupava a experimentação, embora não fosse radical e nem fugisse do simétrico.

Podem-se ver ainda hoje em Durbins as linhas vienenses, pois em 86 anos a casa não foi em nada alterada. Quando, por volta de 1918, Durbins saiu na *Vogue*, ficou-se sabendo de mais coisas da casa. Durbins, em suma, representa uma das poucas construções inglesas do período que vai de 1900 a 1925, que corresponde aos precursores do movimento modernista na arquitetura. Teve grande repercussão na Europa continental e nos Estados Unidos.

Durbins, por ter sido construída em 1909, até que é bastante livre. Embora simétrica na fachada e na forma das janelas, ela tem algo remanescente do passado, contrastando com as idéias avançadas de Roger Fry em relação às artes plásticas. Sente-se um quê de timidez no caráter da casa. É que na Inglaterra, ao contrário do que acontecia em Viena e em Weimar, não havia propriamente uma comunidade de arquitetos. A Escola de Glasgow estava quase morta. Faltava encorajamento para ousar. O jeito era agarrar-se ao clássico. Na biografia *post mortem* do amigo, Virginia Woolf escreveu: "[Roger Fry] desenhou ele mesmo a casa e era orgulhoso de suas proporções".

Durbins é resultado de uma decisão: Pensando em deixar Londres e se mudar para o campo na tentativa de melhorar a condição mental de sua mulher, Helen, doente da cabeça, Roger Fry foi com a idéia de construir a casa para nela viver com a família. A idéia não foi adiante. Ele fez a casa, mas a mulher só foi lá uma vez, em 1910. Quem mais a aproveitou foi a filha, Marjorie. A casa tem três pisos. O do topo é uma mansarda em estilo tipicamente inglês. O resto é francês no que tange às janelas altas. Fry comprou esculturas de Eric Gill e de Gaudier-Brzeska para o jardim. E junto com Duncan Grant, no verão de 1913, começou, no exterior do estúdio, um mosaico com figuras de jogadores de *badminton*. Mas o mosaico nunca foi terminado. Erro de cálculo: não havia espaço para as cabeças.

O período pouco anterior à Primeira Guerra foi quando Durbins foi mais freqüentada. Aconteceu nesse tempo o caso de amor entre Roger Fry e Vanessa Bell, época também da fundação das Oficinas Omega. Durbins serviu de inspiração para uma casa de bonecas da Omega, desenhada por Fry em 1913 e mostrada na Ideal Home Exhibition, em 1914. A maquete está agora no Museum of Childhood (Museu da Infância) em Bethnal Green. A casa é comparada às casas vienenses de Adolf Loos. E se a *Villa Schwob* em La Chaux-de-Fonds, Suíça, construída por Le Corbusier em 1916, parece mais sofisticada e melhor resolvida que Durbins, pode-se fazer uma analogia entre as duas, levando-se em conta que a *Villa Schwob* foi feita sete anos depois que a casa de Fry.

Nessa visita a Durbins, seus atuais proprietários nos abriram a casa e o jardim para a explorarmos, guiados por Peter Miall, com direito a um delicioso piquenique no jardim. A casa não me impressionou como outras que visitamos nestes anos de estudos bloomsburianos. O que ela tem de melhor é a generosidade da luz que a atravessa pelas vidraças altas. A luz invade a casa por tudo que é lado. Mas a mim me pareceu faltar nela o essencial: conforto.

Sexta, 11 de julho.

Manhã trabalhando com Vicki Walton, que ensinou a pegar o barro para fazer um pote. Os cotovelos apoiados, como manter as mãos, o pedal que faz girar a roda-prato de apoio, os dedos esquerdos que vão dando forma enquanto a mão direita, suavemente, dá o apoio. O nível. E a coisa ganhando forma.

Mesmo dia, depois.

Palestra de James Beechey sobre Clive Bell, de quem está escrevendo a biografia autorizada. Os anos passam, desde 1993, quando vim pela primeira vez, e James Beechey continua tímido, desajeitado, falando para dentro, difícil de acompanhá-lo. No entanto, escreve muito bem. Seus artigos são brilhantes. Com certeza o livro será ótimo, mas a palestra...

De modo que fica difícil a concentração. E na tenda uma abelha enorme foi vista – e por ele! Mas a abelha não faz o menor zumbido. A Olivier também está na tenda. E James Beechey conta do Clive (que foi tão melhor explicado na terça-feira, por David Bradshaw). Diane Taylor, uma das organizadoras da semana, está com cara de sono. Ela tem o nariz perfeito. Aliás, essas moças, ela e a Emma Dinwoodie, o que elas têm trabalhado! Tudo saindo perfeito.

O único que cancelou foi o crítico Richard Shone, que íamos ter hoje à tarde. Que pena. Outra coisa digna de nota aqui é que sempre enfeitam a mesa com algumas flores. Agora que James Beechey está falando tem lá um copo d'água servindo de vaso, com flores do jardim de Charleston. Beechey agora está comparando Clive Bell a John Ruskin. Volta e meia emprega o adjetivo "ridículo". Agora ele está dizendo que Clive Bell foi ao norte da África com Matisse. Há uma foto de Clive com Picasso em que Picasso aparece travestido! Clive amava Paris e esse amor continuou até a morte dele. Escreveu críticas por mais de 40 anos. Generoso com os amigos, dizia que Duncan Grant era o pintor inglês mais importante desde Gaisborough. Mas Quentin dizia que o pai era um exagerado.

Mesmo dia, mais tarde.

Na Sala Grace Higgens, Vicki Walton e Julian Bell vão falar de Quentin. E Julian começa. Fala da ausência do pai, morto há seis meses. Quentin dizia: 'Eu descobri que seria um artista menor.' Ele (Quentin) decidiu ser *menor*. Quando se voltou para as artes aplicadas ele se libertou. Escreveu um romance de duas mil páginas e Julian foi uma das únicas pessoas que o leu, ele e David Garnett. E o filho projeta *slides* de desenhos do pai, desenhos propositalmente vitorianos, formais, mas cheios de imaginação e fantasia. "Quentin era revoltado com Deus e a *Bíblia*, mas era generoso. Nem um pouco voltado para si mesmo. O universo de Quentin, os bibelôs que criava, os vasos, as aquarelas, a escrita (sua prosa), sua arte era cheia de sereias, princesas, sempre teve esse espírito, esse humor, esse engenho a seu dispor. A gravidade da argila. Esculturas femininas. Ele era, no seu próprio termo, o que quer que isso signifique, um artista menor. Ao mesmo tempo sua arte é uma arte inocente, mas subversiva."

Vicki projeta *slides* de Quentin trabalhando em casa. Ele acordava bem cedo e ia para o estúdio. Quentin fumando cachimbo enquanto trabalha. Fazia, por exemplo, uma *lady* de chapéu e em seguida outra coisa completamente diferente. Era resistente às idéias psíquicas, às forças do surrealismo. Era mais demótico.

Southerham Old Barns, manhã de sábado, 12 de julho.

Deixem-me aproveitar as horas que faltam e registrar no diário a noite de ontem, antes do microônibus passar com os outros estudantes para me apanhar. Foi o jantar de despedida. Me vesti chique, com roupas compradas há alguns anos a preço de ponta de estoque em Londres. De modo que, para o jantar de despedida, estreei uma calça de lã Paul Smith (pela qual paguei 20 libras em 1993), uma camisa David Moss da liquidação de verão de 1994 e o paletó de *tweed* pelo qual paguei 100 libras no Alan Bennett da Savile Row, em 1995.

Como de 1993 para cá minha barriga aumentou um pouco e a cintura da calça é altíssima, em vez de enfiar a camisa para dentro a deixei por fora da calça (tipo desleixo), sob o paletó. Nos pés, a botina camurçada Clarks preta, já na terceira sola. Velha de 10 anos (1987), a botina dá mostras de que irá durar outros dez. Meias Marks & Spencer, a única estréia. Assim como a cueca – esta, cor de vinho, de 1995. De modo que, dos pés à cabeça, estava britanicamente vestido.

Tanto que quando cheguei e entrei no jardinzinho de fundo para o primeiro encontro e uma ou duas taças de vinho antes do jantar, Virginia Nicholson fez cara de impactada ao me ver. E é conversa com um, conversa com outro, com Peter Miall, com a própria Virginia e principalmente com a Olivier, também ela muito elegante e digníssima. E a Sue Sullins, da alta classe média texana, fazendo a despojada, em blusão *jeans*. A maioria dos homens estava de paletó e alguns, como Robert McPherson, de gravata. Mas afinal, ele é o presidente de Charleston.

Conversando com a Olivier, eu e a Sue Sullins, Olivier disse que meu inglês piorou desde a última vez – no que Sue concordou. Eu sei o motivo: à medida que meu interesse vai virando paixão em relação à cultura latino-americana, vou me desinteressando da cultura inglesa. Então, relaxado, não me esforço muito mais no inglês. Mas deixem-me adiantar um pouco aqui minhas anotações sobre o jantar de despedida, ontem. Enquanto a *evening* (porque era *evening*) avançava e com ela as taças de vinho branco, fui me destravando e meu inglês ficou mais *sharp* (afiado) que nunca.

Mas, ainda no coquetel, como eu contava, os 21 participantes e mais os de casa, fomos chamados por Emma Dinwoodie para o jantar no grande jardim murado. Emma, que durante toda a semana vestia só roupa preta, estava, nesta sexta-feira, toda de branco. Elogiei-a e ela me disse: "Só visto branco e preto." Contei a ela que no Brasil, nas sextas-feiras, místicos vestem branco, para que tudo corra bem. Ela gostou da idéia.

E todos se assentaram para o jantar. Mesas juntas formando uma ferradura com as duas pontas voltadas para a casa. 21h. Ainda claro por causa do verão. Altos abajures de pé, acesos. Velas na mesa. Perguntei a Olivier: "Posso sentar ao seu lado?" E ela: "Claro, como da outra vez, é o seu lugar." Senti que ela ficou contente. Meu inglês já estava perfeito e conversamos animadamente sobre tudo. Daí ela quis saber da minha família, de minha mãe. E me contou da família dela. Disse que o neto Tom agora gosta de futebol e que também fora ao festival pop de Glastonbury fazia algumas semanas. Daí, contei a ela que eu também estivera nesse festival; ela ficou surpresa.

Aliás, desde muito tempo, vira e mexe vou ao festival de Glastonbury – minha velha amiga Angie Dodkins, há décadas moradora naquela região, faz parte do quadro de organizadores e sempre que venho a Inglaterra nessa época do ano ela me arranja credencial; o deste ano foi um horror, dias e noites de chuva diluviana ininterrupta, lama até o joelho por toda a Fazenda Worthy, onde acontece o festival. Aquilo virou um barro só, e a selvageria me fazia desejar voltar correndo para o civilizadíssimo pantanal matogrossense, de onde, aliás, eu praticamente viera para esta curta temporada inglesa.

O pantanal, onde borboletas e passarinhos pousam e se aconchegam nos lombos de adoráveis veadinhos e preguiçosos jacarés ao sol... O pantanal, onde piranhas pescadas se prestam às mais deliciosas sopas... O pantanal, enfim, onde na pescaria, segundo os locais, a isca deve ser assim: "pacu grande, minhoca; pacu pequeno, mandioca". Pantanal sim, festival de rock não. Mas daí a Olivier me conta que seu neto adorou. Que o festival é um rito de passagem. E é mesmo, concordo. O adolescente, em seu excesso de testosterona, tem de passar por isso, se pôr à prova. Se sair vivo da experiência será um triunfo. Mas por que será que eu, na minha idade, até hoje fico me pondo à prova? Sem dúvida é porque não cresci. Sim, porque, de fato, é sempre um triunfo sair vivo do horror que é o festival de Glastonbury.

Olivier me conta que na próxima semana ela irá para a Itália (Toscana) com a filha Virginia e família (Virginia tem três filhos), por duas semanas. Falei que meus avós maternos eram italianos do Vêneto e ela ficou admirada. Adora a Itália.

Depois do jantar, uns se levantaram e mudaram de lugar para conversar com outros. Ann Marsden, a rica e bela *lesbian chic* de Minneapolis, onde é sócia de uma loja de temática bloomsburiana, contou para a Olivier que comprara, naqueles dias, a pintura original da capa da nova biografia de Virginia Woolf por Hermione Lee.

A pintura, por Fletcher Sibthorpe, não agradou aos bloomsburianos tradicionalistas (Olivier a detestou) porque mostra uma Virginia bem velha, como se ela não tivesse se suicidado aos 59 anos, mas continuado viva e envelhecido – a pele acinzentada, os cabelos ralos e grisalhos, muitas rugas, olheiras profundas... Mas Ann Marsden diz que gosta, pelo olhar *wicked* (malvado) e irônico de Virginia na pintura. De fato. E Ann Marsden estava super feliz com a aquisição.

Charleston, sábado 12 de julho, manhã.

"A única vez que fui considerado membro do grupo de Bloomsbury foi em Toronto. Isso foi há uns dez anos. Fui apresentado como 'o único membro sobrevivente do grupo de Bloomsbury'." Quem nos conta isso é Nigel Nicolson, na tenda. E ele continua: "Hoje tive uma experiência semelhante. Eu estava na estrada, sozinho, dirigindo meu carro, vindo para cá, o rádio estava dando 'Fazendeiros de Charleston' e pensei, contente: É para onde vou! No programa, a Vicki Walton era entrevistada, falava de suas aulas de cerâmica na Escola de Verão aqui e explicava: 'Não importa se você estiver se sentindo um tolo mexendo na massa...'. Daí pensei: Somos a geração seguinte (de Bloomsbury)."

E Nigel continua, oitentão, animadíssimo: "Minha mãe era apavorada com Bloomsbury. Ela fazia um trocadilho, 'Gloomsbury' (*gloom* significa sombrio). Tinha medo do grupo. Muita gente tinha. Minha lembrança mais antiga do grupo era em Long Barn, Kent, onde morávamos. Virginia ia muito lá. O medo que se tinha de sentar à mesa quando o grupo era de 13 pessoas. Algo a ver com A Última Ceia. Ottoline era um *pavão*. E perguntei à minha mãe, cochichando em seu ouvido, se aquela *lady* (Ottoline) era uma bruxa. Minha mãe disse que sim." (Risos)

Nigel usa óculos enormes para ler as anotações em uma folha. Ele apenas olha o que anotou para lembrar e o resto fala de improviso. Sua palestra hoje é uma variante de outros encontros que tivemos com ele desde 1993. É um homem notável e é sempre um prazer ouvi-lo. E continua contando de seu tempo de criança em Long Barn: "Virginia chegava e logo mandava minha mãe sair: 'Vita, deixe-me ficar a sós com Ben e Nigel'.

Ela era muito divertida. Pedia que descrevêssemos com exatidão o que tínhamos feito ao acordar. Em que pé primeiro enfiávamos a meia. Uma vez fui caçar borboletas com ela. Virginia era muito engraçada, mas também podia ser muito rude. Mas isso era típico de Bloomsbury, desafiar as pessoas. A única vez que vim a Charleston, quando menino, fiquei com medo de Vanessa. Eu gostava mais de ir à Monk's House. Lá as pessoas eram mais loquazes. Nunca vi Virginia louca. E o Leonardo, quando tocava em Virginia era com uma ternura bíblica. Na vida de casados, Leonardo e Virginia nunca dormiam na mesma cama e nem no mesmo quarto." Nigel volta a falar que a única relação sexual de Virginia com outra mulher foi com a mãe dele: "No doubt about it", ele diz. "Não há a menor dúvida."

Nigel nunca olha diretamente para o público, fala com olhar fixo na distância. Conta tudo de novo – afinal há gente na platéia que nunca o ouviu antes. E lembra que seu trabalho na edição dos seis volumes das cartas de Virginia, mesmo ela morta, foi um verdadeiro segundo contato com ela. Diz que a jovem americana que o ajudou na tarefa, a Joanne Trautmann Banks, primeiro apareceu como estudante. Nigel lembra: "Quando Quentin Bell me convidou para editar as cartas de Virginia, eu primeiro pensei em Joanne para me ajudar. Trabalhamos sete anos e nos reuníamos por dois meses cada ano, junho e julho. Joanne era muito querida de meus amigos. Uma vez, fomos ao correio em Sevenoaks e a mulher perguntou: 'Você é Liza Minelli?'."

Hoje, Joanne Trautmann Banks vive na Flórida. "Somos amigos. Ainda ontem conversamos, por telefone. Ela achou uma carta inédita de Virginia." Entre as cartas, muitas confirmam que Vita e Virginia foram amantes.

Nigel fala do quarto de Virginia em Monk's House. O quarto, no térreo, com a janela dando para o jardim, a falta de privacidade. Como se o próprio jardim invadisse a privacidade dela. Ele fala do sucesso da encenação teatral das cartas das duas, *Vita & Virginia*, a Eileen Atkins (autora da idéia e da seleção) perfeita como Virginia, já a Vanessa Redgrave não convence como Vita, ela é sempre Vanessa Redgrave. Redgrave perguntou ao Nigel se por acaso, em uma festa, a Vita Sackville-West fosse apresentada como Sra. Nicolson, como reagiria? Nigel respondeu: "Ela daria um soco na cara do sujeito."

Depois da palestra, na saída da tenda, atravessando o estacionamento onde ele foi pegar o carro – um carro velho, simples – fomos conversando, Nigel, Olivier, James Beechey e eu. Contei a Nigel das montagens brasileiras de *Vita & Virginia* e de *Violet & Vita*. E Nigel: "Mas esta última não existe!" E eu: "Existe sim, foi escrita por uma argentina." Todos riram com a referência argentina. (Esses esnobes adoram saber aonde a lenda deles vai parar.)

Depois que Nigel foi embora de volta para o castelo de Sissinghurst, onde vive, fomos para o jardinzinho de fundo onde, sobre mesas, estavam em exposição as nossas obras, o resultado dos nossos exercícios de cerâmica. Dedo de prosa com uns e outros, e na despedida acompanhei Anne Olivier Bell até seu carro. Desejei-lhe uma ótima temporada na Toscana. Olivier disse que será um prazer continuar recebendo minhas cartas e que, como já me dissera, não escreve cartas, de vez em quando me mandará um postal.

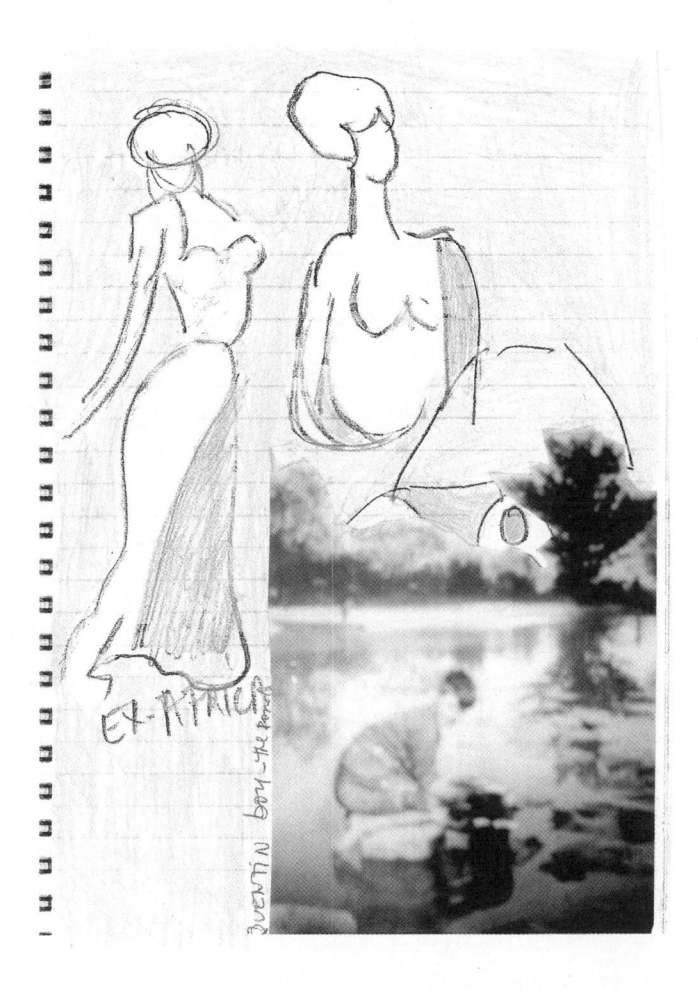

1998

> *Interroguei um daqueles viajantes, perguntei-lhe aonde eles iam. Respondeu-me que não sabia de nada, nem ele nem os outros; mas que, evidentemente, iam a alguma parte, pois eram impelidos por uma necessidade invencível de caminhar.*
>
> Baudelaire, *Cada um com sua quimera*

ESTE ANO, RESPONDENDO cartas de colegas da minha primeira participação na Escola de Verão na Fazenda Charleston, contei-lhes, sem muito drama, que não estava apto a ir nem para a Escola de Verão nem para o Festival. Falta de dinheiro. Uma das colegas a quem escrevi, que fazia parte de um fundo de ajuda a artistas, argumentou que dinheiro não era problema, o fundo pagaria tudo: passagem aérea, hospedagem e alimentação, ingressos para os eventos, e que depois do Festival, se eu desejasse, seria seu convidado para uma esticada cultural. De modo que fui.

Os primeiros dois dias fui hóspede de meu amigo Andrew Lovelock, em Brighton, a meia hora de carro da Fazenda Charleston. Amizade de 28 anos, foi um bom começo chegar e ficar com ele, sua mulher e filha. Mas deixem-me contar do festival, que este ano me atraiu por vários nomes de peso, autores que farão suas entradas na seqüência. E também pelo tema. O tema deste ano, certamente pela aproximação do novo milênio, foi "Fin de Siècle", assim, em francês. Fim de Século. "Sob esse tema o Festival celebra, analisa e capta o espírito da virada do século na arte e na vida, na imaginação e na realidade, agora e no passado", segundo o programa.

Fazenda Charleston, 23 de maio, 14 horas.

Tenda quase lotada. Diana Reich, em pé, apresenta, já sentadas, Alison Lurie, Barbara Trapido e Lynne Truss. Quando decidi vir para o festival este ano, passando os olhos pela programação, enviei um fax à minha amiga para que ela comprasse ingresso para a hora da Alison Lurie, pois há uns quatro anos lera um romance dela, *Foreign affairs* (*Ligações estrangeiras*) traduzido e publicado no Brasil, que me fora presenteado por um amigo amante da literatura não óbvia e que descobrira o livro em uma livraria de encalhes.

Esse meu amigo vibrara com o estilo e o humor da Lurie e sentindo que eu também a apreciaria, atirou-me o romance depois de o ter lido. De fato. No meu diário do Festival de Charleston de 1995, em um almoço com colegas no The Ram, até fiz um comentário sobre essa autora. E eis agora a oportunidade de vê-la e ouvi-la em debate com outras que eu não conhecia. O tema do debate é "Days of disarray" ("Dias de desordem"). A Lurie fala de seu novo romance, o primeiro em dez anos, *Last resort* (*Último refúgio*), e a Trapido, também fala do seu. Lynne Truss, aqui servindo de mediadora, resume, em apresentação, o trabalho das duas.

A Trapido, percebo logo, é esnobe. Meia idade, usa óculos, não é o tipo de autora que particularmente me interesse. Mas nem a Lurie nem a Truss, se eu já não conhecesse antes um livro da primeira e nem tivesse lido um artigo da segunda, no *Charleston Magazine*.

A Lurie fala. Seu sotaque é tipo meio-oeste americano. Tem a cara torta e a boca mais torta ainda (anos depois descobriria que Lurie teve parto a fórceps). Lurie é velha, mas vivíssima. Diz que o personagem central de seu novo livro é um deprimido e em todo o romance ele tenta se matar, se afogar, e não consegue.

O cabelo da Lurie é franjado e tingido de louro-acinzentado. Ela veste um *tailleur* da mesma cor e broche enorme de metal – uma flor – também acinzentado. Óculos grandes para não deixar escapar nada. O novo romance dela se passa em Key West, na Flórida.

Formigas de Sussex sobem pelas minhas pernas. O público ri muito porque a Lurie escreve alta comédia e é, ela própria, uma figura cômica. Mas agora é a vez de Barbara Trapido falar. Ela lê um trecho de seu último romance. O personagem é escritor. Mas lendo, a Trapido briga com os óculos. Consulta o relógio depois de uma longa introdução. Recomeça. E Alison Lurie deve ser um pouco surda, pois, tem na mão, aberto, o livro da Trapido, para acompanhar a leitura da outra. E o público ri muito com a leitura.

Na platéia, Anne Olivier Bell também ri. Ela ainda não sabe que estou aqui. Está sentada na primeira fila. Jenny, sua amiga Wendy e eu estamos sentados em uma das laterais, ao lado da Margaret Drabble e do marido, Michael Holroyd. Antes de começar o evento, Jenny me apresentou ao casal como um escritor brasileiro membro dos Amigos de Charleston. Conto para a Drabble que estive em sua palestra no festival em 95 e que, para mim, foi a melhor.

A Drabble é a editora da enciclopédia *The Oxford Companion of English Literature*. Tem DRABBLE na lombada. O marido, Holroyd, recebeu um adiantamento de 700 mil libras para escrever a biografia de Bernard Shaw, o que não é muito, se for levado em conta que levou quase 10 anos e escreveu três volumes. Mas eles compraram casa naquele condomínio fechado e exclusivíssimo atrás do Palácio de Kensington. Formam um casal feliz e simpático.

E a Trapido continua lendo, agora com brilho trepidante. Cochilei, acordei com risos, pensei que tinha acabado e aplaudi freneticamente. Que vexame!

Agora, faltando 15 minutos para as 15h, é a vez do debate. Alison Lurie voltar a falar. Diz que é bom trabalhar novamente com personagens de livros anteriores. Diz que o público também gosta de reencontrar personagens, são como velhos conhecidos.

Lynne Truss pergunta algo a Alison Lurie, que sempre se levanta para falar. A boca muito torta lhe dá esgares de personalidade única, embora sua aparência seja de pessoa comum. É uma acadêmica que escreve sobre acadêmicos. Jenny comenta comigo que o cabelo dela deve ser peruca. Lynne Truss – ela própria muito loira e grandalhona – sugere que o público faça perguntas. Uma moça pergunta de um personagem lésbico. Lurie responde que, para começar, Key West é um lugar de *gays*. "Eu mesma nunca tive experiência lésbica e fiquei preocupada em poder me equivocar."

Ao meu lado a Drabble pergunta se enquanto elas estão escrevendo livros sobre a vida contemporânea e no meio do processo o mundo já mudou, o que é que elas fazem? A Lurie concorda dizendo que de fato isso acontece. Mas não responde à pergunta. A Trapido diz que gostaria de escrever um livro histórico, mas não ousa. E continua o debate. A Trapido diz: "Claro que me preocupo em ficar velha e o mundo jovem." Teve infância na África do Sul.

A Lurie diz: "Só posso escrever sobre lugares onde estive e por muito tempo." Nisso uma moça da platéia pergunta se não vão falar sobre o tema do programa, "Dias de Confusão, Desordem"? A Trapido e a Lurie fazem caras de pegas de surpresa e despreparo para a resposta. Lynne Truss se livra dizendo não ter sido ela a autora do título do debate. Diana Reich, a organizadora do festival e autora do título deste evento, explica. Sua explicação não convence, mas como ela é muito charmosa e quilometrada, o público ri e engole.

A Trapido diz que tem uma irmã com diferença de 14 meses na idade. Sente falta da família, que ficou na África do Sul. E Diana Reich, sempre eficaz na pontualidade, encerra o debate: "Acho que é hora de agradecer as três pela tarde maravilhosa. Agora precisamos ler os livros delas e sentir, na leitura, o significado do título-tema do encontro." E lembra que os livros estão à venda na saída da tenda e que elas os autografarão para quem quiser.

Intervalo. Chá. Fomos ao encontro de Anne Olivier Bell. Ela se surpreende em me ver. "Você escreveu que não vinha!" E a minha patrocinadora, ao lado, orgulhosa: "Eu o trouxe." E sentamos para um dedo de prosa.

Sábado, 23 de maio, 16h30.

O tema agora tem por título o mesmo da tradução inglesa para o *A la recherche du temps perdu*, de Proust: *Remembrance of things past*. No Brasil a tradução é corretamente ao pé da letra, *Em busca do tempo perdido*. Já a tradução inglesa, se o título fosse novamente vertido para o francês daria *Remémoration de choses passées*! E eu me pergunto: se a obra de Proust considerada tão bem traduzida para a língua de Shakespeare por Scott Moncrieff fosse toda ela retraduzida para o francês – se é que nenhum acadêmico ainda se deu a esse trabalho – qual seria o resultado? Não dá o que pensar? E parece, segundo li na introdução da brilhante e curta (150 páginas) biografia de Proust por Edmund White, que o título já foi traduzido mais literalmente como *In Search of Lost Time*.

Enfim... o título do encontro agora é "Remembrance of things past". Vamos ver se desta vez Diana Reich acertou. Os palestrantes são: Alain de Botton, autor do "mais estranho livro de auto-ajuda", o *How Proust can change your life* (*Como Proust pode mudar sua vida*), que li pouco antes de vir para cá; Richard Boston, jornalista do *The Guardian*, que vai discutir o caso Dreyfus e os artistas da *Belle Époque*; e o romancista Geoff Dyer, que lerá trechos de seu novo livro, *Paris trance*, tido como o *Tender is the night* (*Suave é a noite*) da era do *ecstasy*.

Diana Reich apresenta o trio à platéia: "Três escritores diferentes sobre três gêneros de escrita." Alain de Botton é jovem, bonito – os olhos brilham e a boca é de um vermelho de morango maduro (mas já perdeu os cabelos no alto da cabeça). Nascido na Suiça, a pronúncia correta de seu nome é Alén de Botôn – assim Diana Reich o apresentou. Ele veste um suéter largo. É chique, Dá pinta de *bien né*, bem-nascido; Richard Boston é mais velho – uns 50? Óculos grandes, está de terno; Geoff Dyer, talvez um pouquinho mais velho que Alain de Botton, escreveu para jornais sobre jazz e fotografia, rosto magro e comprido, uma aparência deprimida mal disfarçada.

Começa com Alain de Botton, que é encantador, de fala clara, ligeiramente tímido, mas é um jovem nitidamente feliz: "Amo livros de auto-ajuda embora não ajudem muito. Um livro que mudou minha vida foi a novela de Proust. Proust ajuda na vida amorosa, social, familiar, gorjetas. Proust mesmo levou uma vida desastrosa. Em um dos capítulos de meu livro, [capítulo que tem por título] 'Como abandonar um livro', conto que Virginia Woolf parou de ler Proust assim que começou, temendo ela mesma não conseguir mais escrever. Fetichismo literário. O melhor dos livros é que eles nos ensinam mais sobre nós mesmos. Não levar Proust muito a sério. Virginia Woolf primeiro mencionou Proust em uma carta a Roger Fry em 1919."

Alain de Botton é magrinho, sotaque perfeito e claro, ele lê a parte de seu livro em que fala de Virginia Woolf (afinal, estamos em Charleston). E segue contando que Walter Benjamin, que foi o tradutor de Proust para o alemão, disse que a razão pela qual as pessoas escrevem livros é que elas não acham os livros existentes bem escritos – se foi isso que entendi. Quando Proust escreveu, perdeu noventa por cento dos amigos. E Botton lê (de seu livro) o encontro de Proust com Joyce no Ritz e no táxi que tomaram junto. Mal conversaram. Ficaram mudos. E de como os dois teriam tido uma aproximação maior não tivesse cada um se mantido calado. O público ri. Silêncio. Repentinamente vacas mugem no pasto perto da tenda onde estamos.

Michael Portillo (Botton conta) leu Proust e, num artigo, comentou como

Proust mudou a vida dele. Alain de Botton leu o artigo de Portillo no *The Times* e pegou dali o título para seu livro. Conta que quando o livro saiu, um jornalista do *Daily Mail* foi entrevistá-lo. Quem era esse Proust, de quem nunca ouvira falar? Ele morreu quando? (Em 1922, com 51 anos.) Alain de Botton é simpaticíssimo. Já o Richard Boston, o segundo a falar, não consegue manter com o público a mesma empatia: "O Caso Dreyfus ainda está conosco, hoje", começa. Pergunta a Alain de Botton se ele menciona Dreyfus no seu livro. Botton responde: "Não!" Risos. Boston diz que Proust foi um dos defensores de Dreyfus. E continua: "Mas eu tenho que voltar a cem anos. Zola. Todos os eventos aconteceram na hora certa".

Mas ele (Richard Boston) é chato. Um humor regionalista, Não rompe, não atravessa, estaca no suburbano mesmo falando da *Belle Époque*. Enrola, balbucia... Os três palestrantes são calvos. Boston continua. Dreyfus era inocente, com certeza. A única razão de ter sido preso é porque era judeu. E eu, Bivar, me lembro da vez – há dez anos, foi em 1988 – em que estive na Guiana Francesa, na Ilha do Diabo, onde [Alfred] Dreyfus fora exilado. Havia uma pedra em um promontório de onde, dizia o folheto turístico, Dreyfus, solitário, olhando o mar, lamentava o seu destino. Será que depois pergunto a Boston sobre Dreyfus na Ilha do Diabo?

Diana Reich interfere e lembra que o ator José Ferrer fez o papel de Dreyfus no cinema. Richard Boston não se lembra. Não viu o filme. E o homenzinho não pára de falar. O chato é que Alain de Botton, que é tão mais interessante, falou pouco e esse Boston fala pelos três. E o outro, o Geoff Dyer, que vai falar de Paris, não a Paris de Dreyfus nem a de Proust, mas a Paris de hoje, está lá, disfarçando o tédio enquanto espera a vez. E Boston continua: "Zola escreveu *J'accuse* sobre o processo contra Dreyfus" e pergunta: "Quanto tempo ainda tenho?" Diana Reich responde: "Cinco minutos." E Boston continua: "Os artistas tomavam partido. Edgard Degas, Jules Verne... eram terrivelmente anti-semitas. Já Mallarmé, Péguy..."

Jenny, ao meu lado, sussurra que Richard Boston fala sem rota definida. E a platéia, a essa altura inquietíssima, sente-se tão sem rumo quanto ele. Diana Reich o corta para dar a palavra a Geoff Dyer. Que entra direto e conta que o editor tinha escolhido *Paris dreamtime* para título do romance dele. "Não gostei." Mas daí, ele conta, estava nos Estados Unidos, na Carolina do Norte e caiu nas mãos um catálogo, *PARIS TRANCE*. Dyer passou um fax para o editor segurar a primeira página que ele tinha achado o título perfeito. E conta do livro. "Em 1991 fui a Paris escrever um livro, a crônica de um antigo fracasso." E acrescenta: "Ninguém vai a Paris para escrever mas para virar um grande escritor."

Dyer se levantou para falar e fala bem. E cita, como exemplo, os americanos que foram a Paris para se tornarem grandes escritores: Hemingway, Fitzgerald... os principais arquétipos. E que ele, Dyer, memorializou aquela vida boêmia, a indústria literária baseada na Rive Gauche. Fala do contraste entre os cafés parisienses e os *pubs* ingleses. Na Inglaterra ninguém vai a um *pub* para escrever. Nos cafés em Paris você vai escrever o seu livro.

Mas que agora, os cafés, na era do *ecstasy*, são uma decepção. Mas ainda bem que se pode fumar nos cafés (risos). "D. H. Lawrence, meu grande herói, odiava Paris." Hoje, *Techno* é a última forma de arte do milênio. Dyer lê um trecho de seu romance parisiense, enquanto aqui ao lado da tenda, no pasto da fazenda Charleston, outra vaca muge. Risos por conta do contraste. Dyer lembra de Hemingway e das touradas na Espanha. E volta a falar dele, vida solitária (em Paris), vivendo num *pit* (porão) ou mansarda ou água-furtada. Escrever para conseguir mulher. O livro não estava pronto e não apareciam mulheres...

Diana Reich, sempre pontual, dá por encerrada a palestra e pede à platéia que no debate as perguntas sejam as mais objetivas possíveis.

Alguém pergunta a Alain de Botton se ele leu Proust em francês ou em inglês. Ele responde: "Li Proust nas duas línguas, inglês e francês. Cresci na Suiça falando francês. A tradução em inglês (C. W. Scott-Moncrieff) é tão boa que os franceses aprendem inglês lendo Proust em inglês."

Depois os autores ficam à disposição para autografar seus livros. Enquanto Botton me dedica seu livro, conto que leio seus artigos na *Folha de São Paulo*. Ele fica contente pela confirmação de que os textos que escreve originalmente para o *Sunday Telegraph* estão sendo publicados no Brasil. E diz que futuramente deverá visitar nosso país.

Depois dessas profundas horas literárias, livres para espairecer, Jenny dirigindo o Volvo e eu ao seu lado, fomos encontrar os Lovelocks num restaurante chinês em uma rua jovial e movimentada de Brighton (a meia hora da Fazenda Charleston). Depois do excelente jantar, fomos caminhar, os cinco –

Andrew, sua mulher Tabitha, a filha Rebecca, Jenny e eu –, pela bela orla de Brighton, cidade onde, prazerosamente, eu viveria uma de minhas encarnações.

Depois do passeio, Jenny foi sozinha dirigindo seu carro para Lewes e eu vim com os Lovelocks para a casa deles, na periferia de Brighton (de onde escrevo estas mal traçadas). Ficamos conversando até tarde, Andrew, Tabitha e eu, porque, segundo o casal, aos sábados eles sempre dormem tarde e esta noite mais tarde ainda, porque têm uma rara visita, que sou eu. Por mim, teria ido logo para a cama, pois estava não só cansado da desconfortável viagem de avião desde São Paulo, sentado no último banco da classe econômica, mas cansado também pelo dia de esforço intelectual em Charleston.

Aproveitei para explicar a Andrew e Tabitha que na noite de amanhã dormirei em Lewes numa hospedaria que Jenny reservou para mim, uma vez que na segunda-feira, assim que terminado o último evento do festival, irei com ela e uma amiga para a Ilha de Wight. Mas falei também que reservei para eles o meu último dia desta minha curta temporada inglesa.

Domingo, 24 de maio.

Acordei cedo mas voltei a dormir, exausto que estava. Levantei-me às 10h. Depois do desjejum e de um passeio de carro por Brighton, os Lovelocks me levaram a Lewes, onde Jenny e Wendy já me aguardavam para tomarmos o rumo de mais um dia de festival literário. Ah, sim, esquecia-me de contar que ontem, antes de Charleston, as duas tinham trazido farnel de Londres e fomos fazer um piquenique no pequeno cemitério em torno da igreja, no vilarejo de Firle. Vimos o túmulo de Quentin Bell, agora com a lápide. Fica perto dos túmulos de sua mãe Vanessa e Duncan, com lápides semelhantes.

E agora, em Charleston, 14h, a tenda já está cheia para a palestra de Emma Tennant e Philip Zeigler. A Tennant é romancista e está lançando suas memórias "nem sempre respeitosas, baseadas em fatos, mas narradas com imaginação de ficcionista", memórias de sua rica, influente, glamurosa e excêntrica família, os Asquiths e os Tennants; Philip Zeigler, por seu turno, escreveu e está lançando a biografia do ultrajante e espirituoso Osbert Sitwell, "que esteve no coração de cada violenta fratura literária de seu tempo". De modo que, cada um na sua, a Tennant e o Zeigler cuidam de reconstruir "mundos perdidos". Isso no texto do programa. O tema do evento é "Anatomia de uma era".

Diana Reich os apresenta.

Philip Zeigler, um senhor sessentão, enxuto, bem vestido, simpático, fala sobre os Sitwells. O público se descontrai, rindo já logo no começo. Por conta do riso, só fisgo lascas de frases, nomes. William, o Quarto; Lady Diana Cooper. Margot Asquith às 9h30 da manhã; Lady Oxford – ela não era esnobe, apesar de seu relacionamento íntimo com muita gente da Casa Real; [Osbert] podia ser vulgar, tolo, etc., mas... (perdi); Deanna Durbin (?!) - perdi. Os Sitwells (Osbert, Sacheverell e Edith), eles mereciam a celebridade e também o esquecimento. Ele (Osbert) estava no meio de todos os movimentos literários do período, do sucesso ao fracasso. Ele se desentendia com todo mundo: Cecil Beaton, Noel Coward, D. H. Lawrence; Noel Coward ridicularizou Osbert como personagem na revista teatral *London calling*. Mas Osbert não brigou com T. S. Eliot.

"Ele (quem? perdi) foi tão mau pintor quanto Osbert mau escritor." Osbert tirava sarro de Virginia Woolf. Virginia gostava dele sem saber por que, e ele também gostava dela sem saber por que. De Bloomsbury, a Carrington era quem menos apreciava Osbert. Ele era contraditório. Extremamente generoso. Ajudou muita gente, o Dylan Thomas, por exemplo.

Mas Osbert também era traiçoeiro, foi ruim com os pais. D. H. Lawrence em *Mulheres apaixonadas* ridicularizou a sexualidade boneca de Osbert, retratando-o como um dos personagens. Mas, o mais importante de tudo, ele era um aristocrata. Transformou ancestralidade em arte. Escreveu a mão quatro volumes. Escreveu poesia, contos, romances, peças. Mas gostava mais de conversar. Qualquer fraqueza virava força. Reverenciava Proust. Ambos eram deslumbrados com a fachada.

Osbert Sitwell merece estar no panteão da Escrita Cômica Britânica. "Será que conseguiu lugar seguro na literatura inglesa?, eu me pergunto" E assim terminou a palestra de Philip Zeigler. Aplausos. Foi brilhante. Agora é a vez de Emma Tennant. E ela começa: "Por que resolvi escrever um livro sobre a minha família?" Século dezoito, Escócia. A família era amiga do poeta Robert Burns. A fortuna da família. Gente casada na aristocracia. "Minha família era diferente das outras. Minha avó. Ela amava os filhos, os netos! Pamela cresceu..." (perdi). As memórias da Tennant, um romance com gente real. "Tentei ser exata o máximo possível." A mãe da Emma lendo o livro disse: "Dá para sentir que está tudo certo". Falando da Margot Asquith na Downing Street...

Emma Tennant é loura e voluptuosa como certas inglesas gordas. E o pessoal sentado nas primeiras filas, são todos grisalhos, a Anne Olivier Bell, uns senhores que a cumprimentaram. (A Olivier escrevera convidando-me a hospedar em sua casa, onde era o estúdio de Quentin, agora transformado em quarto de hóspedes, só que a carta chegou em São Paulo depois de eu já ter vindo pra cá; só a fui ler na volta.) Mas quem serão eles, os agora sentados perto dela? As cadeiras da frente são reservadas para os velhos e surdos importantes. E a Emma acabou e perdi quase tudo – quem está ficando surdo sou eu. E a Diana Reich: "Perguntas? Por favor, sejam objetivos."

Em *Duas cidades*, Dickens usou como personagens muita gente histórica, diz Philip Zeigler, que fala de fato e ficção em biografia. Fala de Peter Ackroyd e sua biografia de Dickens, "notável".

Muitos biógrafos – e a Tennant cita exemplos – tentam ser romancistas. Nisso, atrás, na platéia, William Nicholson pergunta: "Que apetite é esse que temos, de voltar ao passado e escrever biografia?" Zeigler responde: "História, fofoca, a vida de outras pessoas é matéria fascinante. Não acho que seja particularmente nostalgia, mas os fatos que existem lá. Completa simpatia e entendimento." E Emma Tennant: "No meu caso trata-se de matéria diferente. Cresci com essa *memorabilia*, o cheiro..." A Tennant fala rápido e com a boca virada para lá, não dá para eu entender. "As pessoas querem saber o que realmente aconteceu."

Peter Miall pergunta a Ziegler se daqui a cem anos Osbert será visto... (perdi) e Ziegler responde... (perdi). Mas imagino que não, que daqui a cem anos Osbert Sitwell estará reduzido a menos que pó-de-traque.

Excelente essa primeira parte da tarde. Diana Reich, atenta, só espera a deixa para encerrar o evento, que começou às 14h e agora faltam cinco minutos para as 15h. Mas a Tennant, que estava escrevendo *Strangers* quando a Jacqueline Kennedy Onassis ainda era viva e editora da Random House, nos Estados Unidos, conta: "Acreditem ou não, a Jacqueline Onassis me ligou e disse... (perdi) e eu respondi... (perdi)"

Zeigler pergunta: "Posso ser indiscreto? Qual foi o comentário de Mrs.

Onassis?" E Emma: "Meu comentário favorito da Senhora Onassis foi... (perdi)." Risos da platéia.

Que ódio, eu perder o mais importante! Mas parece que no arranjo do casamento de Onassis com a Jackie ele queria sexo todos os dias, mas ela foi explícita e pôs no contrato matrimonial que sexo só duas vezes por semana.

Ziegler e a Tennant falam do relacionamento entre os Sitwells e os Tennants. Na platéia, Philip Hoare (que irá palestrar no próximo evento, ele próprio biógrafo de um Tennant, tio da Emma, o Stephen Tennant) faz um comentário sobre os Sitwells. Diana Reich agradece a Emma Tennant e Philip Zeigler pelo fascinante *afternoon*. E ao meu lado Jenny conta que a família Tennant vai acabar. Tamanha dissipação. Colin Tennant e a Princesa Margaret em Mustigue. A ilha, a casa. Um filho morreu de drogas, outro... Anjos negros.

Corro para mais um dedo de prosa com a Olivier. Olivier conta que a decoração de fundo do palco na tenda é uma tampa de mesa pintada por sua filha, a Cressida. A tampa estava no depósito. "Nao ficou de todo má, ficou?"

Depois do intervalo para o chá, é hora de mais palestras e debates. Vamos todos tomar nossos lugares na tenda. São 16h30. O tema agora tem por título "Wilde Times", que tanto pode ser "Tempos de Oscar Wilde" como, servindo-se de trocadilho e jogo de palavras, "Tempos selvagens". Ambos fazem sentido, como veremos a seguir.

Dois palestrantes: Stephen Calloway, curador da recente exposição celebrando o centenário do ilustrador Aubrey Beardsley, no Victoria & Albert Museum, e autor da biografia ilustrada que acompanha a mostra. Calloway vai falar sobre decadência e o desejo de testar limites na virada do século 19 para o 20. O outro palestrante é o jornalista e escritor Philip Hoare, autor de uma consagrada biografia de Noel Coward (também publicada no Brasil pela Editora Record), que no ano passado lançou *Wilde's last stand* (*A última audácia de Wilde*). Hoare vai mostrar como a ousadia de Oscar Wilde continua ressonante.

Diana Reich os apresenta.

Stephen Calloway é baixinho, cabelo cortado à Oscar Wilde, um *dandy*. Seu traje é totalmente *fin-de-siècle* (passado). É efeminado, feliz, voz nasalada. Agitado, fala da tuberculose naquela época. Aubrey Beardsley era louco para deixar marca, desesperado por fama. O palestrante é maneirista ao extremo. O sapato com fivelão. Beardsley era bom no piano. Entre ler e escrever (poemas) ele desenhava, inventando seu próprio mundo. Aos 16 anos deixou a Grammar School em Brighton. Na hora do almoço do trabalho no escritório, rodava os sebos do centro de Londres atrás de livros de desenho. Nessa busca descobriu a arte japonesa, William Morris, Burne-Jones.

Um homem procurava alguém para fazer ilustrações para papel de carta e Beardsley foi apresentado a ele. Assim tornou-se artista. Foi ver uma exposição pré-rafaelita e foi apresentado a Watts e William Morris. Burne-Jones o elogiou muito e Beardsley, que tinha só 17 anos, conheceu Robert Ross, críticos, etc. e viajou para Paris com Oscar Wilde. Tornou-se ilustrador dos livros mais *fashionables* da época, como o *Salomé*, de Wilde, em 1893.

Salomé catapultou Beardsley à fama. Café Royal. Pose. Vestia-se com extremo requinte. Walter Sickert o pintou. Indecência nos desenhos de Beardsley, pornográficos, vaginas gigantescas, falos enormes. Hermafroditismo com órgãos agigantados, enorme ereção. "Hoje a gente vê isso fácil, mas em 1893 não era assim fácil. Ele sabia que ia rolar escândalo e estava preparado para o escândalo", diz o palestrante.

Mundo extremamente decadente. Ele era obcecado com... (perdi). Ficou rico, ficou pobre, e ainda jovem, na casa dos 20, a casa que comprou com *Salomé* e outro livro teve que dela se desfazer. Em Dieppe encontrou um editor que tinha feito fortuna publicando livros pornográficos para venda particular. Beardsley foi ficando doente, medo de viajar, a tuberculose, em 1898 decidiu mudar-se para a Riviera. Ainda desenhava. Foram os mais belos trabalhos de bico de pena que ele deixou. Morreu antes de completar 26 anos. E nasceu a lenda. Tornou-se símbolo da decadência inglesa, seu nome constantemente ligado à decadência. Atmosfera, atitude. Dele disse Roger Fry: "Aubrey Beardsley é o Fra Angélico do satanismo."

Agora é a vez do outro palestrante, Philip Hoare. É mais alto que o Calloway, *gay* (também), jovem, um feixe de nervos. E ele começa: "Aos 14 anos eu tinha pôsteres de desenhos de Aubrey Beardsley na parede. Era o começo da década de 70, época do 'Glamour Rock', Roxy Music, David Bowie... Na hora de escrever, decidi. Não vou escrever sobre o *fin-de-siècle*, vou escrever sobre o meu tempo, a pop music."

Hoare cita rumos, rotas. "Meus livros sobre Stephen Tennant, Noel Coward.

The vortex – a peça de Coward sobre juventude, drogas e sexo nos anos 20 – mulheres mais velhas e seus amantes jovens, antros chineses de ópio e heroína no último estágio do vício..." Mas o palestrante, ainda que articulando muito bem, fala rápido demais e fica difícil anotar. Então anoto fragmentos, o que, sei, resulta em alguma forma de poesia vivaz. Na época do 'Glamour Rock', os filmes sobre a nova onda de *divina decadência*, Hoare gostou de *Cabaré*, aquela coisa de Berlim, a ascensão de Hitler... "Escrevi sobre os anos 20, 30, uma espécie de..."

Hedonismo, sensibilidade *gay, bright young things*... Hoare conta do grande prazer ao começar a escrever *Wilde's last stand* e perceber que Londres era Berlim antes de Berlim. "[Oscar] Wilde e uma cultura inteira a serviço da decadência. Os clubes, as classes sociais, a moralidade, 1912, o Titanic... Até ler meu livro, minha mãe jamais entendera por que Oscar Wilde fora preso. Xenofobia, homofobia. A Primeira Guerra – era preciso desinfetar a Inglaterra da decadência. Precisava-se de bodes expiatórios."

De repente ele (Hoare) vai longe demais no entusiasmo pintoso e fica aquele clima – observo as caras perplexas na platéia. E ele continua. Diz que damas da aristocracia mandavam seus motoristas pegar soldados para foder ("to fuck") e depois os mandavam de volta. A *Salomé* de Wilde no teatro, figurinos desenhados por Beardsley, Madonna (hoje) e Theda Bara (no cinema mudo). E lésbicas. Uma atriz (Maud Allen) estava tendo um caso com Margot Asquith, a mulher do primeiro-ministro.

O último processo wildeano aconteceu 20 anos depois de Wilde ter morrido. Em janeiro de 1918, um jornal chamado *The Imperialist* fez uma revelação brutal: o Serviço Secreto Alemão tinha um livro negro contendo os nomes de 47 mil membros do *establishment* britânico tidos como pervertidos sexuais; dizia o jornal que a Inglaterra estava perdendo a guerra porque os alemães chantageavam essas figuras, e com isso tiravam a força da nação.

O jornal explorava a crença de que a Grã-Bretanha ainda estava vitimada pelo depravado culto a Oscar Wilde. O dono era um membro do Parlamento chamado Noel Pemberton Billing – de cujo passado e presente constava um currículo de autor e empresário teatral, cantor de cabaré, inventor de cigarro que acendia sozinho, lápis de calcular – nada disso emplacou –, era também fazendeiro, carpinteiro, fabricante de aviões e iates, e advogado.

Além da denúncia da lista negra alemã, Billing também investiu contra uma encenação secreta de *Salomé*, de Wilde, estrelada por Maud Allen, uma jovem atriz americana de São Francisco que tivera de fugir da Califórnia, por conta de escândalos familiares na Costa Oeste envolvendo sua família.

Uma das vezes, pondo "Culto ao Clitóris" como manchete de seu jornal, Billing ameaçava entregar um mundaréu de mulheres da aristocracia, envolvidas em lesbianismo. Maud Allen teve a carreira encerrada (mas parece que muitos simpatizavam com ela, Bernard Shaw ia visitá-la na pensão e Margot Asquith, sendo mulher do primeiro-ministro, conseguiu aposentadoria vitalícia para a atriz).

O juiz, que tinha por nome Justice Darling, também se sensibilizou com a moça (e com isso ela teve acesso ao livro negro). Dizem que no fim do *imbroglio*, a Maud Allen procurou espairecer indo fazer uma turnê artística por países obscuros da América do Sul, mas o Brasil (ao menos no livro de Hoare) não consta como lugar de passagem dessa turnê.

Billing era bonitão, super seguro, fascista, anti-semita, enfim, um cara de extrema direita, um nazista em potencial. Por ser do tipo irresistível, conseguia fazer a cabeça de muita gente que entrava na dele nessa caça às bruxas loucas. Durante o processo, Lloyd George, que também dava o que falar como pessoa durona e tinhosa, mandou uma agente secreta seduzir Billing, munida de um fotógrafo, também secreto, para registrar os dois em colóquio comprometedor. Acontece que a mulher se apaixonou por Billing e abandonou o esquema tornando-se amante do perseguido.

Para encurtar aqui a mirabolante história contada tintim por tintim no livro de Philip Hoare, sobre o qual ele agora nos conta, o processo no Old Bailey envolveu gente constante da lista dos 47 mil – diplomatas, banqueiros, poetas, editores, proprietários de jornais, membros da segurança de Sua Majestade, etc. O famoso caso Profumo, da década de 60 foi pinto perto desse processo que tinha, digamos assim, mais sujeira que pau de galinheiro. "Em êxtase lésbico, os mais sagrados segredos de estado foram revelados", dizia um dos itens. Dois ex-amantes de Oscar Wilde também caíram na malha do processo, um a favor da acusação (Lord Alfred Douglas) e outro entre os acusados (Robert Ross).

O palestrante usa uma bela camisa em tons verdes previamente desbotados em xadrez assimétrico, gola exageradamente alta, paletó preto; magro, cabelo curtíssimo quase máquina zero. Ao contrário do outro palestrante, o Stephen Calloway, que faz a linha *dandy* antigo, Philip Hoare é uma figura da decadência de agora. Tipo Boy George, com quem aliás ele priva. E sua palestra é uma metralhadora que em vez de bala dispara plumas. E ele continua. Sexo é demais no julgamento do sensacional processo.

Debate. Calloway: "Nós estamos aqui no Milênio, 1998, procurando figuras de 1900, dos anos 10, 20, 30..." E Hoare seguindo: "Representando *dandies*..." Na platéia a Olivier Bell, Jackie e Keith Clements, Virginia e William Nicholson... E Hoare: "Damien Hirst obcecado com mortalidade... *Crossover*..." Diana Reich, ao público: "Tem alguém *fervendo* para fazer perguntas?" Uma moça pergunta: "Há lugar para mulher na decadência?" Hoare responde: "Sarah Bernhardt..." Alguém pergunta a Hoare: "E quando é que você vai escrever A SUA biografia?" E ele, pego de surpresa: "Oh God!"

Encerrada a palestra, Diana Reich nos lembra que os autores autografarão seus livros à venda na mesa do fundo. Falo para a minha patrocinadora que quero o do Philip Hoare e ela, sorrindo complacente compra dois, um para mim e um para ela. E a dedicatória de Hoare no meu exemplar é assim: "To Bivar, Decadence, Conspiracy & the First World War, with Best Wishes, Philip Hoare. Charleston 25.V.98".

Levo um susto. Hoare está de sandálias e as unhas dos pés estão pintadas de dourado! Mais decadente, impossível. É o fim de século que, indo mais longe, é também fim de milênio. Enfim, é o fim da picada.

Mesmo domingo, 19h30.

Agora é o momento da Noite de Gala, a *Gala Evening*, o ponto alto do festival, a hora do teatro. O ingresso é mais caro (22 libras) e geralmente a venda dos bilhetes se esgota com meses de antecedência. Mesmo porque a tenda não comporta mais que 200 pessoas, estourando.

Este ano temos a leitura dramática da correspondência de 25 anos entre Virginia Woolf e Lytton Strachey. A direção, como sempre, é de Patrick Garland. E os atores, desta feita, são Eileen Atkins (como Virginia) e Simon Callow (Lytton).

Simon Callow está de paletó gelo, camisa branca, gravata escura com detalhes claros; a Eileen Atkins, magra, rosto bem desenhado, jaqueta creme, blusa de seda. Simon Callow é simpático, não é alto, barba e cabelo naquela mistura de preto e grisalho. Não se parece em nada com o Lytton, mas trata-se de uma leitura dramatizada. A Atkins de cara também não parece a Virginia, mas, como há anos vem fazendo a Woolf no teatro, no cinema, na televisão e mesmo em casa, fisicamente está com muito da própria.

Ótima atriz e apaixonada pelo universo woolfiano, já adaptou, escreveu, interpretou, dirigiu, roteirizou, teatro, cinema, várias empreitadas woolfianas. Sempre com sucesso. Com Vanessa Redgrave fazendo Vita Sackville-West e ela, Eileen, como Virginia, já rodaram os palcos do mundo civilizado em língua inglesa. E o roteiro do filme *Mrs. Dalloway* é dela. De modo que interpretando VW a Atkins é peso pesado ainda que fisicamente ela dê a impressão de levíssima.

Mas a leitura já começou e a Atkins agora me parece um tanto *over*. Está interpretando muito, quando devia apenas ler as cartas – que é o que queremos ouvir. E por que tão irônica. Não consigo ver a Virginia nela. E nem muito o Lytton no Callow. A correspondência entre Woolf e Strachey começa em 1908, de Virginia a primeira carta. Lytton: 'São os vitorianos que odeio, não o século dezenove'.

Intervalo. Vinho. Champanhe. A segunda parte. Já me acostumei com a Eileen, ótima. Virginia: "Leonard está escrevendo diferentes livros. Um pela manhã, outro depois do almoço". Observo a platéia. Gente com sono, cabeças despencando. Gente dormindo. E a Noite de Gala termina às 20h20. Converso com um, converso com outro. James Beechey continua escrevendo a biografia de Clive Bell. Converso com Virginia Nicholson, falo um pouquinho com Peter Miall – sempre um doce de pessoa; converso com a Myra Harud, com a Eleanor Gleadow... e com umas pessoas que Jenny me apresenta. Umas senhoras, uns senhores. Vamos para Lewes, jantar no restaurante do White Hart, um hotel muito charmoso. E nos despedimos. Agora estou no meu quartinho em uma hospedaria chamada Felix Gallery, da senhora Whitehead. Ela faz jus ao sobrenome: a cabeça é toda branca. Alta, magra, cheia de vida e força (manca um pouco). É uma pousada limpíssima, meu quartinho medindo 2m30 por 3m, cama de solteiro, pia, TV 12 polegadas (que não liguei). Mas estou morto e vou dormir.

Segunda, 25 de maio.

Sendo membro da sociedade Amigos de Charleston, é a primeira vez que participo (como ouvinte) de um "Annual General Meeting" do "Charleston Trust". São 11h15. A agenda, o relatório lido pelo presidente, Robert McPherson, que também passa o cargo para o novo presidente eleito, Norbert Lynton...

Não sou muito dessas coisas, mas como é a primeira e última vez que me faço presente, acho interessante a reunião. As minutas apresentadas e aprovadas. A folha corrida do que rolou no período de primeiro de abril até 31 de dezembro de 1997 apresentada pelo administrador, Jonathan Prichard; o relatório do diretor, Alastair Upton; a eleição do novo Conselho – com muitos do conselho anterior sendo reeleitos (Tony Bradshaw, James Davids, Alan Martin, Diana Reich, Richard Shone); eleição dos *officers* – a Frances Spalding, por exemplo, reeleita Secretária Honorária; e por aí vai.

A lista dos oficiais e conselheiros aqui presentes, de Emma Dinwoodie (que deixa o cargo) a Anne Olivier Bell, passando por Virginia Nicholson e Charles Saumarez-Smith (ele, diretor da National Portrait Gallery), etc. O diretor financeiro, Ian Clifton... As mensagens dos que por um motivo ou outro não puderam vir – o crítico e curador Richard Shone, Angelica Garnett (que é a Presidente Honorária Vitalícia, ela quase nunca se faz presente nos eventos em Charleston, mora no Sul da França).

Depois da leitura das minutas, o discurso do diretor que, no final, agradece a todo o *staff*, aos monitores (que guiam os turistas e visitantes pela casa durante o ano), aos voluntários e aos *trustees* por seus árduos serviços.

É também lida uma lista de outros negócios e propostas, como o que saiu na mídia divulgando Charleston, desde matérias em revistas (como uma reportagem na *Elle Decoration*, outra na *Vanity Fair* num perfil sobre Nicole Kidman, tendo sido a casa usada como cenário, fotografada por Annie Leibovitz. Foi nessa primeira visita que a Kidman sonhou um dia interpretar Virginia Woolf no cinema, sequer imaginando que o faria quatro anos depois, no filme *As horas*, trabalho que a premiaria com o Oscar de melhor atriz, mesmo os charlestonianos em uníssono concordando que aquele nariz tinha nada do nariz de Virginia e que como Woolf a Kidman não convencia).

E, ainda sobre Charleston, matérias na imprensa de países como Espanha, Japão, Estados Unidos, Alemanha, Holanda e Dinamarca; documentários em televisão, BBC2 e outros canais; pôsteres do lado de fora de ônibus em Londres; no seu relatório, McPherson lembrou que em 1997 foi publicado o livro *Charleston: a Bloomsbury house and garden* – um livro de mesa definitivo, tanto no texto quanto na riqueza visual, sobre a história da casa. Recordou que o livro foi também publicado nos Estados Unidos, na Austrália e na Alemanha. Que o livro é um testamento da qualidade de Quentin Bell e da vivacidade do texto de sua filha Virginia Nicholson e que, devido à sua excelência, teve mais de uma tiragem.

O presidente não deixou de assinalar a necessidade de contar com uma ambulância do hospital de Lewes, para socorrer algum piripaque durante o festival, e providenciar verba para um corrimão para a escada de acesso à loja, uma vez que Charleston é sobretudo visitada por turistas da terceira idade. Fazendo as contas, disse que Charleston recebeu 17.700 visitantes em 1997, uma redução de 1.000 em relação ao ano anterior, o que é bom, levando em conta a fragilidade da casa.

Quanto ao dinheiro, entre o que entrou, saiu, gastos com a casa, o jardim, melhoramentos, empregados, seguro, donativos, aquisições, publicidade, correio, a revista, mostras, festival, a escola de verão, etc., entraram 202.900 libras e saíram 233.900. Com os extras, rendas e despesas, mais 56.200. Mas em compensação, as doações... De modo que o *overall surplus* foi de... (mas a essa altura eu já tinha me distraído).

Parece que todos estavam contentes, o antigo presidente entregou o cargo ao novo, que tem um excelente currículo, é simpático e recebeu a aprovação geral. Depois do A.G.M. (todos falam assim, os veteranos), o almoço servido na tenda, e cada um com seu prato e copo de vinho ou champanhe ou chá ou suco, rumam aos vários gramados e jardins. Conversação animada, dia lindo, muito sol, muita brisa, e chega a hora de mais uma das duas palestras que faltam para encerrar o festival.

Mesmo dia, 14h.

Confesso que até então nunca ouvira falar das duas, mas Jenny diz que elas são pesos pesados. O título do debate é um jogo de palavras. Deve ser coisa da

Diana Reich, geralmente quem dá os títulos aos eventos. "Femmes de siècle", um trocadilho com *fin-de-siècle*. As duas participantes são Elaine Showalter – professora de literatura na Universidade de Princeton (USA), historiadora da psiquiatria, crítica da alta e da baixa cultura e autora de *Hystories* (assim mesmo, com *y*); ela falará sobre Virginia Woolf e a nova mulher.

A outra é Kate Mosse (a única diferença entre seu nome e o da famosa *top model* é o *e* no final do sobrenome) – romancista, co-fundadora e administradora do famoso Prêmio Orange de Ficção (premiação anual que celebra a escrita feminina); Mosse irá revelar a ganhadora deste ano, e discutirá com a Showalter as escritoras deste final de século. Diana Reich apresenta as duas. Elaine Showalter é gorda, voluptuosa, muito maquiada, sotaque americano carregado, dá muita pinta de perua e de acadêmica deslumbrada (seu currículo a aponta como autoridade). Ela, antes de mais nada, exibe para a platéia, orgulhosa e meio que esnobando, o relógio de pulso *Virginia Woolf* que ganhou do filho. A platéia não se impressiona.

A Showalter vai metralhando: As escritoras do século. Subtexto, imagens especiais, plena consciência, novelistas *manquées* (sic). Um novo canal para as suas energias... Estavam tentando engendrar suas vidas... Uma geração extraordinária. Admiravam George Eliot. O que era especial na geração de Virginia Woolf era: "Eu vou mudar o romance". Era preciso mudar a forma. Olhando a ficção de agora, é ver como o projeto de Virginia Woolf deu certo.

Agora, o romance em língua inglesa, como qualquer romance no mundo, é afetado pelo americano, pelo canadense, pelo africano, etc. Segundo o sentido de gênero, o romance mudou, é muito confidencial. O Prêmio Orange por exemplo. A Carol Shields é muito Virginia Woolf no sentido de a mulher que prepara a festa (*Mrs. Dalloway*). Espiritualmente, fazer da festa uma cerimônia. A Showalter lê um trecho de *Larry's party*, da Carol Shields, no qual quem prepara a festa é um homem, o Larry do título.

Agora é a Kate Mosse quem fala. Segura de si, séria, é outra que fala metralhando. Diz que o público compra romances. O que funciona é propaganda de boca. E eu constato: neste fim de século as mulheres conseguiram. São vencedoras. Duronas. Têm o universo delas. Premiam as companheiras, editam revistas, são professoras universitárias, doutoras nisso e naquilo.

A Mosse cita Roddy Doyle e pergunta a Showalter: "Você acha diferente a experiência de julgar livro escrito por mulher de livro escrito por homem?" E a Showalter: "Os perdedores são tão..." (perdi). Ela continua: "Eu ensino na Universidade de Princeton, é o meu verdadeiro emprego. O que vale a pena mandar meus alunos ler? Tal autor em 20 anos ainda será lido? São perguntas muito delicadas. A leitura se tornou democrática. Não está na mão de acadêmicos. As livrarias estão se tornando o que as igrejas costumavam ser!"

Mas isso é clichê. Outro dia vi na televisão um curador de artes plásticas dizendo que os museus se tornaram o que as igrejas costumavam ser. Mas as igrejas (ao menos as evangélicas) continuam enchendo, as igrejinhas proliferam, de modo que a meu ver é tudo religião. E com muito fanatismo. Haja vista o comportamento acadêmico da Showalter.

Observo a platéia e vejo gente dormindo (como em qualquer igreja). Deve ter sido o almoço, o vinho, esta é bem a hora ideal para se fazer a sesta, penso, também sonolento. A Mosse fez uma pergunta que a Showalter não respondeu. E ela não pára de falar. Conta de um "excelente romance", escrito por uma dessas novas escritoras, que ela recomenda com muito entusiasmo aos alunos. O enredo: um grupo de cachorros que em vez de patas têm mãos, falam inglês, escaparam de uma colônia alemã e todos têm nomes russos. *The ventriloquist's tale* é o título. A Showalter diz que esse livro é uma espécie de *A ilha do Dr. Moreau*, "um absoluto *tour de force*".

Mas a platéia, sonolenta, não parece muito convicta. A Elaine Showalter continua: "É tão global a nova geração! Vem de vários países e você não pode dizer que sejam daqui ou dali."

"E você não pode dizer, também, que esses livros foram escritos por mulheres?" – pergunta uma moça da platéia. A Showalter responde: "Não." E desenvolve. A Kate Mosse fala de um monte de romances que estão saindo, escritos por mulheres de menos de 25 anos. E a Showalter: "O romance não vai morrer nunca. Uma grande combinação de elementos. Não há um propósito definido."

Diana Reich agradece a Kate Mosse e Elaine Showalter pelo "estimulante encontro" e diz que os livros delas estão à venda e que elas permanecerão na tenda para autografá-los.

Vinho e conversa com conhecidos no jardim. Keith Clements comenta que o relógio *Virginia Woolf* da Elaine Showalter é *fake*, coisa de camelô. Aproveito para dizer a Diana Reich que, como sempre, ela está perfeita no *timing* de encerrar as palestras do festival. Ela ri, entendendo o que eu quis dizer.

Jenny, sua amiga Wendy e eu não ficamos para o último evento, "Midnight in the garden", uma conversação sobre jardinagem. Tínhamos de pegar a estrada e o barco para a Ilha de Wight, e era melhor fazê-lo à luz do dia.

Ilha de Wight, segunda, 25 de maio.

Deixamos Charleston às 16h30, Jenny na direção do Volvo, eu na frente ao seu lado e Wendy no banco traseiro. No caminho passamos por Arundel, onde o castelo se destaca, imponente. Faço aqui o registro porque me lembrei do filme *As montanhas da lua*, daquela cena nesse castelo, quando o aventureiro e explorador Richard Francis Burton (1821-1890), casado com a católica Isabel de Arundel (filha do dono do castelo), reencontra seu velho amigo, o poeta Swinburne, e como, passando por uma situação complicada relacionada à descoberta da nascente do Nilo, Burton, com a ajuda da poderosa família da esposa, consegue o cargo de cônsul da Inglaterra na cidade de Santos, Brasil.

Depois do filme, li a biografia dele escrita por Byron Farwell (Penguin, 1990) e os dois livros que ele escreveu no Brasil – *Viagem do Rio de Janeiro a Morro Velho* e *Viagem de canoa de Sabará ao oceano Atlântico* (publicados pela EDUSP em 1976 e 1977). Burton é um dos meus heróis. De modo que ao avistar o imponente castelo, me emocionei com todo esse *flash-back*.

De Portsmouth, a travessia até a Ilha de Wight e pouco depois chegamos à casa de Jenny, em Seaview. É uma casa estreita, quatro andares, geminada. As janelas de frente têm vista para o mar.

Terça, 26 de maio.

Quando estive aqui naquela semana do festival pop, em agosto de 1970, minha ignorância me deixara com a impressão de que a Ilha de Wight só tinha a cidade de Ryde e o lugar onde aconteceu o festival, no qual se apresentaram Jimi Hendrix e Jim Morrison – mortos, o primeiro um mês depois e o segundo em menos de um ano. Mas não. A ilha é bem maior, cheia de pequenas cidades, uma capital (Newport) e muitas surpresas.

Na cidadezinha de St. Helens, Jenny nos levou a uma livraria-sebo que é um luxo! O nome da livraria é Mother Goose (Mamãe Ganso). Nela encontrei desde números da revista *New Yorker* de 1929 até... tudo! Jenny, que é rica, foi encontrando e separando os livros raros que ia levar. Wendy, que é professora primária e mais pé-na-terra, separou uns poucos. Eu, deslumbrado, encantado, mais me contentava pegando jóias raras, mostrando-as para as duas, devolvendo-as depois às estantes.

Livros que marcaram minhas primeiras leituras, quando muito jovem, como *Sweet thursday* (*Doce quinta-feira*) de John Steinbeck. Quanto a Jenny, vale a pena registrar o que ela comprou: o número 1 (!!!) da revista *The Savoy*, de janeiro de 1896, capa dura com desenho de Aubrey Beardsley – ela me lembra que em sua palestra em Charleston, Stephen Calloway citou essa revista! E ela pagou apenas 18 libras (achei de graça, afinal é o primeiro número da revista, de 1896 e em estado quase perfeito); *An anthology of mine*, de 1923, por Rex Whistler (livro que só foi publicado em 1981); uma edição da palestra de E. M. Forster em Cambridge, 1941, logo depois da morte de Virginia Woolf e publicada pela Cambridge University Press em 1942, 28 páginas – Jenny pagou 35 libras!; *Virginia Woolf, her art as a novelist*, por Joan Bennett, pela Cambridge University Press, 1945; os quatro volumes da *Herries saga*, por Hugh Walpole, edição original, três libras cada volume; *The land* (*A terra*), o longo poema de Vita Sackville-West, edição de 1939 (a primeira edição é de 1926); também de Vita Sackville-West, *Pepita* (edição de 1937) e *The garden* (*O jardim*), primeira edição, de 1946. Para mim, de presente, ela comprou os dois volumes capa dura da primeira edição da biografia de Virginia Woolf por Quentin Bell, pela Hogarth Press, 1972, e o romance *The bridge of San Luis Rey* (*A ponte de São Luís Rey*) de Thornton Wilder, passado no Peru, edição de 1956 da Folio Society (com caixa para guardar o livro).

Não eram os livros que eu escolheria; primeiro, porque já tenho duas edições da biografia de Virginia por Quentin – não são as originais, mas também não sou colecionador. E o livro de Thornton Wilder, imagino, deve ser meio cacete. Eu preferiria ter ganho dela vários números da *New Yorker* dos anos 20 e mesmo um outro número da revista *The Savoy*, que lá estava, sem contar uma *Photoplay* dos anos 40 com o Robert Mitchum na capa.

Livraria tão mágica, não dá vontade de ir embora. Mas já estávamos quase atrasados para o almoço organizado por Jenny no restaurante Baywatch, à beira-mar, também em St. Helens, perto de Bembridge (outra das pequenas cidades da ilha), almoço para me apresentar a dois escritores lendários. O mais jovem deles, o poeta David Gascoyne, com 82 anos; o outro, Edward Upward, com 95.

De Gascoyne não me lembrava ter ouvido falar – meu conhecimento às vezes vai fundo em umas coisas e é raso em outras tantas. Mas de Upward sim, pois nos anos 80 eu devorara muitos livros autobiográficos de Christopher Isherwood em cuja vida Edward Upward teve papel importante. De fato, ele foi a pessoa mais influente nos anos formativos de Isherwood, inclusive politicamente. Era filiado ao partido comunista. Heterossexual, impressionara os amigos invertidos de Isherwood na Berlim dos anos 30, quando visitou o amigo que vivia na capital alemã naqueles anos livres e loucos antes e durante a ascensão de Hitler. Isherwood conta essa história num de seus romances que serviria de base para *Cabaré*, aquele filme seminal do começo da década de 70, estrelado por Liza Minelli e Joel Grey. Upward, também romancista, tem uma trilogia marxista considerada um marco na literatura inglesa da época da guerra.

Quanto a David Gascoyne, no livro de ensaios do acadêmico Peter Stansky que Jenny me deu para ler para me preparar para o encontro, consta que em 1936 ele foi um dos responsáveis pela famosa (e infame) "International Surrealist Exhibition", que ficou quatro semanas na New Burlington Galleries.

Escreveu Stansky: "Exemplos e idéias surrealistas eram trazidas de Paris pelo pintor Roland Penrose, pelo poeta David Gascoyne e outros envolvidos com a exposição – Henry Moore, Herbert Read, Paul Nash, André Breton, Paul Éluard, Man Ray, Salvador Dali e E. L. T. Mesens. A mostra tinha, entre outros artistas de fora, Max Ernst, De Chirico, Giacometti, Paul Klee, Magritte, Miró, Picasso e Tanguy... Salvador Dali, como de praxe, captou mais publicidade quando quase morreu ao tentar dar uma palestra de dentro de um escafandro. O capacete era tão pesado que ele não podia ser ouvido pedindo socorro. Não havia bastante ar e ele só não morreu sufocado porque no último instante foi salvo por David Gascoyne."

De modo que – eu sabendo um pouco de Gascoyne e Upward – chegamos ao restaurante Baywatch ao meio-dia. Um dia claro, céu de poucas nuvens, azul, sol. Eles já nos esperavam sentados, Edward Upward e Margaret (uma escocesa, da terceira idade, que agora cuidava de Upward). Aos 95 anos, Upward tem todo o jeito de garoto saudável, feliz e modesto, mas transmitindo um certo orgulho de si mesmo. Não é alto. Lembra um pouco (talvez pelo corte de cabelo) o próprio Isherwood.

Logo depois chegaram David Gascoyne e sua mulher, Judy, que veio dirigindo o carro. Pela vidraça do restaurante nós os vimos caminhando. Ambos com bengala. Ao contrário de Upward, que tem o jeito saudável de quem, apesar de faltar poucos anos para ser centenário, aparentemente não sofre mal algum, Gascoyne, na altura um gigante, denota, no físico e na expressão facial, sentir muitas dores. (Jenny depois me contou que ele é diabético.)

Em compensação, sua mulher é pura vivacidade. Ambos estão muito bem vestidos. E jamais vi um nó tão perfeito como o da bela gravata de Gascoyne (li, tempos depois, que ele foi o maior colecionador de gravatas da Europa!). À mesa, a conversa corre variada. (Lembro-me que dias atrás, em Charleston, Jenny contara para Anne Olivier Bell que estaríamos com Upward e Gascoyne na Ilha de Wight, e de Olivier ter dito que o filho, Julian, visitara Gascoyne recentemente, o que, agora, no almoço, o poeta confirmou.)

Almoço ótimo. Gascoyne, Judy e eu pedimos o mesmo prato – um peixe largo e chapado ao molho, um para cada um. Não me lembro quais foram os pratos de Upward, Margaret, Jenny e Wendy. Vinho, branco e tinto, para todos. Gascoyne mal conseguia levar o garfo à boca. Judy, sua mulher, depois que Jenny lhe contara por telefone que eu estivera no festival pop da Ilha de Wight em 1970, viu nisso um feliz motivo para trazer o seu álbum de recortes dos dois festivais, o de 1969 e o de 1970.

No de 1969, ela, então com 50 anos, fora convocada pela organização para cuidar de Bob Dylan, então no auge da carreira. Fora alugada para ele e seus músicos a casa de um milionário. Dylan insistiu para que Judy também ficasse na casa durante o festival. Judy – e isso antes de ela conhecer Gascoyne – fez as vezes de governanta. Dylan pediu a ela permissão para hospedar também o Beatle George Harrison e a mulher. E no álbum, as fotos de Judy com os popstars.

Entusiasmado (por conta de meu passado pop), descobri no álbum da Judy o recorte de um jornal da ilha com referência à apresentação do grupo brasileiro liderado por Gilberto Gil no palco do festival (grupo do qual eu mesmo fizera parte, tocando reco-reco) – era agosto de 1970. O festival foi na Fazenda Afton, em Freshwater, Judy me esclareceu. O álbum de Judy fez brotar entre nós toda uma excitação, mas Gascoyne sentia dores e o casal se retirou depois da sobremesa (não havia torta de maçã, que era o que Edward Upward queria).

Discretamente, Jenny me pediu que ajudasse a levar Gascoyne até o carro. Enquanto o ajudava a caminhar, amparando-o pelo braço direito, ele pediu desculpas pelo transtorno, dizendo já não mais sair de casa. Judy e eu nos beijamos fraternalmente. E lá se foram os Gascoynes, ela dirigindo o carro.

Voltei ao restaurante. Jenny os convidou e Upward e Margaret aceitaram esticar para um chá na casa dela em Seaview. A sala de estar fica no segundo piso. Upward subiu a escada numa boa. Jenny fez o chá e trouxe coisa de comer. Lembrando-me que Margaret dissera que Upward era louco por torta de maçã, saí e fui atrás de uma mercearia. A dona disse que tinha acabado. Insisti e ela acabou dizendo que tinha uma no *freezer*, mas que era para o dia seguinte. Fui fundo na insistência, dizendo que era para uma pessoa especial, e ela, intrigada e divertida, acabou me cedendo a torta – que levou mais de hora no forno da Jenny, até ficar no ponto. Wendy cuidou dessa parte.

Todos se divertiram com a história da torta de maçã, inclusive Upward. E rolou conversa boa, temas familiares, históricos. Edward Upward nasceu em 1903, podia ser um homem do século 19, mas é do século 20 e vai para o 21. Falamos de diários – ele continua a escrever o dele – e de computadores: "O meu ainda é antigo, um dos primeiros", disse; está com um livro de cinco contos para sair, mas o computador engoliu duas páginas que ele precisa reescrever. Jenny sugere que ele deixe sem as duas páginas.

Enfim, a gente conversa. Ele conta da família, do nome, que tem um Falaise no meio, nada a ver com a famosa família francesa de aristocratas. Upward diz que o Falaise do nome dele foi uma invenção do pai – e pede um pedaço de papel, uma esferográfica e escreve um dito em francês inventado pelo pai: "Je me fais fort et je falaise." Não há tradução, mas Upward diz que *falaise* em inglês é *cliff*, rochedo, e lembro que em português é falésia, que significa a mesma coisa.

Pedi e ele me deu o papelzinho, de lembrança. Daí falamos de *pun* (jogo de palavras, em inglês) e Jenny lembra de ontem em Charleston, aquelas duas, a Elaine Showalter e a Kate Mosse em "Femmes de siècle" fizeram *pun* com *fin-de-siècle*. Quase contei que no Brasil, pum (com m) é uma variante de peido. Mas me segurei em tempo. De modo que foi uma tarde ótima.

Depois de horas, acompanhamos Edward Upward e Margaret até o carro. E lá se foram os dois. Margaret na direção. (Três anos depois, em 2001, novamente graças a Jenny, eu voltaria a estar com Judy e David Gascoyne e com Edward Upward na Ilha de Wight.)

Quarta, 27 de maio.

Hoje o dia será dedicado a Freshwater, no oeste da ilha, com visita a Dimbola Lodge – a casa onde no século passado viveu a fotógrafa Julia Margaret Cameron, tia-avó de Virginia Woolf. Virginia, mesmo tendo nascido cerca de meio século depois dessa gente, escreveu uma peça, sua única peça, aliás, uma comédia absurda para ser encenada em família. O título é *Freshwater* e nela os personagens são a própria tia-avó e seu marido, assim como o pintor pré-rafaelita G. F. Watts e sua esposa adolescente – a atriz Ellen Terry – e o poeta laureado Lord Alfred Tennyson (1809-1892). (Nos anos 90, *Freshwater* foi curiosamente encenada em Paris e Nova York por dois escritores do *nouveau roman*, Nathalie Sarraute e Alain Robbe-Grillet.)

E que beleza, a Ilha de Wight – e como eu era ignorante sobre ela, quando lá estivera, em agosto de 1970! Mas há 28 anos eu curtia rock & cultura *underground*, Virginia Woolf era apenas um nome, eu nunca a havia lido (iria lê-la pela primeira vez três anos depois, sendo, então, fisgado). E que surpresa, descobrir agora que aquele festival pop fora realizado exatamente na região para onde estamos indo! Segundo Jenny, Freshwater (e Dimbola) foi o lugar onde Virginia foi concebida, em uma visita de seus pais à sua tia-avó materna, mas não me lembro de ter lido isso em nenhum lugar.

Agora, com a Jenny dirigindo o Volvo por suas estradas e passando por pequenas cidades, é que vou constatando como a ilha é grande. Em sua capital, Newport, há um supermercado gigantesco, aberto 24 horas. E há também um complexo de salas de cinema estilo Multiplex, tão em voga nos *shopping centers* do planeta – os filmes são exatamente os mesmos filmes americanos.

Colinas verdejantes, as falésias, o mar aberto para o infinito, barcos à vela no horizonte, o grande vazio, o ar puro. Avistamos, toda branca e solitária, lá longe, a mansão Dimbola.

A casa, como museu, é (ainda) decepcionante. Duas salas com reproduções de fotos de celebridades do século 19 feitas por Julia Cameron: Darwin, Lewis Carroll, Tennyson e, nossa!, olha ele também aqui, Richard Francis Burton! Fotografado pela tia da Virginia Woolf! E pensar que ele morou em Santos e que em São Paulo, na rua do Carmo, foi vizinho de Domitila, a Marquesa de Santos – que ajudou sua mulher, Isabel de Arundel, a traduzir para o inglês o romance *Iracema*, de José de Alencar! E em Petrópolis, os Burtons foram recebidos pelo imperador Dom Pedro II...

O salão de chá e, que delícia!, a pequena livraria com livros de segunda mão. Jenny gastou outra fábula. Por uma edição rara de um poema de apenas quatro páginas, pagou 35 libras! Jenny perguntou ao moço se havia alguma coisa de literatura brasileira traduzida. E não é que havia?! *Os sertões*, do Euclides da Cunha, em inglês, *Rebellion in the backlands*, numa edição antiga, capa dura. Embora com apenas esse, achei o Brasil muito bem representado.

Deixamos Dimbola e fomos andando, subindo a longa colina beira-mar até o topo onde, dominando a vastidão panorâmica, está o obelisco dedicado a Tennyson. Mas daí, tarde esplendorosa, fomos caminhando até Farrington – diz a lenda que Tennyson era um poeta tão famoso que, para fugir do constante assédio dos fãs, inventou uma passagem secreta que ia de sua propriedade até Dimbola.

Na peça de Virginia Woolf, Tennyson está sempre recitando *Maud*, seu poema mais popular. Outro folclore desse grupo é que os Camerons eram tão excêntricos que retardaram a mudança definitiva da Ilha de Wight para o Ceilão, até que chegassem os caixões de defunto do casal. Eles queriam levá-los para o Ceilão porque sabiam que não voltariam à Inglaterra (como de fato não voltaram) e os esquifes tinham de ser ingleses. Ainda na peça de Virginia, a adolescente Ellen Terry abandona o marido, o pintor Watts, para fugir com um jovem e belo marinheiro cujo buque estava atracado em um dique ali perto.

Agora estamos na mansão de Tennyson. Trata-se de um verdadeiro *château*!

Farrington hoje é um hotel. Mas não vimos hóspedes. E nos deixaram explorar a casa. O estúdio onde Tennyson escrevia e a entrada da tal passagem secreta. Repentinamente, ouvimos o som muito agradável de alguém ao piano. Ficamos tão fascinados que fomos ver quem tocava. Era uma menina! Jenny perguntou sua idade. Nove anos. E o que ela tocava? Debussy e Bartok. Jenny a elogiou dizendo: "Daqui a dez anos você será uma grande pianista." A menina sorriu, levantou-se, fechou o piano e saiu correndo. Fomos para o jardim. Jenny ordenou chá completo.

De volta à Seaview, ela decidiu que o jantar seria no restaurante tailandês, perto de sua casa. Um restaurante pequeno, charmoso, moças e rapazes ingleses servindo. Para começar, Jenny e Wendy pediram cerveja tailandesa, *Singha*, muito elogiada pelas duas. De entrada, Wendy pediu uma sopa de nome *tom ka gai*, feita de coco, galargval (sic) e galinha temperada, mas não excessivamente apimentada; Jenny e eu pedimos *tom yum gung* – galinha temperada com capim de limão, cozida com camarão e coriandro; arroz – *khad steamed Thai rice* – acompanhando.

O prato principal, para nós três (e também decidido pelas duas), *ped pred king*, "uma mistura delicada de pato à chinesa, pimenta, cogumelo, cebola, gengibre, feito para excitar o paladar", segundo o cardápio; e também *gai mung* – galinha frita em fatias, castanhas, cogumelos, cebola primaverada, milho-bebê e clássicos *curries* tailandeses. Como se isso tudo não bastasse, também *gaeng keuwan gung*, ou seja, camarões gigantes com um toque de *curry* verde "o que o torna sutilmente diferente de outros como o *gaeng nua* e o *gai chup tod*" (assim mesmo, no cardápio). E acompanhando, *khao pad khay* – que é arroz frito ao ovo batido.

Se isso foi trabalhoso para anotar no bloco que sempre trago, não deu trabalho nenhum para engolir. Estava delicioso. Como sou por natureza um sátiro *naïf*, confesso que, secretamente, achei todos esses nomes um tanto pornôs, ainda mais em se tratando de restaurante tailandês. Mas estava mesmo dos deuses.

Quinta, 28 de maio.

Hoje fomos ao sudeste da ilha, a Bonchurch, a cidadezinha onde fica East Dene, o solar que foi dos pais do poeta Algernon Charles Swinburne (1837-1909).

Embora nascido em Londres, Swinburne passou muito da infância, adolescência e mocidade na Ilha de Wight.

Apesar de considerado poeta menor, sua vida foi tocante, repleta de lances patéticos, mas bastante originais. Seu jeito ingênuo, seus equívocos, mesmo sua atribuída pose – li, há tempos, a excelente biografia dele escrita por Philip Henderson e nunca me esqueci de detalhes. E sua amizade com Sir Richard Francis Burton!

Swinburne morreu em 1907, mas é um personagem extremamente vitoriano, século 19, romântico. Jenny me disse que sua poesia é embaraçosa, datada e que hoje ele não tem importância. Já a Wendy diz que ele foi um pervertido – mas será que ela não está sendo convencional e preconceituosa?

As duas não se entusiasmam com ele como se entusiasmam com Tennyson. Mas eu também me permito não me entusiasmar com Tennyson e adorar Swinburne. E estamos conversados. Wendy diz, em tom irônico, que as feições de Swinburne eram tão femininas que ele podia passar por moça. Jenny concorda com Wendy, mas eu nem ligo. A cabeça, é bem verdade, é um tanto grande em proporção ao resto do corpo. Swinburne nem era bonito. Ou talvez até fosse, como no retrato em aquarela pintado por Rossetti em 1861. Uma coisa Swinburne era: ruivo.

A verdade é que ao ser convidado para o Festival de Charleston este ano, o que mais me seduziu foi a programação extra com a inclusão de alguns dias na Ilha de Wight, fazendo-me sonhar com o dia em que faria uma visita a Bonchurch e à casa de Swinburne. E esse dia foi hoje.

Bonchurch é um vilarejo remanescente do estilo floral vitoriano. Entramos na primeira tabacaria onde comprei cigarro, postais e um panfleto sobre a juventude de Swinburne e seu primeiro amor, uma prima (que depois se casou com outro, deixando-o arrasado). O moço nos informou que East Dene (o solar do poeta) não está aberto a visitas, mas que podíamos ver a mansão do lado de fora, espiar pelas vidraças e passear por seu jardim.

Até chegar lá passeamos pelo vilarejo em si. Ruas bonitas, muitas árvores altas, canteiros floridos, a primavera abrindo-se para o verão, como de resto em toda a Inglaterra. A emoção de ver a casa de Swinburne pelos fundos – agora é um centro de estudos avançados sobre educação infantil (uma ironia em termos, pois mais para o fim da vida Swinburne se apaixonou por Bertie, um menino de cinco anos, sobrinho do pintor Watts, em casa de quem o poeta estava vivendo; diz que na correspondência entre Watts e a mãe de Swinburne, ambos, preocupados com o que poderia acontecer, acharam por bem tirar o menino de perto do poeta; arrasado, Swinburne escreveu várias *stanzas* lamentando ter sido afastado do guri).

East Dene é um solar enorme, hoje com aparência decadente mas tão imponente que, não fossem os automóveis dos funcionários no estacionamento, poder-se-ia imaginar Swinburne a qualquer momento saindo por uma porta ou aparecendo numa janela. Balcões, torres, enfim, um *château*, como o de Tennyson em Freshwater. Só que a casa de Tennyson hoje é um hotel de luxo e a de Swinburne, em estado de abandono, um despojado centro de estudos. Isso me fez gostar ainda mais dele. Ah sim, lembrei: diz que quando Tennyson morreu, a Rainha Victoria teve a idéia de fazer de Swinburne o próximo poeta laureado, no que foi desaconselhada por Gladstone, que alegou ser Swinburne republicano.

Demos a volta, descemos uma ruela torta, passamos pela casa onde Charles Dickens escreveu cinco capítulos de *David Copperfield*. Swinburne, aliás, adorava ler e reler Dickens. No jardim, um cedro do Líbano, altíssimo, mas seco, morto. O resto, pura verdejância. E um perfume suave, inebriante, delicioso, ativo, como se o extrato de todas as flores da primavera estivesse concentrado neste jardim. Lembrei-me daquele livro árabe traduzido pela primeira vez para o ocidente por Burton, *O jardim perfumado*, tudo o evoca.

Continuamos nosso passeio. Uma porteira, um vasto gramado subindo a colina e... olha! Novamente East Dene, o solar de Swinburne, agora de frente para o mar, uma visão altaneira, solitária, dominando toda a vista. Nada em frente, só o mar – e lá embaixo, descendo por uma trilha, a pequena praia que, segundo a biografia do poeta, teve dias de ser só dele.

Diz uma lenda que em Paris, por volta de 1870, em um dos jantares literários oferecidos por Edmond de Goncourt, um assunto bizarro tomou conta da conversa. O escritor russo Ivan Turgenev estava lá e mais tarde relatou o episódio. Alguém dizia que, na Ilha de Wight, Swinburne tinha armado uma tenda nessa praia e estava ali vivendo com uma macaca. Certamente influenciado pelo amigo Burton, que afirmava ter tido caso com uma macaca na África Central.

Burton, experimentador, divulgou ter tido relação sexual com a macaca e que a vagina símia além de mais apertada tem um jogo de tranca mais excitante.

E, continuou Turgenev contando, parece que a macaca de Swinburne era uma excelente dona-de-casa. Preparava chás e quitutes deliciosos. Um dia, Swinburne encontrou um rapaz na praia e o levou para a tenda. Ele, que divulgava ser bissexual, estava trocando carícias com o jovem quando a macaca, que era muito ciumenta e possessiva, furiosa com o desfrute, pulou sobre o rapaz agarrando-o pelo pescoço como que querendo estrangulá-lo. Apavorado, o jovem conseguiu fugir. Dias depois, ele e Swinburne casualmente voltaram a se cruzar. O poeta convidou novamente o rapaz para a tenda, garantindo que dessa vez o moço não correria nenhum perigo. Que podia ir sem medo que ele já não estava com a macaca. O jovem aceitou ir cear com o poeta na tenda. Em vez de macaca, quem servia era uma irlandesa. O rapaz, degustando, achou diferente o sabor da carne. Perguntou a Swinburne que carne era aquela. E o poeta respondeu: "É carne da macaca. Não é uma delícia?"

Assim eram as lendas em torno do poeta. Todos tinham histórias hilárias sobre ele. Amigo íntimo de Turgenev, Victor Hugo, Guy de Maupassant, entre os escritores estrangeiros, na Inglaterra convivia com Dante Gabriel Rossetti (que reservava para o poeta aposentos em sua casa à beira do Tâmisa, no bairro de Chelsea), Carlyle, Burne-Jones, William Morris, Whistler, a escritora George Eliot, assim como Thomas Hardy (que anos depois, ao lado do túmulo do poeta, escreveu um de seus mais belos poemas, nele inspirado). Dele, Maupassant, disse: "Swinburne é a pessoa mais extravagante viva, hoje, no mundo."

Quando em sua frente diziam que Swinburne era homossexual e zoófilo (o tal caso com a macaca), Oscar Wilde, que por ele nutria uma simpatia paternal, o defendia: "Swinburne é um puro que faz tudo para convencer os outros de que é um pervertido, mas é tudo invenção para impressionar. Na verdade, é um casto: troca de cueca diariamente – é maníaco com higiene."

Enquanto Jenny e Wendy foram dar uma volta, eu, sentado em um banco de madeira e olhando lá embaixo a pequena praia de Swinburne – tão vazia de gente hoje quanto, imagino, no tempo dele – e às minhas costas a sua casa, verti lágrimas, achando a vida uma tristeza só.

Jenny e Wendy retornaram da caminhada e fomos até as duas igrejas consagradas a São Bonifácio (apóstolo alemão do século 8). Na primeira delas, a Old Church, construída em 1070, Swinburne foi batizado; a outra, anexada à velha e construída no tempo dele – o pai foi um dos que contribuíram com dinheiro para sua construção – é onde se vêem, no pequeno cemitério ao seu redor, os túmulos da família Swinburne, onde o poeta foi enterrado em 1907.

Eu quis ser fotografado sentado no túmulo dele, mas Jenny e Wendy se recusaram, dizendo que seria um sacrilégio. Senti sob meus pés os ossos de Swinburne se agitando, como se julgasse a recusa das duas pura caretice. Então, fui fotografado de pé e agachado. O cedro, soprado pelo vento, dava um toque romântico ao instante. E saímos, eu aliviado com a missão cumprida.

Mais adiante, uma placa: "Bonchurch se desenvolveu durante o período vitoriano, passando de vilarejo a lugar da moda, centro de artistas. Outros visitantes ilustres: Carlyle, Lord Macaulay e Henry de Vere Stacpoole, que aqui escreveu *The Blue Lagoon* (*A Lagoa Azul*)". De fato, há um pequeno lago, que ele mandou fazer para encantar a esposa, onde vi uma enorme ratazana saindo de uma toca e entrando em outra. .

Retornamos a Seaview, onde jantamos no restaurante do hotel ao lado da casa da anfitriã. Na parede junto à mesa, emoldurada, a carta de uma menina de nove anos, passageira do Titanic, escrita antes do transatlântico deixar o porto de Southampton, logo ali, no outro lado do Canal, naquele dia em 1912. A carta descreve a beleza do navio. E agora o filme, estrelado por Leonardo di Caprio e Kate Winslet, oitenta e tantos anos depois, é o sucesso da recente temporada cinematográfica mundial – também em exibição em dois cinemas da ilha.

Depois do jantar a travessia no *ferry boat* e a estrada até Londres e ao distante bairro de Blackheath (vizinho de Greenwich), onde moram as duas. Deixamos Wendy na porta de sua casa. Na casa dos Thompsons, Peter, o marido de Jenny, parecia feliz com a volta da esposa. Um dedo de prosa e subi as escadas até o topo, onde fica minha mansarda.

Londres (Blackheath), sexta, 29 de maio.

Hoje acordei com a nítida impressão de estar, à minha revelia, vivendo uma experiência semelhante àquela de *Pigmaleão*, a peça de Bernard Shaw que deu no musical *My fair lady*. Na peça de Shaw, o Professor Doolittle pega uma garota casca-grossa, vendedora de flores em Covent Garden e, depois de mil lições de *savoir* isso e *savoir* aquilo, transforma-a em uma dama de fino trato.

No meu caso há uma troca de sexo nos papéis, mas a mensagem é a mesma. O professor, no caso, é a Jenny, uma espécie de Pigmaleoa. E eu o pupilo, a versão masculina da Eliza. Assim (na cabeça dela): eu, fisgado lá de onde o Judas perdeu a bota, e trazido para não só um banho de educação bloomsburiana com um irritante *extra plus* no que tange à correção da minha fonética, mas também, por assim dizer, um banho de loja.

De modo que, programado por ela, hoje fui a uma alfaiataria da seleta Savile Row para que fossem tomadas as minhas medidas – a roupa será depois enviada para o meu endereço no Brasil. Mas a visita teve também por meta uma aula intensiva de *bespoke tailoring*, alfaiataria sob medida. A longa tradição na alta costura masculina, desde que a Savile Row fora inaugurada no tempo do Belo Brummell, a visita foi para mim de interesse genuíno.

Servindo à realeza e à aristocracia desde o século dezoito, passando pelos *dandies* do século dezenove até os astros da idade de ouro de Hollywood, assim como os uniformes de gala da nobreza, sem contar políticos, popstars & os *nouveaux riches* deslumbrados, fui lá.

"O primeiro dever de um cavalheiro é para com o seu alfaiate", já dizia Oscar Wilde em um de seus paradoxos, referindo-se, é claro, ao seu alfaiate da Savile Row. Foi minha primeira saída sem minha tutora, nesta temporada curta mas intensa. Estar sozinho, ao menos no caminho, foi um alívio – pude respirar fundo sem me sentir controlado a cada pigarreada.

Uma vez na alfaiataria, no número 40 da Savile Row, agora dirigida por uma equipe de alfaiates jovens que, vibrando com o meu entusiasmo *naïf*, de bom grado me deram duas horas de ensinamento sobre como são feitos ternos, casacas, coletes, camisas e os vários tipos de golas e punhos, e gravatas e acessórios, desde a escolha dos melhores tecidos para tais e tais eventos e estações até o último arremate no finalíssimo dos detalhes, o monograma. Foi, sem dúvida, uma experiência de vida.

Brighton, terça, 2 de junho.

Jenny me acompanhou até a despedida na Estação de Vitória. Na WH Smith, onde entrei para comprar jornal para ler no trem, avistei James Lovelock, o famoso cientista pai do meu amigo Andrew, na capa do novo número da revista *New Scientist*. Conhecendo o Andrew há 28 anos, e sabendo que ele não é de ver revista nem jornal, comprei dois exemplares, um para ele e outro para mim. Dentro, uma grande matéria sobre o seu pai.

Na despedida, ficou combinado que Jenny irá conhecer o Brasil em outubro deste ano. E nos despedimos, eu já dentro do vagão, ela na plataforma. O trem apitou, deu a partida e ficamos acenando até o comboio sumir da estação. Em Brighton, Andrew, Tabitha e Rebecca me esperavam em casa.

Quarta, 3 de junho.

Uma tarde e uma noite cheias, ontem. Conversa, sonhos. Tabitha sonha ir viver em Honolulu. Por quê? perguntei. Uma intuição, ela responde. Eu também sonho com a Colômbia. E explico. Tabitha diz: "Se a Colômbia o chama, talvez você precise ir à Colômbia."

Tenho de tomar o trem para o aeroporto de Gatwick só às 18 horas. É perto e meu vôo está marcado para as 21h. Andrew me dá uma toalha de banho e um calção e os acompanho ao ginásio de esportes, onde três vezes por semana fazem ginástica, enquanto Rebecca, quatro anos, fica em uma creche. Enquanto Andrew e Tabitha faziam ginástica, fui ao vestiário pôr o calção. E fui fazer sauna seca, sauna a vapor, nadei na piscina e só não entrei na *jacuzzi* porque estava sempre cheia.

De resto, foi tudo perfeito – *gentleman* é o Andrew, que me proporcionou todo esse descarrego algumas horas antes do meu embarque de volta a São Paulo. A pele só teve motivos para agradecer. E depois já vestido, esperava Andrew e Tabitha na sala de estar, sorvendo um suco de maçã e saboreando uma torta de ricota, apanhei um número antigo de três meses da revista *Tatler* com chamada de capa para uma reportagem com uma certa Janet de Botton, sobre quem nunca ouvira falar, mas que logo imaginei pudesse ter alguma ligação com Alain de Botton. E não é que ela é simplesmente a madrasta (*stepmother*) dele?!

O motivo da reportagem é que Janet de Botton vinha de doar à Tate Gallery a maior coleção particular de arte moderna e contemporânea com a qual este museu fora presenteado nos últimos tempos. Janet vinha colecionando fazia tempo, desde o casamento anterior. Ela agora estava casada com Gilbert de Botton, também riquíssimo, presidente de um conglomerado importante e pai de Alain de Botton!

Na despedida Andrew e Tabitha me entregaram um envelope duro. Dentro, um cartão com uma declaração de amor da família e uma quantia em dinheiro que me fez o rubor subir à cara. "Para comprar um presente para você no free shop", escreveram no cartão. Eu quis devolver o dinheiro, mas Tabitha me convenceu: "Não se diz não a dinheiro." E me levaram até a estação de trem. O trem já quase saía quando chegamos. A despedida foi como devem ser as despedidas: rápida. Nem deu tempo de acenar. Desta vez foram 11 dias de Inglaterra. Mas tão intensos que me pareceram uma eternidade. Ufa!

Continuando ... (1998).

Paixões. São muitas as paixões desta vida. Mas nenhuma se compara à paixão pela mãe. É um outro tipo de paixão. Tem o jeito de um amor tão puro e suave, um amor antigo que vem desde as primeiras memórias da infância. Eu devia ter uns cinco anos, mamãe segurando a minha mão e nós dois, indo por uma estrada de árvores altas, de uma fazenda à outra, visitar tios e primos. Era uma noite escura, sem luar, só as estrelas no céu e eu e mamãe na terra, a sensação era de total segurança, medo nenhum de bicho, ela pelo caminho me distraindo, contando histórias leves.

Com minha mãe aprendi a não ter medo de nada e a não acreditar em assombração. E isso ela aprendeu com o pai dela, vovô Fioravanti. Esse meu amor por minha mãe é um amor que atravessou as idades, as fases difíceis da juventude, amor que solidificado na maturidade, transformado em reconhecimento, gratidão, tornou-se (e disso não tenho nenhuma dúvida) um amor perfeito. Amor sem fim, eterno.

Guilhermina, essa criatura só bondade, dignidade, alma nobre, minha mãe, nesse ano de 1998 fez 90 anos. Sempre foi, em quase um século de vida, uma mulher de fibra, batalhadora, madrugadora, uma mulher acostumada a enfrentar todas as adversidades – e não foram poucas – sem nunca perder a fé nem esmorecer.

Todas as vezes que, como filho pródigo, eu voltava de minhas aventuras por esse vasto mundo de campos minados, guiado, benza Deus, pela imaginação e pela vontade de ser, conhecer, experimentar, fazer, toda vez que, geralmente um tanto alquebrado, voltava para sua casa, que de resto era o meu porto mais seguro, em poucos dias, sob seus cuidados, lá estava eu de novo, recuperado e pronto para sair mais uma vez estrada afora, na certeza de que onde quer que eu fosse parar teria, sempre, um lar para voltar. E voltava sempre e cada vez querendo permanecer mais tempo perto dela, me surpreendendo sempre por nela encontrar o mais delicioso e precioso dos tesouros desta vida. Muitos filhos devem sentir o mesmo por suas mães.

Desde que ficara viúva, há 17 anos, e agora morando só em sua modesta mas encantadora casa, em um simpático bairro da classe trabalhadora em uma grande cidade do interior, minha mãe jamais deixou de fazer o que sempre fez quando meu pai era vivo e nós, seus cinco filhos, crescendo e seguindo cada um seu rumo: empregando toda a sua força e fé para nos manter unidos e fraternos, ela sempre trabalhou para os outros, na cozinha, na costura, no amoroso capricho com a casa, brigando com as formigas que devoravam as roseiras de seu jardim, alimentando e dando água aos passarinhos – os beija-flores e os bem-te-vis seus amigos brincalhões.

E seu tempo bem disciplinado, dando conta de todos os afazeres. Depois de o trabalho do dia ter sido feito, depois de assistir à novela e rezar por todos, ainda encontrava tempo para escrever as memórias, boas ou tristes. Nos últimos tempos vinha se sentindo enfraquecida. Problema com o coração. Uma tarde, estávamos eu e ela, ela preparando o jantar, quando ao segurar uma panela pesada teve uma síncope e desfaleceu nos meus braços – corri e a segurei a tempo. Socorrida às pressas e levada para o hospital, ficou um mês em casa de uma das filhas, em observação. A aorta estava comprometida. O cardiologista disse que ela não resistiria muito tempo. De resto, estava bem.

A família a queria viva de qualquer jeito. Não queríamos nem imaginar a vida sem nossa mãe. Tivemo-la durante tanto tempo que não nos sentíamos preparados para a vida sem ela. O médico disse que apesar da idade ela podia ser operada. Ela, que sempre topou tudo que fosse para melhorar a saúde, avivou-se com a idéia da cirurgia. Também amava a vida e queria continuar aqui.

Então, no dia 28 de julho deste ano de 1998, fez-se a cirurgia. O externo foi serrado para dar acesso ao coração, e ela ficou 45 minutos em circulação extracorpórea. A cirurgia foi um sucesso. Depois, ao nos receber no hospital, mostrando a cicatriz – um corte vertical, comprido, no meio do peito – dizia, sua voz de novo forte e saudável, fazendo-nos rir com suas tiradas inteligentes e diretas: "Fui massacrada."

Entretanto, na recuperação pós-cirúrgica, ela sofrera acidente vascular cerebral, um derrame, ficando com uma das pernas, a esquerda, paralisada. Depois do hospital, passou meses na casa de uma das filhas e, a 15 de novembro, de tanto insistir, voltou para sua casa, como ela mesma disse, "para uma experiência". Ela, que sempre fora independente (nos últimos 40 anos nem empregada tinha, só a fiel Luzia, a faxineira, muito querida de todos, que vinha uma vez por semana), agora, já que não podia mais caminhar, teria de contar com mais duas empregadas, duas desconhecidas, uma para o dia e uma enfermeira noturna.

Foi muito difícil, no começo, aceitar depender de gente estranha. Mas, como tudo, ela acabou por encarar mais essa e dar um jeito de tocar a vida fazendo prevalecer o otimismo. Sua cabeça ótima, seu humor mais ácido, a saúde boa, apesar de há mais de vinte anos ser quase surda (além da ajuda de aparelho esforçara-se para aprender a ler lábios), quase cega, mas lia vorazmente, com lupa, seu jornal diário – podia ser *O Estado de São Paulo* ou a *Folha de São Paulo* – e livrinhos de faroeste que eu lhe comprava às dúzias, nas bancas; assistia às novelas, programas do mundo animal da TV Cultura, via futebol quando em Copa do Mundo e nos deixava preocupados quando torcia pelo Brasil contra a Argentina – achava os argentinos muito metidos.

Eliene, a empregada diurna (morando na casa), revelou-se uma garota simpática, ainda que um tanto espevitada. Vinda do interior da Bahia, de um lugar chamado Rio do Pires, nunca viu o mar. O pai, casado duas vezes, fez cinco filhos na primeira mulher e dez na mãe de Eliene. Aos 23 anos ainda não menstruara, com esporádicas visitas ao Hospital das Clínicas para ver se havia chance de mudar o quadro.

Segundo me contou mamãe, numa tarde em que a levei a passear de carro, "Eliene tem idade mental de 15 anos". Arisca e tinhosa, cabeça dura, tem um lado estúpido que se recusa a ouvir e a entender qualquer ensinamento doméstico, por mais simples que seja. Ainda assim mamãe tenta educá-la. Cozinheira de primeira, já não podendo ela mesma cozinhar, senta-se à mesa da cozinha e ensina Eliene a preparar panelas, tortas e bolos segundo suas receitas. E a casa sempre aberta aos filhos e netos que diariamente a visitam. Ela nos diverte com suas tiradas, pois é muito inteligente, essa filha de italianos do Vêneto que nunca quis trocar seu Brasil por nenhum outro lugar do mundo.

E assim foi o resto de 1998. No começo de outubro, Jenny, a minha colega de estudos bloomsburianos, com seu marido, Peter, vieram passar um mês no Brasil. Acompanhei o casal em viagens turísticas não muito longe. Em um dos dias, enquanto Peter foi com um amigo assistir a um jogo de futebol no Pacaembu, Jenny me acompanhou até Santo André para assistir a um ensaio da ópera punk, que o departamento de cultura da prefeitura daquela cidade, associado a um grupo anarquista chamado Motim Punk, me convidara para ser o dramaturgo.

Como Jenny havia me impingido uma vastidão de cultura inglesa além daquela que naturalmente era de meu interesse, agora era a minha vez de retribuir, fazendo-a embarcar não no trem das onze, mas no trem das seis da tarde. Era um dia de semana e tomamos o trem na Luz bem na hora do *rush*. Vagão abarrotado, camelôs mutilados, sem pernas ou sem braços, vendendo dropes *Halls*, relógios piratas, cigarros paraguaios, bugigangas, salgadinhos e refrigerantes; mendigos surdos, mudos, distribuindo folhetos justificando suas situações, pedindo ajuda, tudo árido e seco, sem choro nem vela, como é, de fato, a batalha diária dessa gente pela sobrevivência, um verdadeiro retrato do calvário metropolitano brasileiro visto em *close-up*.

Mas, curiosamente, como toda *lady* inglesa, ela permaneceu *cool*, sem ser atingida. Nessa noite, no palco, participavam do ensaio desde um cachorro pulguento até um talentoso menino de dez anos, filho de uma das participantes. Foi, para Jenny, acostumada a assistir ao melhor do teatro na Inglaterra, aos Shakespeares, aos Pinters e aos Michael Frayns da vida, uma experiência inusitada, esse ensaio punk do ABC. Parece que ela gostou. Também não tinha porque não gostar.

1999

Tudo aquilo que a nossa civilização rejeita, pisa e mija em cima, serve para poesia.

Manoel de Barros, *Matéria de poesia*

Depois de uma insistência de 12 anos, meu amigo Hélio Silva (amigo desde a formação do grupo punk *Cólera* e das animadas conversas nas manhãs de sábados punk em 1982, na Galeria do Rock) finalmente me convenceu a comprar um computador, garantindo que isso melhoraria infinitamente a minha vida de escritor. Hélio não se conformava com o meu descuido nesse sentido até então. Sem dúvida sou lento nas decisões, mas me conhecendo sei que chega o dia em que as tomo. Esse dia chegou e saímos atrás de um bom e barato. Uma peça aqui, outra ali, o computador foi montado e desde então raríssimas vezes me deu dor de cabeça. Isso aconteceu no dia 6 de abril, 19 dias antes do meu sexagésimo aniversário. E assim foi rolando o ano de 1999. Entre as ocupações em São Paulo ia, nesses meses todos, como sempre – e agora mais que nunca – passar dias na casa de minha mãe em Ribeirão Preto, casa que, como já disse, sempre considerei meu verdadeiro lar.

Era muito melhor até há pouco tempo, quando mamãe era independente, caminhava, ágil, com as próprias pernas, como nos dias de feira, quando ela, bem cedo, já de saída no portão do jardim, gritava: "Bivar, já vou! O café está na mesa. Vem me encontrar na feira."

Eu pulava da cama, descia correndo a escada e corria até o portão para alcançá-la, mas já a avistava dobrando a esquina, andando rápido, empurrando o carrinho. Eu tomava o café, comia a fruta, o pão com manteiga e ia encontrá-la na feira, a cinco quarteirões de casa, para trazer o carrinho cheio já que a volta era subida. Isso quando estava lá, porque quando não estava ela ia e voltava sozinha, sendo parada aqui e ali para um dedo de prosa com alguma vizinha de bairro, muito estimada que era. Mas depois do derrame e da paralisação na perna esquerda já não mais podia ir à feira.

Nesse tempo ela ganhou de uma filha uma cadeira de rodas. Eu saia com ela, empurrando a cadeira, em passeios pelo bairro. Às vezes, sob seus protestos, eu a levava longe, sempre pelo asfalto, pois as calçadas eram irregulares. Mesmo no asfalto a cadeira trepidava e ela pedia para voltar para casa.

A tristeza por a deixar toda vez que tinha de voltar para trabalhar em São Paulo era muito dolorosa. Joana, a enfermeira da noite, 39 anos, nascida em Rondônia (uma das avós era boliviana), embora eficiente e profissional tinha humor instável, chegava quase sempre de baixo astral, vociferando seus dramas, a falta de dinheiro para pagar as prestações, amores que nunca correspondiam às expectativas.

Embora muito fina e feminina, dizia "catredal" em vez de catedral. É que todas as noites ela tomava o ônibus em frente à "catredal". Depois de quase um ano, o jeito foi trocar de enfermeira noturna. Mas a outra, não menos complicada, chegava sempre bocejando e ainda que bem casada e sem complicações domésticas, na prática, como enfermeira, mamãe mesmo dizia, não era tão eficiente quanto a Joana. De modo que nessa fase todos tivemos que nos adaptar às circunstâncias.

Um dia me deitei para tirar uma soneca no meu quarto, em cima, e ouvi mamãe, na espaçosa e arejada área de serviço, aberta para o quintal-jardim, sentada em sua cadeira inclinada, contando histórias da família a Eliene. Cabeça ótima, voz saudável e forte, tão perfeito o seu jeito de contar que decidi: na próxima vez que vier passar dias com ela vou trazer um gravador.

E assim o fiz. Sem que ela percebesse, para não inibi-la, liguei o gravador uma tarde depois do almoço e pedi-lhe que contasse histórias da família. Ela o fez com entusiasmo e com o jeito perfeito que sempre teve de narrar as lembranças de todos nós. Como gosta de cantar e tem na ponta da língua as letras de muitas músicas de seu tempo, pedi que ela cantasse. Ela cantou a versão de *Ilha de Capri*, sucesso de Francisco Alves: "Abre a janela Maria, que é dia/ são oito horas e o sol já chegou/ os passarinhos fizeram seus ninhos/ na janela do meu bangalô..." E de João de Barro e Alberto Ribeiro, também sucesso de Francisco Alves, cantou *Manhãs de sol*:

Manhãs de sol
Do meu Brasil
O sol é ouro sobre anil
E a luz que se espalhou
Pela imensidão
Iluminou também meu coração

E quando rompe a alvorada
As aves em revoada
Subindo para o céu
Voando para o mar
Vêem a terra inteira a despertar

E as cigarras sempre amigas
Sempre nas mesmas cantigas
Retendo a luz do sol
E tontas de prazer
Cantam sem cessar até morrer

Pura, puríssima emoção. E mamãe ainda cantou *Touradas em Madri* (sucesso carnavalesco de Carmen Miranda). Empolgada – e nem desconfiando que eu estava gravando –, disse que da próxima vez ia cantar *Gosto que me enrosco*, lembrando que essa era sucesso do Mário Reis. Lembrou também que Mário Reis era primo-irmão do tio Meireles, já morto, que fora casado com a irmã caçula dela, tia Lina, já falecida. Aliás, em 1999 mamãe era a única viva dos dez irmãos.

E já que estava na casa de minha mãe e sendo época de podar a vegetação, ocupei-me também a cuidar do jardim. Com o jardineiro Daniel, podei quase todas as plantas, dos hibiscos ao abacateiro – a limeira, a pitangueira, a amoreira, a cabeludinha, os galhos que estavam feios ou os que atravancavam a passagem. Podei os pés de hortênsia deixando-os no toco, assim como as três buganvílias (primavera), arranquei as marias-sem-vergonha, mas deixei as dezenas de mudas novas brotando.

Mamãe, na cadeira de rodas assistindo a esse *massacre*, pediu ao jardineiro que replantasse as cravinas tirando mudas das velhas. A grama também foi aparada, de modo que, com a poda geral, o jardim-quintal ficou mais espaçoso, mais aberto para o sol, agora que íamos entrando nos meses de seca e frio. Nem tudo é perfeito, longe disso, mas dentro do que Deus nos serve a vida é bela e boa.

Num desses dias, levando mamãe a um passeio de carro, ela disse que enjoou de tudo, até de frutas (só perdoa uva, das pequenas e escuras, de Jundiaí). Mas disse estar com vontade de comer mortadela. Parei o carro em frente a uma padaria fina, comprei oito pãezinhos acabados de sair do forno e 200 gramas de mortadela Ceratti fatiada fina. Mamãe ficou esperando no carro. Quando entrei com os pães quentinhos e a mortadela, ela não resistiu e no carro mesmo comeu de ambos. E com um apetite como há muito nela eu não via.

Na sexta-feira, como todas as sextas de manhã, Helena, a massagista, veio fazer *shiatsu* nela. Esses pequenos mimos, providos por minhas irmãs, ajudavam mamãe a se adaptar à nova situação. Ela continuava lendo com lupa seus romancinhos de faroeste. Sobre o último até comentou: "É um faroeste meio policial, estou gostando muito."

No dia seguinte, mais uma vez precisando voltar para os afazeres em São Paulo, deixei a velha dama rebelde, uma santa rebelde que aos 91 anos rebela-se contra essa condição de *inválida*: "Entulho. Estou boa pra jogar fora." Mas um dia desses, repentinamente entusiasmada, depois de ter visto no jornal da TV que estão operando de graça velhos com catarata, disse que quer ser operada: "Você me leva?", ela pediu. E acrescentou: "Assim você também opera a sua."

A cidade sob uma chuva fina, rara nessa época do ano. Da janela do ônibus a paisagem parece sul da Itália, sul da França, como as telas pós-impressionistas de Vanessa Bell e Duncan Grant: tons palha, ocres, siena queimado, verdes amarelecidos, ou verdes firmes como os eucaliptos, a mata. No chão, cobrindo cercas e trepando em árvores, a flor de São João (aprendi o nome com mamãe, há muito tempo, ainda na minha infância, em um de nossos passeios campestres).

Nessa viagem também me distraio lendo Baudelaire num pequeno livro sobre Wagner. Como é maravilhoso, o Baudelaire! Mais que Swinburne, é ele,

Baudelaire, decididamente o meu poeta predileto. Esse opúsculo é uma revelação! Mudou meu (pre) conceito não só a respeito de Wagner (que, dada a minha ignorância e superficialidade, imaginava apenas *wagneriano*), mas da própria música em si.

Nesse ir e vir, de volta a São Paulo, convidado pela querida amiga Rita Lee, fui jantar na casa dela no Morumbi. Rita tinha ganho de presente os vídeos do tvLEEzão, programa que fizemos juntos (eu como roteirista, redator e seletor dos videoclipes, e ela como estrela *assoluta*) assim que foi inaugurada a MTV no Brasil, no começo da década de 90. Depois que ela, Roberto e filhos se mudaram de Higienópolis para a lonjura do Morumbi, a gente pouco se vê, mas nos comunicamos sempre, por telefone. Convidado, fui lá. Foi um reencontro delicioso. Levou embora os *blues* de um dia paulistano que nascera triste.

Quanto às cópias do nosso programa, que jóia! Brilhantes, resistem ao tempo. Que humor, que criatividade! Meus textos ótimos e Rita, uma intérprete, uma comediante versátil de primeira. Deleitados, assistimos a esses vídeos até as três horas da manhã.

Chegou setembro e com ele a primavera. Fui com outra grande amiga, a fotógrafa Vania Toledo, ao jantar oferecido pelo Governador do Estado, Sr. Mário Covas e sua mulher, dona Lila, no Palácio dos Bandeirantes aos artistas que votaram nele. O jantar estava bom (*buffet* por Nina Horta) e a companhia agradável. Umas 50 pessoas. A comediante Dercy Gonçalves também estava lá. Muito bem, aos 92 anos! Fui cumprimentá-la. Beijei sua mão, ela ficou vaidosa. As mãos de Dercy são belas, gordinhas e macias. Como as pernas, que ela uma vez – há uns dez anos? – me mostrou, até as coxas, no camarim de um teatro onde fazia temporada. "Sempre a mesma peça, só mudo o título", dizia ela.

Uma senhora judia, da idade dela, mas com sotaque francês, nesse jantar no Palácio do Governo, conversando com Dercy. Parecia uma cena melhorada das antigas chanchadas dessa atriz sempre escrachada. A mulher (magra e chique), perguntou: "Como você faz, Dercy, para estar tão bem? Suíça? Spa?" E Dercy respondendo: "Não gosto de spa. Nunca fui. Não gosto de comer grama. Eu como de tudo. Nem de bengala preciso. Só uso porque ganhei essa incrustada, que acho bonita. Já não faço plásticas." Dizendo isso, mostrou a dentadura de baixo e disse: "Agora só troco de dentadura e assim mesmo quando vai ficando frouxa. O bom de não ser casada é que quando dá preguiça de escovar os dentes antes de dormir eu não escovo."

Ainda em setembro, no dia 28, promovida pela *Folha de São Paulo*, em seu claro auditório, leitura da segunda peça da trilogia *Histórias do Brasil*, que escrevi nos anos 80 com Celso Paulini. Celso, morto em 1992, se vivo faria 70 anos nesse dia. A leitura de *Uma coroa nos trópicos* foi uma excelente produção do Grupo Tapa. Vinte e seis atores ótimos, auditório lotado, presença de amigos, parentes, alunos de minhas oficinas de dramaturgia, foi um sucesso. E sem a menor modéstia – prova disso foi a reação animada da platéia – a peça é excelente, saborosa, divertida, instrutiva e brilhante. Foi um show de ótimo teatro.

Em 1999 não fui à Inglaterra para o festival de Charleston, que este ano teve como título e tema, "Private passions" ("Paixões particulares"). Dele participaram algumas escritoras pelas quais tenho o maior respeito, embora, para ser honesto, nunca li talvez a mais importante delas, Doris Lessing. Segundo o programa do festival, a Lessing falou de seu novo romance, *Mara and Dann* – "uma espécie de odisséia situada num futuro imaginário"; mas ela falou também de sua recente autobiografia. Diz que, como em toda a sua obra, nos dois novos livros ela também "faz a ligação de vidas reais com os dramas de nosso tempo e os freqüentes e perturbadores prospectos do que vem por aí".

Já Edna O'Brien, outra grande autora presente ao festival deste ano, a palestra dela foi sobre sua paixão por James Joyce, de quem escreveu uma biografia. Em outros dias da semana, outras escritoras de peso foram Beryl Bainbridge, que falou de seu livro *Master George*, passado na época da guerra da Criméia, e Michèle Roberts, nossa excelente professora na Escola de Verão de seis anos atrás e cujo livro mais recente, *Fair exchange*, mexe com o relacionamento entre Mary Wollstonecraft e o poeta William Wordsworth; também no estrado, Bernice Rubens (já bastante traduzida no Brasil) que mergulhou no trágico caso que dividiu a França no final do século XIX – por sinal, escrevendo na primeira pessoa – o título desse seu livro é *I, Dreyfus* (Eu, Dreyfus). Como dá para sentir, essas escritoras estão mandando ver.

E assim outros escritores, que não cabe aqui citá-los, uma vez que não me fiz presente ao festival. Poetas, catedráticos de Oxford e Cambridge, biógrafos premiados, queridinhos da mídia, deve ter sido uma semana e tanto para os que foram à Fazenda Charleston, semana que culminou com a sempre concorrida gala teatral dirigida por Patrick Garland e que dessa feita foi sobre o romance e casamento da diva da companhia de dança de Diaghilev, Lydia Lopokova, com o economista e figura proeminente do grupo de Bloomsbury, Maynard Keynes. Interpretando essas duas figuras míticas, o ator Benjamin Whitrow (da Royal Shakespeare Company) e a ex-*prima ballerina assoluta* do balé de Kirov, a não menos mítica Natalia Makarova.

Nossa, a Makarova em pessoa esteve não dançando, mas fazendo uma leitura dramática na tenda em Charleston! Enfim, pensei, é bom de vez em quando perder o melhor de tudo para ter o semelhante a esse melhor em outra oportunidade. Afinal, se Charleston é uma festa literária anual para uns poucos felizes, eu mesmo, antes de ter sido há seis anos fisgado pelo charme dessa fazenda, já vinha de conhecer literatura desde meus tempos de menino e aprendi muito com a Pollyanna a fazer "o jogo do contente".

E vamos em frente que a densidade demográfica é cada vez mais assustadora. Mas neste ano de 1999, como aliás nos outros, não perdi as ligações com a cultura bloomsburiana. Mesmo que quisesse não conseguiria. A correspondência recebida era quase diária. Amigos da Classe de 93 enviavam recortes de jornais, revistas, livros. Além de ser sócio de carteirinha dos Friends of Charleston e da International Virginia Woolf Society (IVWS, situada nos EUA), fui agora também surpreendido com outra carteirinha, a de membro número 94 da The Virginia Woolf Society of Great Britain (VWSGB)! Como? Indicado por quem? Só pode ter sido coisa de minha diligente tutora. Nigel Nicolson, em um texto sobre a tardia fundação dessa sociedade no país onde nasceu Virginia Woolf, quando nos EUA há três décadas já havia uma sociedade de estudos sobre ela, escreveu: "Só 200 membros?! É muito pouco para a importância de Virginia." De fato, muito pouco – e eu entre os 100 primeiros!

Mas continuando...

Em maio eu recebia uma carta de Patricia Laurence, do Departamento de Língua Inglesa do City College de Nova York. Como editora convidada da IVWS para o número especial do órgão da sociedade, o *Virginia Woolf Miscellany*, número com o tema "Virginia Woolf in Translation" a sair no outono, sobre as obras de Woolf traduzidas no mundo inteiro, ela, Patricia, me convidava a escrever sobre as traduções brasileiras dos livros de Virginia. Em sua carta, Pat escreveu dizendo que eu fora recomendado por Kathy Chamberlain (minha colega da Escola de Verão de 1993). Se eu aceitasse, meu texto deveria ter cerca de 750 palavras.

Por se tratar de uma publicação acadêmica, eu, ainda jorrando inocência, vaidade e sobretudo orgulho, senti-me como que dando mais um descolado passo ladeira acima, ao Olimpo da Academia (já tendo dois anos antes contribuído, com minha entrevista com Quentin Bell colocada no *site* da IVWS). O *deadline* ficava para o fim de junho. A pergunta-chave desse número da publicação era se Virginia Woolf viajava bem em outros idiomas.

O convite de Laurence foi um presente. Como eu tinha lido praticamente tudo que fora publicado da obra de Woolf no Brasil e em Portugal, sabia que com sotaque regional ou não, traduzida ela viajava bem até demais.

Quando saiu a publicação, em sua longa introdução Laurence escreveu: "Este número nos leva à Europa, ao Oriente Médio, ao Extremo Oriente (...) e faz dela [Virginia] uma local. Como afirma vivamente Antonio Bivar sobre as traduções em língua portuguesa, 'é como se Virginia Woolf fosse uma grande escritora brasileira'. Cada um dos artigos aqui devem ser apresentados do mesmo modo – como se Virginia Woolf fosse japonesa, hebréia, espanhola, francesa..." E mais adiante Laurence comenta os textos: "Como se Mrs. Dalloway fosse galega... ou, como escreveu Mary Ann Caws sobre a tradução dos contos de Virginia em francês: 'Eles mantém a clareza no coração das coisas'."

De modo que para mim foi um pequeno/grande reconhecimento. Meu texto veio em primeiro lugar, logo após a introdução de Patricia Laurence. E o título: *As if Virginia Woolf were a great Brazilian writer*. E a seguir traduzo aqui o que escrevi em inglês:

> Me senti profundamente tocado quando, em 1991, na minha primeira visita à residência campestre de Virginia Woolf, a Monk's House, vi em uma das estantes em seu quarto vários exemplares de seus romances nas traduções brasileiras. A guia nos contou que traduções dos livros dela continuavam chegando de todo o mundo e que aquela estante era reservada às traduções. Experimentei uma emoção metafísica, e pensei o quanto ficariam felizes (e de algum modo coroa-

dos os seus trabalhos) Cecília Meireles, Mário Quintana e outros, que certamente nunca estiveram em Rodmell, ao saber que figuravam neste panteão, o quarto de dormir de Virginia.

Toda a ficção dela está traduzida e publicada no Brasil e conheço de coração essas traduções. Virginia viaja perfeitamente bem em nossa língua. E que coincidência: em seu primeiro romance, *The voyage out* (*A viagem*), o cenário onde se passa a ação interior é a América do Sul! Jane Wheare, editora e autora da introdução e notas da edição de 1992 de *The voyage out*, na coleção Penguin/ Twentieth-Century Classics escreveu: "A Santa Marina, uma cidade imaginária situada (de acordo com as descrições no romance) no Brasil, na boca da Amazônia (nota 12 do Capítulo 1)".

Bem, de volta às traduções: nos anos 40, Woolf teve três de seus romances magnificamente traduzidos no Brasil. Dignos de eternas reedições – como traduções são clássicos: *Orlando*, por Cecília Meireles (1901-1964), uma das grandes poetas brasileiras de todos os tempos; *Mrs. Dalloway*, por Mário Quintana (1906-1994), também ele mesmo um grande poeta; *As ondas*, por Sylvia Azevedo, de quem nada sei – mas sua tradução é excelente. *As ondas* foi o primeiro romance de Virginia Woolf que li – e na tradução da Sra. Azevedo. Isso aconteceu em 1973. Desde então me tornei um viciado. Ou, como disse Anne Olivier Bell em 1995, vendo-me de volta a Charleston: "Você é um convertido".

Uma tradução fez isso por mim.

Nos anos 70 aconteceu um novo *boom* no Brasil. Primeiro, novas edições de *Orlando*, *Mrs. Dalloway* e *As ondas*. Outras traduções se seguiram. Uma muito boa romancista, Lya Luft, fez um trabalho sobre-humano: dos anos 70 aos 90, traduziu praticamente dois terços dos romances de Woolf, assim como sua biografia pelo sobrinho Quentin Bell.

Lya Luft deve ter feito apressadamente o trabalho, porque a demanda por Virginia Woolf estava então no auge. Essas traduções podem não ser tão primorosas como as de Cecília Meireles, Mário Quintana e Raul de Sá Barbosa (entre outros bons tradutores), mas estou certo de que Virginia Woolf delas não se envergonharia. O leitor especialista poderá encontrar uma que outra falha esporádica aqui e ali, mas nada que um purista condenasse como comprometedor à arte de Woolf.

Por volta de 1993, toda a ficção conhecida de Virginia Woolf estava traduzida no Brasil. E, uma vez que estou no terreno sul-americano e desde que este ano (1999) é o centenário de seu nascimento, merece menção o fato de o primeiro tradutor de Virginia Woolf em espanhol ter sido Jorge Luís Borges. Victoria Ocampo, a amiga argentina de Virginia, fundadora da Editorial Sur, publicou a tradução de *Orlando* e *Un cuarto propio* (*A room of one's own*) por Borges em 1937 e 1938.

A Argentina fala espanhol, o Brasil fala português. Mas o que quero dizer, em suma, é que a tradução de *Orlando* por Cecília Meireles não é apenas literal, palavra por palavra, do original. É sim, como são as grandes traduções, como um novo original; como se Virginia Woolf fosse uma grande escritora brasileira. Isso, suponho, acontece em todo o mundo, em qualquer país, em qualquer língua, quando ela é bem traduzida.

Um outro acontecimento, ligado à cultura bloomsburiana, que perdi em 1999, foi a semana que a VWSGB promoveu em St. Ives, na Cornualha, para um pequeno número de associados, 20 pessoas, ao preço de 180 libras por cabeça. Além das palestras e debates lembrando a infância de Virginia, seus pais, irmãos e amigos nas longas férias de verão que passavam nesse local, nos últimos anos do século XIX, e que inspiraria o romance autobiográfico *To the lighthouse* (*Rumo ao farol*), a semana contou com uma viagem de barco ao mítico farol do título.

Eu mesmo estivera em St. Ives por minha conta em 1991 (até passei meu quinquagésimo-segundo aniversário lá); fora uma viagem solitária, romântica e muito feliz. Mas agora, oito anos depois, essa visita em grupo, dos membros da VWSGB, sem dúvida deve ter sido um outro tipo de experiência.

No programa constava também visita monitorada à Talland House, que foi a casa dos Stephens nas férias daqueles anos e hoje é um pequeno hotel onde, por serem poucas as vagas, apenas alguns membros privilegiados da Sociedade puderam se hospedar. Passeios, palestras e debates... mas certamente o mais excitante desses dias em St. Ives foi a atrevida viagem de barco até o farol de Godrevy.

Rumo ao farol conta das férias anuais da família Ramsay e seus convidados. James, o caçula da família, muito agarrado à mãe, sonha em ir de barco ao farol.

A mãe, a humaníssima Sra. Ramsay, com muita imaginação e fantasia conversa com o filho sobre a família do faroleiro, que vive solitária na ilhota.

A Sra. Ramsay separa um monte de coisas para levar de presente: revistas velhas, roupa usada, algum alimento. Mas o marido, o Sr. Ramsay, é um desmancha-prazeres e corta o entusiasmo do garoto dizendo que a viagem ao farol não poderá ser feita pois certamente o tempo no(s) dia(s) seguinte(s) não contribuirá. E as férias acabam e não vão nunca ao farol. Os anos passam, outras férias, a Sra. Ramsay morre, cada um toma seu rumo na vida, até que, muitos verões depois, já com a mãe ausente, o que sobrou da família e dos amigos estão lá de novo. O pai finalmente resolve levar alguns dos filhos ao farol – inclusive o caçula que agora já é um rapazinho. Mas aí já não há mais ilusão, só decepção, frustração, ressentimento. Ainda assim a viagem é feita.

A ação do livro se passa nos últimos anos do século dezenove. E agora, um século depois, o seleto grupo de estudiosos da vida e da obra de Virginia, como sempre faz, indo estudar *in loco*, que é sem dúvida o melhor sistema, está lá na Cornualha se divertindo e aprendendo. E que aventura, fazer a viagem ao farol – como no livro de Woolf, se o tempo estiver bom.

O tempo parecia bom. Um barco foi alugado, com dois barqueiros. Doze, do grupo de 20, se entusiasmaram em ir – dez ingleses e duas americanas. Sobre essa viagem ao farol recebi três cartas. Duas delas datadas do dia 9 de setembro de 1999, um dia depois da aventura; uma, da woolfiana texana Sue Sullins; a outra, da inglesa Jenny Thompson; a terceira, de um dos diretores-fundadores da VWSGB, Stuart Clarke.

Eles contam (e eu aqui edito a correspondência, eliminando o que não vem ao caso). De Jenny: "Tivemos uma semana interessante com dias de sol exceto quando tomamos o barco rumo ao farol. O Sr. Ramsay com certeza não teria permitido essa viagem, mas fomos e eu quase morri de medo, foi tão perigoso e muitos não sabiam nadar."

De Sue Sullins: "Ontem fomos ao farol sob uma névoa densa, o mar crispado, fomos todos atingidos com violência pela água revolta, salgada e gelada. Ao mesmo tempo foi *exhilarating*. Quando o barco estava se aproximando da ilha do farol, Jenny Thompson repentinamente gritou que tínhamos que retornar à costa, pois no horizonte uma tempestade vinha em nossa direção, não estávamos munidos de salva-vidas e o barco contava apenas com dois marinheiros inexperientes. Jenny disse que um deles nem sabia o que estava fazendo.

A situação nos fez sentir como que predestinados a um iminente naufrágio. Mas não desistimos e continuamos rumo ao farol. Não atracamos. Nem circundamos a ilha e voltamos à costa completamente molhados. Mas ao descermos do barco o fizemos às gargalhadas, ensopados e gelados, mas ainda assim felizes por ter feito a viagem. Tivemos a nossa visão, como diz a Lily Briscoe no livro.

O tempo todo, Antonio, desejamos que você estivesse aqui participando desta semana de "Virginia na Cornualha". Acho que você teria gostado da Talland House, do quarto que era o dela, da sala de jantar, da cerca viva de escalônia. A semana foi muito bem organizada por Sheila Wilkinson, que fez um trabalho maravilhoso. Até a voz de Virginia nós ouvimos – de uma única gravação dela, uma entrevista radiofônica que deu à BBC. E até a próxima carta, com amor, Sue."

E a terceira carta, de Stuart Clarke: "Caro António (Stuart, quando me escreve, põe acento agudo no meu nome, como em Portugal), No pior dia da semana nós fomos AO FAROL em um barco típico da Cornualha. Não havia a menor proteção contra os elementos e a viagem foi parcialmente de vela arriada. O vento soprava tão forte que na volta tivemos de ligar o motor. O barco mergulhava e guinava de tal modo que ficamos todos encharcados, da cabeça aos pés. Mas o grupo estava muito unido e ninguém se queixou, todos levaram a coisa na esportiva, inclusive duas americanas e a nossa guia, uma senhora de 75 anos aposentada, que vive em St. Ives. Com os melhores votos do Stuart."

O que eles não contaram – e isso descobri buscando aqui e ali – é que desde 1934, com a instalação da luz rotatória automática, o faroleiro de Godrevy foi dispensado e, por conseguinte, também sua família. Ninguém mais vive lá.

Ainda neste ano de 1999, por ter muito a ver com a cultura bloomsburiana, é digna de registro a passagem do escritor Michael Cunningham por São Paulo. Foi na terça-feira, 9 de novembro. Cunningham, para sua própria surpresa (como ele mesmo contou), vinha de receber o mais importante prêmio literário dos EUA, o Pulitzer, por seu romance *The hours*, uma recriação pós-moderna de *Mrs. Dalloway*. Segundo suas próprias palavras, ele escrevera o livro sem a pretensão de sucesso ou prêmio. Mas *The hours* foi recebido como uma revelação e, elogiadíssimo pela crítica, transformou-se em *best seller*, traduzido em várias línguas e seus direitos vendidos para Hollywood.

No Brasil, *As horas* não causou tanto furor - o furor só iria acontecer mais de três anos depois, com Nicole Kidman premiada com o Oscar de melhor atriz de 2002 por sua interpretação de Virginia Woolf no filme. Aí então, com nova edição, o livro, agora também no Brasil, entraria na lista dos mais vendidos. Até *Mrs. Dalloway*, 80 anos depois de ter sido escrito, agora relançado na onda de *As horas*, também faria uma breve aparição na lista dos *best sellers* da temporada.

Mas, voltando a setembro de 1999 e à visita de Michael Cunningham a São Paulo, ele foi trazido pela Companhia das Letras para entrevistas promocionais e uma palestra no SESC Vila Mariana. A editora me convidou para a palestra seguida de um jantar. Fiquei um pouco chocado com o número reduzido de pessoas presentes – umas 20. Depois fomos jantar em um restaurante natural chamado Capim Santo, na Vila Madalena, escolha das moças que ciceroneavam o escritor em sua passagem pela cidade.

Éramos um grupo de seis pessoas: Michael Cunningham e seu parceiro, o médico Ken Corbett, a quem o autor dedicou o livro; as duas moças da Companhia das Letras, Marta Garcia (mulher do escritor Reinaldo Moraes, que compareceu à palestra no SESC mas não quis nos acompanhar no jantar) e Ruthlanna Hatoum (mulher do escritor Milton Hatoum); e Flávio, o jovem que serviu de intérprete de Cunningham.

Foi um jantar tranqüilo. Cunningham e Corbett nada metidos. Levei fotos de minhas passagens por Charleston, uma carta muito divertida de Anne Olivier Bell, assim como um exemplar do *Virginia Woolf Miscellany* com meu texto sobre as traduções de VW no Brasil. Depois do jantar, ainda sentados à mesa do restaurante, entre várias caipirinhas de vodka, todos já bem descontraídos, mostrei meus tesouros bloomsburianos ao autor de *The hours* e ele, deslumbrado, reverenciou o material.

Cunningham já esteve (uma vez) na Monk's House, mas nunca em Charleston. Contei como funcionava o festival na fazenda e ele se entusiasmou em ir a um próximo. Quis ver a carta de Anne Olivier Bell, ver como era a letra dela, e riu ao ler a parte em que ela conta que estava um pouco farta da insistência acadêmica e que recentemente se divertira mesmo foi com *Gentlemen prefer blondes* (*Os homens preferem as louras*) numa primeira edição que descobrira em um sebo e que depois de ler o deu de presente de Natal ao genro (o escritor William Nicholson).

Dei ao Cunningham uma cópia do *Virginia Woolf Miscellany* com o meu artigo porque, aqui também um sinal de algo mais que coincidência, o livro dele abre com uma epígrafe de Jorge Luís Borges e no meu artigo, escrito antes de eu ter visto esse livro, também há uma referência a Borges. Cunningham ficou surpreso quando lhe contei que Borges foi o primeiro tradutor de Virginia para o espanhol.

Como eu tinha levado a minha edição americana, capa dura, de seu romance (presente que me fora há meses, enviado por Sue Sullins), pedi ao Cunningham que me fizesse uma dedicatória e ele, já com várias caipirinhas na cabeça, escreveu: "Nov. 9, 1999 - To Bivar, with blessings on our mutual work, see you at Charleston, in Rio 2001, and elsewhere, I hope, Michael".

O interesse por Bloomsbury cresce de tal forma que agora, neste fim de milênio, sua indústria parece ter tomado proporções assustadoras. Em Londres, a Tate Gallery – sob o patrocínio da Prudential (e o entusiasmo de seu presidente, Sir Peter Davis), mais o entusiasmo de Nicholas Serota, diretor do museu, e a excelente curadoria de Richard Shone, foi montada a maior exposição até então realizada, reunindo a arte de Bloomsbury. Mais de 200 obras e um exuberante catálogo de 300 páginas.

A maioria absoluta das obras da exposição, é claro, são trabalhos de Roger Fry, Vanessa Bell e Duncan Grant, mas também curiosidades de outros artistas de algum modo relacionados ao grupo. Curiosidades de Picasso, Matisse, André Derain, Simon Bussy, Walter Sickert, Max Beerbohm, Man Ray, Henry Lamb, etc.

A exposição The Art of Bloomsbury, por sua importância como mostra compreensiva do modernismo inglês, foi programada para durar quase seis meses na Tate, de 4 de novembro de 1999 a 30 de abril de 2000, com viagens posteriores aos EUA, primeiro na Huntington Library, Art Collections and Botanical Gardens em San Martino, Califórnia, e em seguida no Yale Center for British Art, em Newhaven, Connecticutt.

Desde obras pertencentes ao acervo da Tate e de outros museus (dos EUA, Canadá, México, Austrália, etc.) mas sobretudo de coleções particulares, desde obras cedidas pela Rainha Mãe (uma antiga apaixonada pela obra de Duncan Grant) as do popstar Bryan Ferry. Infelizmente não pude ver essa exposição em nenhum dos lugares onde foi mostrada, embora já tivesse visto grande parte do que foi exposto. De qualquer modo, o Bloomsbury encerrou um milênio e começou outro em grande estilo.

Escrever sobre notícias tristes é sempre difícil, e quando uma notícia de algum modo define o fim de uma época, então, é ainda mais penoso. Na segunda-feira, dia 22 de novembro, minha irmã, a Mané, me liga para dizer que leu n'*O Estado de São Paulo* uma nota sobre a morte de outro Quentin com o qual eu tinha contato epistolar, o Quentin Crisp. Ele faleceu em Manchester, no domingo. Ele, que dizia não querer mais voltar à Inglaterra, onde nasceu, não só voltou como morreu lá. Vivia há 19 anos em Nova York, cidade que amava.

Fiquei sentido. Conhecia Quentin Crisp desde 1981 em Londres, quando fui a uma manhã de autógrafos em uma livraria na Charing Cross Road, no lançamento de *How to became a virgin* (*Como tornar-se virgem*), o segundo volume de sua autobiografia; o primeiro volume, *The naked civil servant* (*O funcionário público nu*), de 1968, tinha virado um excelente filme para televisão, estrelado por John Hurt, brilhante no papel de Quentin.

Esse filme é tão bom que era freqüentemente reprisado nas televisões dos países de língua inglesa, tendo circulado por locadoras de vídeo no Brasil. A partir de 1982, traduzi e publiquei muitos textos dele em uma sofisticada revista paulistana, *Gallery Around*, da qual fui editor de estilo em toda a década de 80.

Desde 1981, a leitura dos livros de Quentin Crisp passou a ser um dos grandes prazeres da minha vida de leitor compulsivo. Eram como livros de auto-ajuda – ou guias de sobrevivência –, muito divertidos e extremamente originais pelo inusitado da espirituosíssima franqueza do autor. Um deles, *Manners from heaven*, título que eu traduziria como *Modos divinos*, de 1984, é um dos meus favoritos de todos os tempos.

A partir de 1985, quando o visitei em Nova York e o entrevistei em seu quartinho (onde viveu seus últimos 19 anos) no segundo andar de um pequeno prédio de três andares, no número 46 da Third Street no East Village (do outro lado da rua, a poucos metros, fica o QG dos Hell's Angels), passamos a nos corresponder, uma média de duas a três cartas anuais. Quentin jamais deixou de responder carta minha. Ultimamente, já bastante idoso – morreu faltando um mês para completar 91 anos –, apesar das dificuldades físicas (artropatia e eczema), suas cartas vinham sendo ainda mais freqüentes.

A notícia de sua morte me fez procurar por mais detalhes na Internet. Encontrei o site que amigos criaram para ele. E estava lá: 21 DE NOVEMBRO DE 1999, O FIM DE UMA ERA. E leio no *guest book* do *site*, centenas de mensagens de todo o mundo de gente que o admirava, inconsolável com sua morte.

Por suas tiradas paradoxais e até chocantes, Quentin Crisp era considerado o Oscar Wilde deste fim de milênio. O dramaturgo Harold Pinter, em sua autobiografia, conta que decidiu escrever para teatro inspirado por Crisp, que ele, Pinter, conheceu quando era um jovem ator (com outro nome, David Baron) em Londres e freqüentava uma espécie de casa de cômodos onde morava Quentin.

Quentin conta, em sua autobiografia que Pinter, já poderoso como dramaturgo, lutou para conseguir para ele uma aposentadoria, o popstar Sting admirava tanto Quentin Crisp que compôs uma música inspirada nele, *An englishman in New York* – no videoclipe dessa música, muito exibido na MTV, Quentin aparece o tempo todo; o ator Tom Hanks gostou tanto dele durante a filmagem de *Filadélfia* (no qual Quentin aparece em *cameo role*) que afetivamente o presenteou com um relógio; Boy George vivia dizendo que Quentin Crisp foi a pessoa mais adorável e original que conheceu. E por aí vai. Mas o mais importante é que, como uma espécie de santo dos últimos dias, Crisp passou a segunda metade de sua vida dando conselhos aos que lhe pediam. Conselhos engraçadíssimos, mas incrivelmente pertinentes.

Como celebridade muito querida, fez aparições em alguns filmes. Em *Orlando*, de Sally Potter, baseado no livro de Woolf, ele aparece interpretando a Rainha Elizabeth I. Em uma das cartas que me escreveu na época (1993), Quentin contou que quase morreu sob o peso da roupa elizabetana. Disse que esse não era o tipo de filme que iria ver por escolha própria, mas que nele atuou pelo dinheiro que lhe permitia viver sem maiores preocupações os próximos seis meses.

Vi Quentin Crisp uma única vez no palco, em 31 de maio de 1987, num teatro em Richmond, Londres, numa de suas raras temporadas inglesas desde que mudara para Nova York, em 1981. Fui cumprimentá-lo no intervalo e ele, me reconhecendo da vez que o visitei em Nova York e de nossa correspondência desde então, mostrou-se surpreso – "How amazing! – de me ver ali naquele subúrbio inglês. Seu one man show, *An evening with Quentin Crisp*, era dividido em duas partes; na primeira ele ensinava a platéia como viver com estilo, simplesmente eliminando do cotidiano os problemas domésticos. Comentava os diferentes estilos de vida de ricos e pobres e ilustrava suas histórias, provando que muitos que vivem na extrema penúria podem ter mais estilo que nobres e milionários.

Como exemplo, citava uma mendiga conhecida no submundo londrino como "Condessa", que ele conhecera em seu tempo de mocidade e vivia num bueiro em Londres. Diz que num inverno dos mais rigorosos, os boêmios amigos, preocupados com a "condessa" fizeram uma vaquinha e alugaram um quarto para ela. Foram até o bueiro dar a boa nova. Baterram na tampa. A condessa levantou-a e, antes que eles dissessem qualquer coisa, se adiantou: "Desculpem, mas hoje não estou recebendo." E fechou a tampa.

Nessas *performances* teatrais, assim como na vida cotidiana, Crisp personificava a extrema lógica daquilo que oponentes poderiam classificar como ilógico. O pó doméstico, por exemplo. Para que essa obsessão, a mania de limpeza, se a poeira sempre volta? A melhor coisa a fazer é ignorá-la. Depois de quatro anos a poeira fica quieta; e só lavar panelas, pratos e talheres no dia em que se come peixe. E por aí ia.

Na segunda parte de sua apresentação teatral, depois do intervalo no qual ele autografava seus livros, Quentin respondia às perguntas pessoais da platéia, perguntas anônimas escritas em pedaços de papel distribuídos com caneta para tal fim. Nessas suas turnês pelos palcos dos países de língua inglesa (esteve até na Austrália), os teatros estavam sempre cheios.

A última das 21 cartas que ele me escreveu, entre 1985 e 1999, é de 19 de abril deste ano. Embora o tratamento seja intimista, no conteúdo ele sempre se dirigia às pessoas – ou a elas se referia – de modo formal, usando antes do nome o substantivo Mr., Mrs. ou Miss (no caso das estrelas de cinema) mesmo conhecendo e convivendo com a pessoa ou escrevendo sobre ela. Mr. Oscar Wilde, Mr. George Bernard Shaw, Mr. Andy Warhol, Mr. Brando (Marlon Brando), Miss Garbo (Greta)... Ele me tratava por Mr. Bivar. Sua última carta começa assim:

"Até que enfim, Mr. Bivar, um dia livre com nada a fazer, mas com cartas a escrever. Voltei de San Diego, onde fui levado pelo policial para ensinar aos californianos como ser feliz. Logo devo ir à Filadélfia, com o mesmo propósito. Infelizmente minha saúde piorou e tenho o mesmo problema de sua mãe, por cuja história [relatada] em sua última carta, me fez sentir simpatia. Fui a seis médicos e todos disseram não poder fazer nada por mim. Tomo comprimidos e caminho com muita dificuldade e muita dor. (...) Fiquei surpreso com sua ligação com o grupo de Bloomsbury. Cecil Woolf, filho de um irmão de Leonard Woolf, publicou um livro meu escrito há muito tempo, *How to have a life-style* (*Como ter um estilo de vida*). (...) Com a ajuda de um amigo – já que não posso mais datilografar –, estou compondo um novo livro com as perguntas do público e as minhas respostas. Espero terminá-lo antes de morrer de um ataque cardíaco. Se cuide, Quentin Crisp".

Meses antes dessa, ele me escrevera uma outra carta dizendo:

"Fui vendido como escravo a um policial inglês que vive em San Diego. É um total mistério. É empresário de escritores – o nome da empresa dele é Autores na Cidade. Ele me programa para as grandes cidades, para que eu autografe exemplares de meu último livro, *Resident alien* (*Forasteiro residente*) e conversar com o público em teatros. Logo devo ir a Phoenix, no Arizona, para ensinar a gente de lá como ser feliz. É cansativo mas interessante, e ele (o policial) me paga para fazer isso."

Depois, em outra carta, ele escreveu:

"Minha vida está muito parada. Em janeiro fui programado para uma temporada em um teatro terrível na Rua 42 (NY). Era tão frio que fiquei doente – mas lutei para continuar a temporada. Agora me permitiram um repouso antes de viajar a St. Louis (Missouri) para trabalhar para o policial. Até hoje ele não me pagou por eu ter ido para Phoenix e Tucson, de modo que ando desconfiado do futuro desse trabalho – mas que mais posso fazer? Seu, Quentin Crisp".

Nos últimos meses de 1998 o caderno de livros do *The Times* londrino anunciava o calendário do *The Times Literary Supplement* (TLS) para 1999. No anúncio um desenho com a cara de Quentin Crisp. Encomendei o calendário, que chegou pelo correio. Grande, medindo 33x46cm. O desenho de escritores dos mais diferentes estilos ilustrava cada mês. Entre eles, gente como Bernard Shaw, Gertrude

Stein, Salman Rushdie e Germaine Greer... Entre as 12 figuras literárias, Quentin Crisp era a do mês de dezembro (ele nasceu no dia de Natal em 1908).

Escrevi parabenizando-o pela homenagem do TLS, e ele me respondeu que aquilo o tinha deixado com medo, como se ele estivesse destinado a morrer esse ano. Mas o interessante é que em suas últimas entrevistas – e os principais jornais ingleses o entrevistaram muito, desde seu nonagésimo aniversário – ele, em todas as entrevistas, quando lhe perguntavam como ia passar a data do milênio, respondia: "Entrar no novo milênio como um cadáver é minha última ambição."

Ao jornal *Evening Standard*, entrevistado uma semana antes de morrer, disse: "Penso que o primeiro de janeiro de 2000 será igual ao dia anterior. Nunca tomei decisões para o Ano Novo e não conheço ninguém que tenha tomado e levado a coisa a sério. O novo milênio nada significa para mim e dele não espero nada a não ser morrer. Antes dos 90 anos nossa mente é fustigada com pensamentos de que um dia vamos morrer e isso nos preocupa. Mas agora que já passei dos 90 é tudo o que quero. Eu desejo a morte. Será um descanso. Estou muito doente, está tudo errado comigo – tenho eczema, meu coração não está bem, minha mão esquerda está paralisada e tenho hérnia.

E também não espero nada para a humanidade. Aceito o mundo do jeito que é. Mas meu ponto de vista sobre a vida é muito superficial. Não engulo a política e não creio que se possa mudar o que quer que seja. As coisas simplesmente vão continuar. Tudo vai piorar, o mundo vai ficar mais barulhento, mais sinistro, a música ainda pior do que já é e tudo mais acelerado. Mas não devo me importar com isso, porque estarei morto."

Faltando um mês para a data, ele viajou para a Inglaterra. Ia começar no país mais uma turnê de *An evening with Quentin Crisp*, estreando em Manchester. Foi encontrado morto em uma casa no bairro de Chorlton-cum-Hardy antes de começar a temporada. Na véspera, dizem os que estiveram com ele, parecia tranqüilo, tomando chá com os pés voltados para o fogo da lareira, pois era inverno.

Quentin Crisp, cujo verdadeiro nome era Denis Pratt, nasceu em Sutton, no condado de Surrey, de uma família classe média. Mudou para Londres nos anos 20, quando trocou de nome. Foi artista gráfico – desenhou capas de livros, tentou a vida como escritor, mas, sentindo-se pouco talentoso, tornou-se modelo nu de várias escolas de arte (a maioria, escolas do governo).

Dizia que a Inglaterra era como um hospício que tratava bem seus loucos desde que fechados dentro de muralhas. Foi um dos maiores excêntricos ingleses do século 20 – o que não é pouco, considerando-se que a Inglaterra é uma nação famosa pela excentricidade. Homossexual que há mais de meio século abolira o sexo de sua vida, a figura de Quentin Crisp era reconhecida de longe, era como um logotipo.

Sempre muito bem maquiado, sobre os olhos uma sombra lilás e nos lábios batom no mesmo tom (levava duas horas para se produzir); usava sempre um chapéu de feltro, abas largas, uma delas feito tapa-olho caída para o lado direito; o pescoço sempre envolto por echarpes muito chiques, cachecóis ou às vezes até mesmo gravata (não era absolutamente um consumista, suas roupas eram há anos as mesmas, compradas, segundo ele, a preço de amendoim, em lavanderias, roupas ali deixadas por fregueses que não as iam retirar); e desde que, aos 40 anos, quando um amigo perguntou se ele pintava os cabelos com henna vermelha (coisa que vinha fazendo desde os 20 anos) para parecer mais jovem, ele, para deixar claro que jamais esconderia a idade, passou a tingi-los de azul-acinzentado, tom muito usado por senhoras distintas da terceira idade. Foi sempre muito digno e classudo.

Em Londres, no bairro de Chelsea, viveu 38 anos no mesmo quarto, sem nunca limpá-lo. Era uma pessoa tão espirituosa que tinha de acabar no palco, como um astro no seu próprio direito, o que aconteceu já quase aos 60 anos. Seu *one man show* foi levado para um teatro *off Broadway* em Nova York no final dos anos 70.

Ele, que nunca até então havia saído da Inglaterra (nunca ganhara mais que o equivalente a 25 dólares por semana), agora que pagaram sua passagem e estadia em Manhattan, ao conhecer a cidade encantou-se por ela. Com a ajuda do empresário que o levara para lá, deixou o quarto em Londres e mudou-se para um quarto ainda menor no East Village.

Ao comparecer à embaixada americana em Londres para tirar o visto de entrada nos EUA, perguntaram-lhe se era homossexual praticante. Quentin respondeu: "Não preciso praticar, sou perfeito." Deram-lhe o visto.

Era convidado esporadicamente a escrever para o *The New York Times* e para as revistas mais finas, tanto as novaiorquinas quanto as inglesas. Nunca se oferecia, esperava sempre ser convidado, o que não parava de acontecer. Sempre contou com voluntários – estudantes e amigos – que o ajudavam a compor seus livros. Contava também com uma sobrinha, Michèle, casada e vivendo em New Jersey. Quando eu lhe enviava o que tinha escrito ou traduzido dele no Brasil, Quentin, agradecia e dizia que apesar de não entender uma palavra de português iria pedir à sobrinha, que falava um pouco de espanhol, para traduzir para ele.

Morto no dia 21 de novembro, foi cremado no dia 25, em Manchester, e suas cinzas levadas para Nova York onde foram espargidas. Semanas depois os jornais ingleses, surpresos, publicavam que na conta bancária deixada por Quentin Crisp havia mais de um milhão de dólares. Ele, que não consumia e levava uma vida franciscana!

"Para apreciar uma obra de arte precisamos não trazer nada de... mas emoções" = CLIVE BELL

2000

> Minha dor maior foi ter perdido minha mãe.
> Somente a morte fechará esse capítulo.
>
> Roman Polanski em entrevista, 2003

NÃO ME LEMBRO de ano de travessia tão dolorosa quanto o ano de 2000. Minha mãe morreu. Entretanto, por terrível que tenha sido, aqui vai seu registro, mesmo sendo uma transcrição do meu diário.

São Paulo, quarta, 5 de janeiro.

Cheguei na segunda-feira. Foram 10 dias fora. Natal e Ano Novo com a família. No dia 27 de dezembro, fomos do interior para a praia. Mamãe também foi. Fomos eu e mamãe no carro de meu sobrinho e sua mulher. Apesar de longa, mais de oito horas, a viagem foi ótima. Mamãe sentada na frente, com Rafael dirigindo. Parecia que ela estava gostando de apreciar o belo visual durante todo o trajeto. Ana Paula disse que se um dia tiver uma filha dará a ela o nome de Guilhermina. Mamãe, nitidamente tendo gostado, fez aquela expressão modesta de que não precisa. Nunca vou esquecer essa viagem; no carro estávamos muito felizes, os quatro.

São Paulo, sexta, 21 de janeiro.

Depois dos dias na praia voltei para o trabalho em São Paulo e de novo fugi para mais quatro dias na praia para ficar perto de mamãe que continuava lá, a família em férias. Dias ótimos. Mamãe, na cadeira de rodas sobre a areia, à sombra da castanheira olhava o mar e dizia: "Tchau mar, é a última vez que te vejo." Ou então, quando minha irmã Heloisa a levava de carro a passear pelo local, ela novamente dizia que era uma despedida. Isso, é claro, nos encheu de tristeza.

São Paulo, domingo, 5 de março.

Dias de carnaval. Minha irmã Mané, de férias na praia com marido e filho, telefonou para me dar uma má notícia. Fora avisada por telefone que hoje de manhã, em Ribeirão Preto mamãe caiu no banheiro e quebrou o fêmur. Eliene, a moça que mora com ela, disse que tinha saído um segundo para fechar a porta. Heloisa, que estava em Ribeirão, avisada, cuidou imediatamente para que mamãe fosse hospitalizada. Será preciso cirurgia. Mamãe fará 92 anos dia 30!

Leo, meu sobrinho e seu neto, e Heloisa, estão fazendo companhia para ela no hospital. Heloisa, que já vinha cuidando de Dirceu, seu marido, com câncer, agora também zela pela mãe, enquanto não chegamos. Eu voltara de Ribeirão na quinta tendo deixado minha mãe bem. Ia voltar agora na quarta, depois de trabalhar todos estes dias de carnaval, contratado para escrever o roteiro para o *son et lumière* do Museu Imperial de Petrópolis, projeto da Fundação Roberto Marinho para os festejos dos 500 anos do Brasil. Agora ficou difícil me concentrar. Tudo que quero é correr para perto de minha mãe.

São Paulo, segunda, 20 de março.

Cheguei ontem de uma semana em Ribeirão Preto. Mamãe, operada no dia seguinte da queda, continua no hospital. Iza, a filha mais velha, e que mora no Rio de Janeiro, viajou para ficar com ela; Iza tem passado os dias no hospital, e nós – eu, a Mané e Heloisa – indo fazer companhia ou revezar. À noite ou é Iza ou Alaíde (a enfermeira noturna que já vinha acompanhando mamãe em sua casa, antes da queda).

Mamãe está bem, com a cabeça ótima e entre dormir e acordar passa horas de grande incômodo, ansiosa para receber alta e voltar para casa. Está há 16 dias no hospital – esteve quatro dias no Centro de Tratamento Intensivo, com pneumonia e outros problemas... Doadores de sangue. O coração vacilou, mas voltou a estar bem. A pneumonia foi embora, mas um dos rins quase parou (problema na urina, avermelhada). Mas passou. No quarto do hospital o dia-a-dia não é ruim. Visitas, conversas, entra e sai de enfermeiros, a que traz a comida, o café, moças e rapazes, faxineiros, gente boa, mais simpáticos uns, amáveis outros, antipática uma...

Iza tem se mostrado forte e a doçura de mamãe a todos comove. No fim de semana, o horror. Mamãe sangrou longamente no lugar da cirurgia. Pino grande no fêmur partido e o médico de plantão não apareceu. Eu estava com Iza e foi às 17 horas quando Iza viu o sangue escorrendo e já no lençol. Desespero, pedido de socorro e nada. O médico – um gordo baixinho, meia idade, com cara de quem estava tomando chope em algum bar (eu o vi na manhã de ontem), apareceu só à meia-noite e desculpou-se dizendo que ninguém o avisou e que estava no hospital desde as oito da manhã. Mentira deslavada. Só apareceu agora porque Heloisa foi lá e pôs todo mundo em brios. E no domingo também. Ele apareceu cedo para dar uma olhada de meio minuto, levantou o lençol, fez que olhou o curativo, disse que estava bom e sumiu.

Hoje, segunda-feira, liguei para o hospital e Iza contou que o ortopedista que operou mamãe foi lá, olhou por cima e foi embora. Dali a pouco, mamãe começou a sangrar. Outro médico foi chamado, tirou o curativo e ficou chocado: estava um horror. Tudo aberto. Fez-se outro curativo, parou de sangrar, mas mamãe inquieta e com dores. Não podendo se mexer na cama, não dá para ela saber o que acontece do pescoço para baixo, não sabe dos sangramentos.

Na sexta-feira, há três dias, foram suspensos os remédios à base de opiáceos. Que remédios são esses? E isso e mais aquilo e nada, nenhuma explicação. Não sei se todos, mas muitos médicos jogam a culpa nos enfermeiros, uma classe que, como todas as classes subalternas, é quem paga o pato. É como disse o pai de um rapaz que estava em coma há 20 dias e levantou ontem: só a fé salva. É orar. E a Heloisa, na bronca que deu nos médicos e enfermeiros: "Não é porque minha mãe tem 92 anos que tem de ser tratada como uma descartável. A cabeça dela é melhor que a minha e a de vocês. E nós, os filhos dela, a queremos viva." Heloisa é admirável quando fala. Não tem medo de ninguém.

Foram dias em que eu, por exemplo, fui levando, com fé, esperança, vendo mamãe serena ou irritada, fazendo comentários: o filho Leopoldo (morto) apareceu-lhe à noite, conversou com ela, fez brincadeiras com sempre fazia, jogou semente de pitanga em sua cabeça; ou quando estava soltando o intestino mais vezes do que o normal num dia, disse para os enfermeiros – um rapaz e uma moça que vieram fazer a higiene: "Melhor pôr logo uma rolha."

Do quintal de sua casa, levei pitangas (que ela adorou) e lima (que pediu). Durante três dias espremi as limas e ela tomou o suco com vontade. Anteontem, impaciente para ir para casa, disse: "Estou com saudade dos passarinhos." Pediu às filhas que a seqüestrassem dali.

Muitas visitas, dos netos, de conhecidos. E a carinha dela, uma adorável velhinha, mas uma velhinha de cabeça esperta. Todos esperamos que ela fique boa e volte para a sua casa, mesmo dando muito trabalho. Porque o amor de tê-la viva conosco compensa tudo. Não importa que a total dedicação a ela me torne incapacitado para o trabalho e o resto. Em que, o trabalho e o resto são mais importantes que uma mãe querida viva, mesmo velhíssima e entrevada? Não sei, só sei que a prefiro viva a tudo o mais.

São Paulo, quarta, 22 de março.

Hoje cedo liguei para o hospital em Ribeirão Preto e falei com Iza. Mamãe não dormiu um segundo à noite, de dor e incômodo. Coitadas das minhas três irmãs. Ontem cedo a Mané pôs ela no telefone para falar comigo. Mamãe: "Vou embora daqui nem que seja montada num pangaré." E à noite liguei. Ouvi a voz dela pedindo a Mané: "Me dá água, tô com a boca *torrada*." Melhora um lado piora outro. Piorou a perna, inchada, sinais de trombose. E sempre na mesma posição. Está há 18 dias no hospital. Amanhã volto para Ribeirão Preto.

Ribeirão Preto, domingo, 2 de abril.

No dia 29 de março, mamãe foi finalmente trazida de ambulância para sua casa. No dia 30, seu aniversário, 92 aos, veio um leito de hospital alugado pela Mané. Mamãe fragilíssima. Desde a manhã até à noite uma multidão de parentes e amigos vieram visitá-la. Era gente na cozinha, na sala, na copa, na área de serviço, no jardim-quintal. O dia inteiro até à noite.

Noite de céu limpo, boa aragem e lua nova. Entra e sai de gente no quarto. Grande esforço. Ela reconheceu todos, até gente que não via fazia muito tempo. Continuou recusando alimentos. Depois que os últimos se retiraram, a noite foi terrível. Como todas as noites. A enfermeira noturna é desanimadora. A partir de uma das noites mandei-a dormir no sofá na sala, que deixasse mamãe por nossa conta, por conta dos filhos. Na manhã seguinte ao dia do aniversário veio o padre Artur ("Minha família é do Tirol", se apresentou), mais de 80 anos, 50 de sacerdócio. Padre Artur deu a unção dos enfermos (jeito moderno de chamar a extrema-unção). Quando ele entrou no quarto, mamãe disse: "Estou mais pra lá do que pra cá". E ele, vendo através da janela aberta a limeira carregada, disse: "É uma raridade, hoje, um quintal com limeira."

Depois da unção, na cozinha, o padre sentou-se à mesa e comeu um pedaço do bolo de aniversário de mamãe. Contou um pouco de sua vida e cantou uma música antiga italiana. Quando ele ia saindo, apanhei mais de uma dúzia de limas para ele e Heloisa lhe deu um exemplar do livro de memórias de mamãe (*Lembranças*, de [Maria] Guilhermina [Battistetti] Lima, João Scortecci Editora), que publicamos em 1994.

Na noite do dia 31, a Mané veio passar a noite e revezei com ela os cuidados para que Iza descansasse. Noite terrível, como todas as noites. Lamento, luta e agonia. Nessa noite, enquanto a Mané, emotiva e fisicamente derrubada, dava uma pequena dormida na outra cama, eu zelando mamãe, desesperado por ela não comer nada há duas semanas, recusando os remédios, trancando a boca para qualquer tipo de alimento e mesmo água, e pela expressão trágica em seu rosto, tive a idéia da uva, uma inspiração de esperança. Eram mais ou menos duas horas. Fui à geladeira, peguei uma uva das grandes, de um cacho, lavei, enxuguei, descasquei e com ela toquei de leve os lábios secos de mamãe.

O sumo desceu sem agressão, o paladar aceitou e foi lindo e trágico, me fez lembrar de anos antes com um filhote de pardal moribundo que caíra do ninho, espremi uma amora madura em seu bico e ele, abrindo o bico para receber mais sumo, como que despertou; mamãe também despertou com o gosto bom e refrescante da uva; foi um milagre.

Nesses dias e noites de dor, luta, delírio, em nenhum momento ela perdeu a lucidez. Mesmo no delírio, na doçura parecendo uma criança na mais tenra idade, chamava as irmãs mais velhas que ela: Amélia, Assunta, Cizelda... e os irmãos, Luís, Fernando... Como se os irmãos, todos falecidos, pudessem ajudá-la a ir para lá, para o misterioso outro lado da vida, já que ela, como uma criancinha ainda aprendendo os primeiros passos nesse sentido, estivesse com medo. Não desgrudava de nossas mãos. A noite toda. Mas depois do episódio da uva ela teve uma reação vital. A Mané acordou e falei: "Mané, um milagre, você não vai acreditar." Fui à cozinha, apanhei outras uvas, lavei-as e repeti a operação. Mamãe devorou mais três uvas.

Na manhã seguinte, primeiro de abril, acordou outra. Quis que a tirassem da cama e a sentassem em sua poltrona predileta, forrada com um edredom macio. De frente para a janela aberta dando para a limeira, a pitangueira e o varal com roupa, brincou, falou, riu, estava a nossa mãe. Daí, já que surda, escrevi no caderno, com letras grandes, contando da visita do padre tirolês e ela cantou uma antiga marchinha carnavalesca: "No Tirol, no Tirol, só se canta assim: lero-lero, lero-lero..." e disse: "Adoro cantar."

Era uma manhã lindíssima de começo de abril, tudo limpo, um frescor de paraíso e a alma lavada, mamãe de volta à vida e feliz por estar em sua querida casa, no seu quarto, sem dor. Pela primeira vez (depois do milagre da uva) comeu. Uma banana-maçã inteira, que eu lhe dei. Daí para a frente, fiquei sendo seu nutricionista. Refrescos, de lima, limonada, iogurte de pêssego, mamão raspado com colherzinha de café, tudo muito pouquinho, como se alimentando um bebê. Apanhei as últimas pitangas do pé, umas cinco. Comeu-as todas, soprando longe as sementes. Escrevi no caderno para que ela lesse: "Os seus pais e seus irmãos devem estar orgulhosos, a senhora foi a única que chegou ao ano 2000!" E ela, depois de ler, fazendo-se de cética, retrucou: "Grande vantagem."

À noite, de volta ao leito, nos comovia e nos fazia sorrir e chorar quando, dando de ombros, dizia: "É daí?" e "vou chorar", entre aqui e lá, entre este e o outro mundo, entre paz e angústia, entre coragem e medo. E me pedia: "Bi, faz um suco de lima pra mim, com um pouquinho de açúcar."

Mas o resto da noite, outra vez, foi de sofrimento, dor, incômodo, lamento. Pedia o tempo todo a nossa mão. "Me levanta", e a fazíamos sentar na cama. "Me deita", e a deitávamos. Ajeitávamos uma almofada e o travesseirinho para ficar confortável e ela agradecia: "Que delícia." Eu molhava um lenço, torcia-o e o passava na fronte, nas faces, nos braços, nos pés, para refrescar e ela dizia: "Que delícia." Mas depois vinha a dor, o delírio, o dia fora difícil, dias assim, três dias com dois jovens biomédicos, mamãe recebendo plaquetas de sangue durante seis horas cada dia. A febre subindo a 39 graus. A pressão às vezes normal, às vezes muito alta. No delírio falava repetidamente dos jovens que eram vítimas de gente má. E como uma criancinha, voltava a chamar as irmãs mais velhas. E voltava ao normal, ao presente, chamando-nos pelos nomes, seus filhos.

Hoje, 2 de abril, domingo, amanheceu fragilíssima. Vieram netos e bisnetos. Fizemos com que se sentasse em sua velha cadeira reclinada e a carregamos para o quintal à sombra da amoreira, plantada há tantos anos pelo filho Leopoldo. Era mais de meio-dia. A bisneta caçula, Fernanda, de um ano, brincando na terra; o neto, Pedro, 17 anos, trepado na amoreira e mamãe, mesmo fragilíssima, o provocava chamando-o de "ladrão de amoras". Pedro desceu da árvore, deu um beijo na avó e lhe entregou umas raras e belas amoras. Eduardo, marido de Cecília, a neta querida, descascou uma lima para ela. Eu colhi um hibisco amarelo, que ela tanto gostava. E ramos de alfavaca, que ela mesma plantara há 21 anos e que nunca deixou de renascer. Alfavaca, manjericão. Tudo junto, jardim, horta, seu pomar. Seu quintal, o varal de roupas. (Foi seu último domingo.)

Ribeirão Preto, quarta, 5 de abril.

Nossa mãe Guilhermina morreu faz uma hora. Foi por volta de 12h40. Um mês depois de ter caído e quebrado o fêmur. Hoje ela estava em estado pré-coma. Morreu na hora do almoço. Estávamos em seu quarto, Iza, Heloisa e eu. A Mané tinha ido descansar em sua casa depois de ter passado a noite com ela. Iza costurava a fronha de uma almofada. Helô e eu conversando. De repente olhei para mamãe e ela não mais respirava. Morreu em paz. Suas últimas palavras, ontem, foram: "Agora vou virar passarinho." E morreu como um passarinho. Morreu assim, discretamente. A gente perto, mas ninguém a viu partir. Fiquei em estado de choque. Abobalhado. Tentei trazê-la de volta à vida com respiração boca a boca. Mas foi em vão.

Vi minha mãe morrer. Não a vi nascer. Mas, antes de morrer - ela, que durante a vida fora uma protetora –, eu a vi como uma criancinha desprotegida, pedindo proteção.

Quinta, 6 de abril.

O velório, o enterro. Mamãe foi enterrada com um vestido que ela mesma fizera, com um tecido da Liberty que há nove anos uma senhora muito digna me ajudou a escolher em uma loja em St. Ives, na Cornualha, quando eu tinha ido lá no rastro de Virginia Woolf. A tal senhora, dona da loja, perguntou a idade de minha mãe e o jeito dela. E escolheu para mim o tecido de algodão puro na cor vinho salpicado de florzinhas discretas quase no mesmo tom. E na velha máquina Singer, velha mas sempre útil e funcionando, presente do pai pelos seus 13 anos e com a qual costurou a vida toda, mamãe fez o vestido para usá-lo na festa de 60 anos de sua filha Iza, no Rio, em agosto de 1991.

Com esse vestido, um colar singelo de cor âmbar (que ganhara de uma das queridas amigas da costura no Colégio Sacre Coeur, em Copacabana, nas temporadas anuais no Rio) e sob a cabeça, no caixão, o travesseirinho baixo favorito, nos pés sapato confortável, ela foi enterrada no jazigo da família, no Cemitério da Saudade, onde já estavam seus pais, seu marido – meu pai, morto em 1981 –, seu filho Leopoldo – nosso irmão, morto em 1996. E outros. Foi um enterro bonito.

Ana Paula, mulher de Rafael, filho de Heloisa e Dirceu, e meu amigo Edmar de Almeida, que veio de Uberlândia para me dar apoio, escolheram um trecho das escrituras, *As bem-aventuranças*, de Mateus, capítulo 5, versículos de 1 ao 12, lido por Ana Paula. Edmar depois disse: "Bivar, não resta dúvida, sua mãe é uma santa." E acrescentou que viera para consolar e era ele quem voltava para casa consolado.

Lembrou do livro de memórias dela, de Guilhermina fazendo de uma vez 500 kg de goiabada (para ajudar no orçamento doméstico, em uma das épocas em que a pobreza em casa era grande). E contou que, com a energia transmitida por essa passagem desse livro, ele pintara 17 quadros. Falou da família e dos agregados que conheceu no velório, no enterro e depois, no almoço, em casa de Heloisa e Dirceu. Das minhas três irmãs, dos sobrinhos, dos primos, do Paulo de Tarso, que leva as tias velhinhas a passear, da alma boa dessa gente que ele viu por causa de minha mãe; e que no caixão, a serenidade e o semblante dela eram os de uma verdadeira santa.

Terça, 11 de abril.

Pôr-do-sol. Logo mais, às 19h30, missa de sétimo dia. Dias de total desolação, exceto quando Iza e eu arrumamos a casa do jeito como era antes de mamãe ter sofrido a síncope cardíaca há cerca de um ano e oito meses, antes de ter ficado inválida e dependente de empregada diurna e enfermeira noturna. Agora, sem a enfermeira e a empregada, a casa voltou a ser como era até menos de dois anos, quando mamãe era independente, e vivia sozinha, com a Luzia vindo faxinar uma vez por semana e eu vindo passar duas semanas, todos os meses, às vezes mais, às vezes menos, dependendo do meu trabalho.

Mamãe, pouco antes de morrer, disse a Eliene (por quem, apesar da cabecinha de vento, já tinha se afeiçoado) que ela era uma boa menina e que não ficaria sem emprego. Depois da morte de mamãe, quatro ou cinco empregos apareceram para ela.

Em um deles, teria que dormir no sótão, em outro não havia quarto; o terceiro era na casa de uma velha sozinha e hipocondríaca que não abria nenhuma das janelas da casa com pavor do mundo lá fora; o quarto emprego era mais ou menos parecido com o terceiro, e o quinto, que Iza achou que seria o melhor para Eliene, era em um grande apartamento de uma família classe média jovem muito organizada, o casal e as duas filhas com menos de dez anos, sendo, a esposa neta de uma grande amiga de Iza.

Mas, no segundo dia de trabalho, quando toda a família estava fora, Eliene deixou um bilhete se desculpando: seu espírito a avisara de que ela não se daria bem na casa. E fugiu. Em outros aspectos, era uma boa moça, apesar de teimosa – qualquer coisa que solicitasse dela um mínimo de esforço mental deixava-a, como ela dizia, "aflitada". Só se deu bem com mamãe, que era paciente. Em seus dias de folga, Eliene nem saia para visitar suas irmãs, preferia ficar com mamãe. Com a sua morte, preferiu voltar para a casa dos pais, no interior da Bahia.

Iza começou por arrumar o quarto, o guarda-roupa, a cômoda – separou roupas que eram de mamãe para doá-las a um asilo aqui perto; a velhíssima cama Patente, de mamãe e papai voltou para o quarto. A poltrona, na qual ela dormia desde que deixou de andar, não dormindo mais em cama durante um ano e nove meses, voltou para a frente da televisão.

Iza limpou os vasos de flores, um por um. Seu marido, Agnaldo, consertou todos os abajures da casa, lavou os globos das lâmpadas do teto, consertou as fechaduras do guarda-roupa e dos armários; ajudei na mudança de posição de quadros, portas-retratos. Luzia também contribuiu, no dia em que veio para fazer faxina, tirou a tábua de passar roupa de cima da máquina de costura, fazendo a velha Singer ressurgir com toda a sua dignidade histórica. Iza chorou quando abriu as gavetas da máquina e encontrou carretéis de linhas, agulhas, alfinetes, e uma tira da colcha de retalhos que mamãe começava a fazer para a minha cama quando teve a síncope.

A máquina aposentada, seu quarto de costura tinha virado o quarto de Eliene e sobre a Singer fora posta a tábua de passar. Agora tudo voltava a ser como antes. Heloisa disse, com ternura de filha: "É o pequeno museu de mamãe."

Entre os detalhes, separei alguns dos livrinhos de faroeste que ela lia com gosto desde que, já fazia tempo até, seu genro Agnaldo depois de os ler e colecionar às dezenas, trazia para ela, quando ele e Iza vinham do Rio, de férias. Desde então eu os vinha comprando semanalmente em São Paulo, para brindá-la toda vez que vinha passar minha temporada mensal com ela. Ela os devorava, segurando o livrinho com uma mão e a lupa com a outra. Os títulos escolhidos estão lá, sobre a mesinha no seu quarto, onde também encanta os olhos o vaso de finas tulipas vermelhas, chinesas, que Iza agora lavou, pétala por pétala.

Depois de ler os livrinhos, ela os dava para Luzia levar para os filhos. Mas sobraram uns 30, que guardei. Sobre a mesinha, com a lupa ao lado, deixei, das coleções Reis do gatilho, Oeste perigoso, Chumbo grosso, entre outras, os títulos: *A filha do xerife, Os bons estavam sumindo, Homem espetacular, Dois lobos solitários, Viagem acidentada*... Aventuras no oeste americano, historinhas clássicas, o bem e o mal, com moral. Os autores, fictícios como suas histórias, com nomes como Dan Kirby, Curtis Garland, Frankie Spokane, etc.

Benditos livrinhos de ação que a distraíam nos últimos tempos. Entusiasmada, ela nos contava a história que estava lendo. Sentada na cadeira de rodas, mamãe, que não chorava, um dia chorou ao me contar uma história que acabara de ler e a comovera e que, por ser um livro raro entre muitos descartáveis, ela ia guardar para reler antes de dá-lo para Luzia levar para os filhos. Livrinhos da Editora Monterrey Limitada. Mas mamãe já não está mais aqui, esta é que é a verdade. Sou o menos conformado. Fiquei órfão. Sem ela, parece que nada faz sentido.

Sexta-feira da Paixão, 21 de abril.

Iza e Agnaldo voltaram para o Rio. Estou sozinho na casa. Acordo cedo, o bairro ainda dorme nesta manhã belíssima de Sexta-feira da Paixão. Vou caminhando até a padaria que fica no limite do bairro, passando por onde ela e eu tanto passeávamos quando o bairro era recente, cheio de capinzais e flores silvestres, e ainda não havia prédios. Colho algumas flores e um cacho de primavera dobrada. Boto algumas flores em um vaso sobre a cômoda no seu quarto, como ela fazia, e o resto levarei para o seu túmulo hoje à tarde, com Heloisa.

Com a mangueira molho o jardim, abro a casa inteira. Faz hoje 17 dias que mamãe morreu. Se ela ainda fosse viva, pegaria a data dos 500 anos do Brasil. Aquele outro Brasil que ela amava, de terra boa e bela geografia, o Brasil dos brasileiros bons, honestos e trabalhadores, o Brasil que fora o de sua infância e de sua família, os pais, e avós que vieram da Itália, da região do Vêneto, para trabalhar e viver nos campos paulistas. Hoje o Brasil faz 500 anos, mas ela não está aqui.

Depois da visita ao cemitério, de volta à casa – Heloisa veio me trazer e viu a grande cesta cheia de belas limas que eu colhera de manhã. Animada, minha irmã falou: "Vamos levar para o Padre Artur?" E fomos. E não é que o velho padre estava no alpendre do seminário?! No princípio não nos reconheceu, mas quando Heloisa o lembrou da visita a mamãe, da Unção, da limeira, e eu acrescentei sobre o milagre no dia seguinte à visita, ele se lembrou. E ficou contente com as limas que levamos.

Voltarei para São Paulo no sábado de Aleluia. A boa Luzia virá duas vezes por semana. Na verdade ela poderia vir só uma vez, mas a Mané acertou com ela para vir duas vezes porque entramos na seca e Luzia molhará o jardim.

São Paulo, domingo de Páscoa, 23 de abril.

A Mané telefonou para contar algo muito tocante da primeira Páscoa sem nossa mãe. Ione, a vizinha, mulher de José, o dentista, foi na Mané contar que as três filhas tinham ido à missa na igreja do Seminário Estigmatinos. Missa pascal às 10h da manhã, que o Padre Artur dedicou à mamãe! Com ênfase na Ressurreição, o padre, na homília, falou de Guilhermina e de como ela morreu sorrindo. Falou da vida exemplar de Guilhermina, de sua luta nos anos terríveis (o padre com certeza lera o livro de memórias dela, que Heloisa lhe dera no dia da Unção), de seu amor pela vida, de sua generosidade, na grandeza de sua simplicidade, no seu amor cristão.

Ribeirão Preto, terça, 13 de maio.

Hoje é aniversário de papai. Dia de Santo Antonio, o nome dele. Se estivesse vivo estaria fazendo 100 anos. Morreu quase aos 81, em 1981. Fluminense de São João da Barra e, segundo nos contava, descendente de herói da cavalaria medieval espanhola e de um armador inglês, trineto de Diogo de Bivar (conselheiro do Imperador), bisneto de Conrado Jacó de Niemeyer (metido na guerra do Paraguai e Ministro do Supremo Tribunal Militar no começo da República); neto de eminente professor do Colégio Pedro II, no Rio, papai na mocidade fora um getulista ativo e, durante toda a vida, mais sonhador que realizador. Músico, como todos os irmãos, era um exímio saxofonista (mas não praticava esse dom).

Cheguei aqui no domingo. Vim especialmente para a data. Trouxe para ler para as minhas irmãs a carta que nosso irmão Leopoldo me escrevera quando eu passava outro ano na Inglaterra. A carta foi posta no correio no dia 8 de maio de 1981. Nela, Leopoldo conta os últimos dias de papai e os primeiros dias de mamãe viúva, aos 73 anos. Apesar da imensa dor e tristeza que ela sentia, pois fora companheira de papai mais de 50 anos, a escrita de Leopoldo capta da mãe seu lado forte, prático e imbatível:

> Oi Bivar, boa tarde. Peguei uma cadeira da sala para te escrever no jardim. O quintal muito bem cuidado pela Guilhermina. Passou agora um bando alegre de periquitos. O céu azul, limpo, o sol é forte e sopra um vento gostoso. Os mamões estão amadurecendo – já é preciso apanhar alguns; o pé de maracujá lotado. A Guilhermina fuça lá dentro – ela não pára, nasceu para servir. Bivar,

um dia depois do seu aniversário nosso pai resolveu morrer. Morreu às 8h30 da manhã. Só faltou você, todos estavam perto. Deixou bastante tristeza em nós. Sua missão foi cumprida – mesmo em seus últimos momentos não perdeu o humor. Eu ficava à noite com ele no hospital, ele sempre querendo sair da cama. Eu não conseguia dormir; não sei por que, cama de hospital é alta. Eu dormia no chão.

Guilhermina arrasta a máquina de costura para o quarto dela. E fala de papai. Diz que quando ela escolhia arroz ele ia lá, pegava um pouquinho e jogava para os passarinhos. E mamãe dizia para ele, em tom de brincadeira, "Antonio, arroz está caro" e ele, respondendo do jeito dele: "Que me importa". Agora é ela que, escolhendo arroz, joga um pouco para os passarinhos. Agora deu dois espirros altos. Um canário-da-terra está lá no mamoeiro – acho que vou deixar um mamão amadurecer no pé.

A Guilhermina está triste, como todos nós, mas não quer arredar o pé de sua casa. Bivar, mas essa mulher não pára! Vou lá dentro ver o que ela está fazendo, assim tomo um cafezinho. São 4h15 da tarde. Ela está mudando tudo – é esse o motivo dos espirros. Tinha sujeira atrás das coisas. Aquele baú sobre o qual você fez uma colagem ela colocou perto da tomada e da poltrona e, sobre ele, o abajur para quem quiser ler. E perto, o vaso com a árvore da felicidade.

A máquina de costura ela arrastou para o quarto. Disse que quando papai estava aqui ele não gostava de máquina no quarto, mas que ela gosta de costurar no quarto. Um avião pequeno sobrevoa aqui. Talvez seja o Leo [filho de Leopoldo, aviador brevetado naqueles dias].

E ela continua, não pára. Com uma esponja e bastante carinho, agora está limpando as folhas empoeiradas das plantas. O sol já está se indo. Como o nosso pai, talvez amanhecendo por aí. Aqui é outono. Você precisa ver as paineiras floridas, cor-de-rosa – e que perfume discreto! Gosto mais da paineira que do ipê. Talvez porque a florada da paineira seja agora em maio e a do ipê em agosto; mas em agosto a paineira fica vestida de branco e o chão também – quando estouram os frutos e caem os flocos claros, parecem pára-quedas – e é o melhor travesseiro (não como essas drogas, no mau sentido, que são os travesseiros de flocos de plástico; nesses a gente tem pesadelos, nos travesseiros de paina a gente sonha como se estivesse numa nuvem girando o mundo e dando solução aos seus problemas, e quando amanhece estamos mais estimulados a enfrentar o dia-a-dia).

Escureceu de vez. É lua nova e o céu perdido de estrelas. Aí na Europa, onde você está, deve estar quase amanhecendo. Converso com nossa mãe e ela diz: "Sempre gostei de mudar as coisas; mas não mudava por causa do Antonio e o Bivar dizia para não mudar a cadeira do pai porque ele gostava de ficar olhando o jardim". E como está bonito! Mamãe jogou álcool no formigueiro e pôs fogo. É que as formigas não deixam florescer as roseiras dela.

Ela me trouxe café e agora, cansada, está sentada. Eu trouxe o *Jornal da Tarde* para ela ler. Tenho dormido aqui desde que papai morreu. Hoje é a terceira noite. Mamãe e eu caminhamos pelo campo e sítios, até enxergar no horizonte os cogumelos de fumaça das queimadas nos canaviais. A situação da nação está ruim. Mamãe esquentou a comida. Agora vê sua novela, diz que é bobagem, tudo repetido, mas fazer o quê?

Ontem, durante a ordem que está pondo na casa, fuçou a papelada organizada por papai – recortes dos jornais mais antigos, desde os dos anos 30, quando ele era correspondente do *Correio da Manhã* do Rio na região, até os mais recentes, falando de nós – você e eu. Deu tristeza.

Ontem fui à exposição rural e quando contei ao chefe da morte de papai ele chorou muito. E disse: "Você, com essa notícia, estragou meu dia". Disse que papai foi um homem bom, fez das dele mas sem nunca ferir ninguém. Me chamou para que rezássemos junto por ele! Disse que *seu* Lima só teve para ele, em momentos difíceis, bons conselhos e palavras doces. Fiquei grato e falei que é bom saber que ele foi amado.

Caiu uma estrela. A lua nova está parecendo o símbolo turco – a lua e uma estrela do lado. Ando com preguiça. [Antes de ele ir para o hospital], tentei fazer um retrato do papai, mas ele disse que só posava durante 15 minutos. Isso ele sempre foi, intolerante. Você tem muito dele e na última foto que mandou estão parecidos. São 9h30. Deu uma refrescada, já é necessário um cobertorzinho.

Domingo agora é o dia universal (comercialmente falando) das mães. A Mané telefonou para a Guilhermina não esquecer de ir ao açougue comprar pés de porco, pois domingo ela (mamãe) fará feijoada para o dia das mães. E agora, depois da novela e de ter posto a casa em ordem, nossa mãe colocou aquele boné verde que era do papai e foi molhar o jardim, enquanto reza para nós todos e para o Brasil. Antes me fez outro cafezinho. O sono está chegando. Bivar, é isso aí, aqui a vida continua, agora triste (mas lógica). Beijos e saudades do mano que o adora, Leopoldo.

E algumas linhas de mamãe: "Bivar, meu filho, recebemos sua carta de 23 de abril. Faça tudo o que está programado e não se preocupe comigo. Estou triste, muito triste, mas estou bem e procurando não pensar muito. Hoje fiz mudança na sala para me ocupar e assim por diante. No começo de junho vou para o Rio ajudar a Iza. Beijos saudosos da mãe Guilhermina".

São Paulo, sábado, 20 de maio.

Dia desses, conversando com meu sobrinho Leo, perguntei-lhe se acredita na vida depois da morte e ele respondeu que não. Que é ateu. Mas acredita que os que partem deixam lembranças, sentimentos, que permanecem na memória e no coração dos que ficam. A verdade é que minha vida parece ter sido estilhaçada. Uma tristeza horrível, tudo é desolação. Pelo telefone com minha irmã, a Mané, ela diz que luto é assim mesmo: demora a passar. É preciso viver o luto. E eu o estou vivendo – mas como é terrível.

Continuo como antes, dias aqui e dias lá. Além do trabalho não tenho tido energia para o que quer que seja, exceto ler. Desde que minha mãe morreu, li primeiro uma excelente e consoladora biografia de Gabriel García Márquez, *Viagem à semente*, por Dasso Saldívar, tradução de Eric Nepomuceno.

As mulheres essenciais na vida e na obra de García Márquez, no livro: "Como na cosmovisão dos antigos babilônicos, ela (Mercedes, a mulher dele) vinha para completar o número da plenitude, da ordem completa: o sete, depois de Luisa Santiaga Márquez, a mãe que lhe deu a vida; Tranquilina Iguarán Cotes, a avó que o sufocou de histórias fantásticas e emprestou para ele sua *cara-de-pau* para narrar; Francisca Cimodesa Mejía, a tia que praticamente o criou e lhe deu olhos para ver a cultura popular; Juana de Freites, a caraquenha que salvou-lhe a vida e contaminou-o de contos de fada; Rosa Elena Fergusson, a professora que o ensinou a ler e a amar a poesia; e Virginia Woolf, a dama inglesa que lhe deu tantas chaves secretas e essenciais para conceber seu universo literário. Mas a única à qual iria dever a maioria de seus livros seria Mercedes Barcha Pardo, a filha do boticário, incorporando-a com sua própria identidade em três deles e dedicando-lhe outros dois".

Interessantíssimo descobrir ao longo da biografia a influência de Virginia Woolf, entre outros autores, mas ela num papel especial. Eu já desconfiava do toque woolfiano em García Márquez quando li *Cem anos de solidão*, cuja narrativa me fez lembrar a do *Orlando*. Mas ainda não tinha lido nenhuma referência sobre a influência dela nele – *Mrs. Dalloway*, no primeiro livro dele, *O enterro do diabo* (que não li).

Ribeirão Preto, quarta, 12 de julho.

Hoje vendi a casa de mamãe. Talvez valesse um pouco mais, mas não muito. Faz tempo, ela ainda era viva, que a casa precisava de muitos reparos. Foi melhor vendê-la a quem dela pode cuidar. Vendi para Cecília, minha sobrinha e neta querida de mamãe. Como a minha vida não é mais aqui, é em São Paulo, achamos todos que mamãe ia ficar contente de a casa continuar com a família.

Cecília não pretende se mudar imediatamente e disse que posso continuar vindo, que a casa continua minha. Tenho não muitas, mas várias coisas nela. Livros, escritos, papelada, relíquias, alguns móveis, coisas que ainda preciso ver como fico lá em São Paulo para fazer a mudança, assim como coisas que eram de mamãe e que a família vai querer. Luzia, a faxineira, foi dispensada (Heloisa e eu a recompensamos bem) e graças a Deus já arranjou trabalho aqui no bairro mesmo, com gente de nosso relacionamento. Mamãe a considerava filha e Luzia tinha dona Guilhermina como uma mãe. A boa Luzia. Sozinho, chorei mais essa perda. Mas, chegando a Ribeirão, me esperava uma carta de Anne Olivier Bell, datada de 26 de junho. Foi a carta mais longa que Olivier me escreveu:

"Caro Antonio, fui muito tocada por sua carta descrevendo as últimas semanas, a morte de sua mãe, e sua necessidade de lembrar e recontar os detalhes do sofrimento e da coragem dela. Sua preocupação com ela, a ternura dela, o cuidado dos filhos e como ela se foi, discretamente, desta vida. É triste pensar em você tão devastado e inconsolado.

Talvez seja pouco sensível de minha parte sugerir que você não encare a morte, na idade avançada em que se encontrava sua mãe e sem muita esperança de recuperação, como o fim do mundo; e o conflito pelo qual você passa, se há ou não vida depois da morte, isso não devia ser motivo para desolação, mas de gratidão por uma vida bem vivida e completa. Mas claro, a ausência de um ente querido é difícil de suportar. Sinto muito por você.

É difícil escrever sobre assuntos mundanos, quando essa tristeza é o que é mais elevado e enche a sua carta – mas você fez bem em enviar ainda que incompleta a carta anterior, seu trabalho sobre os 500 anos da Terra de Santa Cruz, o calor, o chuveiro frio, as baratas... Espero que você tenha muito trabalho para ocupar seu tempo agora.

Eu também tenho andado bastante ocupada, com nada em particular; assuntos de Charleston, inevitavelmente; cuidando da casa (o trabalho da minha vida!) – esta casa é cheia de documentos, cartas, fotografias, livros, pinturas, manuscritos, etc. etc. etc., o que me faz sentir a necessidade de tomar algumas decisões antes de... (aqui não entendi a caligrafia da Olivier).

Fiz 84 anos e tudo demora mais a ser feito. Na verdade viajei para Nova York em maio, convidada por amigos RICOS dedicados ao setor artístico de Bloomsbury. Durante uma semana fui hóspede do belo apartamento deles. No meu último dia levaram-me a Yale, em Newhaven, onde, no Yale Center for British Art, está acontecendo a mesma exposição que no inverno passado esteve em Londres, na Tate Gallery, sobre a arte de Bloomsbury. Sem dúvida muito bem montada."

Daí Olivier continua a carta, procurando me distrair do atual sofrimento contando outras coisas que ela fez nesse meio tempo, da viagem à Normandia, do inverno horroroso (comparado àquilo que escrevi sobre o calorento e suado verão brasileiro); e, ela continua, chegou o verão na Inglaterra, que este ano não está lá essas coisas, com muita chuva e umidade, o que fez crescer a erva daninha no jardim e no pomar dela, que a falta de sol prejudicou o amadurecimento dos morangos, que não estavam prontos para a colheita no tradicional almoço de aniversário dela em junho. Mas que agora ela precisava terminar a carta e correr para ver se os passarinhos deixaram algumas framboesas na fruteira – "os passarinhos sempre dão um jeito de entrar na cozinha". E termina:

"Espero que você possa vir ano que vem. Sim, gostei do que Kathy Chamberlain escreveu (no último número do *Virginia Woolf Bulletin*) sobre a visita à nossa casa, em 1993; bastante evocativo daqueles dias naquele verão feliz. Termino esta com profunda simpatia pelo teu sofrimento e cuidados. Olivier".

Grande e querida Olivier. Quando mamãe era viva e me via abrindo a correspondência atenciosa de Quentin Bell e da Olivier, mamãe dizia, tocada: "Bivar, eles te consideram muito. Não deixe de escrever para eles."

Ribeirão Preto, sexta, 11 de agosto.

Outra perda com dimensão de catástrofe: há coisa de 40 minutos minha irmã Mané telefonou para dizer que nosso cunhado Dirceu (marido de Heloisa) faleceu. Por volta das 23 horas. Foram cinco longos anos de vida e luta desde que foi descoberto que ele tinha um tumor no cérebro. Durante todo esse tempo não contamos a mamãe sobre a doença do genro, o qual lhe era muito querido, muito bom e que, enquanto voava, muitas vezes a levou a passear pelo Brasil que ela amava.

"Heloisa tem sido uma fortaleza", disse a Mané. E é verdade. Nestes anos todos, nossa irmã caçula moveu céus e terras para conseguir prolongar a vida do marido. Ano passado Heloisa descobriu, por informação, um novo remédio, na Inglaterra, remédio que deu a ele mais um maravilhoso ano de vida, mais um. A família toda fora passar uma semana em Cuba, encontrar Rafael, que estava lá há um mês fazendo a pesquisa para seu doutorado em História. Foi a última e feliz viagem internacional do Comandante Dirceu (com a mulher, os dois filhos e a nora).

São Paulo, quarta, 25 de outubro.

Logo mais à noite viajaremos, eu e mais 13 membros da família, para Portugal. Um já foi, dias antes. Ao todo somos 15. De todas as idades, a caçula com dois anos e o mais velho com mais de 70; para que fosse a família inteira só ficaram faltando nove.

Foi assim: com as duas perdas deste ano – mamãe e meu cunhado – a vida estava difícil de ser levada. Daí minha sobrinha Cecília, que é uma festeira de marca maior e fortemente persuasiva, com a ajuda de outros que se perguntaram "por que não?", decidimos nos reunir e voar para o outro lado do Atlântico, por 11 dias. Claro que há um motivo mais que justo: meu sobrinho Marcelo, filho de Leopoldo e Cleusa, que vive há muitos anos lá, vai finalmente se casar. Sua noiva, Natália, é portuguesa.

A cerimônia religiosa e a festa serão lá na freguesia onde residem os pais da noiva, próximo à Fátima. Então vamos nessa. O mais estimulante da viagem é que será a primeira que a família faz junto. Do Rio, a Iza e o marido (Agnaldo); de São Paulo, eu; de Ribeirão Preto, a Mané e o filho Pedro, Heloisa e o filho caçula, Rodrigo, e Cleusa, viúva de nosso irmão Leopoldo e mãe do noivo, mais seus outros filhos: Cecília com as duas filhas, Gabriela e Fernanda, e Leo e as duas filhas, Larissa e Nádia; Tuta, o caçula de Cleusa, viajara antes.

Mesmo dia, no vôo.

No aeroporto de Guarulhos, enquanto aguardávamos o embarque, eu e a Mané íamos comprar revista quando ouvi chamarem meu nome. Voltei-me e eram meus velhos amigos da banda punk Ratos de Porão! E ali estavam, João Gordo, o resto da banda e três *roadies*. É sempre um prazer quando punks se trombam, e João Gordo me contou que iriam em *tour* por 30 cidades européias, da Espanha à Eslovênia. Iam voar pela Ibéria, mais ou menos no mesmo horário do nosso vôo, pela Transbrasil. João Gordo me contou que só ele ia viajar em classe executiva, não por nada, mas por ser muito gordo e estar com problema de saúde. Disse que perdeu a conta de quantas excursões os Ratos já fizeram pela Europa. E lá se apresentam sempre em espeluncas. Fiquei muito feliz, pelos Ratos e por minha família também viajar numa espécie de turnê.

Cenas de nossa niagem a Portugal (e à Espanha).

Antes de tomarmos o rumo do casório, um dia em Lisboa e lá fomos nós (idéia minha, pois não o visitava há 28 anos) ao Castelo de São Jorge. Subimos de bondinho uma ruela de Alfama, encantadora e medieval. E toda a vista lá de cima, os telhados, a arquitetura, a história, o tempo e o Tejo... e depois descer a pé por outras vielas – parecia um sonho mais vivo que a vida.

Alugamos duas *vans* (em Portugal elas são também chamadas *passeantes*); meus sobrinhos, o Tuta na direção de uma e na outra o Leo, partimos rumo ao lugar do casório. Mas ainda há tempo, dia esplendoroso, que tal outra *promenade*? E lá fomos, passando pela Costa do Sol – Estoril, Cascais e uma parada no Cabo da Roca, "o ponto mais ocidental da Europa". A vista espetacular do alto das falésias, o vento ameno, o ar puríssimo, o farol, a imensidão do mar, deliciosa sensação de magnitude e liberdade vivida por todos!

Na véspera do casamento chegamos à freguesia de Cavadinha, onde vive a família da noiva, no concelho de Caxarias, distrito de Ourém. Eram quase dez horas da noite. Uma farta mesa de comes e bebes – e muito vinho – se ofereceu à nossa fome e sede. Foram três dias de festa e fartura.

As duas famílias, a do noivo e a da noiva, irradiando alegria. E o mais importante, os noivos estavam radiantes. Foram dias com direito a passeios pelo campo, mostrado pela noiva, conhecedora de malvas, menta cítrica, alecrim, alfazema e tantas outras plantas que crescem pelo caminho. Algumas que apanhávamos e íamos mascando, outras que, maceradas, nos levava a aspirar seu perfume. E oliveiras carregadas, laranjeiras, parreiras...

Na pequena floresta de carvalhos seculares fica a ermida edificada em 1687, dedicada a Nossa Senhora do Testinho, onde aconteceu a cerimônia, celebrada por um simpático padre tio da noiva. Fui, com uma de minhas irmãs, um dos padrinhos do noivo. O coro celestial de jovens seminaristas, as pessoas bem vestidas – os adultos de terno e gravata, os jovens mais de acordo com o que a juventude veste agora, os velhos com a dignidade que lhes é típica, e principalmente as velhas, com o tradicional lenço preto na cabeça.

Para nós, brasileiros presentes, foi uma experiência única. Era uma bela manhã campestre, de temperatura agradabilíssima e excelente ar lavado por uma garoa. Os recém-casados deixaram a capela sob uma chuva de arroz. A seguir fomos, numa romaria de automóveis, para o almoço, em um excelente restaurante no topo de uma colina verdejante. Depois a sesta, para estar com os pés tinindo para o jantar dançante no mesmo salão.

Em dado momento, na alegria contagiante dos ritmos, nossa Cecília tirou o padre Armindo (o que fez o casamento) para dançar e ele, sem se fazer de rogado, caiu no samba. Assistindo a cena, cobrindo com a mão o sorriso, muito se divertiam as irmãs do simpático padre. O almoço do dia seguinte, domingo, foi ao ar livre, no jardim da casa do padre (onde mora com a irmã solteira).

Depois desse almoço fomos à Fátima, a cerca de 20 km de onde estávamos. Uns pagaram promessas e outros tiveram restaurada a fé. Mais tarde, já no fim desse domingo, a lua nova despontando no céu, um passeio ao Castelo de Ourém, no alto de um morro.

Às 11h30 da segunda-feira, 30 de outubro, saímos da casa dos pais de Natália e tomamos uma estrada vicinal rumo ao Norte, com os recém-casados na primeira das *vans*, ele na direção, ela ao lado e todos nós seguindo-os nessa inusitada lua-de-mel Portugal acima. A idéia de ir para o Norte foi da recém-casada. Natália queria mostrar à família do marido lugares maravilhosos que conhecera na infância e adolescência. E já que estávamos indo para o Norte, a partir de uma idéia minha, estimulada por Heloisa, que tal se fôssemos mais acima ainda, à Galícia, até Santiago de Compostela?

Do grupo vindo do Brasil, três nos deixaram – Leo e as filhas Larissa e Nádia foram para Sevilha. Éramos, portanto, quatorze, nas duas *vans* rumo ao Norte. Às 14h, por causa da chuvarada, paramos em Talhadas, um vilarejo montanhês no distrito de Aveiro. Ali almoçamos numa taberna. Nesse aparente fim de mundo e nessa taberna típica de lugarejo de passagem, só homens, alguns poucos nessa hora do dia; homens no balcão bebendo e fumando; jornais do dia, amontoados; em uma das mesas, velhos jogando cartas; a televisão ligada, mas ninguém prestando atenção.

Anoitecia quando chegamos a Manteigas, pequena cidade montanhesa no distrito de Guarda. Como a viagem estava sendo toda espontânea, sem reservas de hotel nem nada, toca procurar onde pernoitar. Em cinco minutos encontramos o Hotel Estrela. A dona mostrou os quartos, recebeu o pagamento, nos deu a chave e desapareceu. Deixamos as coisas nos quartos e, debaixo de chuva, saímos para jantar. Encontramos um restaurante pequeno e apinhado, mas muito simpático e onde, pela nossa animação, algo inusitado no local e nessa época do ano, fomos muito bem tratados. Muito bom o vinho da casa. Lá fora chovia torrencialmente.

Na manhã seguinte, uma terça-feira, deixamos o hotel, atravessamos a rua e tomamos o café da manhã no único bar aberto. Já nas duas *vans*, deixando para trás Manteigas nessa manhã de frio e garoa, na estrada curvosa montanha acima, foi um deslumbramento atrás do outro. A ida até a Serra da Estrela, os tons avermelhados e ocres da vegetação outonal, as cascatas, as corredeiras nos riachos pedregosos e límpidos, o vale, os arcaicos e solitários casebres de pedras. Nos sentíamos revigorados pelo ar do tempo.

Chegamos ao ponto mais alto de Portugal, dois mil metros de altitude, temperatura abaixo de zero, nossa caminhada sobre o gelo e a neve de outubro a cair! Entramos em uma venda solitária, um queijo saborosíssimo e um copo de vinho para nos aquecer. Do lado de fora, o frio tão intenso congelou algumas das câmeras, não permitindo fotos. Outras, mais modernas, mais teimosas, conseguiram. De modo que essa nossa passagem pela Serra da Estrela ficou registrada.

E a descida por outra estrada: parecia que não sairíamos nunca da região do Viseu. Os vinhedos como em escadaria, também chamados de *terraços*, montanha acima e nos abismos na região do Douro, de onde vem o Vinho do Porto. Subindo ainda mais para o norte, alguém lembrou que era véspera do dia de Todos os Santos, por isso, desde a manhã em Manteigas, Portugal inteiro, por onde passávamos, pelas ruas, estradas, havia gente, especialmente mulheres, a carregar braçadas de flores para fazer das igrejas e dos cemitérios (depois de Todos os Santos vinha o Finados) os mais floridos jardins do mundo. Impressionante! Tudo isso vimos... Beira Alta, Serra da Estrela, Trás-Os-Montes, rumo à Espanha.

A um certo momento da viagem, introspectivo, constatei que, para quem tem o hábito da leitura, não será por falta de palavras evocativas em placas de sinalização e indicações de saídas que o leitor ficará sem ter o que ler.

É como um livro ilustrado por paisagens em movimento: Casarranca, Los Tres Picos, Obenza, Vilaenfesta... Já atravessáramos a fronteira, estávamos agora em uma estrada da Galícia e as palavras em galego me pareciam às vezes português, às vezes espanhol, mas não era "portunhol", era galego mesmo (trocando j por x, como San Xoan e San Xosé).

Li na estrada indicações como Rio Arenteiro, Anduriña, Camino de Santiago, Iglesias, Pereira, Coiras, Corna, Asneiros, San Martiño, Castro Dozon, Folgoso, Bodaño, Rio Deza, Bodegon, Negreiros, Caldas de Reis, Rio Toxa, Cervaña, Dornelas... E tudo isso na Galícia! Não soam como uma mistura das duas línguas e ainda uma terceira?! Foi o que constatei. É o que eu chamo de "aprendendo com a estrada". Eureka! E por todo o caminho a concha como símbolo, indicando o Caminho de Santiago.

Fez-se noite e pernoitamos em Orense, uma das capitais da Galícia. Cidade grande, hotel central, o Rio Miño. Jantar num tradicional restaurante ao lado, o Pata Negra. Antes de dormir, uma caminhada. Chovera, estiara, o ar estava purificado. Nos recolhemos em nossos aposentos, pois, para a manhã seguinte, outro tanto de estrada galega nos esperava. E que bela, Orense na manhã, quando a deixávamos! Arquitetura imponente, a vista da grande ponte sobre o rio. A menos de 100 km à frente, Lalín, que graciosa! "Devora la vida como si no hubieras comido nunca", era um *outdoor* anunciando o novo Opel Corsa.

Nem é preciso dizer que era isso exatamente o que eu experimentava: devorando a vida como se jamais a tivesse provado. Sem contar as coincidências. Sim, porque se nada fora planejado, como explicar termos entrado na catedral em Santiago de Compostela exatamente ao meio-dia do dia de Todos os Santos e ouvir do padre que rezava a missa (parecia um cardeal – alto, magro, velho, narigão) no seu inspirado e convincente sermão, a mais explícita das mensagens: "Santos não são apenas os vinte e cinco mil como tal declarados pela máxima autoridade da igreja, uns maiores e outros menores, mas também uma infinidade de santos anônimos que estão com Deus pai e para sempre." Entendi que eu mesmo não estava longe de ser santo. Eu e todos os que ali estavam. Pois sem dúvida, ainda que brincando, não fora um ato de santidade e fé a nossa ida a Santiago?

Embora curta, foi uma experiência emocionante. Compostela significa Campo da Estrela. Na missa, a maioria comungou, eu também. Mas era um dia de chuva e não dava para passear e descobrir os encantos da cidade.

Os recém-casados e parte do grupo estavam ansiosos para retomar a estrada, de modo que, depois de uma refeição ligeira em um café próximo à catedral, entramos nas duas *vans* e tomamos o caminho de volta, agora pela costa, a

Autopista del Atlántico, onde uma borrasca nos empurrou para a frente. Na altura de Pontevedra, avistamos o mar mais bravio de todas as nossas vidas somadas. O extremo poder desordenado, a força da Natureza, um céu que era uma fusão dos céus de El Greco com os de Turner, ao mesmo tempo tenebroso e divinal, nuvens negras e clarões, o vento uivante, a chuva vinda de todos os lados, ondas se arrebentando umas contra as outras numa fúria titânica.

Deixamos para trás todos os sonhos de uma parada em Vigo (onde eu estivera também de passagem, há 28 anos) e a leitura das indicações – Redondela, Moaña, Porriño, Baiona, Chapelas, Puxeiros, Nigrán, Gondomar, Sabaris... E não poder entrar em nenhuma delas! Não entrar na aldeia celta Monte Santa Tecla, no município de La Guardia (que me havia sido especialmente indicada por um cunhado de Natália, o Paulo, com mapa na mão, em um almoço nos dias festivos do casamento!).

Novamente Portugal, a travessia de *ferry-boat* a Caminha, uma parada em Valença do Minho (nem o Minho vimos à luz do dia, era noite). Passamos pela Ponte do Lima e as *vans* iam tão aceleradas que foi como se não tivéssemos passado. Seguimos pela auto-estrada, onde os faróis só apontam para a frente e de onde não se vê nada além de eucaliptos e placas indicando saídas para lugares com mais nomes convidativos. Nem Aveiro, nem Barcelos, nem Braga, nem Guimarães (berço da nacionalidade portuguesa), nem Belmonte (onde nasceu Cabral), nem Marco de Canaveses (onde nasceu Carmen Miranda) nem nada. Lástima, ficava tudo para o dia de São Nunca. Mas mesmo assim, e em tão pouco tempo, vimos e saboreamos até demais. Restava o consolo de um dia no Porto. O Porto de nosso deslumbramento.

Na manhã seguinte, em um grupo de oito, enquanto os outros foram fazer outras coisas, saímos a explorar o Porto. Lá eles dizem assim: "Porto trabalha, Lisboa desfruta, Braga reza e Coimbra estuda." E deve ser verdade. Era quinta-feira, dois de novembro, dia de Finados. O centro fervilhava. Tudo funcionava, inclusive os bancos! (Depois descobrimos que, ao contrário do Brasil, em Portugal Finados não é feriado.) Sem nenhum plano ou projeto estávamos ao-Deus-dará. A Providência logo nos acudiu. Entramos em uma agência de turismo, onde se resolveu o leque de *promenades* que teríamos pelo belo dia. Para começar, vi em um *folder* que podíamos passear de barco pelo Douro até a saída para o Atlântico. E toca a descer a pé ruelas antigas de lojinhas charmosas rumo ao Cais da Ribeira.

Essa viagem estava sendo muito especial para todos nós. Era a primeira vez em nossas vidas que viajávamos para o exterior em um número tão grande de membros da família. O motivo tinha sido o casamento de nosso sobrinho Marcelo, mas o fato é que estávamos ali. O ano de 2000 vinha sendo muito difícil para nós, com perdas irreparáveis. Agora, no dia 5 de novembro se completariam sete meses da morte de nossa mãe – uma perda que abalou nossas vidas; e fazia pouco mais de dois meses que a irmã caçula ficara viúva. E agora, nesse passeio pelo Porto, éramos um grupo de oito. Mas Pedro, 17 anos, filho da Mané, tinha sumido pelas ruelas perdendo o passeio de barco. De modo que éramos sete nesse deslizar sobre as tranqüilas águas do Douro até o estuário que se abria para o Atlântico.

O barco deslizando, a vista do nível do rio, a arquitetura ancestral, imponente e ao mesmo tempo graciosa em seus múltiplos períodos, as pontes altíssimas e elegantes nas suas linhas curvas e retas – e o dedo de Gustave Eiffel (1832-1923) em duas delas, datando da idade de ouro das estruturas de ferro maciço. Depois desse passeio de barco, outro passeio turístico-histórico, um *tour* pela cidade num pequeno ônibus com uma guia eficiente nos levando aos marcos principais. Ela nos contou que Dom Henrique, o navegador, nasceu no Porto, assim como Pero Vaz de Caminha; no Porto, D. Pedro I (D. Pedro IV, em Portugal) foi recebido como herói chegado do Brasil para garantir o trono português para a filha, D. Maria, contra o irmão D. Miguel, o "usurpador". A heróica estátua de D. Pedro a cavalo na praça central (Pedro sempre a cavalo, como no grito de "Independência ou Morte", no Ipiranga, em São Paulo). O pequeno ônibus nos leva ao topo da cidade, de onde, a dominar o cenário, a Catedral da Sé, a que os séculos acrescentaram estilos, do românico ao gótico e ao barroco. Porto, a capital do Norte, é uma cidade tão antiga que vem do proto-histórico. A romanização deixou sua marca assim como o período visigodo, e algo de celta, a invasão moura, etc. Contudo, minha sensibilidade é mais atingida pela vocação marítima, inculcada no espírito portuense desde sempre. O ônibus nos leva, por sobre a mais alta das pontes Eiffel, ao outro lado do rio, a Vila Nova de Gaia para uma visita à Ramos Pinto, uma de suas famosas adegas, onde degustamos uma variedade do vinho que pôs o Porto no *mapa mundi*.

A excelente turnê durou três horas, e estávamos livres para flanar pela rua mais cosmopolita e elegante da cidade, a rua Santa Catarina, onde também coruscam lojas com as *griffes* internacionais da hora. Mas ninguém comprou nada, só olhamos as vitrines. Fomos, e aí sim com muito gosto, a um café-restaurante do tempo da *belle époque*, o espetacular Majestic, onde jantamos um sublime bacalhau ao Brás, sorvendo o eficiente vinho da casa.

Convém ressaltar que Portugal, com a União Européia, está realmente um país à altura dos mais modernos do Velho Continente. Tudo funciona em absoluta harmonia e bom gosto entre o velho e o novo, nenhuma miséria pelas ruas limpas (inclusive no centro e no cais, onde geralmente se dá a maior concentração do rebotalho); até o esburacamento, com suas montanhas de entulho, não parece sujeira, mas um nobre trabalho de melhoria.

Na manhã seguinte, deixamos o Porto com a melhor das impressões e já com saudades dessa cidade. As duas *vans* se separam. Marcelo, Natália e outros foram para o Algarve, no extremo sul, onde trabalham. Nós, sempre com o sobrinho Tuta, grande companheiro e excelente motorista, na direção da nossa *van* já completando 2 mil km rodados nesta inesquecível viagem, para mais dois dias em Lisboa e cercanias. Fomos parando aqui e ali. À altura de Coimbra, avistei uma placa e gritei que não podíamos deixar de fazer uma visita a Conímbriga (visita essa também indicada anteriormente pelo grande Paulo, cunhado de Natália, no almoço do dia seguinte ao casamento, no jardim do padre Armindo). Minutos depois lá estávamos passeando pelas ruínas romanas de cerca de 2 mil anos. Cinco séculos antes dos romanos, ali existira uma aldeia celta, Conímbriga, de onde vem o nome de Coimbra.

Chegamos em Lisboa à noitinha. Era o nono de nossos onze dias em Portugal.

Deixamos a bagagem nos quartos e – sugestão minha, que lera, há coisa de uns três anos, uma matéria a respeito no caderno de turismo do *New York Times* – fomos às docas, onde jantamos em um de seus restaurantes. Essa região, no Cais do Sodré, a exemplo de outras similares das grandes cidades portuárias do planeta, foi transformada em moderna atração turística, onde famílias inteiras podem passear com segurança pelo calçadão bem iluminado, letreiros feéricos e, ocupados de maneira inteligente, moderna e fotogênica, antigos armazéns agora reativados em quilométrica disposição de restaurantes temáticos. Depois do jantar, caminhamos de ponta a ponta, olhando o povo, admirando a fantástica visão noturna da Ponte 25 de Abril sobre o Tejo.

Manhã seguinte, sábado. Fomos ao bairro do Chiado. O povo nas ruas, o comércio fervilhando. O Chiado é um dos bairros mais cosmopolitas de Lisboa, cheio de livrarias (como a Bertrand original, que data de meados do século dezoito) e os cafés literários e artísticos como o Brasileira, onde o poeta Fernando Pessoa marcava presença e cuja estátua em uma das mesas da calçada é muito usada para fotos de *souvenir*; e a Casa Havaneza, onde Eça de Queirós comprava charutos.

O Chiado tem um ar de século dezenove, quando foi parcialmente reconstruído – porque em 1755 foi uma das áreas de Lisboa que mais sofreram com o terremoto. E anexo ao Chiado, o Bairro Alto, na colina mais alta da cidade, um bairro típico da urbanização do século 16 para habitação de mercadores ligados às rotas marítimas e que hoje, com ruas estreitas e perpendiculares e casas habitadas por populares e excêntricos de todas as cepas, gente que vive com pouco dinheiro. É um ambiente em que o popular se mistura com galerias de arte, antiquários, butiques de vanguarda, tráfico de drogas, barzinhos, discotecas e espeluncas, onde a música, do fado ao jazz, do reggae ao punk, faz ruído. O dia já ia longe quando, nessa mesma caminhada, já no bairro Calhariz, entramos no Floresta, pequeno restaurante popular, onde almoçamos bacalhau e vinho.

Domingo, nosso último dia. Pena o tempo não ter colaborado. Não era bem chuva, era uma garoa intermitente, como se o tempo realmente dali para a frente fosse piorar, como piorando já vinha no resto da Europa. Mesmo assim, depois do café da manhã, pé na estrada. Fomos a Sintra. Às ruínas do Castelo Mouro, um marco da ocupação moura em Portugal e de onde, dizem, a vista é uma das mais espetaculares.

Chegamos. Mas a neblina, tão densa, meio que nos expulsava dali. Não se via, por assim dizer, um palmo diante do nariz. E um frio de lascar. Caminhamos um pouco sobre cascalhos, lama e pedras escorregadias nas alamedas das ruínas, nem valia a pena insistir. O melhor seria voltar para o aconchego da *van* e tomar o rumo de um programa mais de acordo com a intempérie. Só faltava o Pedro e esperá-lo, naquele tempo, pareceu a alguns uma eternidade.

Nesta viagem, o Pedro, sempre nas explorações solitárias dele, desta vez mais que ter perdido a noção do tempo e dos outros, perdera-se nas ruínas mouras e na floresta que as circunda. Rodrigo foi atrás, entrando na mata e gritando o nome do primo. Nada. E nós ali no tempo, esperando. E na mata e na neblina densa, não havia nada para ver! A ruína era moura, mas a atmosfera, gótica. Até que depois de muito o Rodrigo berrar (ouvíamos os berros dele longe, ecoando na floresta), Pedro ressurgiu, dizendo que se perdera. Do diário da Mané e desse episódio mouro: "Pedro sumiu. Alguns ficaram nervosos e me irritaram profundamente; preferia que tivessem ido e me deixado à espera de meu filho. Ele voltou leve e fagueiro."

De novo pegando a estrada. Agora estávamos diante da Torre de Belém. Em um instante de meditação me fiz a pergunta: existiríamos nós, tal como somos e estamos, aqui, agora, se há 500 anos daqui não tivesse zarpado a armada de Cabral indo dar com os costados no Brasil? Sem dúvida, devíamos algo à Torre de Belém. Do grupo, só três ainda não tinham entrado nela. Os outros o tinham feito em outras viagens. A Mané, Pedro e eu não. De modo que compramos o ingresso, entramos e a exploramos até seu topo.

Parecia que do céu ia desabar uma tormenta. A maioria queria tomar o rumo do hotel, mas aí foi a vez de Agnaldo estrilar: "Nada disso!" – Nosso cunhado, o mais velho do grupo, tinha toda razão: "Vou aonde todo mundo quer, agora é a minha vez: eu quero comer o Pastel de Belém!" Nem precisou repetir. Fomos todos, com ele, à antiga e mundialmente famosa confeitaria Pastéis de Belém. Realmente, é o melhor pastel de Santa Clara do mundo.

Agora todo o grupo, inclusive os recém-casados, está reunido no Hotel Roma, na Avenida de Roma, que me pareceu, no pouco tempo que tive para explorá-la, a avenida mais cosmopolita de Lisboa, um genuíno *boulevard*. Mas depois de jantar com a Mané, Natália e Cecília no Marisqueira Roma – bacalhau com batatas ao murro (sugestão de Natália), sopa derivada de cozido, salada e vinho – despedi-me delas, ainda era cedo para dormir e, sozinho, tomei o metrô no Areeiro e fui ao Chiado, de onde subi para realmente captar o espírito do Bairro Alto.

Ziguezagueei pelas ruelas apertadas, vi alguns poucos *neóns*, poucos botecos e inferninhos abertos, poucas e decadentes figuras, porque era domingo e àquela hora da noite o bairro estava morto. Mas senti o charme e fiquei imaginando aquilo fervilhando em noites de sexta e sábado (ou mesmo durante a semana). Saí e estava de novo no Chiado. Avistei ao longe, ao entrar em um largo, uma estátua, que, ao dela me aproximar me pareceu ao mesmo tempo Voltaire e meu falecido irmão Leopoldo. Descobri – e adorei a descoberta! – por que o bairro se chama Chiado: Chiado é o homem da estátua, Antonio Ribeiro Chiado, poeta do século 16. Nunca tinha ouvido falar. Satisfeito tomei o metrô de volta ao Hotel Roma.

Assim foi Portugal. E foi ótimo. Em certos momentos da vida não há nada que faça mais bem à alma que viajar. E esta viagem a Portugal foi uma celebração à vida.

2001

> *Para que tanta ambição, tanta vaidade:*
> *procurar uma estrela perdida?*
> *Quase sempre o que nos traz felicidade*
> *são as coisas mais simples da vida.*
>
> Felicidade, toada de Antonio Almeida e
> João de Barro ("Braguinha") gravada por Nora Ney

A VIAGEM A PORTUGAL com membros de minha família fora um lenitivo. No entanto, meses depois de ter voltado a São Paulo e já passado um ano da perda de minha mãe, continuava me sentindo perdido na orfandade. Foi, portanto, sem muito entusiasmo que a princípio aceitei o convite para ir ao Festival de Charleston.

O que mais me tentou foi a programação, a promessa da presença de gente que eu muito admirava no mundo das letras. Sim, pois, como resistir à tentação de ir ver de perto gente como Harold Pinter e Merlin Holland (o único neto de Oscar Wilde), para citar dois, e em condições tão propícias – a tranqüilidade campestre de Charleston, partilhando a vastidão desse espaço com tão poucos? Era pegar ou largar e acabei pegando. O que se segue é o diário do Festival de Charleston 2001 e o que veio depois dele nessa mesma viagem.

Lewes, quarta, 23 de maio.

Jenny é uma pessoa e tanto. Para os dias do festival ela reservou para mim um quarto em excelente pousada no alto de uma colina, cinco minutos a pé de um castelo do século 12. A dona da hospedaria, Sra. Angela Wigglesworth, é simpática e fina, bastante comunicativa, publicou três livros de viagens sobre lugares recônditos e solitários. Esteve três vezes nas Falkland (Ilhas Malvinas).

Acordei às 3h da madrugada com vontade de urinar e o estômago pesado por causa do *fish & chips* que comera durante o dia. Depois de urinar, achando que não ia conseguir dormir, vi que o melhor a fazer era ler. Olhei os títulos dos livros na pequena prateleira pendurada na parede do quarto, entre eles, quatro ensaios de Montaigne e as edições dos livros escritos pela própria dona da hospedaria – *Falkland people* (sobre o povo das Malvinas), *People of Wight* (sobre a gente da Ilha de Wight) e *People of Scilly* (sobre essa ilha no Canal Inglês) – livros que olharei com carinho enquanto estiver aqui hospedado.

Mas, esplêndida descoberta, *The journal of a tour to the Hebrides with Samuel Johnson,* por James Boswell. Abro-o ao acaso e leio algumas páginas. Que maravilha! Que figura extraordinária o Dr. Johnson! James Boswell (1740-1795) conheceu Samuel Johnson em 1763 e, na convivência, o acompanhou nessa viagem às Hébridas. Johnson também escreveu seu próprio livro dessa viagem. Como tudo era diferente no século 18! Boswell:

"Dr. Johnson gostou de minha filha Veronica, então um bebê de quatro meses. Ela dava a impressão de prestar atenção à conversa dele com os outros. Apreciava seus movimentos como se fossem para diverti-la; quando ele parava, ela gesticulava, fazia um ruído que era como um sinal para que continuasse. Ela queria ir para o colo dele. Prova, vinda de uma natureza simples, de que a figura dele não lhe era horrível. Ao gostar dele, ela me fez gostar ainda mais dela própria, e assim decidi aumentar a fortuna de minha filhinha em mais quinhentas libras."

Fazenda Charleston, quinta, 24 de maio.

Oficina de escrita com a Sue Roe. Desde que vim aqui pela primeira vez, em 1993, ela ministra oficinas de escrita com base em Virginia Woolf. Sue Roe é também uma das editoras do *The Cambridge Companion to Virginia Woolf.* Mais uma vez somos cerca de vinte pessoas. A Roe continua parecendo muito jovem. Sua fala é rápida, de modo que o jeito é ir pescando fragmentos enquanto ela conta:

"Virginia aprendeu muito com a pintura da irmã; estava com 33 anos quando se estabeleceu como romancista. Levou sete anos para escrever o primeiro livro, *A viagem,* publicado em 1915. Ela lia, lia, lia, até ficar louca. Lia tudo. Poemas, romances, ensaios, obras de outros séculos, os gregos, etc. Ela e Vanessa foram treinadas vitorianamente para entreter visitas. Pessoas sentadas discutindo seus sentimentos. E sempre falando dos gregos. *A viagem* é um romance sobre sentimentos. Rachel, personagem central desse romance, é frágil e monossilábica. Toca piano. Febre delirante. Já a Helen..."

Sue Roe fala sem parar. Parece tomada, possuída. Quando Virginia escreve o segundo livro, *Noite e dia*, em estilo diferente de *A viagem*, em sua crítica, Katherine Mansfield arrasa o romance, chamando Virginia de burguesa esnobe e antiquada. Depois de *A viagem* e *Noite e dia*, Virginia escreveu *A marca na parede* e *Kew Gardens*, pequenos contos modernistas.

Cézanne, cubismo... isso já estava acontecendo na França quando Virginia escrevia *A viagem*. A própria exposição pós-impressionista, organizada por Roger Fry em 1910. Mas não nos esqueçamos da influência dos grandes mestres nos primeiros trabalhos de Picasso. Sue Roe não pára de falar. O dia está quente, a sala iluminada (é quase um porão), os olhos ardem, sono, algumas pessoas começando a dar mostras de inquietação e impaciência, mas controlando-se. Parece que o tema da Sue Roe hoje é Virginia, artistas e pintura. Flores, conversação, técnica maravilhosa, *Mrs. Dalloway*, brilhante. Como se a Virginia quisesse dar o troco: "Vou te mostrar, Katherine Mansfield..."

Violetas e gerânios na janela de nossa salinha. Os sons lá fora. Estamos numa fazenda. "A vida é um envelope semitransparente." (VW)

E eu, Bivar, me sentindo como que de castigo. E Sue fala algo a respeito de "a pureza total antes de ser corrompida por elementos externos". As três questões: classe social, a mulher e como encontrar uma forma.

Intervalo para almoço. Os almoços em Charleston são sempre deliciosos.

Volta à aula. Sue Roe continua. *A viagem, The voyage out* – ela pronuncia "vóidjóut". Política *versus* arte. Por causa do almoço e do vinho, sinto moleza, sono, tédio.

Por que, de repente, em *A viagem* os Dalloways desaparecem e reaparecem diferentes em outro livro? A Sue pergunta e uma participante da oficina, muito inteligente, lembra que as pessoas mudam. Nira Wright, do Novo México, lembra da filha da Sra. Dalloway e a Sue Roe dá a impressão de saber tudo decorado: se lhe for feita uma pergunta, e se a pergunta fugir à fita gravada na cabeça dela, ela se embanana.

Mas, esperta, dá uma guinada brilhante e segura a peteca a tempo de não deixá-la cair. Daí ela nos manda escrever um pastiche tendo por base um texto de Woolf. Não é preciso necessariamente ridicularizar o texto. E cita, como exemplo, *The hours* (*As horas*), do Michael Cunningham. O romance dele, diz, é um pastiche de *Mrs. Dalloway*, passado não só em Londres em 1923, mas também nos EUA nos anos 40 e em Nova York agora, na virada do milênio.

Mas hoje não estou com vontade de pastichar. Estou com bloqueio mental. Mas os outros participantes não. Todos, ou quase todos, escrevem furiosamente. Daí ela os manda ler. Alguns leram solenemente seus pastiches reverentes. Nira Wright leu o dela, cheio de humor corrosivo. Sue, aprovando, disse que o caminho era por ali, que Virginia Woolf às vezes era supercorrosiva.

Terminada a sessão do dia com a Sue Roe, voltamos a Lewes para banho, troca de roupa e retorno a Charleston para a palestra de John Mortimer, evento tido como um dos pontos altos do festival.

Mesmo dia, antes do anoitecer.

19h30. Tenda lotada para a palestra de John Mortimer. Até cadeiras extras. Mortimer é dramaturgo, romancista, ativista dos Direitos Humanos, vida supercolorida. Com sua personalidade irresistível e seu jeito irreverente de entreter a platéia, nesta noite ele irá falar da velhice – está no programa. Mortimer é muito respeitado por seus romances políticos e por muitos seriados que escreveu para a televisão. Jenny diz que nos anos 70 ele fez muito ruído com a peça *Viagem em torno de meu pai*.

Sobe ao estrado a Diana Reich para fazer a apresentação. Diz: "Apresentar alguém tão conhecido e tão amado..." e continua: "Mortimer adaptou *Brideshead revisited*, o romance de Evelyn Waugh, para minissérie de televisão. (Essa minissérie, que lançou o ator Jeremy Irons e fez enorme sucesso na Inglaterra em 1981, foi, anos depois, exibida no Brasil pela TV Cultura com o título *De volta a Brideshead*.)

Mortimer, mais de 80 anos, entra na tenda caminhando com dificuldade, mancando e meio se arrastando. No caminho, antes de subir ao praticável, já vai dizendo algo engraçado sobre a velhice, provocando gargalhadas na platéia. E no palco: "Que bom estar aqui neste entardecer ensolarado!"

Parecem faltar-lhe muitos dentes, sua boca é torta, de lábios pendentes; ele fala rápido e o público morre de rir como nunca vi o público inglês rir. E aplaude. "Terrível furacão, que nem casamento, chupa, chupa até perder a casa." (Sic.)

Na platéia, vejo Anne Olivier Bell rindo sem parar. Ralph Drake (de Ohio) não muito. A velharada na tenda adora as piadas de sacanagem inteligente de Mortimer. Divórcio, adultério, Mortimer vai contando como se nada tivesse a importância dramática que se dá a essas coisas, a vida é uma piada, parece. O pai e depois ele mesmo, como correspondente de guerra.

Mortimer parece um velho debochado. Fala de Old Bailey e da última defesa dele como *barrister* (advogado). "Há anos venho usando cadeira de rodas nos aeroportos. Na minha idade, tenho que urinar de cinco em cinco minutos. As privadas nos restaurantes ficam longe das mesas e perto da cozinha, junto ao fogão."

Simpático, ri modestamente das próprias piadas que não param de jorrar. Consulta o relógio: "Há quanto tempo estamos aqui?" (45 minutos, consulto eu o relógio.) Lê o final de um livro, o novo livro. Ninguém ri durante a leitura. Diana Reich ia falar, mas ele mesmo fala: "Estou pronto para responder às perguntas."

Diana: "Quem quiser perguntar levante a mão."

Alguém pergunta: "Com a decadência física, como se sente de cabeça?" Mortimer responde: "A mesma coisa de quando tinha 12 anos: livre de algumas obsessões; livre de sexo, por exemplo. Além do que, hoje sexo transmite doença."

Keith Clements pergunta sobre a Unity Mitford (das ricas e famosas irmãs Mitford). Diana Reich à platéia: "Todos ouviram a pergunta?" Unity Mitford foi nazista, privava com Hitler, suicidou-se e Mortimer, que escreveu uma peça sobre ela, responde qualquer coisa que me escapou. Alguém pergunta: "Você sente que sua escrita melhorou com a velhice?" Mortimer: "Acho que as experiências... Me lembro de tudo da infância, mas não lembro do que fiz ontem, a não ser que tenha tido uma doença sexualmente transmissível." O público ri.

Ele continua: "Este ano escrevi duas peças e um livro." Sobre política: "Não quero morrer durante um governo conservador." Sobre televisão, alguém faz um comentário sobre a variedade de opções hoje, e pergunta se variedade de escolha é uma coisa boa. Mortimer responde: "Variedade de opções é uma coisa terrível, é como um grande cardápio num restaurante. A BBC deteriorou. Os melhores dias da televisão já passaram."

Lá fora os corvos crocitam. Diana Reich agradece a John Mortimer e avisa ao público que os livros dele estão à venda e que ele estará à disposição para autografá-los. Aplausos calorosos e longa fila para as compras.

O público vai se retirando da tenda. São quase 21h. O lusco-fusco antes do anoitecer. Anne Olivier Bell me reconhece de longe. Acenamos e nos aproximamos para um cumprimento amigável. Alguém a pega para conversar e ela, segurando minha mão, diz que falaremos nestes dias de festival. A verdade é que o festival cresceu tanto que quase não se tem tempo para conversar com as pessoas como se fazia há alguns anos. Peter Miall foi efusivo, assim como Eleanor Gleadow, sempre simpática; e Myra Harud, calorosíssima, a ponto de eu me ruborizar. Bem, veremos amanhã.

Sexta, 25 de maio.

Pela manhã tivemos o segundo encontro de escrita criativa com Sue Roe. Ela continuou de onde parara, ontem. Por causa da Katherine Mansfield, sua rival favorita, Virginia Woolf cuidou para que *Mrs. Dalloway* fosse um romance profundo. E quando, no livro, a festa acontece, nós, leitores, percebemos realmente o universo da Sra. Dalloway. Se o último capítulo frustrasse, o livro seria frustrante. Monólogo interior. Estados alterados. A maioria dos participantes está ligadíssima.

Cada um estava com seu exemplar de *Mrs. Dalloway*, como pediu a professora. Diferentes capas e edições. Ela cita uma fala de Septimus Smith, o trágico personagem suicida: "Não se podem trazer crianças para um mundo como este. Não se pode perpetuar o sofrimento."

A Sue não sabe e talvez nem se interesse em saber – ela é muito inglesa –, mas, voltando àquela história de Gabriel García Márquez com *Mrs. Dalloway*, contada por Dasso Saldívar na biografia que escreveu do grande colombiano, dizem que em 1948, aos 21 anos, quando García Márquez descobriu *Mrs. Dalloway* lá em Cartagena, ele foi tão afetado pelo romance que, dois anos depois, ao se mudar para Barranquilla e se tornar colunista do jornal *El Heraldo*, como uma espécie de louco lúcido assinava todas as suas colunas com o pseudônimo de Septimus. Para o jovem escritor colombiano (e futuro Prêmio Nobel), *Mrs. Dalloway* foi bússola e fetiche. Mas isso não posso falar na aula da Sue Roe, pois todos iriam me olhar de viés, como um impertinente.

Depois do almoço, Sue Roe separou a turma em dois grupos, um que supostamente terá de odiar a Sra. Ramsay (de *Rumo ao farol*) e outro que a ama. Eu amo a Sra. Ramsay, mas fui posto no grupo que deve odiá-la. Depois houve o jogo. O grupo que ama a Sra. Ramsay ganhou. E fim. Toca ir para a hospedaria da Sra. Wigglesworth, em Lewes, para tomar banho e trocar de roupa para o evento da noite, "Fact into fable" ("Fato na fábula"), com Blake Morrison e Marina Warner, dois escritores (ensaístas, biógrafos, dramaturgos, resenhistas e agora romancistas) que vêm ocupando muito espaço nas páginas literárias da imprensa inglesa nos últimos anos.

Mesmo dia, antes do anoitecer.

Blake Morrison, vizinho e amigo de Jenny, e Marina Warner – ela esteve nas páginas de todos os suplementos literários no último domingo por causa de seu primeiro romance, *The Lelo bundle* (*A trouxa de Lelo*). É a história de uma mulher em diferentes disfarces através dos séculos. Parece que já ouvi essa história antes e não só uma vez. Enfim...

No estrado, Marina e Blake vão discutir o papel do mito e da verdade, fato e ficção, história e vida moderna, idéias e imaginação, nas recriações deles do passado frente ao mundo contemporâneo. O primeiro romance de Blake Morrison, *The justification of Johann Gutenberg*, recentemente publicado, ficciona a história do homem que mudou para sempre a palavra escrita – está no texto do programa do evento.

Diana Reich os apresenta. Marina, à primeira impressão, é o tipo da mulher que se arruma para seduzir. Como aquela que nos convida e, num jantar a dois na casa dela, nos recebe à luz de velas, cabelos soltos estilo *femme fatale*, decote profundo, um certo olhar de câmera em *contra plongée*, a voz colocada de acordo com a luz ambiente.

O sotaque dela é chato-chique. Cita o romance *Daniel Deronda*, de George

Eliot, lê um trecho. Fora da tenda os corvos crocitam. Marina fala de quatro espécies diferentes de verdade. A primeira me escapa; a segunda, o diálogo social; a terceira, a narrativa, a pessoa contando sua história; a quarta, uma coisa mais cicatrizante, o mito coletivo. Quando viu isso e aquilo acontecendo na sociedade, voltou-se para o mito.

Ela conta (e eu já desconfiava, quando li o programa sobre o tema) que o romance dela é uma espécie de *Orlando*. Diz que escreveu com isso na mente. Manuscritos gregos, deuses, qualquer deus – ela lê e eu sinto meu pensamento se desligando de Marina Warner e embarcando em outras abstrações: a Anne Olivier Bell, quando há pouco, no coquetel, contei que fiz a oficina de escrita criativa com a Sue Roe, disse: "Você não precisa de oficina, você já é um escritor."

Juntando uma coisa com outra, há ainda o fato de eu continuar de luto... enfim, estou de certa forma ainda arrebentado, essa é que é a verdade. A Marina continua. Agora ela está falando de caligrafia miúda.

Hoje à tarde, pelas quatro horas, depois da oficina com a Sue Roe, Jenny me chamou para darmos uma escapada para além de Charleston. Fomos aos arredores de Tilton, a fazenda logo ali, que foi do Maynard Keynes e cuja sede, agora, é a residência campestre da família de Lord Skidelsky, o biógrafo de Keynes. Ficamos um tempo no capinzal.

Mas, voltando ao que está acontecendo agora na tenda, a Marina faz uma linha manjada de *witch*, feiticeira. Não vou comprar o livro dela. E continua: "Estou interessada em escrever sobre gente invisível". Ao lado dela o Blake Morrison, olhando. É a vez dele. A Olivier, agora sentada ao meu lado, está gostando. Blake conta: "Escrevi um longo poema sobre Jack, o estripador; escrevi um livro sobre os dois garotos que mataram... (perdi) e a memória sobre meu pai morrendo de câncer. E o libreto da ópera sobre Dr. Ox (o inventor da lâmpada)."

Blake fala do romance sobre Gutenberg. Explica os personagens até chegar lá. Vivaz. Olivier ri um pouco. A pesquisa. A Alemanha no século 15. A corte. A namorada de Gutenberg. Imprimir a *Bíblia*. A impressora. E agora, no estrado ao lado de Blake Morrison, é a Marina Warner quem assiste e ouve. Os longos cabelos lisos escuros jogados para um lado são como os de uma Veronica Lake em *Casei-me com uma feiticeira*, só que morena e pós-modernamente repaginada.

Estão ali os dois escritores de hoje. Marina agora parece preocupada. Blake segue em frente: a tragédia da história de Gutenberg. O conforto do dinheiro. Tornou-se ourives. "Uma das coisas que imaginei sobre Gutenberg: será que ele sabia o significado do que inventou ou quis apenas fazer um pouco de dinheiro com o invento?" Utopia. O texto perfeito. Blake lê um capítulo. Do lado de fora as vacas mugem. Blake termina. Aplausos.

Marina comenta o que Blake leu: "Adoro." Blake faz que acredita, ri e comenta. Elogia o livro de Marina: "Eu o estava lendo hoje e fiquei impressionado com o fato de você escrever um romance histórico no contexto de hoje." E por aí vai a troca de confetes. Marina explica a criação via imaginação e pergunta se o nome dele, Blake, não é de William Blake. Risos nervosos.

Ela volta à idéia de *Orlando* e comenta o processo de Virginia Woolf. Blake cita *Harry Potter* e fala da competição. Marina fala de computadores. Blake fala de *e-mails*, desse tipo de correspondência, que é parte de seu romance. Marina: "Fui a uma palestra sobre feitiçaria ontem e..." (perdi). "A imaginação trabalha com coisas que você não tem." E termina. Diana Reich sobe ao palanque e diz: "Tivemos uma conversação das mais fascinantes. Os que quiserem fazer perguntas..."

Da platéia alguém pergunta: "Os livros continuarão depois da Internet?" E Diana: "Ouviram o comentário? A Internet pode acabar com o livro?" Eu penso: 1984 não foi como Orwell previu e 2001 não está sendo como Arthur C. Clarke também previu. Por um lado, tudo é pior e, por outro, a banalização é o que realmente massacra.

Blake: "Se você sai de férias..." Marina: "Vocês não imaginam, eu estava em Paris e vi a mais fantástica liquidação de livros!" Diana Reich, à platéia: "Mais perguntas?" Um homem (à Marina): "Seu romance é um conto de fadas?" Marina: "Sim, mas fora do convencional da reconciliação e do final feliz." E acrescenta: "Desafiar a realidade é a primeira coisa a fazer quando você escreve fantasia; você questiona valores, outros modos de pensar, o desejo sexual das mulheres... O paradoxo central da existência depois da vida."

Marina de repente brilha. Diana Reich: "A última pergunta, por favor." Um homem pergunta a Blake sobre a *Bíblia* de Gutenberg. Ele responde e Diana, rápida: "Gostaria de agradecer a Marina e a Blake pela noite maravilhosa sobre mitos, e estou certa de que o mito do Festival de Charleston, graças a vocês da platéia, só irá crescer."

Aplausos. Diana continua: "Eu gostaria que vocês permanecessem na tenda porque Marina e Blake vão autografar. Os livros deles estão à venda lá atrás."

E agora, no meu quarto na hospedaria da Sra. Wigglesworth, enquanto o sono não vem, vou ler um ensaio de Montaigne sobre cheiros.

Sábado, 26 de maio.

Hoje é um dos dias mais disputados do festival. Para mim a principal atração é Harold Pinter. Mas antes, em outro horário, tem a mulher dele, Lady Antonia Fraser; e ainda, depois do Pinter, encerrando o dia, a deliciosa Margaret Drabble (deliciosa como escritora e palestrante) dividindo o palco com outras duas feras.

14h30, na tenda.

A tenda já está cheia. Chegamos cedo e pegamos os melhores lugares, bem na frente. Anne Olivier Bell está sentada à extrema-direita de nossa fila. O título da palestra é "Glamour and Guillotine", Glamour e Guilhotina. A honorável Lady Antonia Fraser vai falar sobre seu mais recente *tour de force*, a biografia da rainha Maria Antonieta. Para instigar a platéia, no *folder* a pergunta: "Será que a rainha francesa, cuja vida, romântica e dramática, vida que misturou extravagância e frivolidade com alta cultura, apoio e sustento às artes, mereceu seu trágico destino? Lady Antonia irá nos responder."

Entre os livros que Lady Antonia escreveu estão *As seis esposas de Henrique VIII* e *Mary, a rainha dos escoceses*. Antonia Fraser também vem de alta estirpe. Seu pai é o sétimo Conde de Longford, figura excêntrica e controversa na alta sociedade britânica, político, banqueiro e editor. Era casada com um Membro do Parlamento, Sir Hugh Fraser, e tinha seis filhos quando, em 1975, ocorreu o *coup de foudre* entre ela e o dramaturgo Harold Pinter, judeu de origem pobre, filho de alfaiate, mas então já o melhor autor teatral inglês. A *lady* e o dramaturgo abandonaram seus respectivos casamentos e estão juntos e felizes até hoje.

Pinter era casado com a atriz Vivien Merchant, àquela altura já alcoólatra. Depois da separação, ela morreu deprimida, em 1979.

Diana Reich entra às 14h45 com Antonia. Aplausos. Diana avisa que a autora vai falar 40 minutos. Fraser, indubitavelmente, é uma aristocrata. Sessenta e nove anos, bem tratada, denotando um autocultivo de boneca loura *sexy*. Mas se a boca é carnuda, sensual, o semblante é humano e distinto, e os olhos profundos e cultos. Veste um conjunto preto e branco, brinco e colar de pérolas grandes, sapato branco de bico bege. De pé, no púlpito, suas primeiras palavras: "Este é um evento importante para mim, porque é a primeira palestra que faço sobre meu novo livro, *Marie Antoinette: The journey*. Vocês serão minhas cobaias."

Seu charme inicial é de modéstia. Segue: "Por que Maria Antonieta? São 22 anos desde que publiquei a biografia de outra Maria, a dos escoceses. Naquela época decidi: não quero mais escrever sobre outra rainha trágica. A Maria dos escoceses era metade francesa (a mãe). Já da Maria Antonieta francês era o pai. Ela precisava escrever em francês para a mãe. Francês era a língua da corte austríaca.

Mas li as cartas dela, há 32 anos. Ela é engraçada. Na verdade eu sempre quis escrever sobre ela. Maria Antonieta é muito diferente da Maria dos Escoceses. Na minha infância, li sobre a Revolução Francesa e coincidiu de eu estar lendo sobre a rainha exatamente em um dia 16 de outubro – e Maria Antonieta foi executada no dia 16 de outubro de 1789. Desde a infância, tive lições de francês, leio os jornais franceses, investi em francês."

E vai contando: "A Maria Teresa da Áustria entregou sua filha aos franceses aos 14 anos, dizendo para a jovem princesa: 'Adeus, criança querida, faça o melhor que puder para o povo francês, de modo que possam dizer que lhes mandei um anjo'. Maria Teresa disse isso em uma gélida manhã no inverno de 1770, dia em que despachou a filha para casar com Luís Augusto, o herdeiro do trono francês que ainda não completara 16 anos.

No dia do casamento, três semanas depois, frente a todo o esplendor da corte, nossa figurinha vestida de brocado branco parecia não ter mais de 12 anos. O delfim, neto de Luís XV, parecia frio e distraído. Versalhes era o centro do poder. O assunto foi obsessivo: o ato sexual demorou anos para ser consumado. Havia sinais de esperma nos lençóis, mas Luís Augusto não conseguia a penetração porque tinha fimose e doía muito, além da timidez excessiva.

Mas Maria Antonieta não dava mostras de estar preocupada com a demora. Mais forte nela era o sentimento pelos pobres, coisa fora de moda na corte da época. Ela protegeu os franceses, protegia os camponeses..."

A Fraser, muito chique, dá mais uma pausa para beber outro copo d'água. "Maria Antonieta era uma pessoa despreparada. Até os 14 anos, quando se casou, não fora devidamente educada. Quase não podia ler nem em francês nem em alemão. Na corte a situação era, para dizer o mínimo, maquiavélica. Em 10 de maio de 1774, Luís XV morreu. Luís Augusto e Maria Antonieta tornavam-se, assim, os novos reis de França.

Consta que ajoelharam e rezaram: 'Querido Deus, guie-nos e nos proteja. Somos jovens demais para reinar'. Ainda nem tinham conseguido consumar o ato sexual. Ela descobriu outras saídas. Mascarava a decepção no casamento com o prazer do poder de sua posição. No outono de 1775, panfletos sacanas corriam as ruas de Paris: 'O rei não consegue foder a rainha'."

Fraser continua: "Maria Antonieta era apolítica. Não fez muito pela monarquia, não tinha esse ideal. Era volátil, frívola, e ia às compras como compensação pelo casamento mal resolvido e pelas vibrações negativas vindas da corte. Foi patrona das artes. Ajudou Gluck (o músico). Encomendou móveis. Criou beleza." Fraser desenvolve o tema e fala de lugares criados a partir da idéia de beleza. Cita Charleston como exemplo.

Longe de ser a maníaca sexual, acusada inclusive de lesbianismo com sua amiga mais íntima, Yolande de Polignac – as fofocas da corte diziam que a Polignac conseguia fazer com os dedos o que o rei não conseguia com o pinto (se foi o que entendi). Transparece que a rainha teve apenas um caso extraconjugal, com Axel Fersten, um conde sueco a quem amou nos anos em que o marido não conseguia consumar o ato.

Era mentira? O imperador Joseph II da Áustria foi a Paris tentar salvar o casamento da irmã. Isso em 1777. O imperador escreveu ao irmão, o arquiduque Leopoldo, contando sobre as conversas que teve com o rei Luís Augusto, este jurando que tinha ereções perfeitas, penetrava, ficava dois minutos e, não conseguindo ejacular, dava boa noite à rainha. Graças à intervenção do cunhado, sete anos e três meses depois do casamento, o rei Luís XVI, pouco antes de completar 23 anos, conseguiu finalmente realizar o ato. Maria Antonieta até escreveu uma carta à mãe, contando.

Tiveram dois filhos, um casal, mas o esperado herdeiro (Louis Joseph) só viria 11 anos depois do casamento. Mas aí já estava tudo perdido. Quando ele morreu, em 1789, aos sete anos, os anos terríveis começaram para valer. Quatro anos depois, aos 37 anos, a rainha seria guilhotinada.

Teria evitado a guilhotina se tivesse fugido para a Áustria, seu país de origem? Segundo o raciocínio de Antonia Fraser, os verdadeiros vilões foram os jornalistas e cartunistas da época, que fizeram um monstro de alguém que, no fundo, era apenas descuidada com a própria imagem pública.

A busca meticulosa de Fraser por fatos salva a rainha-mártir de séculos de distorções e a traz para o pensamento feminista de hoje. A conclusão que ela nos transmite é que Maria Antonieta teria se saído melhor como rainha no século 21. E chega a hora de a autora responder às perguntas do público. Que tal ela escrever sobre Catarina de Médici? "Escrever sobre ela? Já me fiz essa pergunta. E respondi: Nunca o farei. Não posso me esquecer de como ela tratou uma nora da Maria dos escoceses."

Mas, voltando a Maria Antonieta, ela foi um caráter romântico. Como biógrafa, Fraser a interpretou de acordo com a época (hoje). A roda precisa girar. As biografias francesas de Maria Antonieta são na maioria hostis. Como se ela fosse vápida. Diana Reich avisa que só há tempo para mais uma pergunta. Alguém pergunta se o livro será publicado na França. Sim. Mas aos editores franceses que a procuraram, na tentativa de persuadi-la a que o livro fosse publicado primeiro na França, antes da Inglaterra, Antonia Fraser respondeu: "Non."

Diana Reich agradece a Fraser pelo fascinante privilégio de tê-la conosco e nos avisa que o livro só estará nas livrarias na próxima semana, mas "temos alguns exemplares à venda lá atrás" e ela irá autografá-los.

Corri e comprei um. 25 libras. Capa dura, ricamente ilustrado, edição de primeira (Weidenfeld & Nicolson), é o que todos na fila do autógrafo comentam. Comprei para levar de presente para a minha irmã Mané, que sabe tudo da Revolução Francesa e de Maria Antonieta. O livro é um tijolo de pesado. Escrevi em um pedaço de papel o apelido de minha irmã para a dedicatória da autora (Mané foi o apelido que na infância, aos dois anos, dei à recém-nascida, por não saber pronunciar seu nome, Maria Guilhermina). Pensando que Mané fosse eu, Antonia perguntou se era nome grego. Respondi que era brasileiro e que o livro era para a minha irmã.

Mesmo sábado, 17h, na tenda.

Os mesmos jornalistas que o louvam como o gênio que transformou o teatro acusam-no de impaciente, agressivo, explosivo, assustador, mal-humorado, temperamental e insustentavelmente vulcânico. E aqui, na tenda em Charleston, a hora agora é dele. Só dele. O título do evento é "Celebration", título de uma de suas últimas peças.

No programa está escrito: "Em *performance* única, Harold Pinter, nosso mais distinto e internacionalmente celebrado dramaturgo, lerá sua nova, selvagem e engraçada peça, *Celebration* (estreada em março do ano passado no Almeida Theatre). Após a *performance* ele responderá às perguntas sobre sua obra. Harold Pinter é também um renomado roteirista cinematográfico, ator, diretor, poeta e participante de campanhas pelos direitos humanos. Recebeu inúmeros prêmios."

Diana Reich faz a apresentação.

Estou realmente emocionado. Pinter pode não ser Shakespeare, mas sem dúvida é o maior autor teatral inglês se não do século, ao menos de sua segunda metade. Suas peças influenciaram minha educação como autor teatral há quase 40 anos. E agora estou sentado no melhor lugar da tenda, na segunda fila, de frente para ele, que veste paletó azul chumbado e camisa preta; o sapato, gasto, é bege (as meias também). Figura impressionante, já meio velhão (70 anos), mas sempre sensual. Perfil romano, voz grave de barítono.

Antes de começar a interpretar a peça, Pinter lê a descrição do cenário e dos personagens. A peça, como diz o título, é uma celebração. Pessoas que vão celebrar seus motivos em um restaurante. Mesa 1, mesa 2..., o Garçom, os comensais, os diversos sotaques, e Pinter, nessa leitura, vai interpretar todos os personagens.

É teatro do absurdo e da mais extrema crueldade na sua graça deslavada: jogos de palavras, mal-entendidos, equívocos propositais com nomes da

Esnobes ou Deuses? Capa do suplemento The Culture do The Sunday Times, *Londres, 17/9/1995. Da esquerda para a direita: Roger Fry, Dora Carrington, Virginia Woolf e Lytton Strachey, ilustração de Aldo Balding.*

2. Vanessa Bell por Duncan Grant, tinta sobre papel, 1916; **3.** David Garnett por Duncan Grant, óleo sobre tela, 191
4. Duncan Grant, auto-retrato, 1909. National Portrait Gallery; **5.** Bertrand Russell, Maynard Keynes e Lytto
Strachey em Garsington, 1915. National Portrait Gallery; **6.** Leonard Woolf por Duncan Grant, óleo sobre tela, 191
7. Katherine Mansfield, escritora amiga e rival de Virginia Woolf; **8.** E. M. Forster e T. S. Eliot, Monk's House.

. Lytton Strachey por Vanessa Bell, óleo sobre tela, 1913; 10. Ottoline Morrell em 1912, fotógrafo desconhecido; **1.** Capas desenhadas por Vanessa Bell para os livros da irmã Virginia Woolf publicados pela Hogarth Press desde 919, quando Leonard e Virginia fundaram a editora; **12.** Virginia Woolf em Garsington, a propriedade rural de hilip e Ottoline Morrell; **13.** Aldous Huxley por Vanessa Bell, óleo sobre tela, 1931. Huxley ofendeu Ottoline Morrell onizando-a como "Priscilla Wimbush" no romance Crome Yellow; **14.** D. H. Lawrence ridicularizou Ottoline Morrell omo "Hermione Roddice" em Mulheres Apaixonadas. National Portrait Gallery.

15. A intelectual argentina Victoria Ocampo, por Antonio Bivar, 2005; **16.** Cartaz com Maggie Smith, a primeira da[s] grandes intérpretes de Virginia Woolf no teatro. Londres, 1981; **17.** Vita Sackville-West; **18.** Na década de 90 [a] popularidade de Virginia Woolf estava tão em alta que seu retrato de 1902 por G. C. Beresford foi usado na campanh[a] da cerveja Bass; **19.** A família Bell reunida em Charleston, c. 1990. Da esquerda para a direita: Virginia, Julian, Ann[e] Olivier, Cressida e Quentin. As três crianças são filhos de Julian. Foto de Alen MacWeeney.

20. O estúdio de Vita Sackville-West na torre do castelo de Sissinghurst, Kent, Inglaterra. Foto de Brian Meldrum; 21. O quarto de Virginia Woolf em Rodmell. Foto de Eric Crighton.

22. Sob a amoreira no pomar do castelo de Sissinghurst, Nigel Nicolson fala aos participantes da Escola de Verão de Charleston, classe de 1993. Da esquerda para a direita: Carla Danby (costas), Jenny Thompson, Antonio Bivar, Ralph Drake, Myra Harud, Kathy Chamberlain, Anne Hughes e Peter Miall; **23.** Quentin Crisp interpreto "Rainha Elizabeth I" no filme Orlando, de 1993; **24.** Sir Stephen Spender, Charleston, 1993. Foto de Antonio Bivar **25.** Ao lhe ser atribuída a Légion d'Honneur, Clive Bell foi retratado num óleo sobre tela pela Duquesa d Rochefoucauld, Paris, 1937.

26. Antonio Bivar e Quentin Bell, Charleston, 1993. Foto de Sue Sullins; 27. Capa do suplemento Book Review, do The New York Times, 3/3/1996, chamando para a resenha do livro Bloomsbury recalled de Quentin Bell. As figuras são, da esquerda para a direita, em pé: Leonard Woolf, Roger Fry, Lady Ottoline Morrell, Clive e Vanessa Bell; sentados: Virginia Woolf, E. M. Forster, Maynard Keynes e Lytton Strachey. Ilustração de Julian Allen; 28. No cemitério de Firle, onde estão enterrados Vanessa Bell, Duncan Grant e Quentin Bell. De pé, Jane Joel; deitada, Ann Marsden; sentada de perfil, Polly Vaizey e, de costas, Elizabeth Grate. Foto de Antonio Bivar, 1997; 29. Ilustração de Fletcher Sibthorpe para a capa da biografia de Woolf por Hermione Lee (Chatto & Windus, 1996).

30. Paul Roche, por Duncan Grant, óleo sobre tela; **31.** Capa do livro Private: the erotic art of Duncan Grant
32. Cópia de Paul Roche da obra de Duncan Grant, por Antonio Bivar em aula com Vicki Walton na Escola de Verão em Charleston, 1997; **33.** Duncan Grant e Paul Roche em Aldermaston. Foto de Derry Moore, 1976
34. Vanessa Bell e a filha Angélica, Cassis, s/d.

35. Mary Hutchinson em desenho de Antonio Bivar; **36.** Anne Olivier Bell e Antonio Bivar, Charleston, 1997. Foto de Laura Devaney; **37.** Quentin Bell, 1994. Foto de Marcia May; **38.** Jenny Thompson e Antonio Bivar no obelisco do poeta Alfred Tennyson, Ilha de Wight, 1998. Foto de Wendy Neill; **39.** Mary Hutchinson em desenho de Matisse, 1936 (carvão sobre papel).

40. O solar de Swinburne na Ilha de Wight. Foto de Antonio Bivar, 1998; **41.** David e Judy Gascoyne com Edward Upward, Ilha de Wight, 1998. Foto de Jenny Thompson; **42.** O farol de Godrevy, St. Ives, Cornualha. É o farol de Rumo ao farol, de Virginia Woolf. Foto de John David Wright; **43.** Lady Antonia Fraser e Harold Pinter no Festival de Charleston, 2001. Colagem de Bivar; **44.** Susan Sontag no Festival de Charleston, 2001. Foto de Antonio Bivar. **45.** Michael Cunningham, autor de As horas, no Festival de Charleston, 2001. Foto de Jenny Thompson.

46. Angelica Garnett no estúdio de seu pai, Duncan Grant em Charleston, 1979. Foto de Howard Grey; **47.** Hilton Hall, a casa dos Garnetts. Foto de Antonio Bivar, 2001; **48.** Da terceira geração do Bloomsbury, Henrietta Garnett aos 41 anos em 1987; **49.** Amaryllis Garnett, filha de Angelica e David Garnett, neta de Duncan e Vanessa, sobrinha-neta de Virginia Woolf. Afogou-se no Tâmisa.

50. Festival 25 anos de Punk, Morecambe, Lancashire, julho de 2001. Foto de Antonio Bivar; **51.** George Melly no Ritz Hotel (capa do CD Puttin' on the Ritz), 1990. Foto de Rory Carnegie; **52.** Esboço por Bivar do retrato a óleo da mãe de Picasso (Musée L'Annonciade), Saint Tropez, 2002; **53.** O autor em La Bergère, residência de Vanessa Bell e família na Provence, nos anos 30. Foto de Jenny Thompson, 2002; **54.** Mona Lisa, Louvre, 2002. Desenho de Antonio Bivar.

5. Gerald Brenan entre Ralph Partridge e Lytton Strachey, Yegen, Espanha, 1920; **56.** Desenho de Bivar da praça perto da casa de Gerald Brenan, em 2002; **57.** O jovem conde Albert de Mun, em esboço de Bivar no Château de Miromesnil, Normandia, 17/5/2004; **58.** Dora Carrington detestava ser chamada de Dora e preferia ter nascido homem. Garsington, 1917; **59.** Patti Smith fotografada em Charleston por Alastair Thain para The Observer Magazine, 15/6/2003.

60. Christopher Isherwood e Edward Upward, Berlim anos 30. Arquivo Edward Upward, The British Library
61. Edward Upward e Bivar celebram os 98 anos de Upward. Ilha de Wight, 2001. Foto de Jenny Thompson
62. Sessenta e três anos depois, o pasto atravessado por Virginia Woolf quando foi se afogar no Rio Ouse, Rodmell. Foto de Antonio Bivar, 2004.

63. Anne Olivier Bell na praça Tavistock, 26/6/2004. Do outro lado da cerca, Jean Moorcroft Wilson e Cecil Woolf;
64. Olivier Bell, Eileen Atkins, Hermione Lee e Henrietta Garnett depois de descerrado o busto de Virginia Woolf.
65. Olivier Bell descerrando o memorial de Virginia Woolf em Londres, 2004. Fotos de Antonio Bivar;
66. Anne Olivier Bell retratada pela sogra Vanessa Bell. Óleo sobre tela, 1952.

67. O Great Hall do King's College preparado para o banquete do centenário do Grupo de Bloomsbury. Cambridge, 2004. Foto de Antonio Bivar; **68.** Cena do banquete do centenário do Grupo de Bloomsbury. Cambridge, 2004. Foto de Jenny Thompson; **69.** O menu do banquete no King's College, em Cambridge celebrando o centenário do Bloomsbury. Desenho de Vanessa Bell e escrita pela neta Virginia Nicholson. **70.** Virginia Stephen, ainda solteira, e Rupert Brooke em 1911 (detalhe). National Portrait Gallery, Londres.

literatura e das artes, provocações ininterruptas. É um texto grossíssimo, e eu diria até ofensivo para a platéia seleta e refinada de Charleston.

Me vem à lembrança de uma matinê de domingo em 1967, em um teatro em Copacabana, no Rio de Janeiro, assistindo *Volta ao lar*, deste mesmo Pinter, interpretada por Fernanda Montenegro e Ziembinski, entre outros. Era o espetáculo mais chocante da temporada carioca. O público, acostumado a uma Fernanda família, agora tão "depravada". Muitas senhoras, em protesto, se retiraram.

Alguns anos depois, era janeiro de 1971, estava eu em Dublin, quando na calçada um garoto de uns 12 anos me convidou a entrar com ele por uma escada que dava no balcão do Teatro Abbey, para assistirmos escondidos ao ensaio dessa mesma peça, que finalmente tinha sido liberada na Irlanda. "É uma peça *sexy*", disse o moleque. Fui. Para o garoto, assistir ao bate-boca desbocado de Pinter era uma deliciosa infração. Uma experiência de vida.

Virginia Nicholson, na primeira fila da tenda, com uma expressão de perplexidade, ri com esse diálogo pinteriano:

PRUE (para JULIE): Minha sogra sempre me odiou. Desde que me viu a primeira vez. Nunca me deu um presente. Nada. Ela não me daria sequer uma meleca de seu nariz.

JULIE: Eu sei. Todas as sogras são assim. Elas amam seus filhos. Seus meninos. Elas não querem que seus filhos sejam fodidos por outras garotas. Não é verdade?

PRUE: Absolutamente. Todas as mães querem elas mesmas foder seus filhos.

MATT: Todas as mães querem ser fodidas por seus filhos.

LAMBERT: Espera um pouco – com que idade?

JULIE: Com que idade o quê?

LAMBERT: A mãe quer foder com o filho?

MATT: Qualquer idade. Todas as idades.

Com o texto na mão, acompanho a leitura.

O público não acredita no que ouve e ri, nervoso. Que delícia.

Que cinismo! Que sarro com a cara do público! Pinter vai lendo, lendo, e, mais adiante, à página 65, a cena na mesa 1:

GARÇOM: Vocês se importam se me intrometo?

RICHARD: Como assim?

GARÇOM: Bem, é que ouvi vocês falando do Império Austro-húngaro e pensei se ouviram falar de meu avô. Ele era inacreditavelmente íntimo do Arquiduque e uma vez tomou chá com Benito Mussolini. Jogavam pôquer junto, os três e mais o Winston Churchill. O interessante com o meu avô é que a palma da mão dele parecia estar sempre queimando. Mas seus olhos estavam sempre noutro lugar. Ele tinha uma vida realmente estranha. Estava apaixonado, me contou, pela mulher que acabou sendo minha avó. Mas no meio do caminho ela sumiu. Acho que desapareceu numa tempestade de areia. No deserto. Meu avô era tudo o que os homens queriam ser, naquele tempo: alto, moreno e bonitão. Nesse sentido ele era como Jesus Cristo. Amava a sociedade de seus camaradas, W. B. Yeats, T. S. Eliot, Igor Stravinsky, Picasso, Ezra Pound, Bertolt Brecht, Don Bradman, as Beverly Sisters, The Inkspots, Franz Kafka e os Três Patetas. Ele sabia que essa gente era muito sozinha, muito isolada, que eles lutavam contra a maré impiedosa e sofriam dores terríveis no estômago, na barriga, nas pernas, no tronco, nos olhos, na garganta, no peito, no saco...

LAMBERT (se levantando, a outro): Bem, Richard, que grande jantar!

Pinter continua e lê a peça até o fim, 72 páginas. Depois dos aplausos do público, Diana Reich sobe ao estrado, elogia o brilho do evento e pergunta: "Como você cria suas peças, você diz alto as falas enquanto escreve?" Pinter responde qualquer coisa, tira de letra e é aplaudido. "Você ainda gosta de escrever?", alguém pergunta. E ele, impaciente, "Yes, yes". E conta de 1957, das primeiras peças que escreveu, *The room*, *The birthday party*, *The dumb waiter*... "Ainda me lembro do prazer de escrever aquelas peças e o prazer ainda existe; não há nada como preencher uma página em branco."

Alguém pergunta se ele já passou por crises por bloqueio. E ele: "Sim, tenho bloqueios, olhando uma página em branco". Mas ele diz isso com *timing* de comediante e o público ri. "Você tem de encontrar o ritmo, o significado." Daí uma moça lá atrás se apresenta: "Sou atriz. Suas personagens femininas são muito tímidas." Isso não é verdade e o Pinter não engole. A moça é atriz? Certamente uma atriz desconhecida. Pinter pergunta, com ênfase cruel: "Qual o seu nome?" E ela: "Deborah".

Diana Reich repete ao microfone para o público o que entendeu da pergunta da moça: que os personagens masculinos dele são fortes e que as femininas são fracas. E Pinter arrogante, impaciente: "Se posso chamá-la Deborah..." e marreta. A moça se sente humilhada. Pinter está doido para acabar logo, é evidente. Diana Reich, depois de mais algumas perguntas e respostas, agradece: "Gostaria de agradecer ao Harold pela tarde. Foi um privilégio para nós..." Aplausos.

Pinter continua no palco, sentado à mesa, autografando as peças. Como comprara o meu exemplar na véspera, sou um dos primeiros. Um dedo de prosa com ele. Digo que vim do Brasil só para vê-lo e ouvi-lo, e que no começo de 1973 uns amigos meus cuidavam da casa de Joseph Losey em Chelsea – Losey estava no México dirigindo um filme, *Trotsky*, com Richard Burton – e que, visitando a casa de Losey vi sobre o criado-mudo, ao lado da cama do diretor, o roteiro escrito por Pinter sobre Proust que Losey queria filmar (morreu sem consegui-lo). Pinter gostou de ouvir minha história e me deu o sorriso mais angelical que, imagino, ele tenha dirigido a alguém algum dia na vida. E me dedicou o livro. Letra péssima, a dele. Jenny nos fotografou.

Depois, como tínhamos ainda mais uma hora até o próximo evento, fizemos um piquenique no estacionamento – Keith Clements, Jenny, Ralph Drake, um casal e eu. Sanduíche de salmão, vinho tinto francês, frutas, sobremesa. Ouvem-se comentários sobre o brilho de Pinter. "Como pode Lady Antonia Fraser, nobre de berço, mulher tão fina, ser casada com homem tão grosso?!"

Mesmo sábado, 19h30, na tenda.

Agora o show literário é "Nature versus Nurture", natureza *versus* formação. Parece que é sobre o conflito entre instinto e moralidade, a fraqueza do arbítrio humano, ambiente e herança. São três mulheres romancistas. Pat Barker, que ganhou o prêmio literário mais importante da Inglaterra, o Booker Prize; Margaret Drabble, premiadíssima, já foi rainha das letras nos anos 70 e 80 e mantém o brilho até hoje, se não o mesmo sucesso de vendas.

As duas discutem seus últimos trabalhos com Lynne Truss, outra romancista. Já as vi aqui mesmo em Charleston, em outros anos. Margaret está de romance novo, *The peppered moth* (*A mariposa apimentada*, título traduzido assim nas coxas), uma história sobre quatro gerações de uma mesma família; já o novo romance de Pat Barker, *Border crossing* (*Cruzando a fronteira*) mexe com a relação entre uma criança assassina e seu psicólogo.

Será interessante o evento? Por *La* Drabble e por *La* Truss, com certeza. Elas costumam brilhar sem o menor esforço. Diana Reich entra com as três. Sentam-se. Pat Barker no meio. Lynne está mais gorda que há três anos, quando falou de seu romance *Tennyson's gift* (*O presente de Tennyson*). Fala rapidíssimo: "Essas duas romancistas maravilhosas aqui do meu lado..."

Margaret Drabble está de vermelho escuro por cima, preto por baixo, colar vermelho e prata, óculos pendurados por um fio de ônix e sapato tipo tênis de couro, vermelho, solado preto. Vai ler a introdução e pedaços do novo livro. Põe os óculos. Lê que é uma delícia. Essa sim, é boa de elocução e fonética. Humor requintado. É verdadeira. Um pouco louca. Aqui e ali o público ri, prazeroso. Ela tem tudo de uma excelente atriz.

Pat Barker está inteira vestida no mesmo tom bege amarelado – o paletó curto, as calças compridas e os sapatos com detalhes em brilho prateado. Óculos, os olhos quase fechados – dormindo ou concentrada ouvindo a Drabble? Abriu os olhos.

Ouvir a Drabble ler é um raro prazer. Entendo tudo de seu inglês. "Use your mother's blood for ink" (use o sangue de sua mãe como tinta) – disse um amigo, quando ela decidiu escrever sobre a mãe que morrera. "Minha mãe não tinha uma personalidade cômica, era inteligente..."

Lynne Truss comenta o que Drabble leu e pergunta se foi difícil mexer com a família. Drabble (respondendo): "Minha irmã (a romancista A. S. Byatt) disse: 'Mamãe não disse isso!'"

Dizem que a Drabble e a irmã são rivais. Jenny prefere a Byatt, eu adoro a Drabble. E ela: "Minha mãe foi uma grande sonhadora. Nasceu em Sheffield, Yorkshire, onde a família cresceu. Região de mineração de carvão. Minha mãe escrevia para Peter Sackville-West. Era pobre, mas culta."

Pat Barker fala de uma terceira força na vida humana. Pat também é muito verdadeira e o romance dela mexe com o terrível. É um romance-verdade. A Drabble fica embevecida enquanto a Barker lê. O público está gostando, segue com interesse. O vento sacode a lona da tenda. Barker: "As pessoas podem mudar, mas acreditamos realmente que elas mudaram?" Ela vai fundo demais nessa história terrível. Eu seria grande amigo da Drabble, mas fugiria da Barker. Outras pessoas não. Ainda bem que tem para todos os gostos. Lynne Truss anota para não esquecer um detalhe e comentar ou perguntar depois. E a Barker lendo: "Ele era nada, nada. Uma figura sombria."

Jenny ao meu lado boceja. Lá fora os corvos crocitam. Pat Barker deve ser uma mulher amarga na intimidade. Muito digna e bem premiada, mas amarga. Ela também é de Yorkshire, como a Drabble. Lynne Truss pergunta sobre o título do romance da Barker. O público gostou muito. Deve ser uma coisa bem inglesa. Genética. Sadismo. E a Barker: "Pode-se educar uma pessoa, compreendê-la, mas mudá-la é difícil. Genética é imutável, só o ambiente..."

Margaret Drabble (comentando): "Mudei minha posição nesse sentido, tive filhos nos anos 60 e eles foram moldados pelas mudanças do período."

Acho a Drabble mais lúcida e inteligente (mais simples e direta), a Barker é mais complicada e intransigente. Em suma: as três têm seu valor, mas para mim a Margaret Drabble é mais gente.

Perguntas do público. Intelectualíssimas. E a Diana Reich, encerrando o expediente: "Gostaria de agradecer às três. Foi um assunto muito imaginativo."

Jenny na direção do Volvo, de volta a Lewes. Ao lado, eu exaltava o desempenho de Margaret Drabble. Durante o evento, a maioria, inclusive Jenny, parecia preferir a Pat Barker, mas a Drabble faz mais o meu gênero. No carro, entusiasmado feito um fã, eu a defendia, dizendo que o inglês dela é o mais perfeito, o mais claro para o meu entendimento. Jenny corrigiu a minha pronúncia, quando eu disse *she says* pronunciando *shi sêis*. Jenny disse que o certo é *shi sés*. E fomos jantar no ASK.

Domingo, 27 de maio.

Hoje é dia dos americanos: Michael Cunningham e Susan Sontag. Como temos muito tempo até às 14h, compramos os jornais domingueiros e fomos lê-los num jardim. Eu estava muito triste, me sentindo extremamente longe de casa – mais só e infeliz por não estar realmente só (aí eu não estaria me sentindo nem tão só nem tão infeliz, para usar uma lógica absurda). A verdade é que ainda estou de luto e nada posso fazer. E o fato de estar fora de meu elemento torna a dor ainda mais profunda.

No caminho do jardim avistei, descendo a ruela, uma figurinha que me comoveu às lágrimas. Uma velhinha de bengala observando as plantas nos pequenos jardins e nas jardineiras das residências modestas. Ia parando no caminho para observar as plantas. Era, sem tirar nem pôr, a minha mãe. O mesmo corte de cabelo curto e grisalho, a mesma postura, o mesmo jeito de caminhar, até a mesma bengala. Essa presença, a uns cinqüenta metros à minha frente, parecia um sinal para mim, um sinal que a presença de Jenny inibia.

É a primeira vez que venho à Inglaterra desde que minha mãe morreu. Aquela figurinha era a minha mãe aos 89 anos, quando ela ainda ia sozinha às compras para a casa, independente, destemida, determinada, corajosa, curiosa, de bem com a vida, imbatível. Éramos, eu e ela, amigos, camaradas, mas não grudados. Minha mãe nunca foi de grude, nem com os filhos nem com os netos nem com meu pai. Minha natureza também nunca suportou grude. O domingo ficou mais triste, mais desolado ainda por eu não ter ido ao encontro da velhinha. Ah, como eu gostaria de seguir essa minha mãe em aparição mágica aqui, segui-la até aonde ela fosse, só ela e eu, até quebrar ou não o encanto.

Segui-a com os olhos o máximo que pude, até o final da ruazinha, disfarçando para que a outra não percebesse e não interferisse. Quando chegamos ao fim da rua, a velhinha foi para a esquerda e eu fui puxado pela outra, para que entrássemos no espetacular porém deprimente jardim. Eu e a velhinha trocamos, de longe, um último olhar. A frustração, a tristeza e a solidão foram tão grandes que as lágrimas explodiram.

Depois da leitura dos jornais nesse jardim, fomos, atrasados, para Charleston. Chegamos e, coincidência, Anne Olivier Bell – eis aí uma mulher de muita idade e verdadeiramente independente – estacionava seu Peugeot ao lado do Volvo de Jenny. Olivier estava toda de azul. Rumamos para a tenda, para a vez de Michael Cunningham.

Aqui neste livro, conto do encontro com Cunningham em São Paulo, em 1999, por ocasião do lançamento de seu livro *As horas* no Brasil. Naquela ocasião, contei-lhe de Charleston (onde ele até então nunca estivera), mostrei-lhe uma carta de Olivier Bell. E agora, ele aqui! Será que ainda se lembra de mim e daquele jantar? Duvido.

No texto do programa está: "Michael Cunningham, inspirado na vida e na obra de Virginia Woolf, criou em *As horas*, romance vencedor do Pulitzer de 1998, uma homenagem a *Mrs. Dalloway*. O livro é um estudo penetrante sobre humanidade, amor, morte, doença e sexualidade. Em uma rara visita à Inglaterra, que coincide com a filmagem de *As horas*, Michael Cunningham fala do livro e de suas influências literárias. Ele cresceu em Los Angeles e vive em Nova York."

Diana Reich o apresenta entusiasticamente à platéia, que parece mais excitada que o normal, Cunningham é americano e bonitão. Diana diz que ele falará cerca de 30 minutos e a seguir responderá às perguntas.

Cunningham de pé, no púlpito, está com a cor de quem tomou sol andando pelos parques londrinos. A pele um pouco dissipada, olheiras profundas. O parceiro dele, que é médico, não veio a Charleston. Cunningham provoca *frisson* numa parcela da ala feminina. Fala de Virginia Woolf e dele mesmo. Sotaque americano forte. "Meu livro é um exercício de improvisação sobre *Mrs. Dalloway*. Como um músico de jazz improvisando sobre um tema conhecido."

E segue: "Existem livros fabulosos, mas não vejo minha vida neles." E diz que *As horas* se passa em três planos: na cidade de Nova York exatamente agora; em Los Angeles nos anos 40 e em Londres nos anos 20, quando Woolf escrevia *Mrs. Dalloway*. Começa com o suicídio dela, em 1941. Ele explica que as três histórias se interligam e, para dar uma amostra de seu estilo literário, lerá um trecho que tem como personagens Virginia e a irmã, Vanessa. E lê. O público, pelas caras, entre *blasé* e atento. Ele continua. Enquanto Virginia e Vanessa conversam na cozinha, no quintal Quentin (filho de Vanessa), acha um pássaro morto.

E enquanto Cunningham lê, um repentino vento de tornado quase arranca do chão a tenda onde estamos. Com a mudança do tempo lá fora está um gelo, mas aqui dentro, a tenda fechada, está um forno. Estamos sentados bem na frente, cara a cara com Cunningham. Jenny cochila. Dou-lhe um cutucão, ela acorda, disfarça, e automaticamente começa a anotar no bloco, dando a impressão de muito interessada. E por aí foram os 30 minutos. Agora as perguntas.

Uma moça quer saber como, sendo Cunningham homem, descreveu mulheres tão perfeitas. Pergunta boba, já que faz tempo que se sabe que todo bom autor é andrógino. E ele: "Sou obviamente americano, homem, e existiam mil razões para não ter escrito esse livro. Em Los Angeles eu não era precoce nem vigoroso como literato. Aos 15 anos, estava mais interessado em ouvir Jimi Hendrix e Jim Morrison.

Então, como sói acontecer, havia na minha classe aquela colega que era uma deusa. Alta, pescoço de cisne, fumava com piteira. Me aproximei e puxei conversa. Afetada e superior, ela soltou uma baforada e perguntou se eu tinha lido Eliot e Woolf. Eu não tinha a menor idéia de quem ela estava falando, mas me informei e me virei. Fui à biblioteca e peguei o único livro que havia de Virginia Woolf: *Mrs. Dalloway*. Não entendi nada, mas foi ali que aconteceu a transformação."

Cunningham conta que estivera algumas vezes na Inglaterra e uma única vez na Monk's House. "Eu estava trabalhando no livro e queria dar uma olhada no rio onde ela se matou. Fui. *As horas* foi o maior sucesso nos Estados Unidos, um *best seller*."

Na platéia, sentado de frente para ele, pergunto, já que ainda não havia sido divulgado, que atriz fazia a Virginia Woolf no filme? Sem me reconhecer e me tratando por *Sir*, Cunningham responde, avisando à platéia em geral: "Melhor vocês se relaxarem e se prepararem para a resposta: é Nicole Kidman quem faz o papel de Virginia Woolf no filme. Miranda Richardson faz Vanessa Bell. Meryl Streep faz Clarissa... e Ed Harris faz Richard... O *script* é de David Hare..."

Cunningham vive seu momento de glória. É natural que se sinta meio que *rempli de soi-même*. É uma figura da hora e para ele, no momento, Hollywood hoje é tudo: dinheiro, sucesso internacional, celebridades, o *Oscar*...

Encerrando a sessão, Diana Reich está encantada com ele. Diz: "Nada no livro dele desaponta. Nada em Michael Cunningham desaponta." E lembra que o livro está à venda lá atrás e que Michael ficará um pouco mais para autografá-lo. Na fila para os autógrafos, Sue Roe e Jenny parecem duas *groupies* assanhadas. Comentam como ele é *sexy*, bonitão; Jenny o acha parecido com Jean-Paul Belmondo; Roe chama a atenção para o perfil: "Que nariz!" E agora, num dedo de prosa, ele finalmente se lembrou daquele jantar em São Paulo e disse: "Então, finalmente estamos aqui! Você está diferente, não o reconheci."

Agora há pouco, no intervalo lá fora, num dos jardins, fui conversar com a Olivier Bell que tomava chá e fumava um Benson & Hedges. Comentando sobre Margaret Drabble ontem, ela disse: "Não gosto quando lêem o final dos romances." Uma mulher se aproxima de Olivier e elogia Antonia Fraser ontem. Olivier concorda que a Fraser é uma boa *performer*.

Mesmo domingo, 16h30.

Pouco depois do horário marcado, a tenda lotada, Diana Reich entra com Susan Sontag. Não é preciso, mas ainda assim ela introduz a rainha *camp*. Diana conta que Sontag é uma romancista influente, ensaísta, dramaturga, ativista dos direitos humanos e que neste evento ela irá nos contar de seu último romance, *In America*, do qual lerá trechos.

In America foi premiado com o National Book Award nos EUA ano passado (seria logo lançado no Brasil como *Na América*, pela Companhia das Letras). Diana diz que o novo romance da Sontag é uma meditação profunda e cômica sobre temas diversos: utopia, imigração, teatro, casamento e a busca da mulher por autotransformação.

Enquanto isso, Sontag, 68 anos, sorri. Boca larga, dentes grandes, marcas de sarcasmo inteligente nos cantos da boca. Morena sazonada, cabelos longos tintados de preto-azeviche e uma mecha branca começando no meio da testa. Com uma carreira de mais de 30 anos, andou meio por baixo no começo dos anos 90 por conta de uma ameaça chamada Camile Paglia. Mas a Paglia, hoje em fase rebaixada, saiu de cena, e a volta de Susan Sontag é triunfal. Entre seus livros estão o romance *The Volcano lover* e os de não-ficção *Aids e suas metáforas*, e *Camp*.

E ali está ela, de pé no púlpito, bem à minha frente (continuamos, Jenny e eu, com os melhores lugares da tenda). Bota marrom de cano curto, calça preta, blusão preto, xale florido sobre fundo cinza escuro. Parece muito feliz. Fala do prazer de estar em Charleston, que Bloomsbury era um círculo absolutamente maravilhoso e Virginia Woolf a mais importante do círculo.

Diz que Virginia Woolf tem mais fãs nos EUA que aqui. Elogia a biografia de Virginia por Hermione Lee. "E eu aqui pregando para conhecedores", brinca. "No meu país, Charleston é um lugar muito famoso. Sua galáxia uma fascinação para todos nós."

Irradia simpatia. "Vou ler trechos do meu mais recente romance, *In America*. O que mais me interessa é ficção. Um verdadeiro romance vai além de uma longa jornada. Meu romance é feito de monólogos. O monólogo de abertura – o prólogo, se vocês preferirem – é um personagem que vem do fim do ano 2000 e retrocede até 1875." E ela começa:

"Áustria... Está acontecendo uma festa no hotel em homenagem a Helena Modveska, uma atriz polonesa de 35 anos, maior sucesso nos palcos europeus, Áustria, Prússia, Rússia. No meio da festa, a atriz desiste de tudo e resolve ir para a América. Por ser carismática, um monte de gente vai com ela. O marido, crianças, apaixonados, fãs... Chegam a uma vila no sul da Califórnia, lugar de má fama na época.

O grupo monta uma fazenda, a fazenda fracassa, a maioria volta para a Polônia, a atriz fica, retoma a carreira, tornando-se famosa em toda a América. Contracena com o grande ator Edwin Booth, com quem passa a viver maritalmente.

"Eu não sabia nada do período e li muito para escrever o romance, para formar a história", conta a Sontag. "Naquele tempo todas as cidades tinham teatro."

Susan Sontag é uma ótima *performer*. É sincera. Se não sabe, procura saber. Teatro, por exemplo. Conta que procurou saber sobre a origem da direção teatral. E continua: "O monólogo de abertura é cômico e o que fecha é trágico. Vou ler o finzinho: 'Você vê, minha cara Helena...'."

Sontag deixou cair sobre um dos olhos (o direito) metade da cabeleira preta; lê mais um pouco, leva os cabelos para atrás da orelha. Teve câncer e o venceu, escrevendo um livro a respeito. É esse tipo de mulher. Os cabelos voltam a tapar o olho direito. Ela tira partido. O xale caiu no chão e ela nem liga, deixa-o lá e segue lendo. Booth diz para a atriz: "Ofélia enlouqueceu e foi para a água. Mas nós não, nós somos americanos, otimistas incuráveis..."

O romance da Sontag é longo. Ela diz que usa o romance para discutir muitos assuntos. Ralph Drake, lá no extremo direito da platéia dorme um pouco. E outros. Quando os autores lêem, muitos na platéia acabam vencidos pelo sono, já reparei. Ao passo que quando falam sem ler, o público fica mais ligado. Agora a Sontag já viaja em Siracusa. E ainda fala do Hamlet (lendo).

Falando pelos cotovelos, Sontag é puro charme. "Naturalmente, como vocês podem imaginar, estou horrorizada e desesperada com a presente administração. Acho esse presidente (George W. Bush) uma figura horrível. Há sempre um embaraço em ser americano, porque a América é uma cultura voraz, ditatorial, que se mete em todos os lugares", diz.

"Passei muito da minha vida longe da América, e o resto do mundo não é a América. Passei quase três anos em Saravejo, durante o estado de sítio, entre 1993 e 1996. Sinto-me internacional, mas meu jeito de ser internacional é muito americano. Sou uma americana da terceira geração, de modo que existem muitas coisas americanas em mim. E não é o que identifico na cultura americana, a maioria dessa cultura realmente não me interessa, ou não gosto, ou não tiro dela muito prazer.

É parte do que é americano em mim, do que aprendi vivendo fora, que conta. Por exemplo, sou uma grande crente no poder da vontade e na possibilidade de autotransformação e autotranscendência, e isso é muito americano. Vivendo em muitos países da Europa e em outras nações fora da Europa, vi que as pessoas desses lugares não pensam assim. Elas não pensam que você pode se refazer, se transformar, se transcender e, por um enorme esforço de vontade, se tornar outra pessoa. Isso é muito americano.

Como escritora não-chauvinista, sou uma cidadã do mundo. O mundo como idéia de uma república internacional de letras." Sontag vira-se para Diana Reich, que já está no estrado e diz: "Ok, Diana, prometo que já vou parar." E revela: "Sou de novo uma paciente com câncer. Estou agora no estágio dois."

Antes, no começo, ela nos contou que o primeiro câncer era no estágio cinco, mais longo. "É importante dizer que tenho câncer e que câncer é apenas uma doença. É muito diferente ter câncer hoje do que nos anos 70. No hospital os pacientes conversam, ok, corte. A comercialização da medicina, hoje. Os médicos são apenas comerciantes."

Acabou. Aplausos. Diana Reich encerra o expediente dizendo: "Susan ficou de pé muito tempo, mas foi maravilhosa." (NOTA: Susan Sontag viveria mais dois anos e oito meses – faleceu em 28 de dezembro de 2004, aos 71 anos.)

Mesmo domingo, 19h30.

"The pen and the sword" ("A pena e a espada") é título do evento de gala do festival este ano. No programa consta que "uma galáxia de escritores e atores selecionam e atuam em textos que exemplificam o poder transformador da palavra escrita".

A gala é em benefício de Charleston e da PEN inglesa. A PEN é uma associação internacional de escritores, que defende a liberdade de expressão e o entendimento intercultural via literatura. Victoria Glendinning, a grande biógrafa, está bastante diferente desde a ultima vez que a vi em Charleston, dividindo o estrado com os agora falecidos John Bayley e Iris Murdoch.

Não que aparente mais idade, faz só três anos, mas está diferente. Os cabelos estão mais claros e mais curtos e a cara também está mudada. Mas continua ótima. Então ela fala da PEN, entidade da qual é presidente, e de Rebecca West, escritora de quem acaba de escrever uma vasta biografia.

Na primeira fila, Virginia Nicholson, Olivier Bell, Susan Sontag, Frances Spalding... e a gala continua. Agora é a vez da atriz Prunella Scales, que no estrado lê um trecho de *The bystander*, por Sheila Cassidy, uma médica presa e torturada no Chile na ditadura Pinochet: "Meu *jeans* manchado com meu próprio sangue, o sangue da tortura. Desnudamento e humilhação; gente torturada, gente torturando, gente sentada assistindo..."

Agora é a vez de Corin Redgrave. Ele lê um longo trecho do *De profundis*, de Oscar Wilde. Em maio de 1895, Wilde foi sentenciado a dois anos de trabalho forçado na cadeia em Reading por "atos indecentes", e *De profundis* é um lamento introspectivo em forma de uma longa carta, escrita no cárcere entre janeiro e março de 1897, para o amante, Lord Alfred Douglas. *De profundis* apareceu em muitas versões depois da morte de Wilde, em 1900, três anos depois de libertado. O texto completo não foi publicado até 1949.

O trecho lido, em si melodramático, é ainda mais dramatizado por Redgrave, num show de *overacting* em que ele gesticula, vira pra cá, vira pra lá, faz caras e bocas, mas no fundo, apesar da maestria técnica, parece mais é estar soltando o texto da boca pra fora. Não consigo sentir que tem Oscar Wilde ali. "O amor é alimentado pela imaginação", frase de Wilde dita por Redgrave. O público – noto os das primeiras filas – parece estar sendo torturado pelo blablablá interminável desse Redgrave, filho do Michael e irmão de Vanessa e de Lynn.

Fora da tenda, os pássaros vespertinos gorjeiam se despedindo do dia que, definitivamente, morre: as vacas dão os últimos mugidos antes de sucumbir às trevas de mais uma noite em Sussex. E Corin Redgrave finalmente assina, no final da carta, "Oscar Wilde".

Jenny achou maravilhosa a interpretação dele, melhor que no teatro – ela o viu lá, fazendo a mesma coisa; na fila para pegar uma taça de champanhe, no intervalo, uma velha amiga dela diz que a interpretação do ator foi uma *tour de force*. Lá isso foi, concordo.

Ralph Drake – e Jenny quis a opinião dele – desculpou-se dizendo que a acústica não estava muito boa onde ele estava sentado. Mas Ralph adorou a Victoria Glendinning falando da Rebecca West. Ralph é fã da Rebecca, que já morreu faz tempo. Faz frio no relento. Ralph conta que soube que a revista de Charleston – *The Charleston Magazine* – vai acabar. O último número será o próximo, 24. Por um lado acho bom. Acho elegante. É um ciclo que se encerra. A bela revista saía duas vezes ao ano, um número primavera/verão e o outro, outono/inverno. Parece que terá início uma outra publicação, *Canvas* (Telas). Menos *glossy* e mais na linha boletim.

Na verdade estou é decepcionadíssimo por outro motivo. Só há pouco fiquei sabendo que Merlin Holland, o neto de Oscar Wilde, alegando estar doente, cancelou a vinda a Charleston, que seria amanhã. Simon Callow o substituirá.

Termina o intervalo e continua a sessão de gala. Agora é outro ator, Timothy West, que lê Dickens. Timothy é um senhor distinto (parece um sapo gigante) e lê bem. É qualquer coisa sobre trens.

Agora quem lê é a Mavis Cheek. Nunca ouvi falar dela, mas pelo visto escreve muito: há um monte de livros dela à venda na mesa lá atrás. Ela é engraçada, o público morre de rir. E não é para menos. A Cheek lê Dorothy Parker – uma crítica da Parker sobre um romance escrito por Mussolini, *The cardinal's mistress* (*A amante do cardeal*), tradução inglesa de 1929.

A crítica de Dorothy Parker foi publicada na revista *The New Yorker* e está reproduzida no *The portable Dorothy Parker*, que eu tenho lá em São Paulo desde os anos 70, edição da Penguin. O título do romance de Mussolini é *Claudia Particella, l'amante del cardinale Emanuel Madruzzo*. Parker, com o humor dela escreveu: "Se *A amante do cardeal* é um grande *romanzo*, eu sou Alexandre Dumas, *père et fils*".

Nessa olimpíada de "Pena (caneta) e Espada", da PEN, quem agora vai brilhar no estrado da tenda é Bonnie Greer. Ela é negra, americana, espertíssima e acadêmica. Deve ter uns trinta e tantos anos. Estudou dramaturgia com David Mamet em Chicago e com Elia Kazan em Nova York. Ganhou traquejo trabalhando com Joseph Papp. Bonnie Greer escreve peças teatrais, e em 1996 recebeu um prêmio. Atualmente está com bolsa em Londres. Também escreve romances, contos, crítica e faz rádio e TV. Aparece na televisão inglesa, com outra Greer da qual não é parente, a australiana Germaine Greer que, se hoje está grisalha e um tanto moralista, já foi loura, e na década de 60 posou nua com os calcanhares atrás das orelhas.

No programa de TV, as duas e mais dois outros comentam teatro, cinema, literatura, artes plásticas... Assisti a um desses programas e a Bonnie é bem esperta. Dá a impressão de saber de tudo. Agora, na tenda, Bonnie Greer lê um trecho de alguém sobre os direitos humanos e fica aquele panfleto que a essa altura ninguém agüenta. Sobre a próxima a ter vez no palanque nem vou falar. Seu tema é censura. Em seguida, depois dos aplausos aos que participaram dessa noite de gala, subiu ao palco Norbert Lynton, que é o presidente do Charleston Trust. "O público de Charleston é o melhor do mundo", ele garante.

Segunda, 28 de maio.

Último dia do festival. Teremos, na primeira sessão da tarde, às 14h, com o título de "Wives, Lovers, Sisters" ("Esposas, Amantes, Irmãs") duas escritoras biógrafas e acadêmicas: Mary Ann Caws e Sue Roe. Mary Ann Caws, americana e residente em Nova York, é professora de inglês, francês e literatura comparada; autora de livros e ensaios sobre Bloomsbury, entre eles, *Women of Bloomsbury: Virginia, Vanessa and Carrington*, e o mais recente, *Bloomsbury and France – art and friends*.

Este ela escreveu em parceria com Sarah Bird Wright. É um livro fascinante sobre o relacionamento dos *bloomsberries* com a França. A amizade deles com Gide, Matisse, Picasso, etc., assim como os lugares onde os do grupo passavam longos meses, os pintores pintando, os escritores escrevendo, as crianças brincando... Outro dado curioso sobre Mary Ann Caws é que nas mais de três décadas em que ela mexe com o assunto, como uma detetive-arqueóloga, ela é uma das que vão mais fundo na escavação.

A Caws é aquele tipo de americana inquieta que consegue o que quer quando realmente quer. Basta dizer que em 1970 ela se hospedou na Monk's House. Não só isso, ficou no quarto que foi o de Virginia, dormindo na cama dela. Fez o mesmo indo seguidamente para St. Ives, na Cornualha. E, na França, percorrendo todos os lugares aonde os *bloomsberries* iam dar... E muito mais. Mas hoje, aqui na tenda, ela vai falar de outra mulher forte, a Dora Maar – uma das que mais marcaram a vida e a obra de Picasso.

Outra que vai estar no palanque é a sempiterna Sue Roe, que vem de lançar (pela Chatto and Windus) a biografia de Gwen John, pintora irmã do excêntrico Augustus John e amante do escultor Rodin.

Entra Diana Reich com as duas. Diz sobre o que elas vão falar e sai. Sue Roe é a primeira. Fala da Gwen John e muito do irmão dela, o Augustus (pronuncia-se Ogástas). O público morre de rir quando Sue diz que nasceu em 1959. Ela tem 45 anos, mas não parece ter mais que 17! É que a compleição dela é toda delicada. Com essa pinta de mocinha é realmente difícil respeitá-la como talvez mereça.

Ela conta que a Gwen John foi estudar pintura em Paris. E que o seu cliente, de Nova York, para quem durante mais de 10 anos mandou trabalhos, não queria saber dela como modernista nem de seu convívio com Matisse, Picasso, Marie Laurencin, etc. O homem queria que a Gwen continuasse pintando só retratos convencionais de mulheres, quando ela na verdade era fascinada pelos futuristas tipo Rouault e achava Cézanne o maior entre os maiores. Ela costumava ignorar as vitrines, não consumir, e nem falar muito com quem acabava de ser apresentada.

Auguste Rodin (1840-1917) tinha seu estúdio no 6ème *arrondissement*. Quando a Gwen chegou ao estúdio, Rodin tinha acabado de receber uma encomenda de trabalho. Tinha 63 anos e ela, 27. Rodin teve muitas mulheres. A Camille Claudel foi uma delas. Ele lia muito, inclusive Shakespeare. Com Gwen ele falava de escultura grega. Um dia a beijou e brotou a paixão.

Gwen se sentiu a mulher mais feliz do mundo. Adorava posar para ele e pintava com muito mais inspiração. Rodin ia vê-la no Hotel Mont Blanc. Quando ela chegou a esse hotel, a *concierge* foi muito compreensiva. Gwen explicou que era uma modelo à procura de trabalho. Nesse quartinho ela mais pintou que bordou. Quando Rodin morreu, aos 76 anos, Gwen estava com 41.

Agora é a vez de Mary Ann Caws. Prognata, abusada, sotaque do meio-oeste carregado, metida a engraçada, pouco se lixando em fazer a ridícula. Com isso conquista não só tudo o que quer, mas também a platéia. Sem dúvida, sua presença é irresistível e ela é boa de palco (geralmente as professoras o são). Apaixonada por Virginia Woolf, por Bloomsbury, por Charleston, pela França e pelos artistas que lá fizeram o século 20.

"Mas estou aqui para falar da Dora Maar! Ela era meio iuguslava. Viveu na Argentina. Era uma fotógrafa superior, conheceu Picasso em um *set* cinematográfico e se apaixonou por ele. Picasso a viu dando facada entre os dedos da mão, ela errou um dedo, saiu sangue, ele falou: 'Que linda!' e pronto. Dora era reclusa. Picasso gostava das cortinas dela. Tiveram uma discussão na frente do *Guernica*. Ela teve muitos amantes: Brassai, o fotógrafo, de 1936 a 1942; George Bataille... Picasso a largou em 1942. O analista dela era Jacques Lacan. Todos eram vizinhos, todos loucos."

"Enfim, o que me interessa como biógrafa", diz a Caws, "são trocas antropológicas. No fim da vida, Dora Maar ganhou de Picasso um anel. Ele, numa crueldade gradual, pintou muitas mulheres chorando. No *Guernica*, Dora é a que mais debulha lágrimas. Ela foi perdendo a beleza e ficando mais histérica. Nessa época aconteceu a influência alemã da *New Objectivity*. Dora foi influenciada. No teatro, o *Père Ubu*, do Jarry. Em Dora Maar, a manipulação da fotografia. Fotografava André Breton. Dora Maar também foi fotógrafa de rua. Tinha estúdio, sim, mas era uma rueira. Era alta, Picasso era baixo."

Mary Ann Caws é uma palhaça deliciosa macaqueando Picasso e Dora Maar na água. Diz: "Adoro poesia, vivo para a poesia, traduzo poesia e descobri um poema muito sensível de Picasso para a Dora."

Picasso tinha de fazer uma estátua de Apollinaire encomendada pela prefeitura de Paris. Não sabia o que fazer. Não era escultor e agora tinha de mexer com bronze. Maillol era um dos seus heróis. "Alguém roubou essa estátua de onde estava, em Saint-Germain-des-Prés, mas ela foi achada num bosque a semana passada", conta a Caws, que volta a provocar um surto de riso lendo um poema de Picasso.

Já nos poemas de Dora Maar havia muita tristeza, solidão, mesmo quando ela descrevia os dias ensolarados de verão. A Caws conta que Dora Maar e Picasso passaram uma fase adorando fazer poemas juntos. Um deles, a quatro mãos começa assim: "Ando na vasta paisagem/ dois amigos passam/ meu destino é..."

Fim. Aplausos. Diana Reich, rápida, lembra que a fotógrafa Lee Miller, contemporânea e do mesmo círculo de Dora Maar, morou aqui perto, em Sussex, casada com o surrealista Roland Penrose. O filho do casal, Anthony Penrose, continua na fazenda, é agricultor e cuida do legado dos pais. (Lee Miller era genial – ensinou solarização ao Man Ray.)

Mary Ann Caws continua: "Tive de pôr o nome de Picasso no título do livro porque a maioria não sabe quem foi Dora Maar. Há quem me pergunte se ela não foi aquela grande cozinheira." Alguém faz uma pergunta à Sue Roe e ela responde. Diz que a Gwen John ia à peixaria, comprava quilos de cabeça de peixe e fazia patê para os seus cinco gatos.

Mesmo dia, 16h30.

Agora é o último evento do festival este ano. Tem por título "Relative values" ("Valores relativos"). Neste evento iria se apresentar o neto de Oscar Wilde. Diana Reich sobe ao palco e pede desculpas ao público pela ausência de Merlin Holland, que será substituído pelo ator Simon Callow (que interpretou Wilde no teatro por ocasião do centenário de sua morte). Diana diz que Frances Spalding também estará no estrado.

A sessão começa com a Spalding falando de sua última biografia, de outra Gwen, a Gwen Raverat, nascida Gwen Darwin (neta de Charles Darwin). Explica que essa Gwen escreveu um livro que ainda hoje é reeditado, o *Period piece*, *Peça de época*, contando da infância e da família em Cambridge.

A Spalding agora está de malha, porque a temperatura caiu. Começa, falando da vida e das cartas de Charles Darwin e do avô paterno dele, que foi um homem importante no cenário imperial da época. "Se vocês lerem a introdução do livro escrito por Darwin..."

Agora, fala da Emma Darwin, a esposa, que num certo sentido era "uma mulher terrível". Tocava piano muito bem, a criançada em volta, dez filhos, a casa em Kent. Decidiu que os móveis seriam usados como brinquedos. George, o quinto filho, foi matemático. Foi ele que casou com a americana. A Gwen é filha do casal. Uma parente do Graham Greene foi professora da Gwen, que certa vez foi com os pais ver as telas de Rembrandt em Amsterdam.

Em 1911, Gwen Darwin se casou com o pintor francês Jacques Raverat. Ficaria conhecida como Gwen Raverat. Jacques Raverat era amicíssimo de Virginia Woolf, amizade essencialmente epistolar. Virginia, nas cartas, se abria muito com ele. Raverat estudou matemática na Sorbonne e depois foi para Cambridge, onde ficou amigo do poeta Rupert Brooke. Casou-se com a Gwen. Ainda cedo, caiu vítima de uma doença terrível, multiesclerose, que lhe roubou toda a energia até a morte. Ontem, como hoje, essa doença é incurável.

O casal se mudou para Vence, na Provence. Uma das coisas mais importantes nessa fase da vida de Gwen foi a correspondência entre seu marido e Virginia Woolf. Jacques morreu em 1925, Gwen retornou à Inglaterra, não foi muito feliz em Londres e voltou para Cambridge. A casa dos avós (Charles e Emma). A paisagem: "Adoro tudo aqui, os seixos, as plantas, o chão branco, estas são as forças por trás da sensibilidade do artista", escreveu Gwen Raverat.

Agora é a vez de Oscar Wilde via Simon Callow. Callow tosse e pede desculpas. Diz que Merlin Holland, ele soube, está melhor. Conta que o fardo é muito pesado para Merlin, que se tornou, pela força das circunstâncias, um neto profissional, uma espécie de guardião do legado do avô. Teve muito trabalho no ano passado, por conta do centenário da morte de Wilde. Foi o editor do volume de cartas dele. Mais do que qualquer outro, é muito cuidadoso com o legado.

Callow fala de como Oscar Wilde criou e liberou sua própria pessoa como indivíduo, artista e filósofo. A máscara era mais verdadeira que a verdade. "Será que alguma vez ele tirou a máscara para revelar a si mesmo, no espelho, o verdadeiro rosto?", pergunta.

A mãe de Oscar, Esperanza Wilde, escreveu um livro. Vinha da sólida classe média dublinense, uma família convencional. Há uma foto famosa de Oscar criança vestido de menina. Era comum naquele tempo meninos serem fotografados em roupas de menina. Depois, ele foi para Oxford e se destacou. Ali a coisa era forte, a etiqueta social, o esnobismo.

Callow dá uma pausa. Bebe um copo d'água. E continua: Wilde era precoce, frívolo, ostentoso, afetado. Toda a pinta começou em Oxford, naquele *milieu* pedante. Começou a se interessar mais e mais por vestuário. Cabelos longos, paletó de veludo. Paparicou a beldade da época, a vedete Lillie Langtry, assim como o *demi monde*. Logo se tornou um deles. Publicou poesias. Ninguém era mais *dandy* que ele. O que contava era a imagem.

Enfim, Wilde foi a maior estrela de seu tempo. A turnê nos Estados Unidos. As palestras por cidades americanas, os *cowboys* boquiabertos ouvindo-o no oeste selvagem. Boquiabertos especialmente diante das roupas que Wilde levou para fechar o comércio nessa viagem. Tornou-se uma espécie de profeta de uma nova estética. Era paradoxal e dialético. Quebrou o rigor vitoriano. Surgiram os clones: gente que se vestia como ele. Também foi marido. Casou com Constance Lloyd, irlandesa de boa família. Mas continuou com as fantasias estéticas.

Foi a Paris, foi ao Louvre. Viu uma estátua masculina nua e tirou vantagem. Começou a editar uma revista feminina. *O retrato de Dorian Gray* foi publicado e ele se tornou notório de outro jeito. Ondas de choque. Muita gente passou a não mais falar com ele nem com a mulher. Depois do nascimento do segundo filho, Oscar não fez mais sexo com Constance. Tornou-se definitivamente pederasta. Os amigos, Robert Ross, e o submundo homossexual passaram a ser, para Wilde, a verdadeira vida. O Café Royal, o caso com Alfred Douglas, lorde filho de marquês, era a imagem da adolescência.

Oscar Wilde foi um grande sucesso como dramaturgo. O creme da época ia às suas estréias. O príncipe de Gales, o primeiro-ministro, chefes de gabinetes, a Casa dos Lordes inteira, Wilde preparava uma grande vingança contra essa gente, contra a hipocrisia social, com seu sangue irlandês, católico.

Wilde caçando nas docas. Wilde com michês recém-saídos da adolescência. Wilde na prisão, depois de desafiar o Marquês de Queensberry (pai de Alfred Douglas, que deixou de ser seu amante para virar colega de *trottoir*). O processo. O homem destruído, moralmente arrasado. Dois anos na cadeia. Quando saiu, poucos jornalistas foram fazer a cobertura. Deixou a Inglaterra pela França. Na Inglaterra seu nome foi banido, eliminado do teatro. Não se podia citá-lo nas conversas. Não era de bom-tom.

Passou a usar um look episcopal. Na França, amigos se apiedaram dele: Toulouse Lautrec, André Gide, Yvette Guilbert. A imagem final de Wilde é muito forte, trágica, patética. Lautrec o esboçou: um homem de 40 anos, destruído mas beatificado.

Simon Callow volta a falar do neto de Wilde. Ele e Merlin Holland se tornaram bons amigos. "Eu estava em um estúdio de televisão, há cinco anos, uma porta se abriu e uma figura contra a luz surgiu e eu... Merlin não se parece com Wilde, mas por trás do rosto há uma *matrix* de Oscar Wilde."

Termina e é aplaudido. Diana Reich fala. Virginia Nicholson sobe ao praticável para agradecer ao Simon Callow por ter sido generoso e substituído Merlin Holland. Pergunta a Frances Spalding qualquer coisa sobre Gwen Raverat. A Spalding responde. Depois, outra pessoa pergunta ao Callow se a família de Wilde, que depois do escândalo, do processo, prisão e maldição, teve de mudar de sobrenome, para Holland, hoje voltaria a usar Wilde.

Callow acha que não e diz que o filho de Merlin Holland ganhou o nome de Lucien e que a história foi o seguinte: quando Wilde estava exilado em Paris, pouco antes de morrer, e muito triste por não poder ver os filhos, viu num café um menino encantador fazendo uma travessura. A mãe bateu no garoto. Wilde ficou revoltado e foi falar com ela. O nome do menino era Lucien. Agora é o nome de seu bisneto, Lucien Holland.

É aguardar, esperar que Lucien Holland apareça na hora certa para dar continuidade. Diana Reich agradece a Frances Spalding e ao Simon Callow. Mas ainda não acabou. Alastair Upton, o diretor de Charleston, jovem, esforçado, animado e simpático, sobe ao estrado para pedir dinheiro. Dinheiro para manter a casa, os festivais, os eventos. Dinheiro é preciso, sempre, muito dinheiro. O pessoal trabalha muito. Tudo é muito bem organizado – quanto à organização e à eficiência, desde que freqüento Charleston, eu não faria a menor queixa. Se as fundações culturais no mundo funcionassem todas assim, que beleza. Ainda bem que existem os doadores ricos, muitos deles americanos.

Em seguida sobe ao praticável William Nicholson. Ele adora brincar de leiloeiro. Para arrecadar algum dinheiro, ergue a mão e mostra ao público um livro ilustrado de Lytton Strachey, de 1931, assinado pelo próprio. Diz que é uma jóia rara, metade do livro nem foi lido, as páginas não destacadas não viram espátula. Lê um trecho em que a Carrington imagina a morte de Lytton na "chaise longue, mais quel horreur!". Seis meses depois, Lytton morreu. O horror da reação dela à morte dele. Trata-se, diz Nicholson, de uma edição de tiragem pequena, mil cópias. Exagerando no desempenho, diz: "É preciso lavar as mãos para pegar este livro." E acrescenta: "Ou então, *não* lavar as mãos, depois de pegá-lo."

Começa o leilão. Simon Callow deu o primeiro lance: 100 libras; um outro saltou para 200; Nicholson: "Quem dá mais?" Nira Wright vai para 300; uma mulher jovem tenta 350; um senhor, 400; e Nicholson: "Quem dá mais? Pensem em Charleston passando fome! Quem dá mais de 400?" O homem ao meu lado oferece 450.

Nicholson lembra que está por muito pouco e, comparando, diz que uma primeira edição de *Harry Potter* foi leiloada por três mil libras e nem estava autografada! Sem contar que "o manuscrito de *On the road,* do Kerouac, esta semana na Sotheby's de Nova York alcançou um milhão e setecentos mil dólares!" Avisa que vai parar nas 500 libras. Nira Wright arremata. O livro é dela. "Uma bagatela", diz Jenny. Charleston precisa desesperadamente de dinheiro, depois dos estragos das chuvas no último inverno.

Nossas malas estão no Volvo, não nos despedimos de ninguém. "Você não vai se despedir da Olivier?" pergunta Jenny. E eu: "Não. Deixa assim. Depois eu escrevo para ela. A gente se comunica muito por carta." E lá fomos, pegar a estrada e o barco para alguns dias na Ilha de Wight.

Ilha de Wight, quarta, 30 de maio.

A ilha é grande, como já escrevi em minha última visita, há três anos. Ontem fomos visitar a fazenda de alho dos Boswells – amigos de Jenny. Dizem que é o melhor alho da Europa. A fazenda é linda, tem até chalé de aluguel para veranistas. Como há muitos adolescentes na casa, os quartos, principalmente os dos garotos, são bagunçados.

É evidente que os Boswells são uma família muito feliz. Respira-se felicidade pela fazenda. Nela há um armazém que só vende coisas feitas com alho: patê de alho, manteiga com alho, etc. O cheiro é intoxicante. A senhora Boswell colheu do canteiro uma braçada de aspargos para Jenny levar para Judy e David Gascoyne, que moram num vilarejo perto.

Ao *cottage* dos Gascoynes. Chegamos pouco depois das quatro horas e, na varandinha de entrada, havia uma lousa com um escrito a giz dando boas-vindas a Jenny e Bivar. Coisa da Judy Gascoyne, claro. Amor de pessoa. Entramos. Atravessamos o corredor apertado e abarrotado e vi, de relance, na sala, o velho poeta sentado em sua poltrona. Judy, de bengala e andando com dificuldade – e mais sua filha Suzy – nos conduziram ao jardim-pomar, onde uma mesa já estava pronta para o chá da tarde.

Avistei um pequeno casebre de madeira envernizada, com varandinha, a porta aberta e uma cama de casal desarrumada. Perguntei a Judy de quem era aquele quarto independente da casa e ela respondeu: "É para os jovens poetas visitantes. Não temos acomodação na casa, de modo que os visitantes dormem aqui. Não há luz elétrica nem aquecimento, mas como são jovens..."

Judy agora usa bengala (em 1998, quando Jenny me trouxe à Ilha para conhecê-los, só o poeta estava mal, diabetes). Deverá ser operada do joelho direito daqui a semanas. Está otimista. Ela e David, só os dois na casa, fica difícil. Suzy, filha do primeiro casamento de Judy, vem olhar por eles de vez em quando. Judy é animada e cheia de vida. Feliz com a visita, logo esquece do joelho e outros males. O poeta vem sozinho, caminhando com grande dificuldade, o rosto marcado pela dor.

Ajeitamo-nos em torno da mesa no jardim. Suzy traz o chá: bolo, pão, biscoitos, manteiga, geléias. Judy me faz escrever no livro de visitas. Simon Callow também escrevera. Judy contou que Callow recentemente encenou uma antiga peça radiofônica escrita por Gascoyne. Julian Bell, filho de Quentin e Olivier Bell, também costuma visitar o poeta. Está registrado no livro de visitas.

Gascoyne é quase surdo, mas fez esforços para ouvir a gente contar do festival de Charleston, quem esteve lá, etc. E os comentários. Pinter é um tanto cheio de si. Susan Sontag, Gascoyne gosta dela (viu-a recentemente na televisão); respondeu com vivacidade quando citei Andy Warhol; perguntamos e ele contou de quando, aos 21 anos, foi levado por Roland Penrose à Espanha, Barcelona, à casa da mãe de Picasso, que relatou coisas da adolescência do filho. Isso foi em 1936, o mesmo ano em que Penrose (auxiliado pelo jovem Gascoyne) trouxe a primeira exposição surrealista à Inglaterra.

Auxiliada por Suzy, Judy foi buscar uma caixa de fotos, recortes, álbuns, amizades – Allen Ginsberg levou o casal a Nova York, onde Gascoyne foi homenageado. O governo francês também atribuiu-lhe a Légion d'Honneur. As visitas ao amigo Lawrence Durrell; o festival de poesia a que compareceram na Grécia – a atriz Fanny Ardant participou, interpretando; livros – uma antologia de poetas modernos de língua inglesa, edição de 1963 – Gascoyne, Lowell, Spender, Pound... Pelas fotos, Gascoyne fora um homem belíssimo, quando jovem. Enfim, uma tarde deliciosa. Uma residência despretensiosa e aconchegante.

Quinta, 31 de maio.

Hoje foi o dia com Edward Upward. Fomos apanhá-lo em casa para o almoço às 13h. Edward fará 98 anos em novembro. Mora sozinho – a mulher, Hilda, morreu há seis anos. Depois houve a Margaret, que viveu um tempo na casa, mas teve que voltar à Escócia alegando estar ficando velha e precisar cuidar da aposentadoria. Agora Upward conta com uma outra mulher, a Lynn, que vem servi-lo dia sim dia não, cuidar da casa e ver se ele está bem. "Ela canta muito bem", diz.

Edward Upward é um prodígio. Vai chegar aos 100 com tudo em cima. Caminha sem bengala, enxerga bem (é bem verdade que operou catarata nos dois olhos), ouve tudo sem aparelho, tem todos os dentes (embora pretejados). Ex-comunista, autor de vários livros (romances, ensaios, contos, poesia) – seu primeiro romance, *Journey to the border* foi primeiro publicado em 1938, pela Hogarth Press, a editora de Leonard e Virginia Woolf e considerado por Stephen Spender, que foi seu amigo, um dos mais belos poemas em prosa do século, e pelo TLS (Times Literary Supplement) como "brilhante e alucinógeno".

Tive um acesso de tosse com a virada do tempo, mas Upward não tossiu nem uma vez! Com seu terno e gravata, chapéu velho e óculos. Fomos ao restaurante Baywatch em St. Helens. O *menu*. Quando ele disse querer algo vegetariano, sugeri *penne beach special mixed with roasted vegetables & herbs* e ele topou; eu, *home made battered fish and chips with peas and a salad garnish*; Jenny, *moules marinières cooked in white wine*.

O *penne* me pareceu visualmente a melhor escolha. Comecei a perguntar coisas que me interessavam, e ele gostando de responder as perguntas. Vai dormir sempre entre 22 e 23h – mas antes prepara a mesa para o café da manhã; no inverno dorme com cobertor elétrico e no verão o mesmo cobertor, só que desligado. "Odeio cortinas", diz. Acorda às 7h. Toma mingau (*porridge*) com leite semidesnatado; pão, manteiga, geléia de frutas e chá. Lê dois jornais, o *Morning Star* e o da ilha – e também a revista de humor *Private Eye*; eleições: não vota em ninguém. Votaria se existisse um partido socialista unido, se Tony Benn, por exemplo, fosse candidato.

Começa a escrever por volta das 10h e vai até às 13h; trabalha num Amstrad – o computador mais antigo de que se tem notícia (com algumas adaptações nos programas); depois do almoço, caminha e faz exercícios no parque das falésias perto de casa. Diz que o pai também não dormia depois do almoço; chá às cinco da tarde com mesa posta, torta de maçã, mas também bolo de limão ao *punch*; a caneca tem de ser grande e o chá Earl Grey, puro.

Upward vê um pouco de televisão. Fala de um documentário recente sobre a China. Janta às 20h, comida que a filha, a nora ou a Lynn deixam no congelador e ele esquenta no microondas. E a conversa continua, com Edward feliz contando casos. Conta do amigo David Gascoyne: isso faz tempo, Gascoyne, na fase de piração, antes de ser internado num hospital para doentes mentais, tinha descoberto Deus. Foi pessoalmente ao Palácio de Buckingham contar à Rainha. Entrou pelo portão central, passou pela guarda. Os guardas o pararam. Foram gentis, ouviram-no e discretamente contataram um hospital. Veio a ambulância e Gascoyne foi internado.

Do hospital, ele telefonou para Upward para contar o que acontecera. Judy e Gascoyne se conheceram num hospital onde ela trabalhava como enfermeira voluntária. Judy, que gostava de poesia, uma vez por semana lia para os internos. Por um desses milagres da sincronicidade, um dia ela escolheu, de uma antologia, justamente um poema de Gascoyne. E leu. De repente veio aquele homem, alto, bonito, muito triste e disse: "Fui eu que escrevi esse poema".

Judy pensou tratar-se de mais uma piração entre tantas, dos internos. Ele pediu que ela ligasse para Upward para confirmar que ele era ele mesmo. Upward confirmou, dizendo que David Gascoyne era um poeta de renome internacional. O resto foi o final feliz. Acabaram se casando, Gascoyne teve uma fantástica recuperação, foi redescoberto por gente importante que já o admirava (como Allen Ginsberg) e viajaram muito, Itália, França, Grécia, Estados Unidos, para festivais de poesia onde ele tinha tratamento diferenciado.

Upward comeu todo o *penne*, bebeu três copos de vinho Two Oceans, *merlot* (do Cabo da Boa Esperança) e ainda a sobremesa – desta vez havia torta de maçã.

A conversa animada continua. Sua longa amizade com Christopher Isherwood (com quem, na metade dos anos 20, escreveu um livro, *The Mortmere stories*, quando os dois eram estudantes em Cambridge, que só seria publicado em 1994, depois da morte de Isherwood). Upward nunca pode visitar o velho amigo há muito residindo na Califórnia (onde morreu). Foi-lhe negado visto de entrada nos Estados Unidos, pelo seu passado de comunista.

Viajou muito na Europa. Falando da "Sally Bowles" – personagem criada por Isherwood em sua trilogia da Berlim durante a ascensão de Hitler, e no cinema, interpretada por Julie Harris em *I am a camera* e depois por Liza Minelli no musical *Cabaret*, conta Upward que "Sally" era uma garota inesgotável, filha de um rico mercador de algodão, provavelmente de Liverpool, de sobrenome Ross. "Não estou certo se o primeiro nome dela era Sally", diz. (Esse nome, eu, Bivar, descobriria três anos depois, numa biografia de Isherwood, era Jean Ross.) "Ela não dava sossego a Isherwood, apegou-se a ele."

Filho de médico, o pai foi muito influente na formação de Upward. Família classe média. Em alguma época o avô estava no negócio de manufatura de velas de sebo. O pai mantinha diários. Em sua mocidade, o avô fugiu para a ilha de

Jersey com uma moça. Isso foi em 1869. Quando fez 90 anos, Edward Upward foi homenageado na British Library, em Londres, com uma festa organizada por Sally Brown, curadora dos livros e documentos do século 20 do museu.

Depois do almoço caminhamos pela orla. Upward olhando o céu límpido disse: "Pure cobalt blue." Puro azul cobalto. Ele e Hilda, sua única esposa, eram jovens professores num bairro em Londres. Uma vez por semana, no dia livre, ficavam longas horas entretidos fazendo amor. Anos 20, tudo era mais livre que antes, mas nem tão livre assim. Não nos subúrbios. Tiveram de formalizar, casando-se para não perder seus empregos como professores do Estado. Eram praticamente da mesma idade. Histórias da guerra, de seu longo casamento com Hilda, morta em 1995, longeva como ele.

A despedida foi em sua casa, um casarão de esquina cercado por um bem tratado jardim. Dentro, a casa limpíssima e em ordem, tudo certo e racional. Upward nos levou ao seu estúdio, também em ordem, nada fora do lugar. Apanhou uma página, um poema escrito nesses dias em memória da esposa. "Weigela" é o título. Weigela é um arbusto que no verão fica carregado de flores cor-de-rosa. Um poema sensível de viúvo solitário. Seis anos, para quem viveu uma vida em comum, é uma perda muito recente. Upward mandara plastificar uma cópia que deu a Jenny na despedida. Um trecho:

"Six years ago now
and she'd wish me
if she could now
not to weep for her"

Nos versos, ele diz que a mulher, se ainda viva como há seis anos, teria desejado que ele não chorasse por ela como ele agora chora. Eta velhinho danado de firme!

Londres, domingo, 3 de junho.

Nestes 16 dias de temporada inglesa em 2001, hoje foi a primeira vez que saí sozinho. Que delícia andar sozinho em Londres! Em uma loja de discos encontrei um CD, *Great Literary Figures*, com faixas gravadas com as vozes de James Joyce, Bernard Shaw, Yeats, Conan-Doyle, T. S. Eliot, Dylan Thomas, Stephen

Spender, Edith Sitwell, Vita Sackville-West, etc., até Leon Tolstói, e Virginia Woolf! Trata-se da única gravação de Woolf existente, extraída de uma entrevista radiofônica que ela deu à *BBC* em 29 de abril de 1937.

Terça, 5 de junho.

Jenny me levou ao Museu de Freud em Hampstead. Dia de museu fechado, mas Michael Molnar, que é seu diretor de pesquisa, e sua mulher, a brasileira Rita Apsan, nos mostraram toda a casa. Eu não a conhecia. Rita é a tradutora para o Brasil do *Diário de Freud*.

No prefácio do livro-guia do museu, Marina Warner diz que a casa de Freud mapeia tanto a mente de um homem quanto a mente de uma época. As salas, os quartos, seu estúdio, está tudo preservado há mais de 60 anos. Anna Freud, a filha dele, que continuou vivendo na casa, não moveu uma palha, nem mesmo os óculos dele da mesinha.

Dizem que agindo desse modo Anna Freud não estava apenas venerando o universo do pai segundo a moda edipiana, digamos assim; estava preservando a importância do pensamento dele como uma geografia da mente. E também celebrando o universo do intelecto, que vinha sendo destruído em 1939, com a guerra e com a morte dele. Anna Freud, em sua guerra pessoal contra o nazismo, lutava para salvar e perpetuar o universo paterno. Porque Freud, tanto em Viena quanto em Londres, sempre trabalhou em casa.

Anna seguiu o exemplo do pai. Freud cercou-se de artefatos de grande beleza e valor, objetos que também serviam de instrumentos de pensamento além da arte e da metáfora, e se tornaram centrais para a sua análise da mente. Freud não olhou simplesmente as imagens, mas trabalhou com idéias incorporadas por Atena, a deusa da sabedoria, por Eros, o deus do amor, por Édipo interrogando a Esfinge e decifrando seu enigma, assim como numerosas efígies associadas ao medo da morte.

Uma famosa poeta em suas memórias conta que Freud, mostrando a ela uma de suas estatuetas de Atena, contou que a deusa era perfeita, exceto por ter perdido sua lança. E que as erotíades levantavam suas túnicas para, com feliz molecagem, revelar a genitália, incorporando aí o princípio de Eros, que Freud ligou ao pensamento do século 20; não podemos considerar a sexualidade humana sem esses elementos.

Édipo é o protagonista de sua teoria mais famosa, é claro, mas também uma espécie de auto-retrato. É um curioso perturbado pelos segredos que deseja desvendar e revelar. Freud tinha uma cópia impressa da tela de Ingres (do Louvre), *Édipo e a Esfinge*, obra bela e erótica – o dedo de Édipo apontando para os peitos empinados da Esfinge.

A casa de Freud também mostra a interligação de seu trabalho com a família, amigos, visitas e pacientes; de como a "cura" da vida de tantos se desenvolveu em reciprocidade e permuta. O vazio que a casa transmite não é motivado pela ausência de Freud, mas dos fantasmas coroados, dos que o consultaram, contando histórias de desejos, traumas, fobias, fixações e neuroses.

Palavras e condições que se tornaram parte de nosso vocabulário e passaram à nossa consciência – continua explicando Marina Warner no livro-guia do museu. Ela nos informa que o Museu de Freud é um organismo vivo e vibrante, mas também uma casa assombrada que continua pulsando problemas e desafios. Sua influência reverbera nas artes em geral, na literatura, no cinema e na propaganda.

Em 22 de agosto de 1938, quando se mudou para esta casa, Freud escreveu no diário esperar que fosse sua moradia definitiva. "É bonita demais para nós." A casa foi, por um ano, o último de sua vida, sua última moradia. Era sua Viena transportada para Londres. Os tapetes, as mesas, o divã, as colchas, as estantes, tudo trazido da rua Berggasse. Os livros de neurologia, psicologia, psicanálise, mas também os de arqueologia, história antiga e antropologia. A coleção de antigüidades. A casa é um museu dedicado ao fundador da psicanálise. E a voz dele, em registro para a BBC em 1938: "A luta ainda não terminou".

Depois de sua morte em 1939, sua mulher, Martha, não mudou nada no estúdio. Depois da morte de Martha foi Anna, a mais nova dos seis filhos, quem manteve o estúdio como ele era no tempo do pai vivo.

Anna Freud continuou na casa por mais de 40 anos, conquistando alta reputação como fundadora da psicanálise infantil. Morreu em 1982. Graças à generosidade da Fundação New Land e de sua fundadora, Muriel Gardiner, amiga de longa data da família Freud, o Museu de Freud, foi inaugurado em

1986. Traduzida por James Strachey, a obra de Sigmund Freud teve suas primeiras publicações inglesas pela Hogarth Press, editora de Virginia e Leonard Woolf.

A primeira visita de Freud à Inglaterra foi em 1875, quando ele ainda era um estudante de 19 anos em visita a familiares que viviam em Manchester. Darwin ainda era vivo e Disraeli era o primeiro-ministro. De volta a Viena, Freud escreveu a um amigo: "Preferiria viver lá que aqui, apesar da chuva e do *fog*, da bebedeira e do conservadorismo. Muitas peculiaridades do caráter inglês se encaixam muito bem com a minha natureza".

Sigmund Freud nasceu na paradisíaca cidade de Freiberg, na Morávia, agora Pribor, República Checa. Um lugarejo cercado de campos e bosques. Família grande, parentes e amigos da própria idade. Depois, a desgraça. A família teve de se separar. Os irmãos mais velhos se mudaram para a Inglaterra. Os pais o levaram, mais a irmã, para Viena. Anos de pobreza e luta numa cidade hostil. Memórias desfavoráveis dessa época deixaram marcas profundas.

Viena era uma espécie de purgatório contra o qual ele teve de lutar até o fim de sua vida lá. Um procedimento imposto pelo pai: Freud teria de se provar homem contra toda a adversidade – oposição, ignorância e anti-semitismo. Enquanto isso, no fundo de sua mente persistia a fantasia da Inglaterra, lugar amigável onde as coisas eram melhores, para onde seu amigo predileto tinha se mudado e onde toda a família poderia de novo se reunir.

Finalmente a fuga de 11 horas da Áustria nazista. A recepção que teve, pela imprensa britânica, o fez pela primeira vez consciente do quanto era famoso. Adorou a nova casa. Concluía seu trabalho, *Moisés e o monoteísmo* – Freud tinha uma velha fixação pela figura de Moisés como criador do judaísmo. Tendo lançado a hipótese de que Moisés não fosse judeu, mas um aristocrata egípcio, Freud encheu de fúria tanto judeus quanto cristãos.

Estava feliz com a transferência para Londres, mas sua idade já era avançada, 82 anos, e logo teve uma recorrência do câncer que o levou a mais uma cirurgia. Viveu até 5 de novembro de 1939. O resto é história e, no caso, uma história vasta, riquíssima e muito bem biografada. Foi muito importante a amizade da infatigável princesa Marie Bonaparte, que fez o impossível para o bom êxito da fuga de familiares para longe do nazismo.

Leonard e Virginia Woolf foram um dia a um chá na nova residência. Leonard escreveu em seu diário que Freud "não é só um gênio mas também, ao contrário de tantos gênios, um homem extraordinariamente simpático". Na despedida, Freud deu uma flor à Virginia. Significativamente, um narciso. Virginia estava à beira de outra crise de loucura. Freud achou melhor não analisá-la – a análise poderia romper sua veia criativa.

E as visitas. H. G. Wells, Arthur Koestler... Stefan Zweig levou Salvador Dali, para quem Freud era um herói. Dali fez um desenho de Freud nessa visita. O desenho está lá, no primeiro andar da casa e mostra o crânio como um caracol, como que revelando o segredo morfológico de Freud. Freud estudou a psicologia do ator com Yvette Guilbert, vedete da *belle époque*, imortalizada por Toulouse Lautrec. Yvette era uma velha amiga das sua temporadas em Paris.

Em 1939, ela o visitou em Londres. Freud, e podemos constatar pelas fotos, não parecia ter a idade que tinha. Elegante, ereto, velho mas jovial, como na foto com Lou Andreas-Salomé, que foi amiga de Nietzsche, amante de Rilke e descobriu a psicanálise aos 50 anos. Os livros escapistas que o divertiam, *As aventuras de Pimpinela Escarlate*... E por aí vai. Os móveis de estilos variados, do Biedermeier aos *classix nouveaux* passando pelo gosto modernista de Anna, que tinha uma cadeira desenhada por Mies van der Rohe e mesas por Alvar Aalto. Vaidoso, Freud sonhava com a posteridade. Era o filho mais velho de dona Amália. Segundo a história, era o favorito. Foi a mãe quem o ensinou sobre o mais importante fato da vida, aos seis anos. Ela disse que somos todos feitos de terra e à terra voltaremos. O menino Sigmund não gostou da idéia e manifestou sua dúvida a respeito. Dona Amália esfregou as mãos até produzir pele morta pela fricção. O menino então entendeu e concordou.

Freud era viciado em charutos e só parou de fumá-los por um curto período. Dizia que não conseguia trabalhar sem eles. Fumar lhe teria causado o câncer na boca. Em 1923, passou por uma cirurgia quase fatal. Nos anos seguintes até o fim da vida, passou por outras trinta. Mas não foi o câncer, e sim o coração que fez com que Freud diminuísse o fumo. No entanto, nunca parou totalmente. Fumar era um dos grandes prazeres de sua vida.

Mas chega. Não devo ir longe demais aqui. Santo Deus, é só uma visitinha de passagem ao museu! O estúdio, o divã para os pacientes, a poltrona que Freud ocupava enquanto os ouvia, a cadeira de trabalho por Felix Augenfeld (de 1930), que parece uma escultura de Henry Moore; a mesa cheia de objetos significativos – ela, um pequeno museu em si: sobrava pouco espaço para escrever; os retratos, as fotos de viagens, as reproduções – Leonardo da Vinci: *a Virgem e o Menino*; os vasos gregos, os documentos, as traduções, amuletos egípcios, gregos, hindus, Eros, a obra completa de Goethe, a *Bíblia*. A foto do casamento em 1886.

Cansados de tanto Freud, fomos almoçar numa *trattoria* italiana a uma curta caminhada do museu. Michael, Rita, Jenny e eu. Depois do almoço, Jenny foi encontrar o marido e voltei com Michael e Rita ao museu para apanhar material. Erika Davies, a diretora, já estava lá. Simpaticíssima.

Quarta, 6 de junho.

Hoje fomos a um outro gênero de passeio cultural, promovido pelos Amigos de Charleston e organizado por Eleanor Gleadow, no bairro de Chelsea. O encontro se deu no Physic Gardens. O lugar é assim chamado por tratar-se de um jardim de ervas medicinais. Éramos um grupo de 15 pessoas. Um guia foi nos contando das plantas e da história do jardim, que é bem antigo, fundado por um físico, em 1673, quando as doenças eram tratadas principalmente com ervas.

É enorme. Não sei como, tendo eu morado em Chelsea, e mesmo nas cercanias, nem sabia de sua existência! Mais uma vez, me forço a agradecer à providência por ter-me colocado dentro dos experimentos bloomsburianos. Sim, porque se não fosse pelos Friends of Charleston, e por Jenny, eu não estaria agora aqui, no Jardim Medicinal.

Nunca vi algo parecido. Não nessas proporções. São plantas de várias procedências, de todo o mundo. Quando tropicais, daquelas que se irritam com o clima inglês, elas são mantidas em estufas. São ervas aromáticas, de tempero, de cura, venenosas, etc.

Gostei mais dos nomes, que eu poderia usar para personagens de romance ou mesmo como pseudônimos, tipo *Nigella Damascena, Bergenia Siberia* (pronuncia-se Birguínia Saibíria), *Waldstenia Levodopa* (esta mais como sobrenome de personagem do leste europeu), etc. E plantas altamente tóxicas, ou fatalmente venenosas com nomes tipo *Vicia Faba* (essa é leguminosa), *Datura Stramonium* (para controlar sintomas vários), *Papavero Somniferium* (pelo primeiro nome, trata-se de flor evidentemente opiácea), *Papaveraceae* (dessa, extrai-se ópio, heroína, morfina e codeína, o guia nem precisa dizer, está na placa, no canteiro), *Atropa Belladona* (para dilatar a pupila!)... E plantas oftálmicas, ervas anestésicas e analgésicas.

Uma aula, esse passeio. Aprendi, por exemplo, que *Officina*, em Latim, significa loja. Encontramos a Sarah Darwin, tetraneta do próprio, que está pesquisando aqui no jardim o menor tomate do mundo, oriundo de Galápagos, para encontrar seu cromossomo.

O passeio continua. O dia, de temperatura amena e nuvens que de vez em quando cobrem o sol, também ajuda a cabeça a entender melhor. Agora passamos por canteiros de plantas carnívoras e ervas aromaterápicas como a *Musa Velutina* (uma espécie de banana roxa aveludada e cheirosa); plantas medicinais usadas em antigas culturas tribais como a *Conium Maculatum* (extremamente perigosa e usada para envenenar Sócrates - está na placa). E por aí fomos.

Eu, cuja curiosidade pelo sabor e pelo aroma (mais que pelo efeito psíquico, honestamente), fui arrancando, macerando e mastigando uma folha aqui, outra ali, para choque de Jenny, temerosa de que eu caísse fulminado ou tivesse um treco. Mas não me aconteceu nada – ou ao menos não me senti em estado alterado.

Passeio extremamente interessante – e tedioso, uma vez que depois de mastigar ao mesmo tempo uma folha de *Papaveraceae*, outras de *Atropa Belladona* e *Datura Stramonium*, me deu sono e me desinteressei da segunda parte, logo após o lanche. A segunda parte teve por guia uma senhora azul (ela me pareceu tão azul que, até ter certeza de que era uma mulher, pensei estar diante de um anil gigantesco).

A seguir, fomos levados para fora do jardim numa caminhada deliciosa por ruas internas de Chelsea.

Passamos pela casa onde viveu Oscar Wilde, na Tite Street, que fica quase em frente à que foi do pintor John Singer Sargent e esta, ao lado da casa pós-moderna da filha do Sr. Sainsbury, o *big-shot* dos supermercados. Ao contrário de Oscar Wilde e Sargent, há muito tempo mortos, a Sainsbury está muito viva, separada do antigo marido e já quase se casando com outro.

Caminhando, dobramos a Cheyne Walk à direita, onde, de frente para o Tâmisa, avistamos várias casas de gente que muito brilhou nas letras e nas artes da Londres vitoriana. Vimos a da escritora George Eliot, que apesar de se chamar George era mulher mesmo; a do pintor Dante Gabriel Rossetti (onde o poeta Swinburne tinha seu *pied-à-terre*); a de William Holman Hunt (1827-1910), outro grande pintor pré-rafaelita...

Entramos por uma transversal, a Cheyne Row, indo parar na casa de Carlyle – mas como já estava encerrado o expediente, não pudemos entrar. Ziguezagueamos e passamos pela igreja católica de Thomas More (tcc Thomás Morus, autor da *Utopia*) onde, como bom católico, entrei, rezei e fiz três pedidos – muita saúde e paz para todos, inclusive para mim, para que possa chegar ao fim deste livro. Fomos à estátua do próprio Thomás Morus, na Old Church Street, onde o grupo se desfez e cada um tomou o seu rumo.

Mas para mim passeio tão mágico teria de ter seu clímax a alguns quarteirões dali, onde, nesta mesma Rua da Velha Igreja, no número 101, esquina com a King's Road, ainda está o pequeno prédio em que, há 31 anos, tive, no primeiro andar, meu quarto, naquele 1970 que foi por assim dizer o ano mais feliz de minha vida. Jenny me fotografou, feliz, em frente ao *meu* prédio. Só falta eu ter ali, depois de morto, é claro, a minha *blue plaque* (placa azul), pelo tanto que dediquei de minha vida e minha obra à Inglaterra e à divulgação da cultura inglesa.

Sexta, 8 de junho.

Fui encontrar Andrew Lovelock em Trafalgar Square. Jantamos num restaurante japonês e depois caminhamos milhas até o Holiday Inn, em King's Cross, onde ele se hospeda. Andrew atualmente mora na Espanha, perto de Málaga. Perguntei-lhe se acha que a juventude de agora é mais feliz que a da geração dele e a resposta foi sim. A juventude de hoje tem muito mais com o que se divertir.

Andrew tem um filho de 25 anos do segundo casamento e uma de sete, do quarto. Mas está se separando da quarta esposa.

Contei-lhe que seu pai, o cientista James Lovelock, e Bill Clinton foram as duas maiores estrelas do festival literário de Hay-on-Wye, no País de Gales. Andrew não sabia. Não lê jornal e quase não tem falado com o pai. Mas os jornais noticiaram que Lovelock foi a figura mais controversa do festival, que acontece ao mesmo tempo que o de Charleston, só que muito maior.

Lovelock é o inventor da teoria de Gaia, que propõe que o planeta é um organismo vivo e se adapta às transformações, cuidando de si mesmo independentemente do que o homem faz com ele. Aos 82 anos, James Lovelock, dizem os jornais, está mais provocante que nunca. Os Verdes, de quem Lovelock era um dos maiores gurus, estão indignados com as últimas afirmações dele, de que a salvação da Terra está na energia nuclear. "O problema com os Verdes", diz Lovelock, "é que eles são gente da cidade, são humanistas que se preocupam demais com o que pode afetar a vida das pessoas em vez de se preocupar com todo o sistema. Morando na cidade, eles não enxergam o céu e nem ouvem o cantar dos pássaros".

Acho que o pai do meu amigo está equivocado. É ele que não mora na cidade. Sempre morou no campo e em vilarejos de poucas casas, ou, como agora, bem isolado com a segunda mulher no alto de uma colina em Devon. Eu moro no centro de uma cidade pavorosa como São Paulo, mas nela o cantar dos pássaros é tão intenso quanto no campo. Em São Paulo, sabiá é praga. Bem-te-vi, então, nem se fala. E muitas outras aves. "Mas", diz James Lovelock, "o homem é que está destruindo o planeta. O homem é a verdadeira erva daninha do planeta." Nisso concordo com ele.

Quarta, 13 de junho.

Dando continuidade à maratona cultural, hoje foi a vez de mais duas lambadas. A retrospectiva de Stanley Spencer (1891-1959) na Tate Gallery e a Summer Exhibition na Royal Academy.

Stanley Spencer distanciou-se dos pintores de sua geração no sentido de que suas telas são mais formais, isto é, suas formas e composições temáticas são mais definidas e identificáveis pelo apreciador no primeiro instante. Eu diria que ele não rompe, mas segue uma tradição que remete ao clássico.

Foi pintor de guerra, metafísico (mexe com redenção, ressurreição), artista atormentado, perturbado pelo sexo e pelo fugaz da beleza, encontrou o erótico no feio, a paz chocante e patética na miscigenação, a inversão dos papéis (em sua tela sobre a paz no amor, vemos a figura feminina da raça superior prazerosamente subserviente à figura masculina da raça tida pelo imperialismo como inferior).

Depois dessa *overdose* da perturbadora arte de Stanley Spencer, deixei a Tate extenuado. Rumamos para a Royal Academy para rever a Summer Exhibition, da qual saí leve, por conta da variedade. De volta à casa, minha anfitriã nos fez assistir – ela, o marido e eu – a mais um capítulo do documentário sobre Picasso, que tem por título *Magia, sexo e morte*, feito pelo biógrafo dele, John Richardson. É realmente uma *overdose* de arte e cultura esta minha temporada – como todas as outras, aliás. Mas eu gosto. Aliás, é do que mais gosto aqui: arte.

Sábado, 16 de junho.

A noite passada, pela primeira vez nesta viagem, dormi fora, na casa de Sebastião, um amigo brasileiro residente em Londres há 25 anos. Ele mora em Notting Hill. Antes fui à National Portrait Gallery. Percorri todos os andares, desde a sala da Elizabeth I até o térreo, onde, entre tantos, há a Germaine Greer pintada por Paula Rego, artista portuguesa há muito aqui radicada e posta entre os grandes de hoje.

Na sala onde estão desde retratos dos do Grupo de Bloomsbury aos pós, descobri uma excelente escultura, um busto de David Gascoyne datado de 1956, por Gertrude Hermes. Gascoyne digníssimo, de perfil para um busto de T. S. Eliot por Patrick Heron.

Hoje, sábado, choveu o dia inteiro. Saímos, eu e Sebastião, cada um com um guarda-chuva. Fomos à Portobello Road para eu matar a saudade. Nessa área de Londres de minha juventude – há quase 30 anos – me sinto no meu elemento. Em Notting Hill, Chelsea, South Kensington, no centro... Na Portobello comprei uma caixa de morangos suculentos e a comi inteira sem lavar. Delícia.

E entramos no Electric Cinema para ver um filme islandês, bastante divertido pela *salerosidad* da atriz principal, uma espanhola almodovariana (Carmen Maura) que vai a Reykjavik ensinar flamenco a uma família islandesa e acaba ensinando muito mais. O Electric passou por uma reforma total e está maravilhoso. E tão confortável a poltrona, que acabei dormindo.

Domingo, 17 de junho.

Hoje, meus anfitriões receberam para uma reunião de duas horas, das 12 às 14h. Era para ser *garden party*, mas como choveu, a festa foi dentro de casa. Chegou todo mundo praticamente na hora marcada. Primeiro, a senhora que faz parte de um coro do qual também participa a Duquesa de Kent, que é católica, sofre de uma doença fatal mas chegou para o ensaio sem seus seguranças (abriu mão deles); a maioria dos convidados é gente aposentada, mas ligada a atividades filantrópicas e artísticas – há um que todo ano apresenta ópera em casa.

Gente da alta cultura – Anthony Bailey, autor da recém-lançada biografia de Vermeer – aliás, a exposição de Vermeer na National Gallery está levando tanto público quanto a de Monet e outras, nos últimos anos. Parece que os ingressos estão esgotados até sei lá quando; uma senhora, ou melhor, várias senhoras, são pintoras (a maioria aquarelista), com mostras individuais e coletivas nos dois lados do Atlântico. Jenny me arranca de uma conversa e me leva a outra.

Um dos papos mais interessantes foi com o correspondente internacional, Hugh O'Shaughnessy. Ele viveu no Chile, escreveu um livro sobre Pinochet, esteve inúmeras vezes no Brasil, país que conhece melhor que eu. Fala um português decente e acaba de voltar da Colômbia. Guardei seu nome por dois motivos: 1) ele me deu seu cartão; 2) assim que acabou a festa e os quase 50 convidados se retiraram, todos ao mesmo tempo (a pontualidade britânica vale tanto para a chegada como para a partida) e eu, bêbado do vinho entornado e estressado pelo desempenho, subi para a minha mansarda com os jornais do dia para lê-los na cama, e quem não encontro em duas páginas do *Observer* no caderno *World*? O próprio Hugh O'Shaughnessy em sua reportagem sobre a Colômbia! O título: *REVEALED: THE INOCENT VICTIMS OF WAR ON DRUGS* (Revelado: as vítimas inocentes da guerra contra as drogas). No texto, aviões americanos que, pulverizando as plantações de coca, pulverizam tudo: hortas, jardins, pomares, animais, gente, matando diariamente umas 70 pessoas.

Terça, 19 de junho.

Estou meio que de castigo. Tenho de ler *One for my baby*, o último romance de Tony Parsons. Conheço Parsons de lê-lo como jornalista, desde quando ele era pouco mais que um adolescente e escrevia no *New Musical Express*, na segunda metade dos anos 70. Agora virou romancista *best seller*, da mesma safra de Nicky Hornby e outros ingleses traduzidos pelo mundo.

Ele vem para o salão literário em Blackheath, que Jenny organiza com o escritor Blake Morrison. Funciona assim: Jenny convida e Morrison recebe o escritor convidado para debater com ele à mesa. Peter fica em outra mesa vendendo os livros que o autor convidado depois autografa. Isso já tem alguns anos. Entre os escritores já vieram Peter Ackroyd, Salman Rushdie, Beryl Bainbridge, Malcolm Bradbury, A. S. Byatt, Alain de Botton, Margaret Drabble, Antonia Fraser, Michael Holroyd, Nick Hornby, Martin Amis, Brian Moore, Michael Frayn, Doris Lessing, Edna O'Brien, etc. De modo que aqui estamos, Jenny, Peter e eu, a todo vapor lendo Tony Parsons para o encontro com ele daqui a duas semanas. É que o livro é grosso: 330 páginas.

Quarta, 20 de junho.

Devo antecipar minha volta ao Brasil para meados de julho ou ficar até 17 de agosto? De lá, amigos enviam *e-mails* me aconselhando a ir ficando por aqui. Dizem que está "uma bosta". Enfim, fui à Swissair e parece que só há uma vaga num único dia, 16 de julho. O resto tudo lotado até 17 de agosto. E tome arte. Fomos ao Institute Courtauld ver uma mostra de aquarelas de Paul Signac. Aproveitei para ver o acervo do museu.

Quinta, 21 de junho.

No calendário, hoje é o dia mais longo do ano. Solstício de verão. Belo dia de sol e céu azul. Decidi minha volta para 16 de julho. Fui sozinho à Swissair. Que delícia andar sozinho pelo centro de Londres. Ninguém pegando no pé, faço o que gosto, xereto vitrines e lojas, não compro nada mas me informo do novo, das tendências, do *zeitgeist*.

Ver gente, amar detalhes do humano transeunte, exercitar espontaneamente o olhar estético, sozinho, a alma exulta. Meu lado de rueiro solitário precisa dessa liberdade vagabunda para se sentir integrado na vida. É a eterna criança. Na Charing Cross Road, entro na Borders e vejo que as revistas mais chiques, como em todos os verões, presenteiam os leitores com brindes.

Compro a *GQ* e o brinde são belos óculos estilo aviador, aro de metal prateado e lente azul. Por que pagar uma fortuna por óculos de *griffe* se, por uma bagatela e confiando no bom gosto da *GQ* posso comprar óculos de sol por apenas três libras? Há que saber ter estilo na linha *cheap chic*.

E a vagabundagem solitária continua... Nas livrarias de encalhes, livros ótimos por uma, duas libras. Almocei no Govinda (tradicional restaurante vegetariano Hare Krishna que freqüento há mais de 20 anos) sete pratos por cinco libras. E deitar com o povo, nesse dia raro de verão, no gramado do Soho Square.

Sigo pela Old Compton, atravesso a Regent, bato calçada na Bond... Na Brooke Street, entro na perfumaria masculina Penhaligon's (estabelecida em 1870) e compro um frasco de espuma de barbear Quercus por duas libras; ziguezagueando, chego à atulhada Oxford Street onde tomo o ônibus para Notting Hill e de lá outro para a Kensington High Street, indo espairecer um pouco no Kensington Park, falando sozinho.

Londres é, e desde os tempos da Sra. Thatcher, a cidade mais cara do chamado "circuito Elizabeth Arden", mas ainda assim, para quem a conhece de longa data como eu, há coisas bem baratas. Cuecas e meias na H&M; calças casualcáqui por dez libras na liquidação da GAP; na Top Man, loja barata para consumo da garotada testosteronada, onde prevalece o estilo rude, comprei um botinão de bofe, camisetas e um anel bem macho, de latão.

Domingo, 24 de junho.

Saímos de casa às 11h da manhã, Jenny na direção do Volvo, eu ao seu lado e, no banco de trás, sua amiga Wendy. Mais um evento cultural dos Amigos de Charleston. Desta feita, uma visita à outra casa histórica relacionada ao Grupo de Bloomsbury. Hilton Hall foi a casa de David Garnett. Fica em um vilarejo chamado Hilton, perto de Cambridge. Nosso anfitrião hoje é Richard Garnett, um dos filhos do primeiro casamento de David, com a Ray Marshall.

Repassando a história já contada antes: David Garnett (apelidado "Bunny") vinha de uma elite já por si de boas raízes e bons frutos, mas conheceu Duncan Grant, mais velho que ele, e tornaram-se amantes. Duncan foi companheiro da pintora Vanessa Bell até a morte dela. Vanessa, para todos os efeitos, principalmente para a conservadora família do marido, Clive Bell, continuava oficiosamente com ele casada, sendo Clive o pai de seus dois filhos, Julian e Quentin, embora já não mais vivessem maritalmente.

Em 1917, Vanessa teve uma filha com Duncan, Angelica, que só viria saber que seu pai era Duncan e não Clive 18 anos depois. Moravam todos em Charleston. Então, com Angélica ainda no berço, David Garnett, que na verdade era heterossexual embora amante do pai dela, olhou o bebê e disse: "Quando Angelica crescer vou me casar com ela". Dos presentes ninguém achou graça nas palavras de "Bunny". Mas como a essa altura ele próprio já estivesse em idade de se casar – teria de esperar uns 20 anos para se casar com Angelica –, casou-se com a Ray, de cujo casamento Richard Garnett, nosso anfitrião de hoje, é o mais velho dos dois filhos.

A Ray morreu de câncer, prematuramente. David, depois, casou-se com Angelica. Era 26 anos mais velho que ela. O casamento durou 25 anos. Separaram-se em 1968. Tiveram quatro filhas. Angelica, sempre a última a ficar sabendo, só muito tempo depois soube que o marido tinha sido amante de seu pai (depois ela viria a ter caso com outro dos ex-amantes do pai). Para ela, que já tinha levado um choque ao saber que seu pai não era o que ela pensava que fosse, houve mais esse.

Teve de fazer análise, para exorcizar. Acabou escrevendo um livro, *Deceived with kindness* (*Enganada com carinho*) no qual, com um certo ressentimento, entregou tudo e todos. O livro foi bem recebido pelos resenhistas, Angelica foi até premiada, mas na família demorou a ser perdoada por tê-lo escrito. Estranho também é que ela só contou às quatro filhas dela com "Bunny" que elas eram netas de Duncan Grant, e não de Clive Bell, quando já eram adolescentes!

Quanto à primeira mulher de David "Bunny" Garnett, Ray (*née* Rachel Marshall), ela era, por sinal, irmã mais velha da Frances Marshall, que depois do suicídio da pintora Carrington casou-se com Ralph Partridge e ficou sendo Frances Partridge. Daquela geração, Frances Partridge é a única viva – fez 100 anos outro dia.

Interessante é que Ralph Partridge, também heterossexual, foi temporariamente caso de Lytton Strachey, na famosa *ménage à trois* bloomsburiana: Lytton, Carrington, Ralph Partridge (e as ramificações, conforme aparece muito bem contado no filme *Carrington*, de Christopher Hampton, 1995). Burgo, o único filho de Ralph e Frances Partridge, casou-se com Henrietta Garnett, a segunda das filhas de Angelica e David Garnett.

Henrietta casou-se aos 17 anos. Um ano depois, o marido morreu. O casal teve uma filha, Sophie. Quando Henrietta estava com 25 anos, tentou o suicídio atirando-se de uma janela. Sendo Angelica, meia-irmã de Quentin Bell e uma das herdeiras de Virginia Woolf, por conta da herança suas quatro filhas com "Bunny" Garnett nunca precisaram trabalhar. Como se vê, é tudo muito confuso na franja do Bloomsbury, porque sendo eles da aristocracia, pouco se misturavam com a arraia-miúda e acabavam geralmente *ficando* entre eles mesmos.

Enfim, estamos na Hilton Hall. Somos recebidos por quem atualmente mora na casa, como eu já disse, o Richard Garnett. Nascido em 1922, recebeu o nome de Richard Duncan Garnett, sendo Richard em homenagem ao avô e Duncan ao amante do pai.

Garnett é um homem alto, simpático, articulado e dá a impressão de estar feliz por receber em casa os Amigos de Charleston.

É um belo dia de verão. Pergunto ao diretor de Charleston, Alastair Upton, quantas pessoas vieram e ele diz que vieram 40. Um outro tanto queria vir, mas o número não pode ser maior porque a casa não comporta. Essas casas são antigas e esta, segundo nos conta Richard Garnett, é de 1620. A parte da frente foi construída depois, em 1740. A escada de madeira, que leva aos três andares, tem 400 anos. Jenny e Wendy prepararam um lauto farnel para o piquenique no gramado. A casa oferece, em uma mesa ao sol no belo jardim, chá, café, leite, bolos e biscoitos; Charleston, por sua vez, fornece água mineral e vinho branco, colocados sobre uma outra mesa, à sombra.

Cadeiras no jardim, mesas, esteiras próprias para o gramado, tudo tipicamente inglês. Em uma tenda armada no fundo do jardim, passa um vídeo feito pela BBC, uma longa entrevista com "Bunny". Nunca li nada dele mas parece, conforme li em uma lista recente, que um de seus romances, *Lady into fox* (de 1923), faz parte dos romances ingleses definitivos do século 20.

E cá estamos, todos na tenda, assistindo ao vídeo do David Garnett entrevistado em 1979, aos 86 anos. Todos esses personagens tiveram educação primorosa, são muito tocantes e é impossível não se emocionar com eles, já velhos, nos livros ou na tela. Viveram vidas loucas e romperam com o irrompível na ultraconservadora Inglaterra da primeira metade do século vinte. Revolucionaram usos e costumes sem jamais perder a classe e o *aplomb*.

No vídeo, o entrevistador pergunta e "Bunny" Garnett responde: "Se sou um elitista? Acredito na elite, mas não pertenço a ela. Nossa vida é curta e circunscrita. Não acredito na vida depois da morte. É melhor uma só vida sem repetição. É claro que gostaria de ser imortal, mas..." David Garnett morreu em 1981 aos 88 anos.

Depois da exibição do vídeo, Richard Garnett badalou um sino de mão nos chamando a segui-lo no passeio por fora e por dentro da casa. Quem quisesse também podia ir dar uma olhada na oficina de jóias da mulher dele, a simpática Lady Jane, em um dos cômodos da casa. Wendy foi e nos disse que é coisa fina e que ela, Jane Garnett, recebe encomendas importantes.

Ficamos livres para ver a casa. Uns foram para um lado, outros para outros, eu mesmo quando me cansava de ouvir o eminente senhor Garnett (que também é escritor e editor-proprietário), vagava por minha conta pelos aposentos desta morada bem iluminada pela luz natural.

A casa tem obras de arte surpreendentes. De Duncan Grant, Vanessa Bell, Quentin Bell e, lógico, da Angelica Garnett. Ainda da família, há muita coisa da Nerissa Garnett (das quatro filhas de "Bunny" e Angelica, as caçulas Nerissa e Fanny são gêmeas); tem um retrato de Vanessa e a neta Amaryllis, a filha mais velha de Angelica e "Bunny", que era muito bonita, inteligente e morreu afogada no Tâmisa aos 26 anos. "Acredito que foi suicídio", disse Angelica numa entrevista ao *The Times* em 14 de junho de 2001, pouco antes dessa nossa visita.

A história de Amaryllis Garnett na saga bloomsburiana merece aqui algumas linhas. Segundo a biógrafa Frances Spalding em sua vida de Duncan Grant, Amaryllis era uma rara combinação de caráter, imaginação e simpatia. Para Clive Bell ela possuía uma mistura do melhor do intelecto da família Stephen, da avó Vanessa e da família Garnett, do pai.

De natureza melancólica, tinha a consciência do peso da herança familiar. Optou pela carreira de atriz. Os pais compraram para ela um *pied-à-terre* em Londres, um barco chamado *Moby Dick*, atracado com outros barcos-moradias no dique junto à ponte de Battersea, próximo ao bairro de Chelsea. Amaryllis foi com o namorado para Marrocos, como era moda naqueles anos hippies.

Era ambivalente em relação ao Bloomsbury. Como atriz era talentosa, atuou no Royal Court em uma peça que tinha por título *Amaryllis*. Foi "Helena" em uma montagem de *Sonho de uma noite de verão*. Leu esplendidamente um trecho de sua tia-avó Virginia Woolf num filme de Julian Jebb. Desistiu de viver no barco e ganhou do pai um apartamento no bairro de Islington. Em dezembro de 1969, a respeito de uma reunião familiar em que estavam o avô, a avó, o pai, o tio Quentin e outros, e o assunto era o velho Bloomsbury, Amaryllis escreveu no diário ter-se sentido entediada com a mesma conversa de sempre, afinal já estavam praticamente na década de 70: "E os nossos talentos? Quero me levantar e dançar o farrango".

Quentin leu trechos da biografia de Virginia, que está escrevendo. "Sim, é fascinante, mas eles parecem viver à sombra das pirâmides e eu prefiro uma pulga viva a uma borboleta morta."

No dia seguinte, conversando a sós com o tio Quentin, Amaryllis sentiu que ambos estavam desconfortáveis, "como se arrancando um do outro gazes sobre feridas e com medo de se machucar". Em 1972, ela chamou a atenção de Harold Pinter quando atuava numa peça dele. Pinter arranjou-lhe um papel em *The go between* (*O mensageiro*), filme que tinha roteiro dele e direção de Joseph Losey, estrelado por Alan Bates e Julie Christie.

Quando tudo parecia ir bem em sua carreira de atriz, os convites para atuar foram diminuindo e, em 1973, deprimida com o caso de amor que não ia bem entre ela e o pintor Tim Behrens – analisava tudo no diário –, ela começou a estudar Gurdjieff com um homem que conheceu em Estocolmo. Foi para Amsterdam, de onde voltou falando em transcendentalismo e Krishnamurti e, como tantos jovens de sua geração, se perdeu nessa.

Vendeu o apartamento e embarcou no orientalismo. Tentou viver em uma comunidade, não se sentiu bem e caiu fora. Seu corpo foi encontrado no rio Tâmisa. Amigos diziam que Amaryllis perdera o equilíbrio quando andava pelo *Moby Dick*, barco que fora sua antiga residência em Londres, que agora estava com a irmã Nerissa e onde ela, Amaryllis, estava temporariamente hospedada.

Outros achavam que ela caíra no rio por estar bêbada ou drogada. Sua morte nunca foi esclarecida, o mistério permanece. Não havia ninguém com ela na hora do acidente. Exames não detectaram a presença nem de álcool nem de droga. Para "Bunny" Garnett, seu pai, com a morte da filha o mundo perdeu um gênio que se revelaria como escritora; para Angelica, sua mãe, a morte foi opção consciente, a filha já estava por ela magnetizada fazia tempo. Amaryllis foi cremada.

Mas agora, 28 anos depois, estamos em Hilton Hall onde, com os pais e as irmãs, em uma atmosfera especial, pela importância dada à pintura, à música e aos livros, Amaryllis viveu a infância e parte da adolescência. Em um dos cômodos, repleto de ilustrações do universo mágico infantil, seu meio-irmão Richard Garnett nos mostrou os livros de contos de fada que escreveu faz tempo: *Jack of Dover, The silver kingdom, The white dragon...*

Ele conta do bisavô que tinha o mesmo nome, Richard Garnett, e era diretor da Biblioteca do Museu Britânico. Que Karl Marx ia lá trabalhar (estudar, pesquisar). Em 1879, conforme os registros, Marx dedicou uma foto ao seu bisavô: "Para Richard Garnett, souvenir de Karl Marx".

Depois do passeio pelos andares da casa, as camas com colchas de retalhos já esgarçadas, os móveis velhos, os livros lidos, as estantes, as pinturas, uma casa sem nenhuma aparência formal mas curtida e gostosa, vamos outra vez para a tenda, para a leitura teatralizada de algumas cartas da correspondência entre

David Garnett e Sylvia Townsend Warner (que durante anos escreveu contos para a revista *The New Yorker*), lidas por Richard Garnett e Susanna Pinney.

Finda a leitura, Richard e Susanna foram muito aplaudidos e receberam braçadas de flores. Depois seguimos Richard a pé pelo vilarejo, terminando o passeio na antiga igreja cercada pelo típico cemitério florido, as lápides de vários séculos até a uma muito recente, de Sarah Kate. Como terá sido a vida dela? Adorei o nome, Sarah Kate.

E tudo acabou ali. De volta à casa de Richard Garnett onde o Volvo estava estacionado, Jenny teve um dedo de prosa com o anfitrião, feliz por tudo ter dado certo. "O livro vendeu bastante", ele disse. Era *Sylvia and David, The Townsend/Garnett Letters, selected and edited by Richard Garnett*, capa dura, linda edição de 1994 em excelente papel.

Na introdução, Richard fala do amor sem os problemas do sexo – pois não houve sexo entre Sylvia e "Bunny" –, da afinidade entre os dois nessa correspondência que vai de 1922 a 1978; comenta também a longa amizade de seu pai com D. H. Lawrence. Foi "Bunny" quem apresentou Lawrence ao Bloomsbury. Lawrence execrou o grupo.

Em uma carta para Sylvia, "Bunny" escreveu: "Nada é interessante exceto a verdade e a verdade pode ser dolorosa. A essa altura da vida é melhor ficar atento aos prazeres da semana vindoura".

Sylvia Townsend Warner era lésbica. Não havendo interesse sexual entre os dois, as cartas são de franca confidência. Se as cartas de "Bunny" evitam episódios tristes como a morte da primeira esposa, a morte da filha Amaryllis, assim como a separação do segundo casamento (com Angelica), as de Sylvia também não contam muito do caso dela com Valentine Ackland, com quem viveu um casamento lésbico de 1930 a 1969, quando Valentine morreu de câncer.

De modo que foi mais um dia culturalmente rico. Olhando o índice onomástico do livro da correspondência de Sylvia Townsend Warner e David Garnett, vejo, na página 200, uma carta de Sylvia datada de 8 de maio de 1975: "Visitei Ian e Trekkie Parsons, onde encontrei Quentin Bell e sua bela e firme esposa [Anne Olivier Bell]. Sentada ereta, nenhuma inquietude nela. Creio que ela é descendente de uma daquelas Oliviers com quem você brincou quando criança. Gostei muito dela. Sólida como uma composição de Gluck".

Quarta, 27 de junho.

Hoje vamos ao Museu de Londres ver o George Melly, idéia minha. Melly sempre despertou minha curiosidade e até então nunca o vira ao vivo. Cantor de jazz, escritor, colecionador de arte, homem de espírito, ícone *camp*, ele é cultuado aqui mas pouco conhecido fora da Inglaterra. No palco, entrevistando Melly, o radialista Robert Elms.

Na platéia, umas duzentas pessoas. Melly, que é gordo, veste um terno listado sobre fundo escuro, camisa creme, gravata excêntrica em cores verde e salmão sobre fundo também escuro. Sapato preto. Na cabeça, chapéu vermelho de abas largas. Melly e Elms sentados a uma mesa baixa, sobre a qual uma garrafa de uísque (a do faisão) e copo perto de Melly; próximas a Elms uma garrafa de vinho branco e taça. As duas garrafas estão com o conteúdo abaixo da metade, sinal de que ambos já vinham entornando desde o camarim.

Robert Elms, também de terno, quarenta e tantos anos, sempre sorridente, brinco de argolinha nas duas orelhas, é um produto da geração 80, pós-punk. Brilhou como jornalista dos mais sabidos na divulgação do comportamento naquele começo da década, quando eu mesmo passava outro ano em Londres. Desde então, Elms deixou a imprensa alternativa e se estabeleceu na grande. Atualmente tem um programa radiofônico diário, matinal, na BBC.

Brincando, Elms apresenta Melly como "The King of Revivalism". Melly confirma e fala de Bessie Smith, Billie Holiday, Louis Armstrong e todo aquele jazz. Faz calor e ele tira o chapéu, que devia ser só para causar efeito de entrada no palco. Elms pergunta e Melly conta. Na escola em Liverpool, grupos dedicados a redescobrir o jazz dos anos 20. As lojas de quinquilharias e brechós. Melly ia com os amigos atrás de discos. King Oliver, Jelly Roll Morton... Não suportava Glenn Miller, que era "lugar comum".

Elms pergunta se não dava para tocar igual ao pessoal da antiga, Melly responde que não e fala do "segredo perdido de recriar aquela música". Esfrega os olhos cansados. É muito espirituoso. Conta histórias, tornando-as vivas, o público ri. Louis Armstrong veio tocar em Londres. Melly já fazia parte de uma banda de jazz e vivia dela, já estava na estrada. Lembra das bandas e orquestras da época, como a de Teddy Heath.

O East End londrino era repleto de músicos, a maioria judeus. Na época do serviço militar, Melly serviu na Marinha três anos e meio; havia muita corrupção. Aprendeu como falsificar *tickets*. "Nessa época eu era *gay* e a marinha era cheia de *queens* (bichas)." Para ele, o que contava mesmo era a aparência. Tirava partido do uniforme de marinheiro, como se fosse uma fantasia. Melly fala de um jeito natural, sutil, o público capta e ri muito. Como se ele hoje já não fosse mais *gay*. Casou-se duas vezes, tem filhos.

Continua: Soho. Chelsea. O encontro com um colecionador de arte. "Ocasionalmente eu caçava alguém importante e levava para o meu quarto em Chelsea." Ganhava dez libras semanais trabalhando numa galeria de arte. Recebia comissão se trouxesse veados ricos, colecionadores. "Eu era muito bom naquilo."

E jazz, sempre jazz. Charlie Parker, Dizzy Gillespie, os anos 50. O Cargo Club, onde se jogava xadrez de dia e se tocava jazz à noite. O Cottage Club. Eddie Calvert. O Royal College of Art. O jovem Francis Bacon, ninguém ainda tinha ouvido falar nele. Ronnie Scott, a pessoa e o clube. Até 1957, músicos americanos não podiam trabalhar na Inglaterra e vice-versa. A década de 50 era considerada morta.

Elms vai perguntando. Melly pede-lhe que repita a pergunta, diz que é surdo. Elms a repete e ele responde. O homossexualismo naquela época de repressão. Um dia, numa festa, apareceu uma mulher muito chique, elegante, um chapéu assim, um longo *foulard* assim, as pernas cruzadas assim (ele a imita). A mulher fez um gesto para Melly se aproximar, sentar-se e contar sua vida. A mulher era o Quentin Crisp! (O público morre de rir. Quentin Crisp foi uma das figuras mais atrevidas da Inglaterra desde antes da Segunda Guerra).

Elms muda de assunto e pergunta outras coisas, tipicamente inglesas. O críquete. E Melly: "Eu odeio, desprezo o críquete". Gosta do seu retrato na National Portrait Gallery? Gosta. É um tríptico. "No do meio estou parecido com a Bessie Smith." (Risos, porque ele imita o quadro e a Bessie.) E a pergunta de Elms agora é sobre o tempo da repressão, como era?

"Era aquela coisa de ninfas e sátiros. A polícia era fogo. A atitude da polícia – na polícia também havia os que gostavam. Naquela época o homossexualismo era ilegal. Eles prenderam o Quentin Crisp". Melly vai contando do que lhe é perguntado sobre aquele tempo: drogas, *revivalists*, "Louis Armstrong sempre honrou a maconha". *Cocaine on my brain* – a canção.

Foi ótimo. Parei de anotar. Acabou o papo e uma loura subiu ao palco e avisou o público de que a trilogia autobiográfica de George Melly, num só volume, estava à venda na livraria do museu e que ele ia lá autografar. Sou o terceiro da fila – Jenny está na galeria vendo uma mostra de fotos brasileiras. Melly lê meu nome no papelzinho e diz, pronúncia certa, "Bivar", saboreando. Digo que sou do Brasil e ele conta que tem um chapéu brasileiro.

Vamos todos para o bar onde George Melly vai dar canja, cantando com um quarteto acompanhando.

Quinta, 28 de junho.

Hoje foi a noite de Tony Parsons, organizada por Jenny no salão literário do Blackheath Halls. Parsons, aos 48 anos, está estourando agora. Seu romance anterior *Man and boy* (*Pai e filho*, no Brasil), de 1998, só na Inglaterra vendeu um milhão de cópias e já foi traduzido em mais de 20 línguas. Ele acaba de retornar dos Estados Unidos, onde foi fazer turnê promocional e dar palestras. Sua volta a Londres coincidiu com o lançamento do novo romance, *One for my baby* – título de uma canção de Frank Sinatra.

Ele chegou por volta das 19h20. Ninguém o reconheceu. Ele se apresentou: "Sou Tony Parsons", e apontou na parede um cartaz com sua foto anunciando o novo livro. Parsons deve medir 1m75. Perna curta e boca larga. É uma celebridade, inclusive na televisão, mas sua figura não é facilmente identificável. É um tipo comum que passa batido.

Então chegou Blake Morrison acompanhado da mulher, Kathy. Blake, simpático, Kathy um amor, Jenny e o marido Peter, eu, Tony Parsons e seu motorista (também chamado Tony), todos na mesa para o jantar antes da palestra. Depois de dois copos de vinho, na primeira oportunidade conto a Parsons que vou ao festival que celebra os 25 anos do movimento punk, em Lancashire.

A partir daí, durante o jantar, a todo o momento Parsons e eu trocamos olhares e sorrisos cúmplices, dada a nossa raiz punk (ele começou como jornalista punk no *New Musical Express*, o NME). O jantar, sempre um salmãozinho e salada, sobremesa de torta de framboesa e vinho, que todos bebem com gosto. Por volta das 20h subimos para o auditório, onde umas quarenta pessoas já aguardavam o autor. Depois de entrarmos na sala chegaram outras trinta.

Blake Morrison e Tony Parsons estão agora no palco. Blake todo de preto e Parsons, camisa vermelho-claro de manga curta, seis botões na abertura convencional e três nas aberturas *fashion* de cada lado; calça bege folgadona; sapato mocassim, sem meias. No pulso esquerdo, relógio retangular comum, feito o meu. Óculos de intelectual. Ele fala da viagem aos EUA. No Texas, ninguém apareceu. Num outro lugar, duas pessoas. "Isto é a América", pensou, suando frio. Mas ontem, em Birmingham, norte da Inglaterra, na WH Smith, havia cerca de 3.500 pessoas para que ele autografasse seu novo livro. "Coisa engraçada, *best seller*."

Ele conta ao público um pouco do enredo do novo romance. De pé, lê um trecho. A parte que Alfie vai visitar o avô. O livro faz rir e chorar. Mesmo tendo-o lido às pressas, confesso que chorei bastante. Parsons é um romancista de formação jornalística pop sofisticada. Nascido em Essex, perto de Londres, ao deixar a escola trabalhou numa destilaria de gim até passar num teste para escrever no NME, em 1977, durante a explosão punk, quando conheceu a primeira mulher, Julie Burchill, com quem tem um filho.

A Burchill fez nome no jornalismo por ter vindo da classe operária e não ter papas na língua. Separados, os dois vivem lavando roupa suja em público, principalmente ela. Nos anos 90, Tony Parsons participou, durante seis anos, do programa cultural *Late Review*, na BBC, quando se tornou mais conhecido. Seu primeiro *best seller*, *Man and boy*, premiado como Livro do Ano pelo British Book Awards, vai virar filme.

Parsons começa a passar dos limites na leitura e o público dá sinais de cansaço. Ele percebe e pára. Blake começa as perguntas. Sobre o tempo de crítico no NME: "Aprendi muito naquele jornal, arrasando disco do Rod Stewart."

O público é, na maioria, masculino. Classe média. Classe trabalhadora. Sala fechada, calor de estufa. Uma última pergunta e Parsons começa a autografar. No meu ele dedicou: "28/6/2001 – For Bivar with best wishes always!, Tony". Na hora da despedida, diz meu nome, me abraça e me dá um beijo no rosto. Só eu ganho um beijo dele!

Voltando a pé para casa, depois de nos despedirmos de Blake e sua mulher, numa esquina (eles moram perto), Jenny, intrigada, pergunta: "Por que Tony Parsons te beijou?" Respondo: "Camaradagem espontânea entre punks da velha escola."

Sexta, 29 de junho.

Hoje, Jenny, que é associada à National Gallery, conseguiu que entrássemos para ver a disputada exposição *Vermeer and The Delft School*. Fala-se demais dessa mostra. Dizem que mais de 300 mil pessoas a terão visto quando terminar, em setembro. Como o diz-que-diz tem sido muito, achamos obrigatório ir conferi-la.

De fato, estava lotada. Vermeer (1632-1675) é muito importante. Marguerite Yourcenar escreveu um romance, *Duas vidas e um sonho*, cuja ação se passa na época dele. E antes dela, Proust: dois personagens do *À la recherche du temps perdu*, são tocados por Vermeer. Swann não consegue terminar o ensaio sobre Vermeer porque Odette o ocupa tanto a ponto de, a certa altura, ele sumir da saga sem concluir o que escrevia sobre o pintor; mas acompanhamos Bergotte em *A prisioneira*, quando, doente, murmurando "le petit pan de mur jaune" (a pequena marca de parede amarela), cai fulminado no Louvre (onde está havendo a exposição de Vermeer) em frente da tela *Vista de Delft*. Essa mesma marca deixara Proust estonteado quando ele viu a tela em 1902: "É a pintura mais bela do mundo", disse, tomado pelo êxtase.

Mas o que é que esse detalhe de parede amarela tem de tão perigoso? "Bergotte viu nela uma beleza abstrata suficiente em si mesma", escreveu o crítico Charles Darwent, no *The Independent* de 24 de junho de 2001, continuando: "Isso mostra quão terrivelmente intuitivo é o paradoxo da beleza: implica que quem vê é menos belo que a beleza vista. Quando Otelo depara com o encanto de Desdêmona, quer morrer. É a beleza da mancha amarela na tela de Vermeer que mata Bergotte. É o paradoxo da arte: ela pode matar, mas também ressuscitar. *Ars longa, Vita brevis.*"

A *Vista de Delft* não está na mostra (permanece no Gabinete Real das Pinturas Maurícias, em Haia). Mas há uma cópia impressa, no tamanho original, para a gente ter uma idéia *do que* se trata. Como se sabe (e eu não sabia) não chega a 40 o número de telas pintadas por Vermeer. Na atual mostra há 13. O resto são obras de outros artistas que, no século 17, formaram a chamada Escola de Delft.

No século 17, a cidade de Delft contava com uma vibrante comunidade artística – pintores, artesãos, gente muito hábil no desenho de mapas, gente que mexia com cerâmica, vidro e metal. Nas telas dessa Escola se vê a vida, a falsa e a verdadeira, conforme retratada há 300 anos. Desde a burguesia em sua melhor roupa e fantasia, posando para a posteridade, com a falsidade que lhe é peculiar, até cenas em cozinhas de bordel, com as cafetinas, as prostitutas, e os fregueses.

No caso de Vermeer, é flagrante a mudança, do começo da carreira (ou dos primeiros anos), ele pintando a falsidade (certamente encomendada pelos ricos) e mais tarde, livre, pintando a simplicidade com um realismo que faz dele um maior, um Grande Mestre.

Fomos, a conselho de Elizabeth de Silva, uma glamurosa senhora amiga de Jenny (que encontramos na noite de Tony Parsons), diretamente à Sala 7, que é a sala de Vermeer propriamente dita. Mulheres e moças sentadas ao *Virginal* (um instrumento musical, teclado, da época). A virgem, pelo olhar, convida quem olha o quadro para um dueto; diz que essa fase, alegoria da fé, é a fase final dele. Beleza e virtude femininas. Vermeer conservou um desses ambiciosos quadros (grande no tamanho, porque a maioria de suas telas são pequenas) até a morte, celebrando as virtudes da profissão de pintor.

Clio, a musa da História, está bem representada. As outras salas são meio tediosas. Jenny diz que não gosta da pintura holandesa. Na Sala 6, *Pintando em Delft 1650-1675*; na Sala 5, *Vistas de Delft, 1650-1660*. Diz que a cidade era a mais cosmopolita. Dá para sentir. Na Sala 4, *Interiores*, a vida doméstica, a luz, as sombras – prestei muita atenção às sombras, como os pintores da Escola de Delft as pintavam, realmente um show de técnica.

E a *low life*, a vida sórdida, uma prostituta tendo de servir a vários candidatos, qual deles ela irá escolher primeiro? Nesta sala está também a tela reproduzida no cartaz e nos *outdoors* da mostra, *A moça do leite*. Robusta, concentrada no que faz, despejando o leite em uma vasilha de barro no interior simples – sobre a mesa atulhada, uma cesta de pão, uma toalha azul como o avental dela e outros detalhes. Fala-se muito dessa tela como "fotográfica" (porque naquele tempo estava-se ainda muito longe da invenção da fotografia) e a tela é de uma total perfeição realista.

Na Sala 3 há alguns poucos Vermeers da fase imatura. *Diana e suas companheiras* – na legenda ao lado está que na época a mitologia grega era muito popular na alta sociedade de Haia. Nesta sala há também um auto-retrato de Carel Fabritius pintado entre 1648-50, digno do maior apreço. Aluno de Rembrandt, o auto-retrato do jovem pintor é nota dez. Uma boca que Proust acharia francamente beijável. Já no outro auto-retrato deste mesmo Fabritius, de 1654, os lábios não se apresentam tão osculáveis. O artista nesta tela se mostra com a expressão dissipada, foi seu último ano de vida. Ao constatar tudo isso, do beijável ao não beijável, levei foi um choque. Quase parecido com aquele do Bergotte. Só não caí fulminado porque não era o meu dia.

Sábado, 30 de junho.

A grade de ferro e o portão central do Palácio de Kensington são pintados de dourado. A pintura parece recente. Próximo ao portão, na calçada, um santuário improvisado com algumas mensagens, flores e homenagens à Princesa Diana, que faria 40 anos. História cruel essa dos anos 80 e 90. Mudanças bruscas no mundo. Diferenças sociais cada vez mais brutais. A grande vaidade. Ostentação, esnobismo. No geral, o mundo e a qualidade de vida piorando. Estranho: pela data – o aniversário de nascimento da princesa (morta tragicamente em 1997) – era para haver muito mais na homenagem. Parece que a esqueceram.

Quarta, 4 de julho.

Faz pouco mais de um mês que vi e ouvi Harold Pinter no festival literário na Fazenda Charleston. E hoje o vi novamente, desta vez em Londres, no teatro Ambassadors, representando uma peça dele mesmo. *One for the road* é o título. Segundo o roteiro teatral nos jornais, a peça dura só 25 minutos. Ainda assim cochilei. Jenny me cutucou de leve para me acordar. Fomos ao teatro, ela, o marido, a amiga Wendy e eu. Peter dirigindo o carro dele – é meio surdo, mas de resto está ótimo: pelos últimos exames médicos, parece que está tudo bem controlado e ele terá de retornar só daqui dois anos.

O Ambassadors é um teatro pequeno e de estrutura vertical. Sentamos no alto, de modo que vimos a peça de cima para baixo, uma visão perfeita da calvície de Pinter. Parecia estréia, pois enquanto aguardávamos na calçada a abertura do teatro estávamos no meio de pessoas como Lady Antonia Fraser (mulher de Pinter e com sua biografia de *Marie Antoinette* já entre os cinco livros de capa dura mais vendidos); Edna O'Brien (escritora irlandesa famosa, muito produtiva, mas meio fora de moda, embora não dando essa impressão – aparentava felicidade, nariz forte no perfil, velha, segura de si, uma vencedora; em 1981 vi, no Theatre Royal, em Haymarket, a peça *Virginia*, que ela escreveu. Até hoje está viva em minha memória a interpretação de Maggie Smith como Virginia Woolf); Penelope Wilton, a ótima atriz de teatro, TV e cinema (já a vi na tela, no palco e várias vezes em Charleston), toda em tons de rosa; chegou também o Corin Redgrave com sua mulher (a atriz Kika Markham), e outros nomes da alta sociedade cultural inglesa.

Já estávamos instalados em nossas poltronas, quando vimos entrar o ator Simon Callow acompanhado de um rapagão. Engraçado é que estiveram todos no Festival de Charleston há um mês: o Pinter, a Antonia, o Redgrave e o Callow.

Começou a peça. Um ator entrou mudo e saiu praticamente calado, depois de Pinter tê-lo mandado sentar-se e exercido poder sobre ele; em seguida entrou um menino, que falou mais que o outro mas ficou menos tempo em cena. Mas se o menino permaneceu menos, a cena chocou a platéia quando Pinter, exercendo poder sobre o garoto, o fez sentar em sua perna esquerda, sugerindo uma espécie de pedofilia mental; depois que o menino saiu de cena entrou uma moça (a bonita e esforçada Indira Varna, cuja carreira já deveria ter decolado desde quando, há anos, fez tudo aquilo que o diabo gosta, em *Kama Sutra*, o filme).

Parece que, na peça, pelo que entendi, Indira é esposa do primeiro que entrou e saiu e mãe do menino que entrara e saíra antes dela. Indira faz uma mulher que foi violentada mais de uma vez. Pinter exerce poder sobre ela, insistindo em perguntar se ela teve algum prazer em ter sido violentada. Não sei o que ela respondeu porque estava prestando mais atenção à sua postura, de pé, elegante, mas com as mãos e os braços em estado de trauma passivo, como se já não tivesse mais energia para se rebelar contra o fato. Mas ela também não permanece muito tempo em cena, meio calada, e a peça, curtíssima, acaba. De tão densa e sem ação, me pareceu até bastante comprida.

Os aplausos foram à altura do espetáculo, algo tépido. A produção é do Gate Theatre, de Dublin, e faz parte das muitas celebrações pelos 70 anos de Pinter (que fará 71 em 10 de outubro). Para mim, que sempre o achei tão forte e perturbador em suas peças traduzidas e encenadas no Brasil, e há um mês e pouco em pessoa, lendo *Celebration* na Fazenda Charleston, *One for the road* foi meio anticlímax.

Do teatro fomos caminhando até o outro lado do Tâmisa onde, quase em frente ao Young Vic, jantamos no TAS, um restaurante anatólio de comida divina.

Morecambe, Lancashire, sábado, 7 de julho.

Na quinta-feira, Jenny me acompanhou até a estação de Euston, em Londres, onde já começavam a aparecer moicanos e até punks japoneses. Camisetas com nomes de bandas – Exploited, Disorder, The Business, The Ejected, The Last Resort, as mais conhecidas, e outras menos óbvias, como Oxymoron (banda *oi* alemã), The Pints, Scum Fucks, Foreskins, Smegma (banda italiana) & velhos clichês punks como "destroy fascism", etc.

Emocionado, o coração batendo forte, me sentindo no meu elemento, despedi-me de Jenny e entrei no vagão já repleto de punks. Ia para o festival Holidays In The Sun. Os tons dos cabelos, os cortes, as garotas... Arrepiante! O trem partiu. Deixou a zona central londrina e foi ganhando os subúrbios rumo ao norte. Vejo, pela vidraça, que a Inglaterra está se deteriorando, toda meio Birmingham, meio São Paulo. Sinal dos tempos – há décadas que não subo para o norte. Um punk bebe sidra Scrumpy Jack. Um outro – todos jovenzinhos – traz fitas e coloca uma no gravador. Ouvindo o que toca, outro punk reconhece a banda: Anti Pasti. É uma novíssima geração, ainda curtindo bandas de mais de 20 anos de estrada.

Percebo novas cores de tintura de cabelo dando o toque de avanço. E tem moicano pra mais de metro. Da janela do trem, meus olhos se perdem nos campos, o agricultor concentrado... Um punk meninote, ao meu lado, desenha. Uma jovem mãe, passageira comum, não punk, come um ovo cozido e dá lasquinhas ao bebê.

Uma família inteira punk, malas em vez de mochilas. Peles brancas de leite. O mundo se globalizou também nessa tribo, tão diversificada dentro dela mesma. A conversação, a musicalidade, as vogais redondas, nasaladas, um som agradável de ouvir, falas bem articuladas, não é monótono, é pura poesia. Da vidraça, pastos, ovelhas, riachos. Um punk, o mais falador, continua: "Gosto de fulano, é um cara decente."

Passamos por Rugby. O trem pára na estação. Entrou gente convencional. O trem segue. Uma coisa que punk tem de bom é que não está nem aí. No fundo, é profundamente respeitoso. Não provocam os não-punks. Ao contrário, surpreendem: solicitado, até ajudam. Dois punks que vieram de outro vagão sentam-se em dois assentos vazios e um deles está de camiseta cavada. No braço, quase no ombro, está tatuado The Varukers (banda da primeira leva) e uma águia com cabeça de moicano. Eu nunca tinha visto águia com cabeça de moicano. E duas garotas moicanas originalíssimas, o cabelo: branco na raiz até a metade e da metade para o fim num matiz galinha-de-angola.

Estação de Crewe: na plataforma, a gente mais monstruosa que já vi na vida. Não são punks. Vão para algum lugar do norte. Todas as idades. Parecem extras do filme *Os monstros*. Gente boa, talvez, mas absurdamente esquisita, deformada.

E o trem segue. Um punk de lábio leporino lê T. S. Eliot.

Um punk de uns 14 anos veste a camiseta do UK Subs; outro, do GBH, outro, de novo, do Exploited. Reparo que tanto os caras quanto as minas, estas com a cabeça inteira ou parte dela raspada com máquina dois e pintada no padrão oncinha. O trem segue. Baldeação em Lancaster. E o trem agora é outro, só dois vagões até Morecambe, nosso destino.

Chegamos antes das 16h. Quatro horas de viagem. É verão, o dia ainda irá longe. A primeira impressão: balneário decadente. Me fez lembrar Bertioga, no litoral paulista, mas conservando a arquitetura, a majestade de outras eras. O hotelzinho fica de frente para a baía. Deixo minha mochila no quarto e saio. Na rua principal – a avenida beira-mar – e nas transversais, bandos e bandos de punks chegando. Um filme não conseguiria uma multidão de extras tão vistosa, fotogênica e original.

Ainda estou visualmente me sentindo um peixe fora d'água. Sobretudo pela idade – eu poderia ser avô da maioria. Mas isso não me preocupa, porque sei que em várias das bandas da primeira geração punk que irão se apresentar têm muitos da minha idade.

Além do que, por conta de meu envolvimento com o movimento em São Paulo (antes desta minha viagem à Inglaterra eu já deixara amarrado lá, com punks em função e com o departamento de juventude da prefeitura, um festival para novembro, celebrando os 25 anos do movimento) e de minha experiência com um sem-número de festivais de rock na Inglaterra, desde 1970, algo me dava a segurança e a certeza de que com as horas, eu me enturmaria e, por afinidade com a tribo, me daria bem e seria feliz.

A maioria é formada de moicanos muito jovens. Todos colaboram quando peço permissão para fotografá-los, dizendo que é para um fanzine punk brasileiro (o *Antimídia*) e para depois, também, expor as fotos no festival punk em São Paulo. São simpaticíssimos e extremamente fotogênicos. Aos poucos percebo várias nacionalidades. No trem, depois da baldeação, vim comprimido num bando de punks alemães. Depois, na orla, já em Morecambe, ouvi italianos, espanhóis e línguas escandinavas. Vi punks orientais (japoneses, chineses).

E agora sim, acabei adotado por uns simpáticos adolescentes alemães, também sem hotel para os dois últimos dias. Saímos juntos procurando vaga. Persuasivo, consegui, com boa conversa, vaga para eles em uma casa de família.

Por volta das 20h dessa quinta-feira, ainda dia claro, fui procurar os organizadores do festival na festa de abertura e aquecimento, no Dome. O casal de organizadores, Jennie e Darren Russell-Smith, muito receptivos. Um *roadie* do GBH que estava perto, me ouvindo dizer que era brasileiro entrou na conversa, lembrando a passagem da banda por São Paulo ano passado. Eu até assistira à apresentação do GBH (Grievous Bodily Harm) no Hangar 110, perto da Rodoviária Tietê.

Notei que começaram a aparecer muitos *skinheads* (carecas). Nas ruas, nos lugares, com as marcas registradas deles: os suspensórios, a cabeça raspada, as camisetas com nomes de bandas *oi*. E entendi que o festival é de punk e skinhead! Este é o sexto ano do festival aqui em Morecambe. O departamento de turismo me informou que nunca houve problemas ou violência, e que os moradores da cidade – cerca de 35 mil habitantes – gostam do evento, dos punks e dos skins. Eles quebram a monotonia; o local é, quase sempre, um lugar de descanso e passeio para os aposentados e muito velhos. Morecambe é hoje um balneário pobre em todos os sentidos.

Este ano, por causa da data especial, o jubileu punk, há quatro lugares para as bandas se apresentarem: o Market Arena (o maior, capacidade para 3000 pessoas), The Dome (para 1000), The Platform (1000) e The Carleton (1100). Este último é o mais distante e fica a um quilômetro e meio dos outros, mais próximos, mas não muito. No entanto, como nem são tantos assim os punks e skins, são esperados, no máximo, umas 4000 pessoas. 132 bandas se apresentam nos três dias e nos quatro palcos. Todas no horário estabelecido, só a Vice Squad, no Dome, entrou com alguns minutos de atraso, fazendo atrasar um pouco as apresentações seguintes. Mas muito pouco, coisa de minutos.

Trinta e seis bandas na sexta, 55 no sábado e 41 no domingo. A grande imprensa não publicou nada – e olha que os jornais de Londres divulgam tudo que é festival que acontece durante o verão na Inglaterra! São 25 anos de um movimento que mudou e influenciou tudo, moda, cinema, literatura e o próprio jornalismo. Até a Madonna, no show dela, semana passada em Londres, estava vestida de punk de butique, estilo *World's End 1977*; e a estrela máxima do futebol inglês, David Beckham, há menos de um mês aparecia nas primeiras páginas com o cabelo cortado no estilo moicano! Mas, sobre o autêntico, o verdadeiro, o genuíno, nada nos jornais.

Enfim... deixem-me registrar o social do festival em Morecambe. Os punks italianos são simpáticos, mas não permitem que os fotografem; os ingleses, como sempre, são os mais simpáticos, gozadores e colaboradores. De modo que, depois de muitos *pints* de cerveja, fotografei à vontade e principalmente, oportunidade única, os temidos skinheads.

Dizem que Morecambe consome mais batata frita por cabeça que qualquer outro lugar do planeta. É verdade. Não pelos moradores, mas pelos punks e skins. Por tudo que é lugar, caminhando ou sentados nos beirais, lá estão eles com caixas de isopor ou papelão com batatas fritas. É uma cidade esquisita, procurei e me informaram que não existe livraria! Apenas uma biblioteca pública.

Morecambe é um balneário (mas não dá para tomar banho de mar) na costa noroeste da Inglaterra, uns 80 km acima de Manchester e Liverpool. O lugar se desenvolveu durante o fim do século 19, quando sua popularidade cresceu até a década de 1970, quando o número de visitantes caiu drasticamente. Hoje é um balneário *morto*.

De um dos livros de Bill Bryson (o escritor-viajante americano) sobre a Inglaterra:

> Gosto de Morecambe. Olhando a cidade agora, é difícil acreditar que não faz muito tempo ela rivalizava com Blackpool (30 minutos acima, de carro). De fato, sua ascensão começou em 1880 e, por muitas décadas, Morecambe foi o principal centro de veraneio do nordeste inglês. Foi o lugar onde nasceram o bingo e a montanha-russa. Chegou a receber 100 mil turistas de uma vez lotando hotéis e hospedarias. No seu pico, teve duas estações de trem, oito *music-halls*, oito cinemas, um aquário, um parque de diversões, a maior piscina da Inglaterra, um palácio temático das mil e uma noites, um pavilhão de verão, jardim de inverno, uma torre que girava e dois *piers*.
>
> Já atraiu grandes companhias teatrais, que faziam longas temporadas; Elgar já conduziu orquestras no jardim de inverno; havia hotéis que se igualavam aos melhores e mais famosos da Europa, onde, no começo do século 20, era possível tomar diferentes tipos de banhos de hidromassagem. Hoje tudo isso foi embora. Resta o ensolarado mas esgarçado charme da Marine Road, sua avenida beira-mar onde fica tudo.
>
> É difícil dizer quando começou o declínio de Morecambe. Foi popular até os anos 50. Até 1956 tinha 1300 hotéis e hospedarias em número dez vezes maior que hoje. O magnífico Alhambra, palácio de shows, incendiou-se em 1970, e o Teatro Royalty foi transformado em medíocre *shopping center* dois anos mais tarde. A partir de 1970, o declínio de Morecambe se precipitou. Os marcos locais, registros de sua antiga majestade foram sumindo. A venerável piscina foi embora em 1978, o suntuoso Grand Hotel em 1989, e o balneário foi trocado por Blackpool ou pela costa espanhola. Os preços dos imóveis também despencaram.
>
> Hoje, a orla consiste largamente em salões de bingo pouco freqüentados, lojas de tudo por uma libra e lojas de roupas muito pobres (em todos os sentidos), onde o preço é tão baixo e a oferta tão indesejada que poderiam ficar nos cabides do lado de fora que ninguém as roubaria. Muitas lojas vazias. Ironia

das ironias, Morecambe voltou a ser o que fora antes do progresso e da glória. Ainda assim, tem seus charmes. Sua *promenade* à beira-mar é imponente, bem mantida. Sua vasta baia de 174 milhas quadradas é uma das mais belas do mundo, com vistas inesquecíveis para a verdejante colina da Região dos Lagos. Hoje, quase tudo o que resta da idade de ouro de Morecambe é o Hotel Midland, em radiante *art déco*, construído em 1933, mantendo o charme da época, embora tenham sumido as grandes esculturas de Eric Gill.

Depois desse texto de Bill Bryson, agora sou eu, Bivar, falando: em 2001, o Hotel Midland está, parece, há muito fechado. A parte de ferro das escadas externas, enferrujada; as paredes, descascadas. As vidraças quebradas. Mas uma grande placa avisa que "o Midland Hotel será reaberto no verão de 2002 como um opulento hotel temático *art déco* com o aval de Sua Majestade a Rainha". Bom sinal. E continuo com Bill Bryson:

> Velhos passeando pela *promenade*. Ninguém gasta dinheiro. As praias consistem em um lodaçal arenoso e sua baía passa longos períodos diários sem água, por causa das marés. Pode-se tentar atravessar as seis milhas da baía até Cumbria, mas é perigoso fazê-lo sem um guia. Histórias arrepiantes contam de carruagens e cavalos que tentaram atravessá-la e foram tragados pela areia movediça.

Morecambe, percebo, caminhando pela *promenade* no fim de meu primeiro dia, é um bom lugar para a solitude. É um lugar quieto, amigável e cordial. Sua gente é simples, fraterna e honesta. Difícil imaginar melhor lugar para um festival celebrando os 25 anos de punk.

Mas chega de informações turísticas, vamos ao festival. Fui à bilheteria trocar o ingresso pela pulseira de acesso aos quatro locais de apresentação das bandas. Jennie Russell-Smith estava lá e me recebeu festivamente. Fui aos fundos e um cara simpático da organização, um skinhead de bons bofes, me deu várias informações sobre os seis anos do festival: "Nunca houve briga, só uma no ano passado, mas durou apenas um minuto e meio."

De pulseira-crachá, fui comer um fish & chips num dos bares da orla, encantado com o *footing* da multidão punk & skinhead. E vêm chegando mais e mais. Raciocinei e entendi não ser possível ver todas as bandas, já que quatro delas se apresentariam no mesmo horário nos quatro diferentes palcos. Fazer o quê? Assistir ao show do UK Subs inteiro no Market Arena e perder, no mesmo horário, o do Violent Society no Dome, ou o do Pink Torpedoes no Platform, ou o do Hate Fuck Trio no Carleton? Não. O jeito é editar a coisa. Assistir a um pouquinho de cada e, se possível, dar uma conferida em todas as bandas.

E fazer assim o tempo todo, nesse jeito de praticar *cooper*, correr de um show para outro, e permanecer um pouco mais no que estiver melhor. Mas ficar ligado, para não perder nem os shows das bandas lendárias, como UK Subs e nem os das novas ou das quais ouvi falar apenas vagamente. Festival é também descobrir.

A entrada triunfal – punks e skins em uníssono gritando "UK SUBS!" e o eterno Charlie Harper, o vocalista, que figura!, atirando latas e latas de cerveja à platéia e reclamando que era morna, o calor infernal. Dos quatro lugares, o Market Arena é o mais quente, pelo teto de metal e dia de verão e sol direto. Assisto a uns 20 minutos do UK Subs e corro para ver, a uns 300 metros dali, o que rola no Platform. Que surpresa! Os Pink Torpedoes são para mim uma revelação. Mas o lugar está quase vazio, há umas 40 pessoas. É que está todo mundo vendo os lendários UK Subs no Market Arena. Mas gosto mais dos Torpedoes. Banda ótima, platéia feliz, todos se divertindo às cervejadas.

Depois, bem mais tarde, conversei com um cara da banda e ele me contou que os Torpedos Cor-de-Rosa já estão na estrada há 14 anos! E assim, correndo de um palco para outro assisti ao Chelsea, The Boys, ao Vice Squad (a vocalista Beki Bondage em forma, *sexy*, uma espécie de Madonna surgida antes da própria). E corri para ver The Business (uma das bandas favoritas dos skins) no Market Arena.

Depois de 15 minutos, saí voando para não perder no Dome a canadense D.O.A., na estrada desde 1978, uma das primeiras do *hardcore* West Coast. Assisti ao show inteiro. O trio, integradíssimo, numa entrada triunfal, fez tremer o Dome; o baixista e o guitarrista um de frente para o outro, tocando o instrumento um do outro, *Singin' in the rain*, levantou a galera, remetendo ao filme *Laranja mecânica*. Arrepiante. O guitarrista pega uma serra elétrica e ameaça o público. Aproveita e faz política-clichê contra o presidente George W. Bush. "Fuck off Bush".

Continuei no Dome, firme no meu posto para não perder a próxima atração, outra lenda viva punk, Sham 69, com o espeto Jimmy Pursey quase matando do coração a casa inteira com *If the kids are united* (*Se a molecada permanecer unida*). Mas saí voando depois dessa para pegar os Vibrators no Platform. Eu, que já tinha visto essa banda, da primeiríssima leva punk, em São Paulo no ano passado, no Hangar 110, queria vê-la neste festival. Super *cool*.

Depois de quinze minutos, sebo nas canelas: corri ao lugar mais longe, o Carleton, para ver uma banda holandesa de carecas, a Discipline. Até então, nunca tinha estado num lugar só com skinheads. Foi de arrepiar. Aquele patriotismo esquisito, aquele gesto de levantar um braço com o punho cerrado, assustador! Bandeiras. Serão fascistas? Serão nazistas? Serão o quê? A postura paramilitar, a *performance* é isso aí. Mas estavam em festa, entre eles, celebrando. Me pareceu uma coisa teatral.

Aqui não ofendiam ninguém, era metateatro. Parateatro. Sei lá o que era. Era uma das várias formas de rock. Fotografei. Trogloditas carecas e sem camisa, – por causa do calor. Só de suspensórios. Pele branca avermelhada pelo sol do dia. Constatei a diferença entre uma banda skin tocando para skins (esta Discipline) e uma banda não necessariamente skin, mas que tem seguidores principalmente skins, como The Business.

O vocalista do Discipline diz que o show vai terminar para dar tempo de todos chegarem a tempo lá no Platform para o show do The Crack, outra banda *oi*. Saí voando na frente. É tarde, quase uma e meia. A orla cheia de punks e skins indo de um lado para o outro nas duas direções. The Crack no Platform lotado. Fico cinco minutos e saio. Dou uma passadinha no Market Arena e me despeço da noite e do primeiro dia do festival com a simpática banda Spunge mandando ver no *ska*.

E hoje, sábado, vou embora. Mas fico até o último trem. Dia alegre e ensolarado. Antes de começarem os shows a cidade está animada. Ainda mais descontraída. Num terreno junto ao centro cívico, os skinheads bebem e se divertem. Um deles faz *strip-tease* e causa impacto: em vez de cueca está só de tapa-sexo, certamente comprado em alguma *sex shop* com o intuito de *épater* no festival. Humor cafajeste. Descarado, o skinhead caminha de pernas separadas, massa de músculos e carne: careca, botinão e tapa-sexo. Bunda de fora. Provoca risos de todos os lados. Uma garota punk vem e o fotografa.

Na calçada, um moicano mareado dorme de lado para não desmanchar o cabelo. *Hey Ho! Let's Go!* são os Ramones na fita que toca no alto falante; mas também Dead Kennedys, *California Ubber Ales*, e até Department S, *Is Vic (Godard) There?*.

Entre as quase cem bandas ao vivo, hoje e amanhã, as históricas Eddie and The Hot Rods, 999, GBH, The Undead, The Exploited, Tempole Tudor, The Damned, The Dickies, etc. E encerrando o festival, The Warriors. É mole? Adeus Morecambe, vou embora. Valeu.

Quarta, 11 de julho.

Carta de Judy Gascoyne agradecendo a minha. Ela a leu em voz alta para David, que gostou de ter notícia da escultura dele, bem localizada na NPG.

Sexta, 13 de julho.

Ópera na casa do viúvo rico amigo dos meus anfitriões. A casa fica à margem do Tâmisa, no outro lado do rio. Nem assisti a tantas óperas assim na vida, mas ópera em casa, então, eu nunca tinha visto. Menos ainda em uma localização tão original. A casa tem quatro andares, com as frentes todas envidraçadas exatamente de frente para o melhor do outro lado do rio, que é a Escola Naval, o Cutty Sark, etc.

Fartura de comes e bebes, caviar, queijos, vinho e champanhe. Na sala principal começou o *Rigoletto*, de Verdi, estreada no Teatro Fenício em Veneza, 1851 – antes de vir para esta *performance*, minha tutora me informou. O Duque de Mântova, um nobre mulherengo que seduz todas as moças do pedaço, é na caça auxiliado pelo criado, o Rigoletto do título. Resumo da ópera: Rigoletto tem uma bela filha, Gilda, que esconde do conhecimento do patrão. Mas o Duque acaba vendo a moça numa igreja e a deseja para próxima vítima. Ordena a Rigoletto que a fisgue para ele. Rigoletto, sem imaginar que a moça é sua própria filha, promete pôr seus capangas atrás dela. E por aí vai.

Nessa produção na casa do viúvo, a ópera foi encurtada para pouco mais de duas horas. Mesmo assim me pareceu longa demais num recinto tão antiteatral. Eram onze cantores e dois pianistas. Umas 80 pessoas assistindo, sentadas em cadeiras alugadas para o evento. Como o viúvo tem uma família de muitos filhos e netos, havia até bebê em carrinho. Mas a maioria era gente mais velha.

Mas essa *Rigoletto* é uma ópera muito triste, uma tragédia! Tudo dá errado para Rigoletto, para Gilda e os outros personagens. Parece que só os debochados se dão bem, como o Duque e as piranhas – porque todas as donzelas que ele come no decorrer da trama acabam *cínicas*, para dizer o mínimo.

As cantoras, todas jovens, ótimas. Me pareceram iniciantes no *métier*. A que fez Gilda, linda, perfeita. Alta, magra feito uma *top model*, o formato da cabeça, os cabelos lisos, o rosto bem desenhado, tudo proporcional e na medida exata (como a distância entre o queixo e a boca e esta e o nariz) e, para completar a perfeição simétrica, o pescoço de cisne. E assim as outras. A que fez Madalena – a filha de Sparafucile, o vilão contratado por Rigoletto para matar o Duque – não é tão bonita de cara (é dentuça), mas é boa de corpo, cheia de vida e dona de uma surpreendente voz de contralto.

Rigoletto tem umas duas árias memoráveis. Uma delas é a popularíssima "La Donna è Mobile" (que eu, por fora de ópera, nem sabia que era do *Rigoletto*): "La donna è mobile/ qual piuma al vento/ muta d'accento/ e di pensiero...", ou, traduzindo: "A mulher é volúvel/ como pluma ao vento/ sempre mudando/ nunca constante". Há oito anos que, uma vez por ano, o viúvo apresenta ópera em sua casa. Começou por causa da mulher, que era apaixonada pelo gênero. Ela morreu e em sua memória ele decidiu continuar. A primeira foi o *Figaro*. Ano que vem será *Così Fan Tutte*, de Mozart, que deve ser mais leve.

Sábado, 14 de julho.

Desde a leitura dos contos de Chaucer (1340-1400) e do filme de Pasolini deles extraído, em outras épocas, nas minhas longas temporadas inglesas, indo ou vindo da França, via Dover-Calais e vice-versa, sempre que da rodovia avistava ao longe Canterbury, eu pensava: "Preciso conhecer Canterbury." E esse dia foi hoje. Dia de chuva intermitente. De vez em quando o sol dando a cara. As ruas, as ruelas, as construções antigas, o medieval, o gótico, a catedral, os córregos e rios, gente de barco, milhares de turistas, a rua principal...

Christopher Marlowe, poeta e dramaturgo contemporâneo de Shakespeare, nasceu aqui. É bem lembrado e homenageado em memoriais pela cidade. Logo que Jenny estacionou o Volvo, sentamos à mesa de um bar de calçada junto ao Teatro Marlowe. Um pianista jovem tocava antigas canções como *Putting on the Ritz* e *Light my fire*. Mas o bom mesmo, sempre, é fazer o *trottoir* pela rua principal.

Na imponente catedral, sempre decisiva em questões delicadas – o Arcebispo de Canterbury é ligado em várias tomadas do Reino - o peso da história. *Morte na catedral*. Foi nela que o Arcebispo Thomas Becket (c 1118-70) foi assassinado por se opor à política de Henrique II em relação aos rumos da igreja.

O gótico, os vitrais, as legendas, aquelas estátuas deitadas como mortas em mármore e granito, repousando, desgastadas pelo tempo, as inscrições, as ricas doações, os séculos, o som do coro entoando cantos gregorianos, a monotonia, o tédio beirando o mortal, o claustro e o começo da claustrofobia. Não, pensei, chega. De Canterbury eu quero, de novo, a festa viva na rua principal.

Domingo, 15 de julho.

Nesses meus 31 anos de Londres, desde que aqui me exilei pela primeira vez em 1970, nunca havia passeado de barco pelo Tâmisa. Hoje, Jenny fez questão que eu passasse por mais essa experiência cultural. Tomamos o barco de manhã em Greenwich e subimos até Westminster. Como somos ambos da terceira idade, os *tickets* saíram pela metade do preço.

Achei a experiência interessante mas também decepcionante. A nova arquitetura vista do rio é grotesca. Londres, que era tão diferente, já está parecida com São Paulo. Mas tem suas grandezas, é lógico, principalmente as construções da década de 40 do século recém-findo, recuando até os primórdios de sua fundação.

Entre ida e volta, uma visita à Royal Academy para ver a nova exposição, *Ingres to Matisse*. São obras-primas da pintura francesa, colecionadas desde o século dezenove por americanos, hoje pertencentes a dois museus de Baltimore.

A crítica não tem falado muito bem, ou melhor, não tem falado bem de toda a exposição, lembrando que esses americanos compravam obras recomendadas por outros americanos, residentes na França, informados do que teria futuro, não pelo gosto ou conhecimento dos compradores, mas como investimento ou, no máximo, pelo efeito decorativo.

Mas, de um modo geral, gostei. Voltamos a Westminster para tomar o último barco de volta. A viagem leva quase uma hora até Greenwich. É meu último dia em Londres. Amanhã volto a São Paulo. Em casa, Jenny preparou um ratatouille niçoise, vinho branco, para sobremesa torta de maçã com sorvete Häagen Dasz de baunilha. Televisão e leitura dos jornais domingueiros. Ficamos os três assistindo a um documentário sobre o alinhamento da Torre de Pisa. Me deu sono, dei boa-noite e subi. Julie Burchill, mais uma vez esplêndida, ao afirmar em sua crônica semanal no *The Guardian*: "A vida é muito curta; existe um plano espiritual superior, sim, mas o corpo vive como bem deseja sua vida passageira, independente do espírito que, ocupado consigo mesmo, tem sua própria agenda."

São Paulo, domingo, 22 de julho.

"Que coisa mais chique! Você avisa aos amigos que está de volta aparecendo no *Jornal Nacional*!" Era Vania Toledo ao telefone. Acabava de me ver na Globo, no *Jornal Nacional*. Cheguei na terça, mas exausto de tanta cultura passei a semana inteira em casa, a maior parte do tempo na cama, me recuperando. No sábado, uma equipe do *JN* da Globo me procurou para uma entrevista sobre a história do movimento punk. O gancho era Carlo Giuliani, o punk de 23 anos, morto na última sexta-feira pela polícia em Gênova, durante a manifestação contra o Grupo dos Sete, a inclusão da Rússia e a globalização.

Ensinei tudo sobre punk à jornalista, que anotava num bloco, enquanto eu era filmado. Como sempre, usaram meus ensinamentos na reportagem, mas minha cara mesmo só apareceu por alguns segundos. Mas Vania disse: "Você estava tão bonitinho, de brinquinho!"

"Já tirei o brinco", respondi. Mas não definitivamente. Afinal, o lóbulo esquerdo continua furado (desde 1981) e, para mantê-lo furado, volta e meia enfio o brinco.

De qualquer modo foi chique, sem nenhum planejamento nesse sentido, avisar a minha volta (depois de uma ausência de dois meses) pelo *Jornal Nacional*. Nos dias seguintes, muita gente ligou. Da editora Brasiliense pediram urgente um adendo necessário a uma nova edição de *O que é punk*, porque, alegaram, repentinamente começaram a chover *e-mails* e telefonemas, de leitores e livrarias, com pedidos desse meu livrinho de 1982.

2002

Por certo, nenhuma glória nunca valerá a adolescência de nossos corações.

André Gide, *Os frutos da terra*

O RESTO DE 2001 com certeza teria sumido de minha memória não fosse por três acontecimentos. O primeiro deles, que me atingiu mais diretamente, foi uma tragédia na família, mais uma das perdas recentes que nos devastou ainda em pleno estado de luto. Foi a morte de um sobrinho muito jovem (tinha feito 18 anos em março), o Pedro, filho único de uma irmã querida, a Mané.

Fazia 17 dias que eu retornara de minha viagem à Inglaterra, quando fui avisado do desastre acontecido na madrugada de sexta para sábado, 4 de agosto. O aviso chegou por volta das 10h da manhã. Quando minha irmã Heloisa, tia de Pedro, me deu sa notícia, por telefone, eu, como que não querendo acreditar, e conhecendo Pedro, achava que ele escaparia dessa. Pedro e mais dois amigos vinham no carro de um deles, estava no banco traseiro, quando outro veículo, vindo a toda de uma curva, chocou-se contra o carro, pegando-o de lado e arremessando-o contra uma árvore. Levado ao Centro de Tratamento Intensivo do Hospital das Clínicas, em Ribeirão Preto, ele morreu por volta das 19h30. A causa: traumatismo craniano.

Quando às 21h30 foi confirmada a morte, o choque foi total. Ninguém conseguia falar. Não dava para acreditar, mas era a verdade. Os outros escaparam. E foi mais uma vez com a morte na alma que, sozinho, tomei o ônibus de São Paulo para Ribeirão Preto. Parecia que o mundo tinha acabado para minha irmã. Para nós, irmãos, ver a profundidade da sua dor, era quase insuportável.

Pedro era um menino especial, de grande inteligência e com um futuro promissor. Atravessava, como tantos jovens de sua idade, o período conflituoso em que os mais sensíveis buscam seu caminho, sua identidade. Naquela nossa viagem a Portugal, em 2000, ele sumia, vivendo suas descobertas pessoais e intransferíveis. As recentes mortes na família – primeiro a de meu irmão Leopoldo, em 1996, depois a de minha mãe, em abril de 2000, depois a de meu cunhado Dirceu, e agora a morte de Pedro, fizeram com que a vida se tornasse horrível. Parecia que os anos tinham chegado mesmo, e para nos destruir.

Mas era preciso tocar a vida.

Nesse meio tempo, pouco mais de um mês depois da morte de meu sobrinho, em uma manhã de sol em que eu tentava escrever um texto encomendado por um jornal, a manhã de 11 de setembro, toca o telefone e é minha velha amiga punk, Meire Martins, de Itanhaém, onde vivia, a pedir que eu ligasse correndo a televisão, que mostrava algo inacreditável: os símbolos maiores do capitalismo, as torres gêmeas do World Trade Center em Nova York, haviam sido eliminadas por terroristas suicidas em aviões seqüestrados.

Parecia, definitivamente, o fim de uma época. O nome de Osama bin Laden estava em todas as bocas. O que era aquilo? Não vou fazer nenhum comentário aqui, porque não acrescentaria nada ao que já foi excessivamente divulgado. Ainda assim, a central que detém o poder continua, no que tange à lição que se poderia ter tirado do fato, a agir irracionalmente. E o mundo, de mal a pior.

O terceiro acontecimento desse resto de 2001, depois de tanta maldade serviu como um pequeno consolo: foi o festival punk no Tendal da Lapa (um vasto e antigo entreposto de carne dos anos 30) em São Paulo, a cuja realização dei minha contribuição. No cartaz do festival está: Organização: AÇÃO E ANARQUIA e Antonio Bivar. Mas foi gentileza do Ariel (do grupo Ação e Anarquia). Ele sim, e muitos punks voluntários, trabalharam varando noites para que o festival desse certo. Embora eu não tenha negado fogo, colaborei mais como amigo mais velho e quilometrado, com idéias objetivas e lúcidas, para uma maior abertura ao novo.

Foi num fim de semana, 24 e 25 de novembro. Tudo feito no esquema punk do FAÇA VOCÊ MESMO e ninguém recebeu um centavo. Bandas e outras manifestações – arte, poesia, vídeo, debates, tudo relacionado à cultura punk.

O festival fez parte da Semana Jovem, promovida pela prefeitura. O título do festival – decidido meses antes do 11 de setembro como uma espécie de data comemorativa dos 19 anos do primeiro festival punk acontecido em São Paulo, no SESC Pompéia, *O começo do fim do mundo*, do qual também fui um dos idealizadores – dessa vez foi *A um passo do fim do mundo*.

A confraternização punk foi total. Desconheço fraternidade maior que a que une esse movimento quando motivada por uma causa na qual acredita. Mais de 3 mil punks e simpatizantes compareceram e 62 bandas se apresentaram em dois palcos. Nelas, o fascinante imaginário dos nomes: Ação Direta, Pátria Armada, Blind Pigs, Deserdados, General Bacon, Excluídos, Excomungados, Cólera, Rrract Tuff (onomatopéia de limpar a garganta e escarrar), Agrotóxicos, Stoosh, Flicts, Olho Seco, Autogestão, Holly Tree, Lambrusco Kids, Phobia, Kolapso 77, Zumbis do Espaço, Restos de Nada, Condutores de Cadáver, etc., bandas da primeira à novíssima geração, todas elas da Grande São Paulo. E como punk é pura arte viva auto-aplicada, foi um espetáculo artístico em si. Uma espontânea instalação humana em perpétuo movimento.

E assim chegou ao fim o ano de 2001. E 2002, não fosse por alguns eventos que contribuíram para tornar alguns de seus dias menos miseráveis, eu nem o registraria aqui. Neste ano, ainda sob o pessimismo do luto, solidário com o sofrimento dos outros e sem nenhuma forte motivação para me interessar pelo que quer que fosse, preferi não aceitar o convite para o Festival de Charleston.

Como nunca tive medo da solidão, talvez por ter aquilo que se convencionou chamar de vida interior, nessa fase me senti melhor sozinho. Felizmente não perdi o gosto pelos livros e eles foram meus melhores companheiros. É claro que não me afastei totalmente do mundo, apesar da minha tendência à misantropia. Mas se não me afastei tornei-me mais seletivo. E até me distraí, pintando aquarelas.

Mas eis que de repente minha irrequieta amiga inglesa passou a me tentar com *e-mails*, cartas e telefonemas, convidando-me a um *séjour* pela Côte d'Azur. Apesar de até muito viajado, nunca estivera na Riviera francesa. Devem ter-me faltado dinheiro, oportunidade, convite, ou mesmo um desejo de fato profundo. Embora a idéia fosse fascinante, meu estado de espírito parecia não querer que eu sucumbisse à sedução.

Mas como não ficar seduzido se, desde 1993, quando da minha primeira e inocente participação na Escola de Verão de Charleston, sempre quis escrever um livro sobre aquilo? E, no convite para essa viagem, não constava, como motivação primeira uma visita a Cassis? Cassis que nos anos vinte Virginia Woolf, como sempre, acompanhada do marido Leonard, descobrira como o lugar ideal para sua querida irmã Vanessa e família se refugiarem nos meses de austeridade do inverno inglês. Afinal, o clima na Provence, mesmo no inverno, era menos cruel que em Sussex.

De modo que os Amigos de Charleston organizaram uma visita a Cassis exatamente na época do ano em que, muitas décadas atrás, membros da confraria bloomsburiana iam lá para longas temporadas. O convite era irresistível – indo nessa, eu daria continuidade ao meu trabalho de pesquisa de campo para o meu livro. A parte da viagem organizada pelos Amigos de Charleston não levaria mais que três dias. Não era preciso mais que isso para visitar Cassis e os lugares por onde passou o pessoal de Virginia Woolf, mas minha amiga, com sua imensa capacidade de persuasão, me fez ver que seria um desperdício viajar de tão longe para tão pouco tempo.

Que tal uma viagem cultural pela Riviera, visitar os museus, os lugares mágicos onde Matisse, Picasso, Miró, Léger, Cocteau e tantos outros passaram os dias mais felizes de suas vidas? Não tinha eu lido, fazia tanto tempo, *Viver bem é a melhor vingança*? De modo que sucumbi. A seguir, extratos de meu diário dessa viagem.

Nice (Biot), sexta, 27 de setembro.

Nossa anfitriã mora sozinha em uma bela casa num condomínio fechado em Biot. Fica no alto de uma colina. Jardim bem cuidado, piscina, pomar... O tempo está ótimo. Dias de sol e a temperatura durante o dia bastante quente. Biot fica a menos de uma hora de carro do centro de Nice. Pela manhã, quando descemos para o desjejum, a anfitriã, que sai cedo para o trabalho, já deixa a mesa preparada. Tudo da região.

Ontem, Jenny e eu passamos o dia em Nice. Deixamos o Peugeot (alugado) no estacionamento e fomos apreciar o mar na Promenade des Anglais frente ao Negresco. Depois de almoçarmos em uma *trattoria* fomos bater calçada na Rua de la Buffa e dali caminhamos ladeira acima até o Museu de Belas Artes.

O museu fica em um palacete suntuoso, construído em 1878 para uma princesa da Ucrânia. As obras de arte deixam a desejar. Diz o folheto que "as coleções, muito diversificadas, giram em torno de um núcleo de obras doadas por Napoleão III em 1860 (para o primeiro museu de Nice, mais tarde transferido para este palacete) depois de unir Nice à França". Há outras obras, doadas posteriormente. O panorama se estende do século 15 ao século 20. Algum *expert* já deve ter chamado a coleção, em sua maioria, de *kitsch*. Há um Fragonard muito interessante, *Cabeça de velho*.

Com uma certa ironia apreciei muita coisa nesse museu. Jenny, que é mais séria e seletiva, disse: "Com o tempo e a educação, antes se poderia gostar de Dufy (1877-1953), mas agora se vê que ele não é tão bom quanto Matisse."

Há uma sala toda impressionista, Monet, Sisley, e o pós- impressionismo de Bonnard e Vuillard. Mas até uma tela menor de Marie Laurencin passa rápido e não se fixa. Jenny é muito apressada, e parece não entender que eu gostaria de me deter mais diante de algumas obras que jamais voltarei a ver. É que inglês, com aquele tempo horrível de pouco sol na Inglaterra, quando viaja – e especialmente quando viaja para a Côte d'Azur - quer mais é a vida ao sol.

Deste museu o que gostei mesmo foi das grandes telas libidinosas do franco-holandês Kees Van Dongen (1877-1968). Van Dongen é considerado um menor, mas se eu estivesse sozinho gostaria de me sentar no banco em frente e copiar no meu *sketchbook* aquela fêmea nua, sapatinho num pé (e o outro pé descalço), seqüestrada por um tarado.

Do lado de fora do museu, vistos pela grande vidraça, dois jovens montados em guindastes lavando as vidraças e deixando tudo nos trinques para a abertura de uma exposição logo mais à noite, também me pareceram compor um quadro super artístico. Operários em função me parecem, sempre, uma das coisas mais artísticas da vida. Se eu estivesse livre, também poderia tê-los esboçados em meu *sketchbook*.

De modo que adorei o Musée des Beaux-Arts Jules Chéret de Nice – menos as obras de Jules Chéret (1836-1932), é claro. Depois, já do lado de fora como ela gosta, Jenny e eu flanamos pelas ruas dos fundos, colinas e arredores, admirando as casas e a vegetação. Jenny passou seis períodos de férias aqui desde os anos sessenta, de modo que conhece bem o lugar.

E as frutas nos jardins, dobrando de maduras sobre as cercas e as calçadas! A maioria cítricas: laranjas, limões, bergamotas. E romãzeiras, parreiras (chupamos uvas roxas maduras, suculentas, deliciosas, em um *cul-de-sac* em que entramos). Depois de muito caminhar, sentamo-nos num café em um *boulevard* fazendo esquina com a Rua de la Buffa. Casais de velhos bem vestidos para o passeio de fim de tarde. Quando o tempo virou para esfriar voltamos para Biot, onde jantamos no restaurante do Hotel Les Arcades. A comida, claro, tipicamente provençal. Vinho da casa.

Biot, sábado, 28 de setembro.

A dona da casa, como faz diariamente antes de sair – e ela sempre sai enquanto ainda estamos na cama – deixou a mesa posta para o desjejum: baguete, *croissant*, brioches, manteiga, mel, geléias, frutas, leite, café. Jenny se queixou de o café, na garrafa térmica, estar tépido. De resto, tudo é maravilhoso na Riviera. A luminosidade é espetacular. E por estar um dia de sol ardido, Jenny decidiu aproveitar a piscina, antes cobrindo a pele com protetor Ambre Solaire número 20. É uma adoradora do sol. Enquanto ela se dourava, eu, sentado à sombra, escrevia meu diário. Mas como não vim aqui pelo sol e sim para adquirir cultura, expressei minha ansiedade de ir conhecer outro museu. E ela, sem se fazer rogar, rapidamente se produziu para me levar ao Museu Picasso, em Antibes.

O Musée Picasso, em Antibes, fica no antigo Château Grimaldi, construído pela família que dominou a Côte d'Azur em outra época e que teve a posse de Antibes de 1385 a 1608. O castelo chegou a ser um museu de História, mas em 1946, por seis meses, o então dono, Romuald Dor, deixou Picasso usar o segundo piso como estúdio. Mesmo frio e úmido, Picasso o adorou. Sequer imaginava que Dor já pensava fazer do castelo o Museu Picasso. Por causa da escassez de telas e tinta óleo durante a Segunda Guerra, Picasso teve de improvisar. Começou por pintar diretamente nas paredes, e depois usou telas antigas pintadas por outros e que encontrou no quarto de despejos.

É lindo, realmente. E claro, esbocei no meu *sketchbook* um pouco do que vi. Coisa de meio minuto cada esboço, só para registrar minha passagem. Comecei copiando uma cerâmica, mas cismei que Jenny devia estar impaciente para andarmos logo com essa coisa de museu e sairmos para o sol, ruas, bares de calçada, drinques, vida. Mas para mim, naquele momento, a vida perfeita estava em copiar Picasso. Parece que ela entendeu, porque seguiu à frente, me chamando a atenção para um e outro detalhe técnico nas telas de Picasso.

Mas acabei reconhecendo que a luminosidade esplendorosa, vinda do Mediterrâneo e invadindo as janelas abertas do museu, nos chamava para o lado de fora. Ah sim: o museu também está com uma excelente mostra do espanhol Antoni Tàpies. Até copiei um auto-retrato dele.

O Mediterrâneo. Antibes. Cap d'Antibes lá na curva (ela mostrou, por uma das janelas). Cap d'Antibes, lembrei, onde nos anos 20 os americanos ricos, Gerald e Sarah Murphy, assim como músicos e escritores, Cole Porter, Zelda e Scott Fitzgerald, etc., *inventaram* a Riviera como lugar de veraneio.

Como há gente rica na Riviera! O que se vê de iate ancorado na marinha aqui em Antibes! São verdadeiros navios particulares. Depois do museu e de uma caminhada, Jenny me levou para jantar no Jardim do Auberge Provençale, a dois minutos da praia, do porto, do Museu Picasso e da catedral. A catedral, aliás, é uma graça: pequena, velha, pintadinha – houve até um casamento muito chique, como aqueles que saem na revista *Point de Vue*.

Casamento de princesa. Vimos o que nos pareceu um monte delas, todas vestidas – dos chapéus aos sapatos – como princesas, marquesas, condessas e duquesas de revistas de ricos e famosos. Os noivos se despediram num Rolls Royce conversível todo coberto de flores.

Mas, voltando ao restaurante, jantamos. De entrada, les moules farcies e mesclun gourmand aux foies de volailles au vinaigre de framboise et croustillant de chèvre; depois, o prato principal, tournedos d'agneau aux anchois, jus aux olives; de sobremesa la tartelle aux pignons et framboises, coulis de fraises aux sorbets. (Não sei se está escrito corretamente, copiei *ipsis literis* do menu.) E vinho *rosé* dourado da região, cuja marca esqueci de anotar. O tempero da Provence de fato é dez. Mas como a gula é maior e o restaurante serviu bem, fui despertado no meio da noite com o estômago ferroando (ainda bem que no banheiro havia uma cesta com hidróxidos e laxantes e, procurando, descobri um tal de Oxyboldine que foi tiro e queda) enquanto Jenny dormia numa boa.

Domingo, 29 de setembro.

Por ser domingo, a dona da casa não saiu. Recebera, desde a véspera, a filha e o neto de um ano e pouco que chorava por estar de nariz entupido. O café da manhã foi com eles. Depois saímos. Hoje fomos ao Museu Matisse, em Cimiez, a parte mais aristocrática de Nice. Parece que era um dos lugares prediletos quando a Rainha Vitória saia de férias. Fica no alto de uma colina, no meio da antiga cidade romana de Cemenelum.

O Museu Matisse fica em uma bela vila genovesa do século 17. As paredes exteriores são pintadas de vermelho pompeano. O museu fica em um parque de 36 mil metros quadrados cheio de oliveiras (nesta época, carregadas de olivas), ciprestes, pinheiros e outras árvores. Logicamente, tem muita coisa do Matisse, mas faltam muitas obras que estão atualmente na enorme exposição *Matisse e Picasso* que leva multidões ao Grand Palais em Paris.

Mesmo assim deu para ver obras de quando Matisse era ainda estudante de pintura, as cópias que fazia, as primeiras telas e recortes, os desenhos e a maquete que ele fez para a famosa Chapelle du Rosaire, em Vence. Copiei alguma coisa no meu *sketchbook*, mas não muito, porque não consegui me descontrair totalmente, percebendo que Jenny bocejava, disfarçando a impaciência de querer correr para a vida ao ar livre. Se era a minha primeira visita ao museu, para ela era a quarta. Além disso, amante da natureza, estava louca para pegar um sol no parque.

Quando saímos do museu já eram seis horas. Mas eu quis ver o Museu Franciscano, que fica ao lado. Por sorte dela, já estava fechado. Porém como fica ao lado da Igreja Nossa Senhora do Monastério de Cimiez, que vem do século 14 e foi ampliada nos séculos seguintes, fiz questão de entrar. Fica sobre um lugar onde, antes do cristianismo, havia um templo dedicado a Diana Caçadora.

Entramos na igreja. Estava bem escura e não havia quase ninguém. Do que deu para enxergar, ela nos pareceu bonita, embora bastante destruída pela falta de verba para a restauração que merece. Rezei, fiz três pedidos e saímos para o jardim do monastério que, esse sim, foi de tirar o fôlego. Amplo, florido até os confins, agradabilíssimo. Como tudo aqui na Riviera é perfumadíssimo, coloridíssimo, as roseiras carregadas, dá para sentir que Deus existe.

A vista, espetacular. É possível avistar toda Nice e o mar lá longe, a luminosidade provençal, o céu límpido, oliveiras, romãzeiras, árvores cítricas – limões, laranjas, bergamotas, trepadeiras carregadas de flores perfumosas. Nem sei os nomes, mas são flores que conheço desde minha infância brasileira, que me fizeram lembrar com saudade e tristeza os melhores anos da minha vida, evaporados no éter do tempo e do espaço.

Meu Deus, como os velhos monastérios transmitem serenidade e eternidade! Três velhas sentadas num banco conversando. Mulheres do povo, muito dignas, falavam uma língua parecida com italiano. Perguntei. Eram romenas. Me fizeram lembrar tias e primas velhas. Um gato do mosteiro veio e pulou no meu colo. O vento trazia e levava o perfume das flores. Tudo isso deve ter sido um paraíso visual em outras épocas, mas a vista, agora do alto, mostra também a marca de nossos dias: edifícios enormes, arquitetura hedionda. Mas é o progresso, o mundo caminhando para a grande feiura final. Um final que ainda levará outra eternidade para chegar, benza Deus.

A essa altura, 19h11, a fome era grande. Estávamos sem comer desde o café da manhã. Jenny deixou o carro em um estacionamento subterrâneo e fomos caminhando até o restaurante La Pizza (Rue Massena, 34) nos calçadões, não longe da Promenade des Anglais. Que delícia. Melhor que a comida fina de ontem em Antibes naquele restaurante caro. Porque hoje foi salade niçoise de entrada, pão (e o pão na França é sempre excelente), pizza siciliana, coca-cola e *capuccino*. Ontem foram mais de 80 euros, hoje, apenas 30. E depois o lugar, o povo, aquela coisa de centrão, jovens, velhos, garções simpáticos e brincalhões, tudo na base do *merci* e *a bientôt*. Eram 21h32 quando voltamos ao condomínio fechado em Biot, o qual, por ser fechado, me faz sentir em uma prisão burguesa.

Segunda, 30 de setembro.

Hoje, Jenny sugeriu Saint-Tropez. Conhecedora de toda a região, disse que lá tem um museu imperdível. Com ela na direção do Peugeot, primeiro pelas vicinais e depois pela rodovia A8, rumamos à antiga aldeia de pescadores que, na virada do outro século, o pontilista Paul Signac descobriu e revelou a outros pintores e que, nos anos 50 do século 20 (há 50 anos!), foi transformada na sensação dos balneáreos, graças a Brigitte Bardot, que alardeou esse paraíso para o mundo inteiro, com o biquíni, o cha-cha-cha, a malícia e tudo aquilo mostrado no filme *Et Dieu crea la femme* (*E Deus criou a mulher*).

Pela estrada afora vou lendo os sinais. Pedágio é *péage*. Les Templiers – a região teve muito a ver com os Templários; Fayance (a cidade daquela louça, a faiança); Aire de Canavere (área de piquenique); Les Massifs (Os Rochedos); os Alpes Marítimos. Corniche des Maures; Draguignon (centro de azulejos); Cannes, Port Grimaud... leio as placas com indicações, tudo fica para trás. E chegamos a Saint-Tropez.

Não é mais verão, mas o dia é de sol ardente e a cidade está repleta – dizem que no verão Saint-Tropez é o inferno da Côte d'Azur, de tanta gente. Coitada da Brigitte até hoje é considerada a culpada. Hoje, casada com um nazista e retirada, ela está toda *chiffonnée*.

Pegamos uma mesa no La Rhumerie du Port, um bar à beira-mar. Jenny pede um chantacô (um coquetel enfeitado com aquela miniatura de guarda-sol japonês) e eu, mais discreto, suco de maçã. Jenny almoça moules (mariscos) e eu salade niçoise (anchovas, tomates suculentos, azeitonas gordas) e o pão!!!

Milhares de barcos, velas, Jenny diz que hoje há regata. Jenny adora regata. Dá para sentir na atmosfera aquele clima de mil verões, milionários, hedonistas, *playboys*, aquelas louras coruscantes... Mas tudo bem, estou adorando estar um dia em Saint-Tropez. E penso comigo mesmo: puxa, cara, você conseguiu, hein! Ao menos um dia de sua já longa vida e você aqui em Saint-Tropez! Um dia só e já está bom demais.

Se deixar por conta da Jenny, com toda essa luminosidade, o ar, o dia esplendoroso, o mar, as velas, está na cara que ela não quer outra vida. Mas como estou na fase de gostar mais de museu que de *plein soleil*, e uma vez que o motivo maior de vir a Saint-Tropez é visitar o L'Annonciade, o museu da cidade, consulto o relógio. Vejo que já são três horas e o museu fechará às cinco. Solto então as farpas da impaciência e, mais que depressa, corremos para lá.

Uma vez lá dentro, assim que tiro do bolso meu *sketchbook* sinto que Jenny começa a se entediar. Mas que é que posso fazer? Quando ouvi o canto da sereia me chamando para este *séjour* pela Côte, não vim especificamente por causa da Grande Arte? Agora ela que agüente. Começo a copiar uma que outra obra. É uma brincadeira, uma coisa que sempre quis fazer e só faço agora, aos 63 anos. Para mim é importantíssimo.

Este museu de Saint-Tropez é o melhor que vi até agora na região de Nice. Obras maravilhosas de Picasso, Bonnard, Matisse, Braque, Derain, Dufy, Van Dongen, Rouault, Seurat, Vlaminck, Vuillard, Signac, Maillol... Copiei o retrato da mãe de Picasso, *dona Maria Picasso Lopez*, feito por ele em 1923; copiei um desenho teatral para o personagem diáfano, o vento *Zéfiro*, por Braque (de 1925); copiei uma cigana do Van Dongen e enquanto Jenny tirava um cochilo sentada, fiz um esboço dela sem que ela o percebesse. Nada ficou bom, salva-se a mãe do Picasso, mas de qualquer modo não deixei de registrar minha passagem rapidíssima – porque não durou mais que uma hora – pelo L'Annonciade. Amei.

Depois mais um bate-calçada pelas ruelas de lojas – Saint-Tropez é sofisticadíssima. Sentados no banco de uma praça dos fundos, onde homens jogavam boliche, saboreamos um delicioso sorvete de frutas ácidas após o que escrevemos cartões-postais. Para mim foi muito importante enviar postais, para não deixar dúvidas de que estive em Saint-Tropez.

E o pôr-do-sol, a estrada... Sugiro e Jenny topa: uma rápida passada por Cannes, mesmo que à noite. Estacionamos na Croisette e por ali flanamos. O Hotel Carlton... Ali mesmo jantamos no Voilier. Cannes parecia uma cidade fantasma. A Croisette vazia, os restaurantes vazios, tudo vazio. É que era segunda-feira e a *saison* já tinha acabado. Mas os canteiros continuam floridos.

Quinta, 3 de outubro.

A Itália é praticamente ao lado, sugeri que fôssemos almoçar em Ventimiglia. Jenny achou a idéia ótima e fomos. Deixamos o carro em Antibes e tomamos o trem. Os subúrbios de Nice à beira da ferrovia são muito feios. Uma arquitetura pobre, dessa que se vê em tudo que é lugar classe média baixa do planeta desde os anos 60. Jenny disse que é zona industrial. Mas os prédios de apartamentos, grudados uns nos outros, fazem o coração sofrer ao imaginar quem mora neles. É por isso que a juventude é revoltada e sai pichando muros e paredes. As pichações são parecidas com as que se vêem no mundo inteiro – e o que mais pode o adolescente pobre fazer, a não ser sair em bando de madrugada, pichando?

Depois o visual melhora. Os vagões da SNCF são feios e gastos e o povo dentro também. É o trem comum, não o TGV (trem de grande velocidade). Um pouco menos terceiro mundo, mas não muito menos. As raças se misturaram tanto – e nisso a atenção é chamada primeiro para os narizes. Mas, como eu escrevia, o visual melhora à medida que o trem avança.

Villefranche-sur-Mer, Beaulieu, Èze... são os Alpes Marítimos; Cap d'Ail (Jenny diz que Greta Garbo tinha casa aqui), Mônaco... E vai melhorando mais, Roquebrune-Cap-Martin, os rochedos tão altos e lá embaixo o mar sempre azul – como pode o Mediterrâneo, depois de milênios de tantas embarcações, continuar tão azul e transparente? Hoje o dia está embaçado sem aquela luminosidade de há três dias. Mas o sol brilha através do esbranquiçado e, da janela do trem, dá para ver a transparência mediterrânea. Faz calor dentro do vagão. O ar-condicionado não está ligado mas pode-se baixar as vidraças. A vegetação é evocativa ao longo de toda a Riviera. Buganvílias de todas as cores. Se por qualquer motivo o trem parar dentro de um dos tantos túneis por onde passa, pode ser o inferno.

Pouca gente nas praias, gente nadando, poucos barcos a vela. Em Menton, entram algumas italianas. Falam aos berros, animadíssimas, uma querendo se impor sobre as outras, como as vozes italianas de tias e primas da minha infância. Pronto: atravessamos a fronteira, o trem entra na Itália e tudo muda. Os vinhedos subindo as montanhas, em escadaria, como eu tinha visto primeiro em Portugal na região do Douro, na viagem com minha família em 2000. É tudo muito evocativo, as construções lembram as da minha infância no interior de São Paulo. Um desejo, pequeno mas profundo, de me perder sozinho nessa Itália.

Chegamos a Ventimiglia depois de uma hora e vinte minutos de viagem. Agora é a emoção de caminhar por ruas italianas. Bonita a parte da cidade por onde andamos. É a região da Ligúria. Agora são 14h e devemos almoçar, porque dizem que na Itália tudo fecha para a sesta. Entramos em uma *trattoria* na Via Hanbury.

O almoço. Flor de alcachofra de entrada; vinho tinto Lambrusco di Sorbara, *amabile*, de Modena (perto de Bologna, o garçom responde, depois de perguntarmos); Contessa Matilda, a marca (com um desenho da condessa no rótulo); e o prato: spaghetti alla bolognesa, para Jenny; para mim, scalopine alla valdostana;

e a sobremesa: para Jenny, sorvete de framboesa; para mim, de baunilha, o qual rego com o resto do Lambrusco *amabile*. E o infalível café expresso.

Caminhamos um pouco pelas ruas, mas muito pouco porque nossa meta principal nesse dia é visitar o Museu Jean Cocteau em Menton. Compramos alguns postais, preenchemos o verso sentados à beira de uma fonte junto à estação ferroviária, selamos e enfiamos na caixa postal para não deixar dúvida de que foram enviados da Itália. O dia já ia longe. E toca pegar o trem de volta.

Logo que o trem sai e entra no primeiro túnel, pára. Sabotagem? O que foi? Ninguém explica. Fica ali na escuridão uma meia hora. Não conseguiremos ver o Museu Jean Cocteau, que deve fechar cedo como tudo aqui.

O trem chegou a Menton às 17h25. Tínhamos meia hora para caminhar e achar o museu. Era nossa última chance, porque o dia seguinte seria nosso último dia na região e tínhamos outros programas, outros museus.

Conseguimos. O museu é pequeno e fica numa espécie de castelinho-fortaleza junto ao mar. Jenny achou a francesa da entrada parecida com Jeanne Moreau – talvez no mau humor, porque de resto não passa de uma loura falsa. Correndo, deu para ver tudo e até para eu fazer uns esboços no meu *sketchbook*.

Em menos de dois minutos para cada desenho, copiei o perfil em bronze de Cocteau por Cyril de la Patellière; um prato de cerâmica com desenho do Cocteau, de 1961, uma mulher nua; um esboço que Cocteau fez do Raymond Radiguet em 1960 com *crayon de couleur* e um retrato a crayon do Cocteau feito por Picasso em 1916, com a dedicatória: "A mon ami Jean Cocteau, Picasso"; e mais um pastel de Cocteau, *Visage des deux amoureux* e pronto. Missão rapidamente cumprida. A "Jeanne Moreau", mal-humorada, avisando que já eram seis horas passadas foi fechando a porta, quase não nos deixou comprar meia dúzia de postais.

Demos um passeio pela orla e Jenny me explicou que Menton é uma cidade de senhoras ricas. De fato, parece muito grã-fina. É uma cidade de bela e sóbria arquitetura, mas a pompa é um tanto opressiva. E que fome! Entramos em um café, mas o homem diz que já está fechando. São apenas 19h! Ele diz que só os restaurantes cinco estrelas servem comida a essa hora. Mas como não somos cinco estrelas...

Onde será que fica a parte – pois deve haver uma, aqui também – onde bares e restaurantes ficam abertos até mais tarde, como os calçadões em Nice? Não temos tempo para descobrir. Corremos à estação, tomamos o trem e chegamos ao nosso ponto final, Antibes. E que bom, o Grand Café de La Gare estava atendendo. Havia gente dentro. O garçom, simpático, nos serviu uma pizza siciliana com salada niçoise. E muita água mineral. A casca lateral da pizza estava dura feito pedra e me quebrou um dente inteiro, de modo que agora estou com o sorriso banguela. Em vez de disfarçar, vou assumir. Jenny quis me fotografar e sorrindo, eu disse "Gisèle".

Mas isso foi ontem. Falta contar de anteontem. Demoramos tanto na cama que ficou tarde para sair para ver museus. De modo que decidimos passar o que restava do dia perambulando por Biot. Que, aliás, tem o famoso Museu de Fernand Léger (1881-1955), um dos maiores pintores da Arte Geométrica – que nos anos 20, em Paris, fora professor da nossa Tarsila do Amaral.

Entretanto, deixamos esse museu para o fim, porque fica praticamente em casa. É sempre assim, o que se tem em casa a gente deixa para o fim. Mas Biot também é conhecida por ser uma cidade de *verrerrie*, ou seja, de fabricação de vidros artísticos. Muitos desses vidros lindos de perfume, que encantam as mulheres quase que mais que o perfume em si e fazem o sucesso das *free shops* nos aeroportos do mundo, são fabricados aqui.

Então, estando em uma cidade que tem no vidro sua principal fonte de renda, explorá-la é uma ocupação tão cultural quanto visitar museus. Assim, sem nenhuma obrigação maior, passeamos por suas ruas e vielas, ladeiras e declives. Às vezes nos sentíamos repentinamente invadidos por uma onda de calor de fornalha e víamos, através de janelas, fornos em função; outras vezes, eram homens soprando e dando forma a vasos, garrafas e outros objetos... De modo que passamos o resto do dia explorando essa cultura. E, claro, entramos na Igreja da Madalena – Madalena, segundo os folhetos, andou pela região, donde ser a santa mais cultuada de toda a Riviera.

Reparei que em Biot há muitas crianças. Vendo a alegre criançada em idade escolar, aos bandos, indo para a escola ou dela voltando para suas casas, ninguém diz que o lugar foi um dos mais atingidos pela peste negra que assolou a região, na Idade Média, e que dizimou populações inteiras. Assim como os Templários e tanta coisa que nem cabe aqui. Por esse passeio ter sido anteontem, hoje, quinta, vou falar de outra escapada, desta feita a Saint-Paul de Vence.

Saint-Paul de Vence é uma graça. Mas vamos por etapas. Deixamos Biot depois das duas da tarde, estrada afora, a entusiasmada Jenny na direção. Chegamos ao pé de Saint-Paul onde ela estacionou o Peugeot. Dali, subimos uma ladeira de tirar o fôlego até a Fundação Maeght.

Criada por um casal milionário, o nome completo é Fondation Marguerite et Aimé Maeght. Trata-se de um exemplo único de fundação privada na Europa. Sua arquitetura, pelo arquiteto catalão Joseph Lluis Sert, foi criada de modo a apresentar a arte moderna e contemporânea sob todas as formas possíveis e imagináveis. Tanto no interior quanto no exterior. Tudo calculado para harmonizar com a natureza do bosque que a envolve sem a engolir. Consta que a idéia partiu de Joan Miró, donde a abundância da arte desse espanhol mais que qualquer outro artista aqui exposto. Mas, assim como Miró, também Giacometti, Chagall, Braque (os espelhos d'água com azulejos por ele desenhados em forma de peixes), Calder, Bonnard, Léger, etc., estão vistosamente representados em esculturas, cerâmicas, mosaicos, murais e telas.

Tudo foi calculado nos mínimos detalhes. A luz, por exemplo, já que dentro de um bosque, as árvores poderiam tapar a luz natural. Mas Sert pensou e resolveu a contento a iluminação, graças à luminária *zénithale* que inunda todas as salas onde acontecem as exposições.

A Fondation Maeght foi inaugurada em 28 de julho de 1964 por André Malraux, na época Ministro dos Assuntos Culturais. Recebe cerca de 250 mil visitas anuais. A exposição atual é uma fantástica retrospectiva de Henry Moore. Só pensar na fortuna e na energia física e tecnológica empregada para trazer as toneladas de mármore, bronze, rocha e outros materiais pesados usados na escultura desse artista, faz com que o pobre pense em se jogar de cima de algum dos penhascos das proximidades.

Até então eu nunca havia me detido muito em Henry Moore (1898-1986). Talvez por falta de tempo. Mas aqui, diante do conjunto, fiquei como que estarrecido diante da sua grandeza. Massas e deformações, que a insatisfação com o classicismo fez com que os modernistas fundissem suas cucas, em busca de seus meios de expressão.

No texto informativo consta que o primeiro contato de Henry Moore com a arte moderna se deu por meio do livro *Vision and design*, de Roger Fry. Sendo assim, então, ele também foi tocado pelo espírito bloomsburiano! Tirei do bolso o meu *sketchbook* e, rapidinho, fiz alguns esboços como registro dessa minha passagem pelo local. Uma curtição lúdica, digamos assim.

Depois de impactados (Jenny já estivera aqui várias vezes em outras estações) pela Fundação Maeght e pela retrospectiva de Henry Moore, fomos caminhando até Saint-Paul de Vence propriamente dita. É uma cidadezinha muralhada no alto de um promontório. Antes de nela entrar fizemos uma refeição frugal em um restaurante com mesas externas.

Mas se o dia já estava indo embora, quando entramos em Saint-Paul, ainda assim, levando a vida como se ela fosse uma grande exposição artística, curtimos as ruelas, as calçadas com pedrinhas formando espécies de mosaico, as portinholas, as lojinhas – mais perfeitas na presepice do que qualquer outra cidade do gênero que, de algumas décadas para cá, vêm se inventando por todo o planeta; as perfumarias – de sabonetes a velas, passando por águas de cheiro, etc. – aromas extraídos de ervas e flores provençais, imperando, como sempre, a lavanda.

E as *boulangeries*?! Os aromas de tortas, bolos e doces... As vitrines... A vida virou um comércio *bijou*. Ruas inteiras de galerias de arte. Todo tipo de arte decorativa. Muito boa tecnicamente, de muito bom gosto. Mas só de ver já basta, não é preciso comprar. Melhor é caminhar leve e lépido, como se o mundo fosse nosso e a gente não precisasse de mais nada.

Nessa ruazinha principal, uma galeria inteira expunha o brasileiro Juarez Machado, cuja técnica está tão aperfeiçoada que lembra, no seu *grotesque* bem pintado, um Van Dongen mais formalizado. Como brasileiro que se deu bem ao menos na França, Juarez é uma espécie de Paulo Coelho dos pincéis.

Mas, fé é fé e entramos na igreja principal, que por sinal não é dedicada ao santo que dá nome à cidade, mas sim a Saint Matthieu. É uma igreja linda. O bom gosto combina com o bom gosto de toda a cidade e a Via Sacra, assim como algumas grandes telas – por pintores não consagrados, mas tão antigos quanto qualquer Velho Mestre – me fez chegar à conclusão de que nas igrejas da Provence os artistas não negaram sensualidade às imagens dos santos: as poses, as posições, as bundas, os seios, os corpos, os braços, tudo sugere, tudo insinua, e se não se estivesse dentro da igreja ficar-se-ia intumescido.

Porém, depois de algumas sinceras ave-marias e não menos sinceros pai-nossos, saímos novamente às ruelas para mais uma exploração do visual arquitetônico medieval. Pena não ter dado tempo de visitar o cemitério. Nele estão enterrados Marc Chagall e D. H. Lawrence.

Escurecia quando deixamos a muralha. Do lado de fora fica o lendário Colombe d'Or, pequeno hotel e restaurante que, em épocas mais felizes, hospedou aqueles que com o tempo se tornariam os grandes artistas do século 20. Matisse, Picasso, Miró, Léger, Chagall...

Conta a lenda que muitos artistas se hospedavam nesse hotel e, como não tinham dinheiro para pagar a temporada e as refeições, o faziam com obras. O restaurante e as paredes, hoje, ainda mantém essas obras, fazendo da coleção do Colombe d'Or uma das mais famosas e originais da França. Em 2002, uma diária para dois, café da manhã pago à parte, fica por volta de 260 euros. Não pudemos jantar no Colombe d'Or, porque já estava programado jantar de despedida com nossa anfitriã em Biot.

No trem, de Nice a Marseille, sexta, 4 de outubro.

Jenny devolveu o Peugeot de aluguel e tomamos o trem da Societé Nationale des Chemins de Fer para Marseille. Dessa vez, ao contrário do que tomamos para Ventimiglia e do que de lá voltamos, é um belo trem. Moderno, mas com *design* clássico desde o teto à iluminação aos assentos. Não é um TGV, mas é excelente. Antibes, Cannes, Draguignon... Quando o trem deixa a orla marítima e entra na paisagem provençal, a beleza é tanta que me comove.

As cores das casas campestres, o tom meio laranja meio ocre, os telhados... E o trem vai, macio, macio... Nas paradas entram jovens belíssimos, moças e rapazes com mochilas... Velhas grisalhas com os cabelos presos em coque, dignidade de avós. Sono. Toulon. Jenny dormita. Acorda e lê sobre os diários de Samuel Pepys num suplemento literário inglês. Diz ela que eu talvez seja o Pepys de hoje – porque escrevo diários.

Chegamos. Marseille. Ah, o peso da bagagem – se eu soubesse, teria trazido um terço do que trouxe do Brasil; viajar hoje é diferente das viagens daquela época mais elegante. Hoje se leva o mínimo e repete-se a roupa até chegar a hora de levá-la a qualquer lavanderia automática e pronto. Mas a gente nunca aprende.

Marseille, sexta, 4 de outubro.

Em Marseille estamos num pequeno apartamento, longe do centro. Foi emprestado a Jenny por um amigo francês, professor de informática, que vive em Londres. Os simpáticos pais do moço vieram nos trazer a chave e explicar como tudo funciona. Não há elevador. São quatro lances de escada. A rua é muito barulhenta – o apartamento dá os fundos para uma avenida larga de muito trânsito. Na madrugada as sirenes não param. Aquele filme *French connection* não tinha qualquer coisa a ver com esta cidade?

Marseille é porto de abertura para a África. Não foi daqui que Rimbaud pegou o navio para lá? Não foi aqui que, anos depois, na volta, ele morreu? Repentinamente parece que ficaram para trás os dias de *Luxe, Calme et Volupté* – como diz aquela tela de Matisse – e o poema de quem, Baudelaire?

Depois de deixar as coisas no apartamento e tomar uma ducha, saímos para encontrar os Amigos de Charleston e estudiosos do Bloomsbury que chegaram hoje e estão hospedados no Hotel La Residence du Vieux Port, na região central. São 25 pessoas guiadas por Eleanor Gleadow.

O grupo se dispersou para jantar e fomos em seis, caminhando até o Le Resto Provençale, no Cours Julien número 64, onde jantei canard aux olives, salada niçoise e vinho Le Château Roquebrune branco, antes, e tinto, depois. Sobremesa de queijo flambado na framboesa. Os garções e as garçonetes, encantadores.

A cidade, imunda. Tão suja quanto São Paulo. Lixo amontoado nas calçadas. Fiquei com medo de tropeçar em ratos. Música barulhenta em CD *players* nos calçadões. Completamente diferente de todas as outras pelas quais passamos nesses nove dias até aqui. Faz um calor senegalesco e até agora, quatro horas da madrugada, ainda não consegui dormir.

Sábado, 5 de outubro

Nos reunimos na porta do hotel onde os Amigos de Charleston se hospedam. Um microônibus nos levou para um pequeno *tour* pela cidade. Mudei de opinião: Marseille é esplendorosa. Monumentos fabulosos, uma juventude bela e animada. Além do velho vimos o moderno, ou seja, o conjunto habitacional criado por Le Corbusier. Como tudo é aparentemente funcional e limpo, gostei.

Hoje fomos visitar Cassis, onde, em 1925, Virginia e Leonard Woolf se hospedaram no Hotel Cendrillon – que ainda está lá. Virginia gostou tanto do lugar que pensou até em se mudar para a região. Leonard compraria uma fazenda. Mas logo desistiram da idéia. A cidade é uma graça, embora lembre várias outras pequenas cidades costeiras. Na primeira visita, Virginia escreveu para a irmã: "Cassis é o paraíso terrestre. Cercada de amendoeiras, oliveiras e perfumada de figos e alecrins. Flores silvestres em abundância. E a luminosidade diamantina é inesquecível".

Cassis era também uma cidade que encantava pintores. Braque e Dunoyer de Segonzac foram dois que pintaram em suas cercanias. Roger Fry já tinha estado ali perto, em La Ciotat, em 1923. Mesmo Vanessa e Duncan já eram familiarizados com o sul da França e a Costa Azul. Em 1921, ela chegou a pintar em Saint-Tropez. Mas Cassis seria uma descoberta posterior.

Desenhei no meu *sketchbook* e o grupo inteiro almoçou no L'Oustau de La Mer. Almoço excelente. Não me senti muito relaxado, pois o grupo, que não são aquelas pessoas que a gente sempre encontra e conversa descontraidamente em Charleston, me pareceu, a maioria, gente muito rica e formal. Muitos americanos.

Conversamos com um casal de aristocratas de Nova York, conversa boa. Ele ensina ética aos políticos em Washington e ela é ligada ao Príncipe Charles em uma obra altruísta. É aquele tipo de mulher-Virginia: altíssima, magérrima, muito bem-vestida para a ocasião, cabelos curtos em um corte achanelado, que deixa o pescoço de cisne à mostra, perfeita, mas o tempo todo com uma expressão infeliz, de estar fora de seu próprio meio, de estar ali porque o marido, esse sim muito comunicativo, ali estava.

Jenny, que também é sempre muito própria e elegante e pode ser considerada mulher acima da estatura mediana, perto da americana parecia diminuta. Mas durante o almoço, sentado de frente para a americana, esta relaxou e gostou da conversa comigo – falei mais do Brasil e ela ouviu, muito atenta e interessada. Desculpou-se por pouco saber do sul do Equador.

Depois fomos todos a Aix-en-Provence visitar o ateliê de Cézanne. Foi uma experiência emocionante. Não há ali nenhuma de suas pinturas, mas sua presença é intensa nos objetos de uso: *sketchbooks*, pincéis, tubos de tinta, paletas, cavalete, vasos, uma estatueta – um querubim reconhecível em algumas naturezas-mortas dele – estão lá como ele os teria deixado.

Do estúdio de Cézanne, que fica dentro de um bosque – e como havia japoneses! – tomamos o microônibus rumo ao centro de Aix, ao Museu Granet, onde, aqui sim, há vários Cézannes, inclusive o famoso *Retrato de Hortense*, a mulher do pintor, feito em 1885/86, e banhistas, desenhos, etc. E um Ingres de deixar o observador de queixo caído, a grande tela *Júpiter e a ninfa Tétis* – o peitoral liso de Júpiter sem um fio de cabelo e o pé dele, um pé esquisito. A monitora disse que, para pintar essa tela, Ingres se inspirou em Napoleão. A tela é de 1811 e está em tudo que é livro básico de História da Arte.

Tanto no ateliê de Cézanne quanto no Museu Granet fiz bom uso de meu *sketchbook*. Cézannes, esbocei de montão; só não me atrevi a copiar o Ingres. Algo na perfeita textura peitoral de Júpiter me intimidou.

Do lado de fora do museu, na Igreja de Saint-Jean de Malta, acontecia um casamento burguês com gente muito bem vestida; mas deslumbrou-me, nessa igreja, um vitral de empalidecer aquela rosácea na Notre-Dame em Paris. Depois fomos flanar pelo Cours Mirabeau, onde aos sábados há uma feira com várias barracas de artesanato provençal. Comemos uma fatia de um bolo muito saboroso de *apricot* com gengibre.

Essa feira é muito perfumada pelo aroma provençal dos sabonetes de lavanda, canela, jasmim, alecrim do campo, violeta, etc. E pronto. Entramos no microônibus de volta a Marseille. Pelo caminho, o tempo todo surgia e ressurgia nas curvas o famoso Monte de Sainte-Victoire tão presente nas telas de Cézanne. Só uma frustração: foi curta a visita e Aix tem muito mais para ser visto. Jenny sugeriu que voltássemos outro dia inclusive para pernoitar, mas acho que não. Melhor deixar para o dia de São Nunca.

Domingo, 6 de outubro.

Por ser este domingo dia de folga da excursão dos Amigos de Charleston, ficamos cada um na sua cama até bem mais tarde. De modo que o dia inteiro só fizemos uma coisa digna de registro: tomamos o ônibus no Cours Ballard, ali perto do Vieux Port, todo o caminho acima até o ponto mais alto de Marseille, que é a Colina da Guarda, onde fica a Basílica Nossa Senhora da Guarda. Hoje, pela primeira vez, desde que há 11 dias chegamos à Riviera, soprou o famoso vento mistral. É realmente frio, uivante, enervante e irritante. Lá no alto da colina, então, o mistral simplesmente não nos deixava parados. Parecia que queria nos empurrar para o abismo.

Lá de cima, a vista de Marseille, de um lado o mar, com as ilhas de Frioul e do Castelo de If (cenário do romance *O homem da máscara de ferro*), quilômetros de costa e o Velho Porto, e do outro, a cidade rodeada por um semicírculo de montanhas. É um grande espetáculo, mas o jeito foi entrar logo na cripta onde acendi vela para todos aqueles que, por ser domingo (meu primeiro e único domingo em Marseille), ainda na cama tinha por eles orado: a família, amigos, amores do passado (tanto do passado longínquo quanto do mais recente).

E ali na cripta, ao acender a vela, continuei minhas orações; orei, orei, orei e acabei orando para toda a humanidade. Nunca, que me lembrasse, em igrejas por onde passara, desde as brasileiras ao Vaticano, as igrejas em Assissi, e na Catedral em Santiago de Compostela, nem, já há tanto tempo, na Catedral de Salisbury, nunca, repito, jamais sentira a fé tão forte quanto na cripta da Basílica de Marseille.

Sobre a cripta, no folheto: "Sua arquitetura é sóbria. Ao fundo da abside encontra-se uma imagem de Nossa Senhora e do Menino Jesus, ambos com flores nas mãos: é a chamada Virgem do Buquê. Entre 1807 e 1837 esta era a única imagem que existia de Nossa Senhora da Guarda." Imagem que, depois das orações, copiei rapidamente no meu *sketchbook*.

A seguir entramos na Basílica. Nossa entrada coincidiu com a missa das 16h30. Foi uma missa linda, rezada por dois padres muito velhos, mas que a rezaram tão bem que dava para entender muito do francês deles. E os hinos, cantados por duas jovens, uma delas morena e a outra muito loura, muito puras, parecidas com anjos de vitral, vozes de uma cristalinidade como eu jamais ouvira... Foi emocionante.

Acompanhei a missa no folheto e cantei junto quando era para cantar. E comunguei. Foi uma bela e comovente missa. Jenny também comungou. Nunca perguntei, mas tenho a impressão de que ela não é católica, mas, sensibilizada com toda a experiência desde a cripta e a vista lá de cima, se não era católica dava a impressão de ter sido convertida. Disse que foi a mais bela missa a que jamais assistira. Ela como que tirou as palavras da minha boca. Principalmente por eu ter orado com uma fé que nunca sentira dentro de uma igreja.

Hoje, segundo o folheto, é o vigésimo-sétimo domingo do ano. O folheto diz que a origem do santuário situa-se em 1214. Da Oração A Nossa Senhora da Guarda (em português, no texto): "Virgem Maria, venho aqui rezar-te e invocar-te neste lugar como Nossa Senhora da Guarda. Guarda-me a saúde da alma e do corpo, assim como àqueles que me são queridos. Virgem da Guarda, ó minha Mãe do Céu, dirijo-me a ti com um coração de criança..."

Não foi preciso mais nada neste domingo. Ainda assim, depois da volta de ônibus até o Velho Porto, caminhamos pela rua principal de Marseille, La Canabière e a seguir o cais onde, como ontem, jantamos no restaurante Chez Mima. Voltamos para casa de táxi porque o metrô às 21h30 já não funciona. Amanhã cedo vamos com os Amigos de Charleston de novo à região de Cassis.

Segunda, 7 de outubro.

O dia de hoje, como foi? Foi assim: às 10h da manhã partimos, os Amigos de Charleston, no microônibus, para o Château de Fontcreuse, perto de Cassis. Devo relembrar, nesta linha, que o motivo desta minha viagem ao sul da França foi especialmente para este fim-de-semana explorando Cassis e adjacências. Devo lembrar também que, de todas as incursões pelos lugares ligados ao passado do Grupo de Bloomsbury, este passeio é considerado, pela direção dos Amigos de Charleston, como sua viagem mais ambiciosa e mais distante. Porque Cassis e o Château de Fontcreuse eram as sucursais mediterrâneas, digamos assim, de Charleston e da Monk's House.

Foi no começo de 1927 que Vanessa Bell viajou apressada para Cassis, avisada de que Duncan Grant, o amor de sua vida, pai de sua filha Angelica, colega de ofício e companheiro de tantos anos, e de quem, por respeito à natureza imutável dele, ela aceitava as aventuras homossexuais, estava ali acamado com febre tifóide.

Chegando a Cassis, ela o encontrou menos mal do que imaginara. Relaxada, Vanessa se apaixonou pela região e, como na família era ela a prática, decidiu alugar uma casa na região para que todos ali se refugiassem no inverno. Vanessa foi ajudada por Roger Fry, em razão do contato dele com Roland Penrose, que era amigo do coronel Peter Teed, proprietário de um sítio na região.

O coronel era um oficial aposentado da cavalaria britânica – fizera parte dos Lanceiros de Bengala. Deixara a mulher na Índia e vivia agora no Château de Fontcreuse com uma companheira mais nova, Jean Campbell, ex-enfermeira, inglesa como ele. Vanessa e Duncan lhe foram apresentados e, passeando pela propriedade, se encantaram com La Bergère, uma modesta casa que antes fora residência de empregados do sítio, distante uns 350 metros do chatô.

O coronel simpatizou com os artistas e fizeram um acordo. A casa foi arrendada a eles por dez anos, Vanessa e Duncan se comprometeriam a fazer as reformas necessárias. Durante as longas temporadas, quando eram muitas as visitas na casa de Vanessa, o coronel permitia que muitos – inclusive Virginia e Leonard, assim como Roger Fry, Clive Bell, etc. – se hospedassem nos quartos disponíveis do chatô. De modo que essa felicidade durou de 1928 a 1939, quando estourou a guerra e todos tiveram de deixar a França por motivos óbvios.

Nessa manhã de segunda-feira, 7 de outubro de 2002, cá estamos no local exato dos charlestonianos na Provence. A mim o lugar fez lembrar, sem tirar nem pôr, uma fazenda de uva em Jundiaí. Tanto o chatô, que agora é a fábrica, depósito e escritório da indústria de vinho Château de Fontcreuse, quanto La Bergère, que continua como casa e habitada – pelo que deu para a gente ver de seu interior, apertando o nariz contra as vidraças, desde a cozinha até a sala, menos os quartos superiores –, trata-se de uma casa bem simples e gostosa, que bem podia ser a minha e a sua em qualquer região parecida, no interior paulista.

A gente se sente em casa, parece que estivemos sempre lá, daí não haver novidade nenhuma, ainda que, sabendo do passado daquela gente encantadora que tudo isso curtiu. É uma sensação que mexe com o nosso emotivo-evocativo. Mesmo porque aqui os pintores criaram muito, e suas telas retrataram as cores e o conforto daquele tempo. Quadros deste lugar estão entre as melhores obras de Duncan, Vanessa e Roger Fry.

Foi uma visita bem rápida, uma olhada na casa (do lado de fora). Todos a acharam modesta mas simpática. Essa gente (os Amigos de Charleston) é muito respeitosa, não toca em nada, não se aproxima muito. Não quebra nenhuma das formalidades estabelecidas. Mas eu quis um pouco mais, afinal vim de tão longe e não estaria quebrando nenhum protocolo se por um instante me sentasse numa das poltronas de vime para que Jenny me fotografasse. No que me sentei a cadeira se desfez – estava podre! Saímos rapidamente dali e percebi o olhar de reprovação da boa Eleanor Gleadow, organizadora do evento. Fiz cara de sentir muito e pedir perdão.

Fotografamos o exterior de La Bergère de todos os ângulos, e também o vinhedo e o chatô. Foi bom ver tudo isso de perto, porque sem ter estado no local eu poderia continuar mitificando-os como se isto aqui fosse algo do outro mundo, inacessível. Mas não, não é nada muito melhor do que o lugar onde vivemos. Por isso gostei. E assim foi. Meta cumprida. Estive em La Bergère.

Terça, 8 de outubro.

Todos os jornais franceses, desde o jornal do metrô de Marseille até o *Libération* de Paris, botaram o Lula na primeira página. Parece que ele teve 47% dos votos. Logo, haverá segundo turno. Eu poderia ter ido justificar no Consulado do Brasil em Marseille, mas vou deixar para justificar em São Paulo, na volta.

Com aquela coisa de ficar na cama até tarde, só conseguimos chegar ao Musée des Beaux-Arts quando faltava apenas uma hora para fechar. É uma delícia! Mas as velhas funcionárias, com aquele mau humor típico francês, não disfarçavam estar doidas para *fechar a loja* e ir embora. De modo que não consegui copiar nada. No lado de fora do museu, jardim agradável. Enquanto Jenny tomava sol num banco, consegui, mal e porcamente, esboçar o desenho da estátua de um flautista greco-romano no topo da escadaria. Disse a ela que queria voltar no dia seguinte.

Os jornais franceses dão que o presidente Bush continua atrás do Saddam Hussein. Os jornais dizem que lá em Bagdá a moçada não tá nem aí, diverte-se às pampas, vida noturna intensa. Enquanto isso, na madrugada de sábado para domingo, o prefeito de Paris, que é homossexual assumido, foi esfaqueado por um fanático de origem argelina. O sujeito disse que detesta políticos e veados, e que está na *Bíblia* e no *Alcorão* que pederastia é contra a natureza. O cara, mais feio que o rascunho do mapa do inferno, devia ter mais é se olhado no espelho e se dado conta de que a natureza também não é nada a favor de feiura feito a dele. Além do que, a *Bíblia* e o *Alcorão* também devem ser contra esfaqueamentos.

Quinta, 10 de outubro.

Dentro de duas horas iremos embora de Marseille no TGV rumo a Paris. Ontem foi mais um dia de grande proveito cultural. Voltamos ao Museu de Belas Artes por um detalhe que eu precisava registrar aqui. Parece que aquele jeito de mau desenhista da figura humana, característico de Cézanne, ele deve ter pego nas visitas a este museu quando jovem. O museu originalmente ficava em outro lugar, e foi transportado para o belo palácio onde está hoje, quando Cézanne era bem mais velho (e bem mais Cézanne). Mas parece que ele pegou todas as *deformações* no que terá visto em seu acervo (é o que imagino).

Chamam a atenção, logo na entrada do museu, dois grandes murais de Puvis de Chavannes, cada um de um lado da alta e clássica escadaria. Um é chamado *Marseille colonne grecque*, de 1869 – mostra uma Marseille idealizada, simbolista, edênica, parnasiana – crianças nuas, mulheres fritando peixe, outras conversando num canto, gente na praia distante, os trajes gregos, tudo elegantemente estilizado e idealizado; o outro mural, *Marseille porte de l'Oriente* – a África árabe e o Oriente idealizados. Chavannes desenhava bem. Esbocei no meu *sketchbook* alguma coisa desses murais e de outras obras do museu.

Outra coisa que constatei foi que no museu, desde a estatuária do lado de fora até as telas em seu interior, o que mais há é arte erótica, principalmente dos séculos 17 e 18. Como em uma tela em que Juno, concentrada, pede proteção aos céus para as suas águas enquanto ao lado, Júpiter, seu marido, fode por trás uma ninfa ao mesmo tempo em que esta, pela frente, se entrega a um jovem mancebo que lhe faz um *cunnilingus*.

Em outra sala, duas grandes telas de Michel Serre (1658-1733) mostram a última grande peste européia, no caso, especificamente em Marseille: milhares de pessoas dizimadas. Essas telas sobre a peste de 1720 foram encomendadas no ano seguinte por jesuítas. Uma delas, de nome *Vue de l'Hotel de Ville pendant la Peste* é impressionante. Gente se atirando das janelas do hotel. Aqui também, nos corpos nus, vi um pouco do estilo que Cézanne desenvolveria depois. Interessante registrar também que depois, a caminho do outro museu, passamos pelo Hotel de Ville, cenário da tela da *Peste* e o prédio está bem conservado, nem parece que há quase três séculos passou por aquilo que a tela mostra.

De resto, no centro e em alguns bairros, Marseille é uma cidade imunda – no metrô o piso é um nojo: merda de cachorro, vômito, papéis, garrafas vazias, tudo. E há muita gente esquisita, uma mistura dos miseráveis de Victor Hugo com refugiados da África árabe.

Almoçamos e fomos ao Museu de Arqueologia (na Vieille Charité, que no passado foi um hospício). É um prédio enorme e bonito com um pátio interno todo terraçado. Na parte egípcia, a grande ave, *Ibis*, bicudona. Consta que essa ave, além de secretária dos deuses, é patrona dos intelectuais, dos artistas, dos escritores. Vimos também estatuetas de deuses e demônios, "poliformia fundamental" (copiei), *Anubis* e *Amon* - por baixo dos saiotes aparecem falos de dimensões exageradas; vimos um pouco de arte africana e, para mim o melhor de tudo, uma exposição da arte popular do México atual.

Artistas primitivos, ingênuos e amadores, francamente liberados pela curadoria da exposição (muitas pinturas eróticas explícitas). Essa exposição é resultado do material colhido em todo o México por Nikki de Saint-Phale e François Reichenbach. Soubemos, por intermédio de folhetos e cartazes, que este mesmo Musée d'Archéologie Méditerranéenne está preparando para o próximo dia 25 a inauguração do Petit Musée Érotique.

Diz o folheto, anunciando a novidade: "O erotismo e a sexualidade, temas considerados indecentes, sairão do armário e serão finalmente exibidos ao público; peças milenares de quatro grandes civilizações: a Mesopotâmia, o Egito, a Grécia e Roma." Pelas ilustrações do folheto já dá para sentir que esse Petit Musée Érotique, com vasos, estatuetas, lâmpadas a óleo, baixos-relevos, etc., evocando a libertinagem de tempos há muito idos, elevará a temperatura de Marseille no inverno.

Visita muito rápida, porque o dia corre e ainda há muita coisa a ser apreciada na cidade. Passeio pelo cais do porto, as ruínas gregas, um navio russo repleto de chineses, adolescentes chineses praticando *skate* junto ao porto, chineses fazendo compras nas Nouvelles Galeries (um *shopping center*). E o mistral desde que veio não deu mais trégua. Anteontem choveu pela primeira vez. E agora – escrevo no trem – chove sem parar. Três horas até Paris, paisagem outonal belíssima, só que passa tão rápido que mal dá para ver. É que viajamos de TGV – trem de grande velocidade.

Paris, mesmo dia, antes de dormir.

O Hotel Sèvres Saint-Germain, na Rue Saint Placide, é simpático. O quarto simpático, as ruas simpáticas, Paris linda e simpática. Nas vitrines o preto voltou com tudo. Até na antigamente colorida Benetton agora é tudo em preto e branco. Decididamente, preto e branco são os tons do inverno que se aproxima. Mas à noite, quando saímos para cear, a experiência foi decepcionante. Jenny se produziu toda chique para me levar a um restaurante que fora freqüentado pela Madame de Sévigné (1626-1696), o Le Procope, na Rue de L'Ancienne Comédie, estabelecido desde 1686 – o que significa que a Sévigné, se é que o tenha mesmo freqüentado, o fez aos 60 anos, dez antes de morrer.

Fomos, mas nada funcionou. O recepcionista nos garantiu que teríamos uma mesa em 25 minutos, tempo em que poderíamos nos distrair com as lembranças emolduradas nas paredes e expostas nas cristaleiras. Foi chegando gente e mais gente e o recepcionista encaminhando as pessoas às mesas. Talvez tivessem feito reserva com antecedência (mas Jenny também fizera!).

Esperamos de pé mais de uma hora, completamente ignorados, como se fôssemos fantasmas nessa necrofilia, culto aos mortos e ao passado, que é o caso deste restaurante. Chegou uma hora em que eu estava prestes a sucumbir à comatose. Meu humor envenenado fez com que Jenny fosse fazer queixa à gerência. Ainda assim, tivemos de esperar mais uma eternidade, até que finalmente fomos encaminhados a uma mesa quebra-galho. Até que enfim sentados, suspiramos com certo alívio. Mas tivemos de aguardar mais outra hora para ser atendidos.

Quando veio a comida, veio outra coisa, não o que havíamos pedido. Parecia maldição, roubada total. E o Le Procope é um restaurante histórico, conceituadíssimo segundo o *Guide Bleu*. Além da Sévigné, mil outros o freqüentaram, desde La Fontaine a Voltaire, os papas da revolução francesa, Marat – está tudo lá, na parede, como prova, mas e daí? Lamartine, Mirabeau, Jean-Jacques Rousseau, e bem depois Verlaine (há até foto dele e um cartão-postal que enviou para o restaurante). Depois, ainda, Sartre, Jean Marais, etc. Realmente, aquela não era a nossa noite. Pelo péssimo atendimento, saímos sem deixar gorjeta.

Sexta, 11 de outubro.

Já visitei Paris várias vezes e até vivi aqui em 1972/73 mas, por incrível que pareça, nunca visitara o Louvre. Jenny também não. O Louvre é muito grande e, naquela época eu estava mais ligado à cultura *underground*. Mas agora, eu com outra sensibilidade – porém ainda incuravelmente imaturo – e achando que esta talvez seja a última oportunidade de ter um *vis-à-vis* com a *Mona Lisa*. Fizemos, por assim dizer, nossa primeira comunhão.

Fomos e passamos umas cinco horas lá. Levei até meu *sketchbook*. Desta vez a *Mona* não me escapava. Já na entrada, no alto da escadaria, a *Vitória de Samotrácia*. Bárbara. Mesmo sem cabeça. Na saída ouvimos japoneses citando a *Vênus de Milo*. Jenny foi categórica: não podíamos deixar de vê-la. Seguimos os japoneses. E ela lá, a *Vênus*, sem os braços mas com aquelas tetas fabulosas. Que mito!

Mas como me concentrar diante da *Mona Lisa* se havia uma multidão de japoneses na minha frente, fotografando, filmando e tagarelando? Mesmo assim – e tentando me equilibrar na ponta dos pés atrás deles –, não deixei escapar a última chance de rabiscar a linda no meu caderninho. Fiz várias tentativas mas nenhuma saiu legal. A verdade é que, com tantos séculos de estrelato, *La Gioconda* continua a mesma. Não mudou nada. Não ganhou uma ruga. Mesmo sorrindo o tempo todo – e que sorriso maroto! Era para ela estar com a cara mais chupada que caroço de manga. Mas não, está lá, inteiraça, a *Mona*.

Gostei de ver os rostos da Renascença que me fizeram lembrar de faces da minha infância e adolescência interioranas, quando eram tantos os descendentes de italianos. Em *Hercília separando Rômulo e Tácio*, também conhecida como *O combate dos Romanos e dos Sabinos*, as sandálias, tanto as dos romanos quanto as dos sabinos, são fantásticas, nos modelos e na diversidade de cores, muitas indo até quase o joelho, a maioria com os dedos e os calcanhares livres. Assim deveriam ser os sapatos: protege-se o resto mas deixam-se os dedos e os calcanhares livres. A tela é atribuída a Guerchin (1591-1666) e é de 1645.

Intervalo para o café e agora é a vez de outra parte. O Louvre é um labirinto, corremos para ver Rubens, um de meus favoritos. A seguir, a Sala Francesa, que fica longe. *La Pietá*, de Villeneuve d'Avignon, *circa* 1455. Na sala de Poussin (1594-1665), *São João batizando o povo*, de 1635-37, os homens aparecem tirando a roupa, ficando nus para ser batizados. Cada idéia!

Em Poussin as sandálias lindas, tanto as dos homens quanto as das mulheres, trançadas, amarradas, cordonadas... Jenny me chama a atenção para as sandálias em *O rapto das Sabinas*. Nos outros quadros os pés estão descalços. Que pena já estar quase na hora de fechar o museu, se houvesse tempo eu copiaria algumas sandálias de Poussin no meu *sketchbook*, para depois, em São Paulo, mandar meu sapateiro fazer um par igualzinho.

O famosíssimo *Jeune homme nu assis au bord de la mer*, de Flandrin, pintado em 1836. A *Angélique* (1859), de Ingres, presença marcante nos livros de arte e nos postais. E os olhos! Mas avisam que o museu já vai fechar. Em suma: no Louvre gostei de tudo, inclusive dos espanhóis e dos holandeses, mas pouco escrevi sobre eles.

Tivemos de correr e fazer a troca de linha em várias estações do metrô para ver a cantora Viktor Lazlo – ela tirou o nome do personagem de Paul Henreid no filme *Casablanca*. A Viktor é uma cantora *cult* que sigo faz tempo. Parece que é belga mas canta em várias línguas, do espanhol ao russo. O show que ela agora apresenta em um teatro longe, perto do cemitério Père Lachaise, é todo ele em cima de canções francesas dos anos 20 e 30 em arranjos caribenhos. *Loin de Paname* é o título.

A Viktor é acompanhada por quatro jovens músicos cubanos. Foi o melhor show que vi nos últimos anos. É um show com enredo: Viktor Lazlo interpreta uma cantora francesa (fictícia) que, por conta de uma desilusão amorosa, vai parar em Cuba duas décadas antes da revolução. A Viktor é linda, feminina (compleição de *top model*, o que, aliás, ela foi), figurino interessante que cresce em deslumbramento à medida em que o show avança; voz personalíssima, banda excelente (bem vestidos os cubanos, em ternos de linho, como naquela época chique do repertório que tocam). Um show gratificante, para dizer o mínimo. No final, a estrela e a banda descem à platéia e todos entram na conga. Teatro lotado e público de todas as idades.

Sábado, 12 de outubro.

Como se fuma em Paris! Aqui não pegou aquela coisa do comportamento correto norte-americano de parar de fumar nos bares, cafés e restaurantes. Jovens e velhos fumam sem parar. Me deu até vontade de voltar a fumar. Na Inglaterra, na maioria dos lugares onde antes se podia agora já não pode, de modo que para não ser desagradável, parei. Em Paris só pode. Mas é aquela coisa: Paris será sempre Paris.

É claro que hoje, com a globalização, mudou muito; as estrelas são na maioria locais para o público local. Poucas furam o cerco tornando-se, como antigamente, internacionais. Mas para a velha guarda que sabe, vi, em cartazes nas ruas e nos metrôs, que estão se apresentando em teatros nomes como Jean-Claude Brially, Line Renaud, Marie-France Pisier, Adamo, Anémone... (em 1972/73, passei uma temporada dormindo na *chaise longue* que havia na grande sala de banho do apartamento de cobertura da Anémone, na Rue Bonaparte. A avó dela, rica, era proprietária de todo o prédio; Anémone Bourguignon, muito jovem, ainda não era estrela, agora já é e faz tempo – faz sucesso no teatro).

Que prazer estar aqui no outono, para variar, o visual mais civilizado, as pessoas mais bem vestidas, ao contrário dos últimos anos, desde 1987, quando só tenho vindo à Europa no verão. Agora não, os *foulards*, as *écharpes*, o *col roulé* (a gola rolê), os sobretudos... E nas vitrines das lojas só dá mesmo a cor preta para o inverno.

Hoje, sábado, fomos caminhando (e que prazer caminhar no Quartier Latin) até o Musée d'Orsay de frente para o Sena. Uma fila imensa. Inaugurado em

1986, com a coleção do Jeu de Paume, juntamente com certas obras transferidas do Louvre, o Musée d'Orsay é dedicado à arte que vai de 1848 a 1914.

Pena que, mais uma vez, nosso tempo é curto para ver tanto. Eu ficaria o dia inteiro e voltaria no dia seguinte, para descobrir mais e me deter diante de algumas obras. Surpresa: o retrato de Proust, pintado em 1892 por Jacques-Émile Blanche; vi pela primeira vez o *Déjeuner sur l'herbe* do Manet; e que regalia, a sala de Van Gogh – é a mais concorrida. Cézanne... Fiz só três esboços no meu *sketchbook* – um Puvis de Chavannes, o *Proust* do Jacques-Émile Blanche e o *Eugene Boch* pintado por Van Gogh em 1888. Ao menos registrei minha passagem pelo d'Orsay.

O retrato de Proust por Jacques-Émile Blanche é famoso. Ele, Blanche, foi professor de Duncan Grant em 1906-1907, em sua escola de arte, La Palette. Sua ligação com o Bloomsbury está bem registrada nos livros sobre o grupo. Em julho de 1927, ele e Virginia Woolf conversaram no Château d'Auppegard, perto de Dieppe. Sobre a conversa, ele escreveu um texto que foi publicado no mês seguinte na revista *Nouvelles Litteraires*. Virginia ficou encantada. Dela, Blanche também traduziu algumas páginas de *Rumo ao farol* e o conto *Kew Gardens*. O retrato a óleo que ele pintou de Proust é muito usado em capas de biografias do escritor.

Com os olhos sequiosos de arte, vi o que pude. Alma Tadema! Ingres! De Jean Delville, a telona *Escola de Platão* – Platão com cara de Jesus cercado por 12 discípulos efeminados, cabelos longos parecidos com os hippies andróginos e *poseurs* do começo da década de 1970 – e o quadro foi pintado em 1898! Surpresas adoráveis: Gauguin e seus entalhes, baixos-relevos, esculturas... E o *Luxe, Calme et Volupté*, de Matisse, 1905.

Vi muito mas perdi outro tanto. Não me perdôo por não ter visto *A origem do Mundo*, de Courbet, ou seja, a lendária boceta que Courbet pintou em 1866. Courbet foi grande e influente – até Picasso se influenciou. A boceta de Courbet é uma *vera icon* (palavras gregas significando "verdadeira imagem"). Restou o consolo de comprar um postal dela na loja do museu. Também não vi, que pena, a *Homenagem a Delacroix*, 1864, de Fantin-Latour, onde aparecem, lado a lado, Baudelaire, Manet, Whistler e outros em torno de um retrato de Delacroix.

E a despedida de Paris no Café de Flore, que estava às moscas, mesmo sendo sábado à noite. (Na manhã seguinte, domingo, 13 de outubro, fomos bem cedo para o aeroporto. O táxi nos apanhou às 8h15 no hotel. Meu vôo para São Paulo estava marcado para as 10h20 e o de Jenny, para Londres, às 11h. Assim foi essa temporada cultural francesa. Valeu. E chega de 2002.)

2003

> *Ele era, então, também um cisne? Já não era, pois, aquele patinho cinzento, disforme, desgracioso, para o qual todos olhavam com desprezo?*
>
> Hans Christian Andersen – *O patinho feio*

FOI UM DOS MELHORES anos dos últimos tempos, 2003. Começou bem – já logo no sétimo dia nasceu mais um sobrinho-neto, o Miguel. Para mim foi uma novidade, a primeira vez na vida que vi um bebê praticamente na hora em que veio ao mundo. Isso me ajudou a entender melhor o sentido da vida. Mais adiante, antes de o ano ter completado seu terceiro mês, um desastre que poderia ter resultado em tragédia e acabado com tudo – fui atropelado por um ônibus. No entanto, esse atropelamento surtiu um efeito extremamente positivo, pois, apesar das muitas fraturas e escoriações, fui como que despertado para uma nova vida, uma espécie de renascimento.

E muitas outras coisas boas, nesse ano. Uma delas foi escrever a biografia de Yolanda Penteado. Depois de conclui-la satisfatoriamente, embarcar num ônibus e sair pela estrada afora, numa viagem por terra pelo sul da América do Sul, rodando milhares de quilômetros. Mas é melhor abrir o meu diário...

Quinta, 27 de março.

Pelo jeito até eu, que não tenho nada a ver com a rinha, de algum modo fui atingido pela guerra no Iraque. Enquanto mísseis abalavam Bagdá, eu, em São Paulo, fui atropelado por um ônibus. Fui pego em cheio, de frente e atirado longe. Foi na segunda, 24 de março, por volta das 9h40 da manhã, quando atravessava a Consolação e não vi o monstro. Veio a polícia fazer o boletim de ocorrência e eu, arrebentado mas desperto pela trombada, ao ver a cara honesta do motorista e o imaginando o dia inteiro a dirigir no trânsito infernal da cidade, livrei-lhe a cara, e disse aos guardas que a culpa era minha.

De fato, ao atravessar a rua eu estava distraído. Ainda sentado no meio fio, enquanto uma boa samaritana, tentando aliviar minha dor, passava gentilmente a mão na minha cabeça, ouvi-a dizer aos outros em volta: "O resgate está demorando!" Demorou mas chegou. Uma viatura do Corpo de Bombeiros. Pediram meus documentos. Com muita dor, consegui enfiar a mão no bolso e entregar meu RG. A seguir ouvi meu nome claramente pronunciado, o que de algum modo me despertou outro tanto. Era um bombeiro muito jovem, que se identificou como Ubiratan, irmão de um membro da banda punk Autogestão. Disse que lera meu livro *O que é punk* e que, se eu não me lembrava, tínhamos conversado muito no festival punk no Tendal da Lapa.

Achei a coincidência um bom augúrio. Embora totalmente quebrado, consegui pensar positivamente: "Puxa, numa cidade de tantos milhões de habitantes, sou atropelado como um indigente, vem o Corpo de Bombeiros me resgatar e um dos bombeiros é meu leitor!" Embora a dor fosse demais, Ubiratan me fez deitar na maca (de madeira) e fui rapidamente conduzido ao Pronto-Socorro da Santa Casa, onde, na ortopedia, passei o dia em exames, bateladas de raios-X, etc.

Duas fraturas no nariz, três no zigoma, costelas quebradas e pontos na boca. Minha irmã Heloisa foi avisada e fui levado para sua casa, onde estou acamado. Hoje fui levado ao Departamento Buco-Maxilo-Facial da Santa Casa, e o Dr. Ronaldo, chefe da ortopedia, disse que vou ter de operar, ou seja, abrir a cabeça para receber pinos de aço nas fraturas.

Sexta, 28 de março.

Vania Toledo, sabendo do meu atropelamento e que minha cabeça corria o risco de ser *pinada*, achou melhor eu antes consultar o Dr. Luiz Sérgio Toledo, cirurgião plástico de renome internacional e meu amigo há três décadas. Luiz Sérgio olhou as chapas e achou melhor não operar. Brincando, disse que, se mais adiante os ossos não colassem e minha cabeça desmoronasse, aí sim, além dos pinos ele aproveitaria para fazer meu nariz igual ao da Mitzy Gaynor.

Sexta, 4 de abril.

Heloisa me levou de volta ao consultório do Dr. Luiz Sérgio Toledo. Apesar de minha cara continuar toda preta e inchada, ele disse que está tudo bem. Amigos com quem eu não falava há muito tempo têm ligado. Todos solidários. Rita Lee noticiou meu atropelamento pela televisão, no programa *Saia Justa* e choveram telefonemas de todo o Brasil. Fauzi Arap leu, por telefone, meu mapa astral. Diz que é para eu não levar nada muito a sério nem assumir compromissos. Que estou numa fase difícil, mas que vai passar.

Domingo, 6 de abril.

Hoje voltei para a minha casa. Na secretária eletrônica, vários recados de amigos da confraria punk. Tina, Ariel, Hélio, Callegari, Mara, Meire, João Ricardo (Stoosh), entre outros, querendo notícias. Bira, (como Ubiratan, o bombeiro que me resgatou, é assim chamado pelos amigos) os tinha avisado do atropelamento. Acho que no fundo esse acidente só me fez bem. Senti que tenho amigos em diferentes tribos e de todas as idades.

Quinta, 24 de abril.

Um mês hoje, do atropelamento. Muita dor nas costelas quando me deito e me levanto. A perna direita, na coxa, acima do joelho, parece insensível (mas acordei com dor). O lábio superior esquisito (mal costurado por dentro, por um médico noviço, lá da Santa Casa). A arcada dentária também foi bastante abalada. Não posso mastigar direito. Eu podia ser otimista e dizer: estou vivo, ainda bem. Mas não é bem assim. Estou estropiado. A vista também está embaçada. Mas Dr. Jaime, oftalmologista, disse que em três meses a visão vai melhorar. Tomo as injeções diárias de Citoneurin.

Terça, 20 de maio.

Jenny envia *e-mail* contando do Festival de Charleston. Nem sabia que eu fora atropelado. Descobriu dia desses. Telefonando e não me achando em casa, ligou para uma de minhas irmãs para saber notícias minhas. E soube. Eu não a avisara porque se avisada teria largado tudo – o processo do divórcio (ela e o marido estão se divorciando), a partilha dos bens, a mudança para outra casa, etc., e vindo cuidar de mim. Isso só teria atrapalhado o rumo normal que minha vida vem tomando, porque eu mesmo já estou em outra – o atropelamento já é página virada.

Voltando ao Festival de Charleston, pelas notícias de Jenny a estrela este ano foi Patti Smith. Achei isso uma espécie de ironia, eu, que freqüento Charleston há exatos dez anos não ter lá estado justamente quando lá se apresentou aquela que é considerada a "madrinha do punk"!

Currículo (conciso) da Patti: Patricia Lee Smith nasceu em Chicago em 30 de dezembro de 1946, a mãe garçonete e o pai operário numa fábrica. No começo dos anos 1950, a família se mudou para Filadélfia onde nasceu o irmão Todd e a irmã Linda. Vesga, Patti tinha de usar tapa-olho porque a família era pobre e não dispunha de meios para a cirurgia corretiva. Aos oito anos, a família se mudou para uma zona semi-rural em Nova Jersey. Até os 13 anos Patti foi Testemunha de Jeová.

Patti já estava entrosada na cena boêmia novaiorquina, antes de seu nome se tornar mundialmente conhecido durante a explosão punk em 1976 com o LP *Horses*, considerado um marco de bom gosto a partir da capa, uma foto dela, magra e absolutamente andrógina, por Robert Mapplethorpe, seu amigo desde criança em Nova Jersey.

Desde sempre Patti se dividiu entre poesia, artes plásticas e música. Apresentar-se agora no Festival de Charleston faz sentido, uma vez que ela cresceu familiarizada com a poesia de Rimbaud, Blake, Whitman, Baudelaire, André Breton, etc. Muito de sua *performance* vem de ter-se informado sobre Antonin Artaud e o "teatro da crueldade". E agora, aos 56 anos, beirando a terceira idade, não tinha por que não dar uma guinada na carreira, apresentando-se na tenda da Fazenda Charleston, lugar que a impressionou desde 1999 quando, visitando a Inglaterra, fora levada a uma visita turística à lendária residência campestre da irmã de Virginia Woolf.

Depois dessa visita, Patti não sossegou até que sua divulgadora inglesa, depois de muita insistência, conseguiu convencer a direção do Festival de Charleston a encaixá-la em sua programação. Claro que se tratava de um longo caminho, desde os lendários antros novaiorquinos que eram o Max's Kansas City, o CBGB e outros lugares míticos – onde conviveu com a cena originária do punk, de rebeldes como Iggy Pop, New York Dolls, Ramones, Debbie Harry, Richard Hell, Nico, Penny Arcade, Wayne County, Cyrinda Foxe, etc.

De modo que, desde seu início na boemia, quando era apenas uma tiete de Bob Dylan, Keith Richards e Brian Jones, até se apresentar na tenda da Fazenda Charleston, Patti chegou com uma quilometragem nada desprezível. E nos Estados Unidos, nos últimos anos, Virginia Woolf tem sido um nome quente. Graças a ela, Michael Cunningham recebera o Prêmio Pulitzer, Nicole Kidman o Oscar e agora, se apresentando na tenda da Fazenda Charleston, Patti Smith com certeza ganharia toda uma nova credibilidade na retomada de sua carreira de roqueira séria. Mas, voltando à genealogia literária de Patti Smith, consta que em 1997 ela estava, com o poeta Gregory Corso junto ao leito de morte de Allen Ginsberg. Ginsberg pediu que Patti e Corso lessem para ele os versinhos infantis do Mother Goose (Mamãe Ganso) antes que desse o último suspiro.

Patti Smith sempre levou mais jeito de *beatnik*. Foi grande amiga de William Burroughs que dela só falou bem. Considerado o "avô do punk", quando perguntado sobre o que achava do punk rock, Burroughs, um dos iniciadores da geração *beat*, respondeu: "É um fenômeno importante e interessante. E sou fã de Patti Smith. Sempre a achei melhor ao vivo que em disco. Em disco não dá para perceber a vitalidade, a energia elétrica que ela produz no palco".

Será que ela produziu essa vibração no tablado da tenda em Charleston? Pelas notícias e recortes que me foram enviados por Jenny, inclusive com Patti Smith nas capas dos suplementos culturais dos jornais ingleses, por conta das duas *performances* em Charleston, sim, sem dúvida.

Diz a lenda que quando a Patti e Mapplethorpe chegaram a Nova York, vindos de Nova Jersey, para morar no Hotel Chelsea, e conviver com os *freaks* que circundavam Andy Warhol, os dois também sonhavam em virar *superstars* warholianos. Warhol mesmo, anos depois, num registro em seu diário (29.V.1978) conta que ao sair para almoçar no One Fifth com um amigo, avistou Patti Smith na calçada.

Patti, com um chapelão, disse que ia comprar comida para o gato.

Conta Warhol: "Convidei-a para almoçar conosco esperando que não aceitasse, mas ela disse 'Ótimo'. Patti disse que não queria comer muito, mas comeu metade do meu prato. Eu não conseguia pensar em nada por causa do mau cheiro dela. Ela seria uma pessoa visualmente interessante se tomasse banho e se vestisse um pouco melhor. Ainda é magra. Agora está fazendo desenhos para uma galeria de arte."

Pode ser que agora, 26 anos depois, Patti Smith já tome banho, mas, como toda boa boêmia, pelas fotos desses dias em Charleston, não liga para detalhes da aparência. Seus cabelos estão compridos e grisalhos, não depila os pêlos do rosto e o bigode está com uma espessura que faz lembrar o de Frida Kahlo.

Patti Smith foi casada 15 anos com Fred Smith, que durante algum tempo foi guitarrista na banda proto-punk de Detroit, a MC5. Na época, 1979, ela achou ótimo casar com alguém que tinha o mesmo sobrenome. Com o casamento ela abandonou a carreira. "Eu queria estudar, escrever e criar meus filhos (um casal)." O marido foi aprender matemática e tornou-se piloto. Foram anos de uma vida simples e dedicada, embora Fred bebesse muito e, como marido, fosse um tanto possessivo.

Mas Patti conseguiu levar o casamento numa boa. "Sou o tipo de mulher do final do século 18, nasci para servir." Fred morreu em 1994 e um mês depois ela perdeu o único irmão, Todd, que ela adorava. Todd morreu de derrame cerebral. Tinha apenas 42 anos. "Foi um choque terrível", ela contou a um jornalista que a entrevistou na Monk's House, a casa de Virginia Woolf em Rodmell. "Perder meu marido foi terrível, mas perder meu irmão foi pior. Todd era muito alegre, cheio de vida e me dava muita força. De repente ele também se foi. Acho que foi por isso que escolhi, como parte do meu concerto em Charleston, ler trechos de *As ondas*. Virginia escreveu o livro para o irmão Thoby, que também teve morte abrupta. É muito significativo o fato de eu ter começado a ler Virginia Woolf mais tarde. Antes eu não era madura o bastante para entender o que ela oferecia como pessoa e como artista. E agora sinto conforto no que escreveu."

Patti Smith, que hoje vive em Greenwich Village, NY, deu dois recitais em Charleston. Um no sábado e um no domingo. Foram shows acústicos, ela acompanhada de Oliver Ray ao violão. Além disso, a galeria de arte da fazenda expôs, durante o festival, fotos feitas por ela e pelo amigo fiel de tantos anos, Robert Mapplethorpe, morto de Aids em 1989. Uma das fotos, feitas por Patti, mostrava as sapatilhas do bailarino Rudolf Nureyev.

Quanto ao seu lado de artista plástica, alguns trabalhos de Patti Smith fazem parte do acervo do Museu de Arte Moderna de Nova York. Em Sussex, Patti foi levada à residência de Anne Olivier Bell por Simon Watney, velho amigo da casa. Depois foram visitar a Monk's House – Olivier acompanhou o grupo e mostrou, ela mesma, a casa a Patti, que se emocionou com tudo o que viu. Depois, no tablado em Charleston, Patti homenageou Olivier: "Quisera eu chegar aos 86 anos como ela."

Patti abriu a apresentação com um poema de sua autoria, ligando-o a um trecho de *As ondas*, de Virginia. Conta Jenny, que assistiu ao recital, que lágrimas desciam pelo rosto emocionado da *performer* que, acompanhada pelo amigo ao violão, leu um poema de Jim Morrison, e leu a carta que Virginia escreveu para Leonardo antes de ir se afogar. Depois de uma pausa – o silêncio na tenda era denso e significativo –, contou histórias.

Era Patti Smith *in excelsis*: "Vozes, vozes mesmeriadas/ Vozes, vozes, vindas do mar..." da canção *Pissing in a river* (*Urinando num rio*). Sem nenhuma ironia, aqui. Ela chorou porque lhe ocorreu que Virginia ouvia vozes e se afogou num rio. Tomada pelo espírito do evento, gente que até então nunca ouvira falar dela, mas também velhos hippies e até punks da velha guarda e curiosos da nova geração, todos na tenda lotada captavam um pouco da lenda viva. Como acontece em Charleston, talvez mais que outras vezes, a atmosfera estava enriquecida pelos espíritos. Patti confessou estar viver um desses momentos mágicos em que, sem nenhum planejamento prévio, aprendia muito sobre si mesma. Naquele momento a afinidade com Virginia Woolf era total.

São Paulo, quarta-feira, 21 de maio.

Hoje foi a festa dos 60 anos da Editora Brasiliense na Casa de Portugal. Vania Toledo me fez companhia. Convidado a participar da mesa dos palestrantes, aceitei, ainda que temeroso por conta da timidez. Nem sabia quais seriam os outros palestrantes. E fui, de terno e gravata. Uma multidão. Que gente era aquela? Não conhecia ninguém. Fomos conduzidos à sala VIP. Havia apenas umas dez pessoas ali.

Minhas pernas bambearam quando a ex-Primeira Dama, dona Ruth Cardoso, ao ver Vania entrando comigo a chamou para a mesa onde estava com o marido, o ex-presidente Fernando Henrique Cardoso. Simpático, o casal. Dona Ruth, ao mesmo tempo em que me examinava com um olhar perscrutante, contava a Vania da mudança para o novo e amplo apartamento, dizendo não acreditar nessa coisa de morar em lugar pequeno, moradia tem de ser grande. E depois há os filhos, os netos. E FHC falando de seu novo escritório, em um prédio antigo atrás do Teatro Municipal.

Em seguida fomos chamados ao salão, onde o ex-presidente e eu subimos ao palco para participar da mesa dos palestrantes. Oito pessoas nessa mesa, entre as quais, Fernando Henrique, Yolanda "Danda" Prado (a dona da Brasiliense), o jurista Dalmo Dallari e eu. Danda falou, o ex-Presidente falou, Dallari falou, os outros falaram, eu falei.

Em seus discursos, os palestrantes jogaram confete uns nos outros, os corajosos e poderosos mártires daquele tempo de ditadura militar, quando a Brasiliense era uma trincheira. Eu não joguei nenhum confete. Não quero aqui me gabar, mas de todos fui o que mais magnetizou a platéia. Havia preparado minha palestra em casa, curta e inspirada.

Defendi a Brasiliense dos anos 80, quando a editora teve um *boom* interessante, lançando novos autores brasileiros (citei nomes). Falei das coleções em formato de bolso e que se tornaram popularíssimas, muito usadas nas escolas, e da publicação de autores universais de várias épocas, autores nunca até então traduzidos no Brasil. Defendi, enfim, a classe dos escritores, já que se celebravam os 60 anos de uma editora.

Mas o grande e feliz gancho de meu discurso foi ter começado assim: "Há quase dois meses, fui atropelado por um ônibus na avenida Consolação..." E contei do resgate pela viatura do Corpo de Bombeiros e que um dos bombeiros, o Ubiratan, ligado à banda punk Autogestão, tinha lido meu livro *O que é punk*, um sucesso de vendas da coleção Primeiros Passos, da Editora Brasiliense. Fui contando, contando... O público, umas 700 pessoas, que, entediado conversara durante as outras palestras, agora, enquanto eu falava, parecia atentíssimo, rindo na hora certa, acompanhando tudo. Fui muito aplaudido.

Durante o jantar, Vania disse que Fernando Henrique riu muito e que "tudo que ele queria era falar como você". Todos os que vieram me cumprimentar disseram que fui o melhor – e repetiam o caso do atropelamento e já falavam do bombeiro, tratavam Ubiratan intimamente como "Bira", como uma espécie de personagem, de herói. O jurista Dallari até pediu cópia da minha palestra.

Quinta, 17 de julho.

Aconteceu uma coisa extraordinária que mudou tudo. Há pouco mais de um mês, uma dessas revistas chiques me encomendara uma matéria sobre a Companhia Cinematográfica Vera Cruz – saíra um livro de mesa sobre essa companhia que, no final dos anos 40, pretendera criar em São Paulo uma espécie de Hollywood abaixo do Equador. O livro, bonito e com muitas fotos, tinha um texto muito chato. Queriam que dele eu extraísse uma matéria de leitura excitante.

Me lembrei de um livro que lera há 27 anos, a autobiografia de Yolanda Penteado, no qual essa grande dama da sociedade brasileira contava, com palavras nada complacentes, sobre a pretensão da Vera Cruz. Reli o livro de Yolanda, e na releitura me ocorreu a simpática idéia de escrever uma pequena biografia de bolso dela que, além de extraordinária e inventiva fazendeira, fora também muito importante na criação dos novos museus e da Bienal de São Paulo, a partir do final da década de 1940.

Comecei a pequena biografia, mais por prazer e sem muito compromisso. Então, por uma dessas coincidências explicadas na teoria de Franz Anton Mesmer (1733-1815), segundo a qual todo ser vivo seria dotado de um fluido magnético capaz de se transmitir a outros indivíduos, estabelecendo-se assim influências psicossomáticas recíprocas, etc., deu em um jornal que a TV Globo produziria uma minissérie tendo Yolanda Penteado como personagem principal, para homenagear os 450 anos da cidade de São Paulo.

Assim, para encurtar a história e encompridar a biografia, fui hoje levado a conversar com Pedro Paulo de Sena Madureira da editora A Girafa. Ficou acertado que escreverei, para essa editora, uma nova versão da vida dessa fabulosa Penteado. O título, como eu já havia pensado, coincidindo com o que também pensou Pedro Paulo, será *Yolanda*. Tenho três meses para escrevê-la. E, que delícia, a editora me pagará uma quantia mensal para eu não precisar fazer outra coisa a não ser me dedicar a esse trabalho em tempo integral. Fazia tempo que não me sentia tão feliz.

Sexta, 18 de julho.

Jenny, que chegou há quatro dias, me pareceu ligeiramente decepcionada por eu não poder ir passar semanas estudando com ela na Toscana. Mas compreendeu que não há Toscana que me faça tão feliz quanto escrever um livro com a certeza de que será publicado. E *Yolanda* vai de vento em popa.

Rio de Janeiro, sexta, 25 de julho.

Bodas de Ouro de Iza e Agnaldo. Festa grande. Cento e cinqüenta pessoas, a família, amigos, inclusive minha amiga inglesa. Missa na Igreja Nossa Senhora da Paz, em Ipanema, onde vive o casal. Fui um dos que falaram no púlpito, lembrando do casamento de minha irmã, há 50 anos, na Igreja de São Geraldo, na Usina Junqueira, Igarapava, interior de São Paulo, minha adolescência.

Paraty, segunda, 4 de agosto.

Há quatro dias, Jenny e eu tomamos o ônibus na Rodoviária Tietê em São Paulo. Parecia coisa de festival de rock. Era uma juventude excitada, que em vez de *walkman* ou guitarra carregava livros e suplementos de cultura, indo para a primeira Festa Literária Internacional de Paraty. Festivais literários acontecem no mundo todo faz tempo. Na Inglaterra, eles abundam por todo o país. O mais famoso – por tomar conta de toda uma cidade no País de Gales – é o de Hay-on-Wye.

Desses festivais, o único ao qual compareço, há 10 anos, mais por seu vínculo com o Bloomsbury e também pelo seu cunho intimista, é o da Fazenda Charleston. Mas este ano, levado pela curiosidade de minha preceptora inglesa que com meses de antecedência se programara, reservando suíte em hotel, etc., não tive como não acompanhá-la a essa primeira Festa Literária Internacional de Paraty (abreviada para FLIP).

A FLIP é uma idéia de Liz Calder. Repentinamente milionária com o sucesso de vendagem da série *Harry Potter*, publicada por sua editora (a Bloomsbury – nada a ver com o Grupo de Bloomsbury, trata-se de uma casa editorial sita no bairro londrino que leva esse nome), a Sra. Calder comprou uma vasta propriedade em Paraty.

Familiarizada com o Brasil desde a segunda metade da década de 60, quando viveu em São Paulo chegou a ser modelo de publicidade, como bem atestam fotos em revistas da época, Liz Calder, fascinada pela beleza de Paraty, idealizara para o lugar, pelo qual se apaixonara à primeira visita, um festival literário semelhante aos que acontecem na Inglaterra, acrescido do *exotisme* tropical.

Por ser dela a idéia, a maioria dos escritores programados para a primeira FLIP foram ingleses publicados por sua editora. De modo que para essa primeira FLIP, na folclórica cidade colonial litorânea do extremo sul do Estado do Rio de Janeiro, além de alguns poucos nacionais, vieram nomes respeitados na Inglaterra e já com seus livros traduzidos e publicados no Brasil. Escritores como Hanif Kureishi, Julian Barnes e Eric Hobsbawn.

No coquetel de abertura, na Casa da Cultura de Paraty, Jenny foi de muita serventia, conhecida que era dos autores ingleses. Como nos hospedamos no Hotel Coxixo, de minha velha amiga Maria Della Costa (atriz de duas de minhas peças, nas décadas de 60 e 80), Jenny foi extremamente gentil e atenciosa. Fez com que Maria, considerada uma das rainhas de Paraty, fosse fotografada ao lado das celebridades literárias internacionais, com as fotos devidamente divulgadas no *site* de seu hotel.

O atual Ministro da Cultura, o músico popular Gilberto Gil, se fez presente na abertura, ele próprio muito festeiro. Por conta do calor, apesar de o calendário registrar pleno inverno houve muito sol, muito passeio de escuna, muito *footing* nas ruas, a despeito do calçamento impraticável do chamado centro histórico da cidade.

Em um dos novos loteamentos, à beira da rodovia Rio-Santos, foi inaugurada uma Rua James Joyce pela facção irlandesa, sempre rival da inglesa. Relegada à periferia paratiense, mas ainda assim mostrando que seu *background* literário sempre foi de primeira – de Swift a Beckett –, a Irlanda, ainda que *gauche* na jogada, fez questão de deixar sua marca, com uma festa patrocinada pelo uísque Jameson.

Quanto à FLIP em si, como a maioria das presenças fosse de jovens os estrangeiros adoraram. Para eles foi uma grande novidade. A FLIP durou quatro dias – e principalmente quatro noites. Na festa de encerramento (para poucos), foram providenciadas várias escunas para levar os convidados a conhecer a propriedade da Sra. Calder. O correspondente inglês do *The Guardian* foi bastante irônico em sua cobertura, mas não deixou escapar o sonho de ser convidado para a FLIP do ano que vem, para a qual, se de fato for convidado, trará toda a família, mais pelo sol & sal & sul que pela literatura propriamente dita.

Segunda, 18 de agosto

Depois de quase dois meses de Brasil, Jenny voltou para a Inglaterra. Quando ela está aqui acontece uma inversão de papéis, o tutor fica sendo eu. Ela foi fundo na cultura brasileira, comigo ou por conta própria (isso quando eu realmente não podia acompanhá-la por ter de me isolar, concentrado e escrevendo a biografia de Yolanda Penteado).

Palestras, museus, teatro, cinema (vimos até uma cópia restaurada de *Alô alô carnaval*, por causa da Carmen Miranda e do Mário Reis, seguida de show de Maria Alcina, por sinal excelente). Com a partida de Jenny, fechei a loja (como se usava dizer), ou seja, meu tempo integral passou a ser exclusivamente de *Yolanda*. Conversei pessoalmente ou por telefone (ou ainda por cartas e *e-mails*) com parentes, amigos e pessoas que de algum modo conviveram com ela. Passei dias inteiros na Biblioteca Municipal pesquisando sua época, etc., e o livro saindo, naturalmente.

Sábado, 13 de setembro.

Ainda nem chegou a primavera, temos tido ondas realmente frias, mas desde um veranico há mais de mês, com dias quentes, que os ovinhos têm partido e toda uma nova safra de passarinhos ganhando vida. Todas as manhãs, antes mesmo do dia nascer, ainda na cama, sou despertado pelo mavioso cantar do sabiá. Em pleno centro de São Paulo me sinto como se estivesse na campina! E um galo, velhíssimo, de uma das raríssimas casas com quintal que sobraram no quarteirão (agora escondida por um novo edifício alto), continua cantando (antes eu até o via). Seu gogó parece ainda mais possante, benza Deus.

E o casal de cambacicas (vulgo *sebinho*) continua vindo me visitar diariamente na janela. Se não estou à vista eles trinam até eu aparecer. E, como todos os dias, começo ainda na alvorada a escrever *Yolanda*. Escrevo à mão em cadernos de capa dura. Estou no quinto caderno. Devo ter escrito umas 800 páginas. Está indo muito bem. Quando terminar, passarei a limpo, no computador. Hoje vou à galeria da FIESP rever a retrospectiva de Samson Flexor, por causa do retrato que ele pintou de Yolanda em 1950. Cubista, *déco*, chique. Excelente para a capa do livro.

Terça, 4 de novembro.

Terminei hoje a biografia de Yolanda Penteado e já a enviei para a editora. E caí numa depressão terrível, como se a própria Yolanda tivesse me abandonado. Um vazio! Já estava tão ligado a ela em tempo integral, agora o quê? Fui tentar me distrair, entrei num cinema do shopping center, mas saí no meio do filme. Passei na igreja e acendi cinco velas, agradecendo. Para as almas, para os santos, para todos os que colaboraram nessa *empreitada* (para usar um termo Yolanda).

Quinta, 6 de novembro.

Parece que na editora estão contentes com *Yolanda*, pois recebi um *e-mail* de elogio – uma circular para os programadores, dizendo que se todos os escritores fossem como eu... Puxa vida, que moral hein! Três meses e alguns dias e um livro que, impresso, vai ter mais de 400 páginas. Hoje estou mais contente.

Domingo, 23 de novembro.

Se neste ano fui a poucos eventos musicais, um deles valeu por todos os que perdi. Foi hoje, domingo, no Hangar 110: uma *jam session* organizada por Mingau (em 1982, aos 15 anos, ele era o baixista dos Ratos de Porão; depois tocou em várias bandas e atualmente está no Ultraje a Rigor). Participaram da *jam* o Carioca do Ultraje, Ari do 365, Clemente, dos Inocentes, Henrique e Gordo do Blind Pigs, Redson do Cólera, Galindo do General Bacon e... quem mais? Uma pá de músicos legais, de várias gerações do punk. Nazi, do Ira, foi o principal vocalista da *jam*, mas o Supla também deu canja.

O show foi todo em cima do repertório do Clash. Antes, lá em cima, na ante-sala dos camarins, a confraternização, o humor. Depois, no meio do show, o Nazi, que sozinho tinha bebido uma garrafa de uísque, dedicou uma música ao "Antonio Bivar, que há 25 anos introduziu o punk no Brasil." Na platéia, fiquei sem saber onde enfiar a cara, pois jamais fui o introdutor do punk no Brasil e sim um discreto atuante no movimento.

Ganhei uma camiseta do baixista do General Bacon. Marcos, dono do Hangar, estava contentíssimo. Cumprimentei o Mingau com um abração pela idéia. Dizer que foi contagiante seria pouco. Foi o máximo. Eles deviam sair com esse show pela estrada afora. Seria um sucesso.

Quarta, 26 de novembro.

Prova da capa de *Yolanda*, a seleção iconográfica, revisão de metade do livro, equipe de excelentes profissionais. Não me lembro de ter trabalhado com uma equipe tão boa como essa. Um livro, para sair bem, depende de muita gente.

Domingo, 28 de dezembro.

O livro já foi totalmente revisado, deverá ser lançado mais lá para o fim de janeiro. De modo que agora, depois de meses sentado escrevendo, me dou o direito de gozar umas merecidas férias pela estrada afora. Hoje farei uma coisa com a qual venho sonhando há muito tempo. É agora ou nunca mais: ir, por terra, do Atlântico ao Pacífico. Já estou até com a passagem na mão – e só passagem de ida: vou de ônibus, pela Chilebus, de São Paulo até Santiago do Chile. São 52 horas de viagem. Depois, não sei. Mas vou continuar, por terra. América do Sul acima ou abaixo. Em Santiago eu decido. Essa aventura é para sentir se, aos quase 65 anos, ainda dou conta de sair por aí do jeito que gosto, curtir a liberdade da maneira mais simples e barata.

2004

Realmente, eu vivo para o futuro. Quando estou com uma caixa de doces na mão fico ansioso para chegar ao último. Não sinto o gosto de nenhum até o último. Tudo que quero é terminar, jogar fora a caixa e tirar isso da cabeça. Então é melhor que eu coma tudo duma vez e não pense mais no assunto.

Andy Warhol – *The philosophy of Andy Warhol*

MEU ASSENTO FOI a poltrona quatro, logo na frente e na parte de cima do ônibus. Visão panorâmica total. Depois de 52 horas de viagem, incluindo as paradas para esticar as pernas, fazer a barba, tomar banho, vistorias fronteiriças, primeiro a do Brasil com Argentina em Uruguaiana e Paso de Los Libres, e seguindo pelos Pampas – Santa Fé, Rosário, Mendoza –, a única coisa desagradável é vídeo passando o tempo todo. E tome Jean-Claude Van Damme e pauleira sonora de filme de ação quando o ideal seria o silêncio para curtir a monotonia dos pampas.

Depois, já na Cordilheira dos Andes, a subida serpenteada, altitude cerca de três mil metros, os picos ainda nevados em pleno verão, a segunda vistoria, agora em Paso de Los Libertadores, fronteira da Argentina com o Chile, cruzada sete vezes por San Martin e uma por Darwin, e olha!, Portillo, chamado de "O Telhado das Américas"... mais um tanto e chegamos à rodoviária de Santiago, no dia 30 de dezembro às 17h30.

A idéia é uma viagem barata, hotel nenhuma estrela, central, modesto e, se possível, decente. Passeio pelas ruas, bonito o centro da capital chilena, mesmo embaçado pela névoa da secura e da poluição. Sorvete de frutas ácidas em mesas no calçadão. No último dia do ano fui ao Museo Nacional de Bellas Artes, ver a mostra das 25 obras-primas da pintura européia da coleção do Grupo Santander da Espanha: Rubens, El Greco, Van Dyck, Picasso, Miró... começando no século 16 com Cranach e Tintoretto e terminando no século 20 com Chillida.

Bela exposição, em que se vêem telas que certamente jamais voltarão a ser vistas, como a tocante *Niños buscando mariscos*, de Joaquim Sorolla, de 1919. Os meninos nus, concentrados catando mariscos, me lembraram os dias de minha infância nadando pelado no Rio Grande, o rio que separa São Paulo de Minas Gerais. (Mas voltaria sim, a ver essa mostra, meses depois, no MASP em São Paulo!)

A passagem do ano, em um grande espaço central, o povo atraído para o show de fogos de artifício e no palco uma excelente orquestra, os músicos vestidos em ternos de linho, elegantes como nos velhos tempos, e a música contagiante no ritmo da cumbia, fez com que eu me sentisse a um só tempo nostálgico e feliz. Era a velha sensação de doce abandono e liberdade, estrangeiro e sozinho, em um país que não é o meu, sem conhecer nem falar com ninguém mas absolutamente integrado no espírito da festa.

Dois dias na capital chilena e eu já satisfeito. No primeiro dia do ano tomei o trem na Estação Central (construída pelo mesmo Gustave Eiffel da famosa torre de Paris) rumo ao sul até o ponto final da linha, nove horas de viagem, 900km. Viagem deliciosa, trem moderno, limpo, confortável, viajei na primeira classe (para compensar o hotel de quinta onde me hospedara em Santiago). No vagão espaçoso, nada de filme em vídeo nem música ambiente, mas o silêncio e o som do trem nos trilhos, som ancestral.

Visual deslumbrante, grandes vazios, muita água limpa, rios e lagos, famílias na água, mas em número civilizado, nada de muita gente, campos de girassóis, a terra coberta de amarelo; vinhedos, casinhas de teto tão baixo que parecem feitas para anões. Campos de maçã, milharais, olivais. O trem chega ao ponto final da viagem, Temuco. Estação moderna, limpa, coisa de primeiro mundo. Placas bilingües. Espanhol e mapuche. Aqui é a principal região dessa tribo.

Temuco é uma cidade de médio porte (para o Chile). São 18h30. Sol ainda ardente. Logo na saída da estação uma faixa anuncia que se está fazendo o Museu Pablo Neruda, pois ele passou a infância aqui. Cidade deserta, como uma cidade fantasma. É feriado, primeiro dia do ano. Demora, mas aparece um táxi. Que bela recepção: no rádio toca *La gota fria*, vallenato colombiano com Carlos Vives, o tipo de música que há anos me faz sonhar com a Colômbia. Peço ao motorista que me leve a uma hospedaria boa e barata. Ele roda, pára em uma e outra mas ninguém abre a porta. Até que encontramos. Uma senhora fina me aceita. É uma casa de fábula, cenário de romance de Isabel Allende. A casa tem 80 anos, segundo a hospedeira, Sra. Le Pen.

Depois de deixar minha mala em um quarto no andar superior, desço para sair à cata de um restaurante pois estou com fome. A Sra. Le Pen diz que tenho de voltar antes das 23h. Saio. Ruas vazias, tudo fechado exceto dois restaurantes, uma farmácia e o McDonald's (cheio). Entro. Por que não? Me trato com um Big Mac, fritas e coca-cola; saio, rodo a cidade, circulo a praça e volto para a hospedaria.

São 21h. Sou o único hóspede. A Sra. Le Pen me pega de jeito e fala um monte. É chilena, viúva, tem dois filhos homens nos EUA, um na Califórnia e outro em Utah. Seis netos. Quer escrever um livro. Memórias. Dirigido aos homens. Diz que existe muita diferença entre homens e mulheres. Logo no começo da conversa, deixa claro ser de extrema direita. Fala mal de Allende e dos comunistas. Diz que no poder essa gente não soube dirigir o país. Baderna. A situação hoje também não é nada boa. É preciso um governo militar, de pulso firme e inteligente.

Diz que Pinochet fez um bom governo. Ditadura militar é o ideal. Que essa coisa politicamente correta de dar liberdade aos mapuches fez tudo piorar aqui na região. Os índios não querem saber de trabalho. Bebem muito e são desonestos. Claro, acrescenta ela, qualquer ser humano merece sua terra, seu teto, isso é o mínimo, mas é preciso um governo com idéias, preparado, educado, firme, forte, para dirigir uma nação. Temuco está empobrecida. E fala, fala. Não ousei contestá-la – e o rastro sangrento deixado pela ditadura, com mais de quarenta mil mortos, dois mil desaparecidos e um milhão de exilados?

Escureceu na sala, o frio entrou. Enquanto ela vai fechar as portas e cerrar as cortinas, aproveito para dizer que estou cansado e vou dormir. O quartinho no andar de cima é bom e a cama excelente, tipo cama Patente. A casa, parcialmente de madeira, range.

Dia seguinte. A Sra. Le Pen diz que não é a dona da hospedaria, está apenas tomando conta enquanto a proprietária, uma amiga, viajou. A hospedaria não serve café da manhã. Fui fazer o desjejum no famoso Mercado Modelo, cheio de restaurantes. Na hora de pagar a conta o dono me devolveu o troco com mil pesos a menos. Percebi já na rua, dobrando a esquina. Ia deixar passar, mas refleti melhor e voltei lá; o homem, no caixa, com cara de falso inocente – um barrigudão de bigode, meia idade – pediu desculpas, desculpas de espertalhão, e me deu os mil pesos. Já haviam me prevenido e vi que é fato, no Chile você tem de tomar cuidado, do contrário te passam a perna.

Fui passear. Nada para ver em Temuco, tomei um ônibus, três horas de viagem e fui parar em Valdivia, uma cidade de 130 mil habitantes. Um fato faz com que se tire o chapéu, se eu usasse um: na Avenida Costanera, de frente para o largo e límpido rio Calle-Calle, que mais adiante se encontra com o rio Valdivia, também límpido, patos e cisnes deslizam felizes, rio acima e rio abaixo.

Tudo muito limpo, boa calçada, a margem do rio é ajardinada, canteiros gramados e floridos. Árvores frondosas e generosos bancos de madeira. Belas e bem tratadas residências. Estilos arquitetônicos variados – tijolo, madeira, teto de metal, casas sem muros ou muros baixos, jardins cuidados e floridos (muita hortênsia, mas também roseiras, gerânios nas janelas, margaridas e aquelas que na infância a gente aprendeu a chamar de *peido-de-velha* e *cravo-de-defunto*).

A água do rio, repito, é transparente, de um verde clarinho, o chamado verde-água. Essa limpeza, essa ordem me surpreende e me devolve a esperança de um mundo *clean*. À sombra das árvores, casais de namorados, grupos de senhoras, velhos dignos, piquenique, mas tudo com jeito de coisa civilizada e sem excesso de gente. Nenhum sinal de farofa. E o frescor da sombra ao vento. Mas chega. Vou continuar caminhando. Onde será o centro? Boa pergunta. Mas nem foi preciso perguntar, foi só atravessar a avenida beira-rio e seguir uma transversal. Decepção. Centro feio, sem charme, mal ajambrado. O melhor de Valdivia é mesmo a avenida beira-rio.

Mas o que adianta um rio de água limpa num dia de calorzão e sol em céu azul se não se entra na água? Só os molecotes de 12, 13 anos estão nadando. A água deve ser fria, mas eles nem tchum. Só no mergulho de cabeça: tibum! E vou embora agora no ônibus das 18h15, de volta a Temuco.

De Temuco a Puerto Montt, sábado, 3 de janeiro.

Agora vou de ônibus para Puerto Montt que dizem ser a última cidade longitudinal do Chile e entrada da Patagônia. São seis horas de viagem. Deixei a hospedaria da Sra. Le Pen um pouco triste pela imensa solidão dessa direitista irredutível. Ela continuou a se queixar do Chile. Disse que apesar de chilena se sente mais argentina. Gosta mais da Argentina. Disse que os chilenos são mal agradecidos, hipócritas, isso e aquilo. Que não existe no país nenhum monumento a San Martin (o general argentino que libertou o Chile). Que na Argentina, por exemplo, tem monumento a Bernardo O'Higgins, que era chileno (de origem irlandesa). Com afeto sincero beijei-lhe as duas faces. Aprendi bastante do Chile com ela. Nessa pousada tive a melhor cama dos últimos tempos.

Agora a paisagem é monótona, eucaliptos a perder de vista. O passageiro sentado ao meu lado dorme e de sua boca escancarada sai um desagradável bafo de aguardente. Cheguei a Puerto Montt. Entre os hotéis baratos, mas decentes, recomendados pelo *South American Handbook*, vim parar no primeiro da lista classe D, El Turista. Oito mil pesos a diária (580 pesos = um dólar) com banheiro no quarto e café da manhã. É pobre, mas simpático e só a dez minutos a pé da rodoviária. Mas a luz do quarto é tão fraca que não dá para ler antes de dormir, como é meu costume.

Puerto Montt é uma cidade semelhante a tantas outras litorâneas, seja no Pacífico seja no Atlântico. Tem vários *shopping centers*. Um deles fica nada a dever ao Barra Shopping do Rio. E com vistas espetaculares para o mar, a baía, o pico nevado do vulcão Osorno. Almocei no Gatsby, caríssimo para o meu bolso: 6100 pesos. Mas quando vi a *paella* e as tortas de sobremesa, com direito a tudo que quisesse pelo preço fixo, não resisti.

Mas isso é que é o portal da Patagônia? Pensei que fosse o fim do mundo e é tão moderno quanto qualquer *mall* de Londres, Paris ou Los Angeles. Estou tão exausto de tanta quilometragem terrestre, desde que saí de São Paulo há uma semana (amanhã), que só vou entrar no ônibus subindo para Osorno na segunda.

Rodei a orla e as ruas de trás e, enfim, era isso que eu queria: conhecer o sul do Chile, vir do Atlântico ao Pacífico por terra, chegar à Patagônia. Aqui há uma mistura de riqueza e pobreza. A entrada da cidade, com os *outdoors*, é ostensiva, americanizada, mas a baixada na orla é meio Caraguatatuba.

Caminhando pela orla ao pôr-do-sol, passei por um grupo de jovens fumando maconha e ouvindo cumbia e reggae. O tipo físico do grupo é meio autóctone, tipo índio hippie. Não vi até agora nenhum negro, nem mesmo um mulato. A maioria é atarracada, com biotipo indígena. E uns tipos europeus – a cidade, afinal, foi colonizada por alemães que vieram para cá no século 19. Mas têm uns bancos cujos nomes eu nunca vi antes, inclusive um escocês. Será que é lavagem de dinheiro? Eu, como pouco me interesso e menos ainda entendo...

Domingo, 4 de janeiro.

Disposto a explorar a região, porque de fato a Região dos Lagos é muito linda, tomei um microônibus até Puerto Varas. São só 20 km de Puerto Montt. Troquei dólares no cassino, comprei cartões postais e telefonei para uma das minhas irmãs para dizer que estava tudo bem comigo na entrada da Patagônia e eu adorando a viagem. Vi o Lago Llanquihue, que de tão grande não se avista o outro lado – mas dá para ver o Vulcão Osorno.

Porém, como não tem muito mais que isso para ver, eu logo estava de volta a Puerto Montt. Almocei no *shopping* costeiro e entrei na sala 5 do Multiplex para assistir *El señor de los anillos III, O retorno do rei*. O final me comoveu às lágrimas – o embarque de Frodo & Sam & Gandalf & Bilbo, etc., para a viagem final, ao outro lado, ao desconhecido. Metáfora da viagem *post mortem*. Meditei também sobre... Que viagem solitária é esta que me trouxe a tão longe no sul do Chile, por terra, desde São Paulo?

Amanhã devo continuar, para Osorno. Propaga-se (ao menos aqui) que Puerto Montt é a capital mundial do salmão. Fui jantar no bairro de Angelmo e comi salmão. Não estava lá essas coisas.

De Puerto Montt a Osorno, segunda, 5 de janeiro.

Estou na rodoviária aguardando o embarque para Osorno, que fica a pouco mais de 100 km daqui. Mais adiante, tem oito turistas americanos de ambos os sexos e idades variadas. São 9h40. Curioso é que por todos os lugares por onde tenho passado nessa viagem nenhum local deixa saudade, nenhuma pessoa. A não ser a Sra. Le Pen em Temuco, por sua distinção, apesar da posição reacionária. Mas havia nela uma estranha sinceridade que deixou marca. E ela me pareceu extremamente solitária. De uma solidão arrepiante, até. Que mulher inesquecível!

Agora o ônibus pára em Puerto Varas. Não posso deixar de registrar que desde Santiago e por todas as paradas chilenas, cidades grandes e pequenas, abundam os *cyber* cafés – às vezes está escrito sáiber café – e cheios! A 500 pesos a hora. As pessoas, no fim do mundo, se comunicam via Internet. Hoje é assim.

Osorno é uma decepção. Hoje, segunda-feira, ao que parece – pela multidão na estação rodoviária e nas ruas – é mesmo o primeiro dia útil do ano. Depois de andar cerca de quilômetro e meio arrastando a pequena mala de rodinhas, encontrei uma pousada (das baratas, recomendadas no guia *South American Handbook*). Chama-se Residencial Alemana. Depois que a moça (parece realmente descendente de alemães) fez o registro no livro e de eu ter deixado a mala no quarto, saí para levar a roupa suja numa lavanderia indicada por ela. Cinco camisetas a 3000 pesos (o dólar aqui vale ainda menos que nos outros lugares, 560 pesos).

Depois de dar uma olhada pelo centro movimentadíssimo, gente pouco simpática, a maioria com cara de índio e alguns poucos com caras brancas européias, percebi que a cidade é toda, ou quase toda, feita daquelas construções alemãs, muitas já decaindo, e prédios convencionais. Filas em repartições públicas e muita aglomeração na dura realidade do primeiro dia útil do ano. Um dia de Osorno e fui à rodoviária comprar passagem para Bariloche, Argentina. São cinco ou seis horas de ônibus e o preço 10 mil pesos. Incrível como ônibus é barato no Chile. Essa viagem até Bariloche é mais barata que quatro cachorros-quentes no Dino's (2500 pesos o cachorro, com refresco e gorjeta).

Tendo a tarde livre e outra fase da viagem a começar amanhã, tomei um ônibus urbano, desses pequenos, 200 pesos, e fui até a parada final, uma estrada poeirenta para além do novo bairro de casas populares chamado Alto Osorno. Percebi o seguinte: saindo do centro e ganhando os bairros periféricos, o que mais se vê são casebres de madeira, todos com um jardinzinho mínimo na frente.

São tão baixinhas que parecem mesmo casinhas de anões – habitações como se vêem, aliás, por todo o sul do Chile, mas também já desde os pampas argentinos. Mas aqui em Osorno, todas com a janela da sala em estilo intercolúnio (como as *bay-windows* inglesas, só que diminutas), enfeites ou vasos no aparador, jardinzinhos, roseiras de rosas enormes, farfalhadas em cores diversas – vermelho, rosa, amarelo... nunca vi tanta rosa – nas ruas, no centro, mesmo no mato depois que acaba a cidade. Daí o motorista diz que não preciso descer e nem pagar a volta. Os nomes das ruas se repetem o tempo todo desde Santiago: é O'Higgins, Pratt, Montt, Varas, Lynch, etc.

De Osorno a Bariloche, terça, 6 de janeiro.

Que pena! Tem ônibus de Osorno até o ponto final da Patagônia chilena, Punta Arenas. São 30 horas de viagem, 35 mil pesos. Perdi a chance. Já tinha comprado passagem para Bariloche. Outro erro foi ter decidido ir de ônibus para Bariloche quando a viagem mais espetacular (e até mais barata) é por barco, pelo rota dos lagos via Ensenada, Petrohue e Lago Todos Los Santos.

No ônibus, entre os passageiros têm franceses, americanos e outros tipos alourados. Vivendo de dólar ou euro, viajando pela América do Sul, para eles tão barata, sentem-se ricos e superiores, brancos e civilizados. Mas quem, em tal comodidade, não sentiria tudo isso? Às 12h25 o ônibus chega à fronteira do Chile com a Argentina.

A viagem atravessa o Parque Nacional de Puyehue, passando inclusive pela margem do imenso lago. Faz um dia de céu fechado e os passageiros estão quietos. O rádio do ônibus toca músicas tristes falando de solares antigos, gente que se foi "como se fuera una blanca paloma"... A fronteira. O lugar se chama Pajaritos. Descida para a vistoria de documentos, registros, carimbos... Só na fronteira se perde uma hora.

San Carlos de Bariloche. Na entrada da cidade, mansões em estilo *fake* suíço. O que é que vim fazer aqui? Ao chegar à rodoviária, então, me senti um peixe fora d'água, mesmo avistando o lago Nahuel Huapi. Na mesa de informações turísticas me disseram que seria difícil encontrar lugar onde me hospedar, a cidade está cheia. De modo que ali mesmo quase comprei passagem no primeiro ônibus rumo a Buenos Aires.

Ainda bem que não fiz isso. Tomei um táxi até o centro cívico e numa caminhada de menos de cem metros encontrei, na rua principal, encontrei o Hotel Flamingo, com a melhor suite de toda a viagem até aqui, por cerca de US$ 18, ou seja, 50 pesos argentinos. Quarto excelente, de fundo, quieto e com ampla janela com vista para o lago! Tomei um banho ótimo, o melhor banho até aqui, e saí.

Bariloche é um luxo. A impressão, agora, é a de uma cidade deliciosa, sofisticada, uma boa livraria com ótimos títulos e em várias línguas e nas ruas, circulando, a gente mais feliz da viagem, o ar puríssimo e informações precisas no Centro Turístico. Jantei truta ao limão no El Fogón, caminhei pela Calle

Bartolomé Mitre, onde fica o Hotel Flamingo. É uma bela rua comercial onde o artesanato diferenciado exibe bom gosto e criatividade. Tudo parece cenário de filme família tipo Walt Disney, de uma época em que o planeta era mais *clean* e a vida mais segura (ao menos nos filmes de Walt Disney).

Quarta, 7 de janeiro.

Visitei pela manhã o Museo de La Patagonia, no Centro Cívico. Dá vontade de ir fundo na Patagônia, só pelas aves. Impressionante as aves empalhadas no museu: o albatroz real, gigantesco, só vem à terra para se reproduzir, a cada três anos (280 dias para a reprodução); o condor de asas abertas é uma ave gigantesca, dos altos andinos, plumagem preta e branca.

Olhos pequenos, mas enxerga longe; o falcão (menor que o condor e o albatroz); as corujas: a grande e rajada; a coruja das rochas, pintadinha; a coruja bataraz; a coruja caburé, "o rei dos pássaros". O carpinteiro (pica-pau); a remolinera andina – ave pequena, bicuda, mansa, solitária; o tordo patagônico, a paloma araucana; o zorzal. E muitas outras.

A águia escudada; o pequeno falcão colorido; a águia de peito branco; o corvo negro; o avestruz; o flamingo rosado; o aguilucho, o carancho, o chimango... aves, aves. E os animais, do puma ao tatu, o zorro gris (espécie de raposa noturna), etc. Que mundo estranho e fascinante! Um dia ainda tenho de ir aos confins da Patagônia ver um tanto desses bichos ao vivo. Me apaixonei pelo albatroz. Deve ser a minha ave totêmica.

Subi ao Cerro Catedral, a montanha mais alta, 2140 m, e no inverno a principal estação de esqui. Agora (anoto em uma folha de papel) estou descendo do Cerro Catedral na aerosilla (banco descoberto que sobe e desce num cabo de aço). Emocionante. Que vida boa! Que ar mais puro! Deve ser assim no Tirol. Livre, solto a garganta e canto. Tralalá. Vento gelado, cortante. Na primeira parada, na descida, comi um delicioso sanduíche de choripán (chouriço).

Enquanto desço, passa por mim, subindo, um casal jovem com um bebezinho de meses. Que fábula! Por toda parte campos de lupino, a flor nativa de cor lilás, mas também cor-de-rosa e branca-amarelada; campos de rosa mosqueta; calafate amarela, amancay – parecida com a ginesta italiana, só que de um amarelo mais forte; a dedalera pistilosa, que parece uma penca de dedais, de um vermelho amagentado. Flores de los campos e de los bosques de la Patagônia argentina e chilena.

Fui à rodoviária comprar passagem para Buenos Aires para depois de amanhã às 21h. 90 pesos. Enquanto isso, ao longo do maravilhoso lago Nahuel Huapi, praias convidativas e gente, não muita, nelas. Dia muito quente. Bem que eu podia nadar no lago. Mas fui cortar o cabelo no salão unissex Gus'Willy – é bom deixar um pouco do meu cabelo aqui em Bariloche, pensei. Foi o Willy quem cortou. A clientela muito distinta – a maioria moças e senhoras finas. 15 pesos. Willy, simpático, me deu dicas de passeios.

Depois de cortar o cabelo quase raspado fui até o lago, desci pelas pedras, fiquei descalço, tirei a camiseta e entrei na água, transparente, molhei a cabeça, água gélida, refrescante. São 20h, mas o sol patagônico (dizem que aqui é o Alto da Patagônia) ainda está forte.

A toda hora ouço brasileiros. Li no jornal que a maioria dos turistas que visitam Bariloche é brasileira. Conversei com uma bela carioca, Rosinalda, e ela me disse que o apelido de Bariloche é "Brasiloche"! Mas vi e ouvi também franceses, americanos (muitos), israelitas (jovens), italianos, checos, etc. Não posso deixar de registrar a cachorrada solta no centro. É tudo cão de raça, São Bernardo, Labrador, *Husky siberian*. Me contaram que é filhinho-de-papai que vem pra cá de férias e pede para comprar cachorro. Acabam as férias, vão embora e largam o animal na rua. Mas acho que não, pois vi fotos e postais desses cachorros puxando trenós na neve, no inverno. De qualquer modo, agora no verão, soltos nas ruas, andam aos bandos e latem muito à noite, perturbando o sono. Às vezes, como vi hoje cedo, se atracam e até latem, irritados, para os transeuntes.

De Bariloche a Buenos Aires, sexta, 9 de janeiro.

13h45. Não é sem uma certa tristeza que vou embora desta adorável cidade. Almocei cordeiro à caçadora num pequeno restaurante de preço popular. Estava muito bom. Antes voltei ao Museu da Patagônia para rever o albatroz e conhecer as outras salas. Foi muito instrutivo. Vontade de ir à Terra do Fogo. Atualmente a vida me parece muito mais interessante nos grandes vazios. O ônibus parte às 14h30 rumo a Buenos Aires. Dizem que são 21 horas de viagem.

A paisagem se descortina maravilhosa. Os vazios, as montanhas, as planícies, os vales, os lagos e um rio tão limpo, a água de um verde esmeraldino, ovelhas, casas solitárias, picos agulhados... Agora a paisagem mostra praia de rio, areia, capim queimado de sol, pedras em tons sépia... Nossa! Agora virou paisagem de deserto, La Pampa, com tufos verdes separados. Ao longe, colinas. Ao meu lado, senta-se um rapazinho com cara de índio mapuche. Está com a família; no banco oposto os irmãos menores, índios. Na paisagem, só falta surgir do nada um cavaleiro galopando solitário.

Passamos por Piedra del Aquila – há uma águia esculpida em pedra. Vilarejo, duas horas e meia na estrada desde que deixamos Bariloche. E vai, e vai... uma vista de 360 graus de terra seca, La Pampa? De repente, um vastíssimo lago. Mas não deve chover porque em volta é um deserto só. Centenas de quilômetros de planície seca. Volto a registrar: as rodovias por onde passei e passo, no Chile, na Argentina, são excelentes e pouco movimentadas.

Cinco horas de viagem desde Bariloche e o ônibus pára na rodoviária de Neuquén. Parada de meia hora. Desço. Neuquén é a capital da província de mesmo nome. É uma cidade de médio porte, socada em área aparentemente árida. Pelos *outdoors*, porém, é um lugar de muita agricultura, frutas e verduras. Parece uma cidade progressista, edifícios altos – agora o trânsito está infernal, mesmo na rodovia periférica. Dezenas de ônibus congestionam a rodoviária.

O ar lá fora estava agradável e ainda era dia claro, apesar de serem já 20h30. As pessoas me pareceram felizes, os que acenavam aos que partiam em outros ônibus. A família mapuche, que pena, desceu. Eu e os meninos já estávamos familiarizados, a menina até me ofereceu água, ao intuir que eu talvez pudesse estar com sede. Agora ao meu lado sentou-se um rapaz tipo gótico, que lê um romance bem grosso. É branco, pálido, usa roupa preta e parece pretensioso, do tipo que se identifica com o personagem principal do livro que lê. Já a rodomoça, calça um sapato de salto muito alto e fino, não sei como agüenta, uma viagem de mais de 20 horas! Também não é simpática – deve ser pelo desconforto do salto (mas ela não parece sofrer com isso).

Cerca de 22h foi servido, por assim dizer, um lauto jantar seguido de um filme, o que é sempre desagradável. O filme é *As Panteras*. Tomei meio Lorax para ser induzido ao sono. O gótico ao lado desistiu de continuar lendo a Anne Rice e também caiu no sono. Acordei às 5h30 na parada em Santa Rosa, em La Pampa. Voltei a dormir até o café, servido às 8h na parada em uma cidade chamada Nove de Julho. Me dá é pena da rodomoça, que não pára de trabalhar. Desde ontem, carregando primeiro as grandes caixas com as refeições, depois esquentando-as no microondas, a seguir servindo de bandeja um a um os passageiros – e bebidas: vinho, refrigerante, água, café –, o desjejum matinal, e agora varrendo o ônibus, sem contar a faxina na toalete, a privada muito usada, que ela também tem que limpar. E sempre com a aparência impecável, os cabelos presos, a saia justa, o busto empinado e os saltos altíssimos. Já estamos viajando há 18 horas e seu nariz também continua empinado.

São incríveis, os pampas: você olha para um lado, olha para o outro, olha para a frente, olha para trás e não vê no horizonte sinal da menor colina. Os pampas, la pampa. Pampa mia. É difícil dizer "adiós pampa mia", como naquele tango do Gardel, porque como dizer adeus a uma coisa que não termina nunca?! Dizem que 90% do território argentino é *pampanero*.

Aqui perto de Nove de Julho é cheio de, como se diz?, pântanos? mangues? Enfim, água e capim. E garças. Mas antes, muito gado. Gado bonito, sarado, marrom e branco. E plantações daquela espécie de milho que os alimenta. Agora chove. É a segunda vez que chove, desde que saí de São Paulo. A outra vez foi em Puerto Montt, no Chile. O asfalto está molhado e o céu encoberto.

Faltando cento e poucos quilômetros para chegar a Buenos Aires, o ônibus teve problemas e parou num posto de gasolina na rodovia. Os passageiros, mesmo os velhos, desceram. É um ônibus de dois andares. Finalmente, a rodomoça trocou o sapato de salto agulha por uma sandália mais confortável. Muito generosa, deu quatro marmitas de comida (carne assada com purê, que foi o que tivemos no jantar ontem) a um cachorrinho novinho tipo labrador-viralata, preto. Aqui também a cachorrada anda solta. Várias raças e sub-raças: devem miscigenar muito, os cachorros.

Dizem que as línguas portuguesa e espanhola são muito parecidas. Que nada. Para começar, no Brasil se diz borracharia, aqui é gomería. No Brasil se diz Os

Pampas, aqui é La Pampa. É por isso que não entendo ninguém e ninguém me entende. "Ninguém", por falar nisso, é "nadie", que eu pensava que fosse "nada". Nada é "nada", mesmo. Durazno é pêssego. Ciruela, que eu pensava fosse ceroula, é cereja. O rapaz gótico ao meu lado continua lendo *Memnoch, el demonio*, da Anne Rice. Agora ele já está parecendo o Tom Cruise, concentradíssimo na leitura. Panaderia é padaria. Peluquería é cabelereiro. Peinado é penteado. E açougue é carnicería! Agora estamos em Lujan. A basílica, vista de fora, é espetacular.

De Buenos Aires a Montevidéu, terça, 13 de janeiro.

São 9h30 e estou na sala de espera em Puerto Madero aguardando a hora, 11h30, de embarcar no moderno Buquebus, Rio da Prata abaixo rumo a Montevidéu. A viagem leva 2h35 e custa US$ 50. Sempre nesses momentos pré-embarque rola uma certa apreensão. Estar em trânsito não me cansa, o que cansa são as chegadas e partidas. Bem, foram quase três dias em Buenos Aires. Cheguei sábado e vou embora hoje, terça. Patricio Bisso me hospedou em seu apartamento em Montserrat. O apartamento dele fica no mesmo andar que o de sua mãe, só os dois. Ele foi para o da mãe e fiquei sozinho no dele. São apartamentos enormes, pé direito, portas e janelas, tudo altíssimo, como em Paris, repletos de móveis *art déco* e objetos artísticos que mãe e filho colecionaram ao longo dos anos. Tudo em ordem. Me senti numa outra época. O prédio é de 1914, e o elevador é pantográfico.

Na chegada, deixei a mala e Patricio me levou a passear a pé pela cidade de bela e sólida arquitetura de tempos mais elegantes. Eu já havia estado em Buenos Aires há 33 anos, mas naquela época não tinha prestado muita atenção em nada. Confesso que esta cidade tem algo que me assusta e oprime, embora reconheça que, arquitetonicamente falando, é a mais requintada do cone sul, apesar de alguém ter dito que essa arquitetura lembra bolo de noiva. Mas desta vez o que me chocou foi a miséria nas ruas. Não chega a ser tão apavorante quanto São Paulo, onde as diferenças sociais talvez sejam as mais brutais do planeta, mas de qualquer modo é terrível. Vi famílias inteiras e sobretudo velhos, velhos que em uma outra circunstância teriam a dignidade de nossos pais e avós, ali, revolvendo o lixo e lambendo os dedos enfiados em copos vazios de danoninho.

Patricio acha que não foi um bom passo a sua mudança definitiva de São Paulo para Buenos Aires. Viveu em São Paulo desde os 17, quando começou a trabalhar como ilustrador no *Jornal da Tarde*. Em São Paulo, ficou conhecido como um dos mais originais e requintados performistas teatrais, assim como figurinista e cenógrafo. Tem um vasto currículo de ótimos trabalhos nas áreas em que atua, inclusive no âmbito internacional. Mas numa cidade como Buenos Aires e sendo ele muito sensível, parece não lhe estar sendo fácil vencer o pessimismo, dar a volta por cima e começar de novo. De qualquer modo me senti bem em estar com ele esses dias. Sempre aprendi muito com Patricio e agora ele me mostrou o melhor de Buenos Aires.

A primeira construção a chamar a atenção é a Pasaje Barolo, uma espécie de castelo eclético feito por Barolo, o arquiteto italiano. No domingo fomos ao MALBA (Museu de Arte Latino-americana de Buenos Aires), onde fica a coleção Constantini. É um museu relativamente novo, e nele está o ícone maior da pintura brasileira, o *Abaporu*, de Tarsila do Amaral, que Constantini arrebatou por um milhão de dólares num leilão em Nova York.

Há outros brasileiros no museu, Di Cavalcanti, Portinari, Maria Martins, etc., assim como latino-americanos consagrados como Rivera, Frida Kahlo, Siqueiros, Orozco, Botero, Torres García, etc. Mas quando entramos havia uma multidão em frente do *Abaporu* e a monitora explicava a "antropofagia" a essa multidão. Essa obra da Tarsila é um mito que cresce e vai comendo tudo. Tudo leva a crer que, com o tempo, ela será tão conhecida quanto Frida Kahlo.

Depois fomos ao Museu de Belas Artes, de que também gostei, embora o *Van Gogh* não pareça ter sido pintado por ele e sim por um copista nada ambidestro. Têm Manets e Monets não muito bons como os que temos em São Paulo – o MASP e o MAC de SP são muito mais ricos no que tange ao acervo de europeus como Van Gogh, Manet, Monet, Cézanne, Matisse, etc. De qualquer modo é sempre interessante visitar museus locais quando se viaja.

No mais, Patricio caminha muito rápido e tive de praticamente ir correndo atrás dele. A Buenos Aires que me mostrou, por seu gabarito e solidez, é humilhante se comparada à pobre arquitetura brasileira. Patricio me levou aos hotéis finos, ao Alvear, ao Plaza, ao Sofitel, aos bairros Recoleta, Norte, San Telmo. Ao centro, à Galeria Pacífico, onde, no Centro Cultural Borges, vimos o que afinal me pareceu, de Buenos Aires, o mais importante para este livro: uma interessantíssima exposição sobre Victoria Ocampo, vida e obra.

Fundadora da lendária revista *Sur*, a Ocampo foi sem dúvida uma das personalidades mais fulgurantes da cultura argentina do século 20 e uma de suas mais destacadas escritoras. Como essa mulher escreveu! Estavam expostas em redomas de vidro, as primeiras edições. Fotografias (muita coisa por Gisèle Freund), manuscritos, objetos. Victoria Ocampo manteve vínculos estreitos não apenas com Virginia Woolf e o Bloomsbury, mas com outras celebridades da alta cultura internacional, como Albert Camus, Rabindranath Tagore, Paul Valéry, Igor Stravinsky, José Ortega Y Gasset, etc.

Sua correspondência com T. E. Lawrence (o Lawrence da Arábia) soma mais de 300 cartas, editadas e publicadas na Inglaterra pelo *bloomsberry* David "Bunny" Garnett. A Editora Sur, mantida com o dinheiro da família Ocampo e consolidada na elite intelectual local (Borges, Bioy Casares, etc.), nos anos negros em que a Espanha vivia sob a ditadura de Franco, manteve de pé a chama das altas letras na língua de Cervantes, para todos os países de língua espanhola. Bela e abrangente exposição, tendo como curador o poeta e ensaísta Patricio Lóizaga, autor do livro *Victoria Ocampo*, lançado durante a mostra. Mas agora devo parar de escrever, pois já vejo muita gente fazendo fila para o embarque.

O barco deixa Buenos Aires. A vista do lado moderno da cidade, seus arranha-céus... Agora o barco já está na grande água, não se enxerga terra. A água do Rio da Prata tem cor de café-com-leite. Um velho sentado ao lado me faz lembrar meu pai. Olhando a água e vendo o barco avançando no grande vazio, lamento a perda do que na vida se foi para sempre. Meu pai teria hoje quase 104 anos. Quem se lembra dele? Vou me lembrar dele no Uruguai, enviando um cartão para sua única irmã viva, a caçula. É minha única tia viva. Os tios, tanto do lado paterno quanto materno, morreram todos. Só tia Cecena está viva. Ano que vem fará 90 anos. Continua firme, ainda trabalhando no Fórum, no Rio de Janeiro.

Parece perseguição: chegamos e todos os passageiros pegaram os táxis que havia, até o velho que achei parecido com meu pai. Só eu sobrei, aqui plantado no porto, e não aparece um táxi.

Depois de uma eternidade apareceu um. Pedi ao motorista que fosse à Avenida 18 de Julio. Ainda no barco, selecionara, do livro *South American Handbook*, alguns hotéis classes C e D nessa avenida. Da janela avistei um deles, o Hotel Aramaya, listado no livro como classe C. Do lado de fora, é um belíssimo prédio da época de ouro de Montevidéu, estilo eclético – aliás, Montevidéu chama a atenção à chegada por seu ecleticismo arquitetônico. À primeira vista o centro me pareceu decadente.

A primeira impressão é que o hotel está em petição de miséria. Nada funciona. Você vai abrir a porta do guarda-roupa e o móvel inteiro se desfaz. Na torneira da pia uma gota d'água. Para que a descarga do vaso sanitário funcione é preciso levantar a tampa, e enfiar a mão na caixa d'água e puxar a bóia que tapa o buraco. Do chuveiro só sai água fria, pouca e salobra (com gosto de bicarbonato). A toalha é uma lixa velha e rota. O elevador é pantográfico. A maioria dos hóspedes, pelo que vi, são velhos que dão a impressão de não passar de hoje, de tão decrépitos (mas depois vi também hóspedes jovens e de meia idade).

Mas logo minha impressão mudou e comecei a achar o hotel simpático. O gerente é amigável (deixou por US$ 10 a diária, com café da manhã) e o porteiro, gentil. O quarto não é ruim, tem até um balcão – mas a porta do balcão não fecha, e se você a quer fechada tem de improvisar amarrando-a com o saco plástico que o hóspede anterior deixou nela pendurado para tal fim. Como meu apartamento fica no último andar, o sexto, de frente para a principal avenida da cidade, de mão dupla, o barulho dos veículos é direto.

Mas estou adorando porque fica bem no centro. E depois, em toda esta viagem, os lugares onde tenho me hospedado, desde Santiago, são quase todos espeluncas, construções muito velhas, quando não decrépitas. Tirando o apartamento de Patricio Bisso em Buenos Aires (porque afinal tratava-se de uma residência), a melhor suite foi a do Hotel Flamingo, em Bariloche. Porém, tudo isso é porque me hospedo no mais barato, de acordo com o *South American Handbook*. Agora, uma coisa tenho de reconhecer: não passei mal um dia, nem dor de barriga, nem dor de cabeça, dor nenhuma. Nem coceira. Nada me fez mal, só bem.

O fato de eu ter chegado cedo na cidade, e de o hotel ficar no centro, me permitiram aproveitar bastante o resto do dia. De saída já gostei da cidade (aliás, eu já passara por aqui há 33 anos, por dois dias, e naquela passagem também simpatizara com Montevidéu, me fazendo lembrar de outro lugar onde estivera não fazia muito, Dublin, na Irlanda; na época chamei-a de a Dublin do Cone Sul).

Quem também gostou muito daqui foi o escritor Albert Camus. Em seu *Diário de viagem*, no dia 11 de agosto de 1949, ele escreveu: "Montevidéu é cercada por um colar de praias e por um *boulevard* marítimo que me parecem belos. Há uma descontração nesta cidade, onde me parece mais fácil viver do que nas outras que vi aqui [na América do Sul]."

Concordo com Camus. Montevidéu é um lugar em que dá vontade de ficar. A cidade tem seus encantos. A arquitetura, mesmo detonada, é bela. O Palácio Salvo, do arquiteto Barolo, na Plaza Independencia, é ainda mais espetacular como arquitetura eclética do que a Pasaje Barolo, também dele, em Buenos Aires. Cria uma aura de magia na cidade. De modo que decidi ficar até sábado, quando às 22h30, tomarei o ônibus para São Paulo. São trinta e tantas horas de viagem. Nunca viajei tanto por terra em tão pouco tempo. Calculo, no total, de 10 mil km para mais. Mas espera aí, devagar com o andor, estou adiantando. Ainda tenho quase quatro dias aqui antes da viagem de volta.

Quarta, 14 de janeiro.

Dormi com o ventilador de teto ligado. Jantara bem – peixe ao molho com alcaparras e purê de batatas – em uma cervejaria dessas antigas chamada La Pasiva, a umas duas quadras do hotel. Antes de entrar no restaurante, vi que havia bastante gente dentro e deduzi que a comida devia ser boa. No telão (todo mundo de olho) uma partida de futebol "Sub 23", classificação para as Olimpíadas na Grécia. Jogava o Uruguai com a Venezuela. O Uruguai que antes não estava bem, empatou: um a um. Depois de jantar andei pelas ruas. A iluminação dos edifícios antigos cria uma interessante atmosfera fantasmagórica.

O café da manhã no refeitório do hotel é simplíssimo: três croissants, manteiga, geléia de pêssego e café com leite. No salão, um casal de velhos (ele de bermuda e camiseta); uma família jovem com três crianças; um moço gordo com rabo-de-cavalo e bigode, com o pai; um casal de jovens namorados; um rapazinho solitário.

9h30 e já faz um calor de 30 graus. Não há uma nuvem no céu, mas venta forte. Deixei a roupa suja numa lavanderia perto (a mulher manda entregar no hotel) e fui passear nas ramblas. Passeio pela Rambla Sur, que fica na Avenida Republica de La Argentina com a Calle Paraguay. A avenida beira-rio é moderna, limpa e bem cuidada. Com certeza é o Rio da Prata, mas, pelo fato de não enxergar o outro lado, parece mar.

Percebo que aqui na rambla os maridos pescam e as esposas, em maiô de duas peças, se bronzeiam. Nos intervalos, todos tomam chimarrão. Pela calçada, pessoas de todas as idades e com pouca roupa correm, afinal é verão Fazem *cooper*, se cuidam – essa mania que, imagino, começou na Califórnia há uns 35 anos. Os prédios modernos obedecem a um gabarito de 12 andares, são todos na cor de terracota, tijolos à mostra. Dizem que a população do Uruguai inteiro é de três milhões de habitantes e que um milhão e oitocentos mil vivem em Montevidéu.

Como estou ao Deus-dará, resolvi tomar um ônibus e ir conhecer a praia mais popular da cidade, a Playa Pocitos, que fica na Rambla del Peru numa virada da Avenida Brasil. Gente na água, na areia, barracas, cadeiras de sol, uma festa de vida. Está nas revistas locais, tipo *Caras* – vi nas bancas –, que neste verão, em Punta del Este e em Mar del Plata, a onda é o *topless*, mas em Pocitos não vi nenhuma mulher de peito de fora.

Os ônibus tocam música, as ruas são arborizadas – plátanos, pinheiros, palmeiras, jacarandá. Como é uma cidade relativamente pequena, dá tempo de fazer muitos programas num dia, de modo que fui a dois museus. Primeiro, ao Museo de Bellas Artes Juan Manuel Blanes, longe toda vida. No guia *South American Handbook* consta que o museu (antiga mansão do século 19) é dedicado ao artista que lhe dá o nome, Blanes (1830-1901).

Há duas salas com as obras de Pedro Figari (1861-1938), "um advogado que pintou quadros estranhos e *naïfs* da vida camponesa e de cerimônias de negros uruguaios", conforme o guia. Gosto muito desse pintor, desde que vi uma sala a ele dedicada numa Bienal em São Paulo há alguns anos. Uruguaio, filho de pais genoveses, formou-se em Leis; em 1925 radicou-se em Paris; em 1927 foi nomeado pelo governo uruguaio embaixador plenipotenciário em

Londres; uma foto o mostra meio parecido com Matisse velho; suas pinturas – a maioria delas é óleo sobre papelão – mais que um pintor *ingênuo* revelam um artista muito original.

Suas cores sombrias (mas não tristes) e lunares (muito azul lunar), retratam, numa idealização muito própria, a vida da comunidade negra no Uruguai. Obras com títulos como *Candombe a la luz de un farol*, *Nostalgias africanas*, *El beso*... revelam um estilo único e encantador. E perfeito domínio das cores: azul, rosa, marrom-alaranjado, amarelo, branco-sujo, avermelhados... Tons e formas que fazem imediatamente reconhecível o estilo Figari. Basta ter visto qualquer obra sua uma única vez para, de longe, e se for o caso, anos depois, saber que aquilo é um Figari.

Já na sala com as grandes telas a óleo do Juan Manuel Blanes (que nasceu em Montevidéu e morreu em Pisa), achei tudo pesado, convencional e tedioso. Retratos da família e personalidades, cenas da história do país. O resto do museu é de salas de xilogravura uruguaia. É tanta xilogravura e a maioria de alta qualidade, mas xilogravura demais não faz bem à vista.

Saí. Fui me sentar em um banco no terraço e apreciar o jardim à sombra, nesse dia de muito calor. Foi a primeira vez nessa viagem que vi passarinhos realmente em festa. E pela primeira vez fora do Brasil, o bem-te-vi. Lembrei-me de minha mãe, que adorava essa ave. Nos meses de seca, não os deixava sem água. Por lembrar de minha mãe e de seus bem-te-vis, chorei. E tomei o ônibus de volta ao centro.

Do meu quarto no hotel liguei para uma de minhas irmãs, que me deu boas notícias familiares e que o editor, Marco Pace, ligara para que eu fosse avisado, onde estivesse, que *Yolanda* está pronto, ficou um livro muito bonito, e o lançamento, com a minha presença, já estava marcado para o dia 29 na livraria Cultura, em São Paulo.

Excitado pela notícia, corri para ver mais um museu, o Museo Joaquín Torres García, logo depois do monumento ao General Artigas, na Plaza Independencia, a uma curta caminhada do hotel. Atravessa-se o portal e estamos na Ciudad Vieja e, logo à direita, o museu com uma retrospectiva do artista. A fase mediterrânea – os tons um tanto escuros – e que encanto, os cadernos de esboços dele! Na parede, óleos sobre papelão, como *Flores constructivas con co-*

lores primarios, de 1943, em que o vermelho vivo salta sobre os meios tons, cinzentos, esverdeados e branco-sujo.

E que delícia os retratos a óleo, caricaturas que Torres García fez de 28 personalidades. Começa com seu auto-retrato e vai: Cézanne, Velazquez, El Greco, Goya, Da Vinci, Michelangelo, Ticiano, Rafael, e os compositores Richard Wagner, Rimsky Korsakov, Mussorgsky, Bach, Beethoven, Mozart... Sócrates, Rabelais, Unamuno, Dostoiévski e personagens históricos como Cristóvão Colombo, Felipe II, Obispo, Oribe, Bartolomé de Las Casas, etc. Aproveitei e esbocei algumas dessas caricaturas no meu *sketchbook*.

Uma coisa que reparei e faz brasileiro se sentir constrangido, foi que no dia 8 de julho de 1988 aconteceu aquele monumental incêndio no Museu de Arte Moderna do Rio de Janeiro, onde havia uma retrospectiva de Torres García e, entre as obras, o famoso mural. O fogo levou tudo, e o que sobrou dele, hoje, é muito pouco. Conversando com uma recepcionista do museu, quando eu disse que era brasileiro, ela me olhou desconfiada e falou daquele incêndio de tal modo que fiquei sem saber onde enfiar a cara. Me senti como se fosse o incendiário.

Quinta, 15 de janeiro.

Dizem que Montevidéu foi fundada em 1726, como uma fortaleza espanhola contra os portugueses que estavam assentados na Colonia del Sacramento. Então, tirei o dia para ir conhecer a Colonia. É uma longa viagem de ônibus. Antes, me nformei da história no guia *South American Handbook*: "Colonia del Sacramento, pequena e charmosa cidade de cerca de 22 mil habitantes, fundada por assentadores portugueses vindos do Brasil em 1680, quando foi um centro importante para a entrada do contrabando de bens britânicos através do Rio da Prata para as colônias espanholas.

O Bairro Histórico, com suas ruas estreitas (como a Rua dos Suspiros), construções coloniais e a muralha, é particularmente interessante por se constituir de exemplos raros nesta parte do continente. A Plaza Mayor é especialmente notável. Ali agrupados estão o Museo Municipal, na antiga casa do Almirante Brown, a Casa del Virrey e o Museo Português. Vale também a pena uma visita ao Farol, à Igreja da Matriz (a mais antiga do Uruguai) e à casa do General Mitre, agora sede do Museo Español. No Parque Anchorema fica a casa de verão do presidente uruguaio (a pouca distância do centro, toma-se um ônibus). A melhor praia é a Playa Ferrando, dois quilômetros ao leste. A fundação de Colonia é festejada na terceira semana de janeiro."

Primeiras impressões, à chegada: rodoviária moderna, pequena e limpa. *Outdoor* na parte nova da cidade anuncia hotel de luxo com campo de golfe e spa. Motocicletas, ruas arborizadas... e essa Rua Manoel Lobo que não termina nunca! Antecede o centro histórico, isto é, as casas seguem uma estética antiga, mas são relativamente recentes. Tudo limpinho, casas pintadinhas e o único som é o do vento. Mas e o tal centro histórico que não aparece?!

Ah, finalmente apareceu: olha ali o farol! Mais em frente, já as butiques: Penelope Sweaters (uma delas). A lojinha de bricabraques. Deixa eu comprar três postais. Visitei uma casinha portuguesa transformada em museu improvisado. Bem na praça principal, isto é, onde estão as casas mais velhas, uma delas é um *fast food* com o nome de Colonia Rock. Na esquina, a butique Vicky (da *designer* Victoria Ortiz). Enfim, Colonia é uma espécie de Paraty mais longínqua. Nos jardins, hortênsias, gerânios, buganvília, jasmineiros floridos... Mas é um sossego a cidade, talvez por ser quinta-feira. Há um aviso na porta, em português: "Benvindo seja quem vier por bem".

Moça falando ao celular. Um casal de franceses velhíssimos – ela deve ter uns noventa anos. Pintores pintam os bancos de um belvedere de frente para o Rio da Prata. Um restaurante com mesas na calçada e gente almoçando frutos do mar, vinho branco e água mineral. Em frente, uma ambulância parada, com a porta de trás aberta. Um jovem aparentemente moribundo é trazido em uma maca. O semblante dos homens de branco da ambulância é sério. A namorada do jovem entra na frente, com o motorista. A ambulância parte, sem sirene. Não é preciso sirene porque está tudo vazio.

Agora escrevo sentado num banco sob um plátano ao vento em outra pracinha. Vou continuar andando. As ruas são de paralelepípedo. Só vi uma com o calçamento como as de Paraty. Para mostrar como era, na época em que Colonia del Sacramento foi montada. Uma senhora de cabeleira ruiva flamejante e grandes óculos escuros atravessa a rua, preocupada, cobrindo a boca com a mão.

Na Praça Manuel Lobo, o fundador de Colonia, a Igreja de São Miguel Arcanjo – sob cuja proteção a cidade foi posta, em 1735 – há uma pintura de São Miguel, por missionários no século 18. Ruas sereníssimas, todas arborizadas. Uma ordem de harmonia transcendental. Maritacas azucrinam. Muitos bancos de madeira. Resumindo: valeu a viagem (sempre vale); a volta, no ônibus das 18h, a luz do dia ainda vai longe; dormi, despertei por volta das 19h30 e que beleza, os campos, os pueblos, as casinhas pequeninas, os grandes vazios, as cores na terra, e no céu o desenho formado pelo vôo de dezenas de pássaros da mesma espécie, brancos, retornando aos seus poleiros depois de mais um dia divinal.

Sexta, 16 de janeiro.

Estou sentado num degrau de frente para o majestoso edifício do Comando General de La Armada, próximo ao portão de acesso ao Porto de Montevidéu, o Terminal Fluvial e Marítimo. Já de manhã, homens de várias idades sentados em tudo que é canto, numa boa, cada um com seu chimarrão e garrafa térmica com água quente. Crianças de rua aos bandos, vasculhando os lixos ou passando em charretes, tocando os cavalos. Um adolescente com um cigarro apagado atrás da orelha, sua charrete cheia de papelão e bens recicláveis colhidos do lixo – vêem-se aos montes, esses meninos e essas charretes. Montevidéu é uma comunidade feliz. Um taxista me disse que é a capital mais segura de toda a América Latina e talvez do mundo. Outros também me disseram isso. É verdade, já senti.

Coisa interessante aqui é que na parede exterior, junto à entrada dos prédios, estão gravados os nomes dos arquitetos. Passeando pela Cidade Velha, descobertas fantásticas: as galerias de arte junto ao porto. Pintores, escritores, o Uruguai produziu e produz excelentes, embora até agora eu não tenha lido Mario Benedetti nem Eduardo Galeano.

Entrei pelo portão da Aduana do Porto. Passei batido. O guarda apitou, fiz que não ouvi e continuei em frente. Agora estou vendo os buques. Um cargueiro de nome *Kagoy*. Outro de nome *Zurita*. Estivadores sazonados, a rudeza da vida nas intempéries. Cheiro ativo de peixe curtido. Um cargueiro enorme sendo carregado. Seu nome é *Laura Marsk*. E penso: é tão fácil tornar-se invisível e entrar clandestinamente num desses navios. Se te descobrem, o pior que podem fazer é te jogar no mar. Alimento para os peixes.

Agora já estou no El Mercado, o mercadão municipal, de frente para o porto. Um café expresso custa 20 pesos. Uma passagem de ônibus urbano custa 13,50 pesos. Dez pesos uruguaios são um real brasileiro. Três reais, um dólar. De modo que nem é preciso fazer os cálculos para sentir que a vida é muito barata em Montevidéu. E que fascínio os restaurantes desse mercado! No Roldós almocei dois sanduíches saborosíssimos, um de sardinha e outro de parmesano y apio. Continuei meu passeio pelas ruas surpreendentes da cidade velha. Na Igreja de São Francisco desci à cripta, que se chama Sanctuario del Señor de La Paciencia. Claro que acendi uma vela, orei e pedi ao Senhor MUITA paciência.

Continuei a caminhada, agora na Rua 25 de Maio – e olha que máximo, no número 314, a casa dos Garibaldi! Claro que vou entrar. Tem pátio interno. Os móveis, os berços dos filhos. Então foi assim: Giuseppe (1807-1882) e Anita (1821-1849) se conheceram em Laguna. Ele, italiano nascido em Niza (a atual Nice, hoje pertencente à França) era 14 anos mais velho que ela. Um idealista das causas da liberdade, no Brasil, Garibaldi oferecera seus préstimos à causa Farroupilha contra o Império; mais adiante esteve presente quando venceram e forçaram a retirada das tropas legais de Laguna, que foi aquele cabedal.

Ele e Anita se conheceram na casa de uns parentes dela. Anita, que se casara aos 14 anos com um sapateiro, estava dele separada desde os 17. Aos 18, conheceu Garibaldi e se apaixonaram à primeira vista. Ela decidiu ir embora com ele. Menotti, o primeiro filho, nasceu no Rio Grande do Sul, na Lagoa dos Patos. Finalizada a atuação de Garibaldi no Brasil, ele, Anita e o filho se mudaram para Montevidéu. Com a morte do sapateiro, Anita, legalmente viúva, estava livre para se casar com Garibaldi. O casamento aconteceu em 26 de março de 1842, na igreja de São Francisco, essa na qual estive ainda há pouco.

Residindo nesta casa, Garibaldi trabalhou como agente de comércio e professor de matemática, atividades que exercia para o sustento da família. Além de Menotti, tiveram mais três filhos, Rosa, Teresa e Ricciotti, nascidos em Montevidéu. Rosa morreu com dois anos e meio e foi enterrada num cemitério da cidade. No Uruguai, Garibaldi cooperou com o Presidente Fructuoso contra o General Rosas, que ameaçava a independência do país. Anita, sempre guerreira ao lado do marido, depois da morte de Rosa, serviu como enfermeira na legião dele.

Em 1848, Garibaldi achou mais prudente mandar a mulher e os três filhos para a Itália. Anita e as crianças foram recebidos no porto de Gênova pelos amigos dele, a sogra e a imprensa. Quando mais tarde voltou para a Itália, Garibaldi realizou feitos notáveis. Lutou pela unificação do país contra a Áustria, depois contra o reinado das Duas Sicílias, etc. Anita, no entanto, morreu cedo, um ano depois de ter ido para lá. Em suas *Memórias*, Garibaldi escreveu: "Chorei amargamente a perda de minha Anita, aquela que foi companheira inseparável nas mais aventurosas circunstâncias de minha vida".

A catarinense Anita, nascida Anita Maria de Jesus Ribeiro, recebeu honrarias póstumas de todos os lados, na Itália, no Brasil, na França e no Uruguai, sendo considerada "a heroína de dois mundos". A casa dos Garibaldi, na Ciudad Vieja em Montevidéu, é hoje um simpático e despojado museu.

Estou com os pés arrebentados, ando desde bem cedo e já são mais de 17 horas. Agora estou sentado na praça General Don Bruno de Zabala, o fundador de Montevidéu, como mostra sua estátua eqüestre.

À noite, para espairecer, e já que Montevidéu é uma cidade de cinéfilos, fui a um cinema chamado Cinemateca 18 assistir a um filme coreano muito elogiado, *Jiburo*, no título original, e *Camino a casa*, na tradução local. Quem o dirigiu foi uma mulher, Jeong Hyang Lee. Fazia tempo que eu não chorava tanto no cinema.

É assim: um menino de 7 anos e hábitos urbanos, tem de deixar Seul para ir viver com a avó, que mora sozinha em uma choupana num lugar remoto nas montanhas. A avó, além de corcunda é surda e muda. A comunicação entre ela e neto é dificílima e, por causa do egoísmo dele, irreconciliável. A ternura, a afeição, a doçura e a dedicação da avó de 77 anos, que vive ali na maior pobreza, é de cortar o coração.

Enquanto a avó cochila, o menino rouba as agulhas de prender os cabelos dela e vai a uma venda distante para trocá-las por baterias novas para seu jogo eletrônico. Assim como essa, ele apronta outras. A avó percebe as traquinagens do neto e ainda assim o perdoa em silêncio. A partir de certa altura, a gente percebe que o menino já gosta da velha, só que não se permite demonstrá-lo.

No final, a mãe vem buscá-lo. A avó fica sozinha na choupana solitária, quase se arrastando, enquanto despenca sobre o casebre uma chuva diluviana.

Um filme tristíssimo, mas muito sensível e delicado. O cinema cheio, principalmente de velhinhas, geralmente de duas em duas, avós elas também. E também famílias e público jovem. Deu no jornal que a mulher que faz a avó (Elboon Kim) nunca tinha visto um filme na vida. Fora descoberta pela diretora na aldeia de oito choupanas onde vivia e onde o filme foi rodado. Na Coréia, o sucesso foi tanto que começaram as romarias à casa da velha, que teve de se mudar para outro lugar, porque não já dava conta do fã-clube.

De Montevidéu a São Paulo, sábado, domingo e segunda, 17, 18 e 19 de janeiro.

Vou embora hoje às 22h30. São 10h e ainda tenho o dia pela frente. Montevidéu é uma cidade bem servida de praças. Agora mesmo estou em uma delas, a Praça da Catedral, na Cidade Velha. Uma animação, o que será? É a Escola de Samba Asa Branca, formada por uma dúzia de percussionistas – certamente brasileiros vivendo em Montevidéu e agregados. Duas garotas de biquíni e um jovem regente lindo e brincalhão. Assim passou o dia. Chega a noite. Ainda tenho duas horas para o embarque. Uma última volta pelas proximidades do hotel (ao qual me apeguei como se fosse meu lar aqui).

Na Plaza Fabini, cheia de gente de todas as idades, muitos velhos (velhinhas distintas, sentadas nos bancos me enternecem), jovens, crianças, todo mundo entretido assistindo aos casais – a maioria de meia e terceira idade – dançarem tango. O som do alto falante é só instrumental, agradável, nostálgico. É uma celebração extremamente familiar. A cena me comove – não sei por que, mas tudo em Montevidéu me comove, que coisa! Vou embora sentindo que perco alguma coisa, gostaria de ficar muito mais tempo aqui.

Agora estou dentro do ônibus, assento 16, corredor. São 2088 km de Montevidéu a São Paulo. Minha companheira de assento é uma mocinha uruguaia (de Paysandu), violonista erudita, já tocou em muitos países da Europa, vive com um músico brasileiro em São Paulo. Ela me acordou na primeira parada, quando eu estava em meio a um sonho muito bom com meu pai, que me levava em um passeio por onde passara a adolescência (no Rio). Que pena, não consegui retomar o sonho, quando voltei a dormir. A garota me acordou porque estávamos em Punta del Leste. Eram 24h30, noite de sábado para domingo, alto verão, trânsito engarrafado em Punta.

Ao amanhecer, já em terras brasileiras, vi um pouco de Chuí. Depois Pelotas, depois Cristal e a depressão. Tão diferente da periferia das cidades argentinas, chilenas e uruguaias, que parecem melhor pavimentadas e esteticamente mais civilizadas, mesmo quando pobres. No Brasil, lamento dizê-lo, não há critério: é uma esculhambação, uma favelização. A impressão é que a natureza foi (mal) estuprada. E só piora, com o crescimento demográfico desordenado.

Se Chuí é tão chinfrim, pensei ao passar por lá, imagine o quão chué não deve ser o Oiapoque. A feiura segue estrada afora ao longo do dia até escurecer. Ao amanhecer, 32 horas depois de ter deixado Montevidéu, quando o ônibus finalmente chega a São Paulo, então é a apoteose da indigência visual. Para terminar, foi deveras uma façanha. Creio ter percorrido bem mais de dez mil quilômetros por terra em 20 dias. Confesso: ah, se pudesse continuar...

São Paulo, quinta, 29 de janeiro.

Lançamento de *Yolanda* na Livraria Cultura. Foi junto com outra biografia, *Dona Veridiana*, de Luiz Felipe d'Ávila, também pela editora A Girafa. Da minha família veio quase todo mundo. Foi um sucesso como nunca tive em lançamento. Muito porque a minissérie da Globo, *Um só coração*, da qual Yolanda Penteado é a personagem central, faz muito sucesso, catapulta o do meu livro, e também porque o autor de *Dona Veridiana* é uma figura de destaque da alta sociedade paulistana, e atraiu para o lançamento, como se diz, *le tout* São Paulo.

Todos os da editora que cuidaram de um jeito ou de outro da produção e programação dos dois livros estavam lá. Pedro Paulo de Sena Madureira, muito feliz. Fiquei com os dedos calejados de tanto escrever dedicatórias. Uma pessoa da livraria, no meio da festa, veio me dizer que *Yolanda* já estava em primeiro lugar entre os mais vendidos. E eu? Modestamente tranqüilo. Não tinha a menor dúvida quanto ao sucesso de *Yolanda*.

Sábado, 27 de março.

Fui com Heloisa ao novo show de Rita Lee, *Balacobaco*, no Tom Brasil. Banda excelente, a estrela feliz da vida, dominando total, muita novidade. A casa lotada, com umas quatro mil pessoas, Rita me homenageou, falou de *Yolanda* e me dedicou uma música, *I wanna be sedated*, dos Ramones, que teve participação especial de Supla. Depois, no camarim, festa. Roberto, Beto, João, Supla, Virginia (irmã de Rita)...

Sábado, 3 de abril.

Bem, ainda sobre o sucesso de *Yolanda*: o livro ganhou matérias de páginas inteiras no *Estadão*, no *Jornal do Brasil*, duas páginas em *O Globo*, etc., todas as resenhas excelentes. Não houve uma só crítica negativa. Das revistas, a *Istoé* deu quatro páginas e quatro estrelas, chamando o livro de "bela biografia"; a *Veja*, o recomendou no alto da página e disse que "além de traçar um perfil apurado de Yolanda, Antonio Bivar ajuda a reviver, neste livro, a atmosfera paulistana da década de 20 a 60"; a *Época* escreveu "vale ler e saber mais sobre um personagem importante e esquecido"; a *Vogue* deu chamada de capa e até exagerou dizendo que "a biografia de Bivar foi uma das fontes de referência para a minissérie *Um só coração*" quando na verdade biografia e minissérie foram escritas simultaneamente.

Nas outras publicações que fazem a cobertura das celebridades, como as revistas *Quem*, *Caras* e *Gente*, assim como as colunas sociais dos principais jornais, durante semanas *Yolanda* ganhou muito espaço. E logo estava na lista dos 10 livros mais vendidos de não-ficção. Na *Veja*, na *Época*, em *O Globo*, no *Jornal do Brasil*. Neste último, ficou cinco semanas em primeiro lugar dos mais vendidos no Brasil, à frente de Danuza Leão, Zuenir Ventura, Michael Moore, Elio Gaspari e outros. Da editora me informam que o livro já está na quarta tiragem e vendendo feito água. De modo que finalmente virei *best seller*!

No vôo para Londres, quarta, 5 de maio.

Convidado, sigo para dois meses na Europa. A viagem já estava programada desde o ano passado, e o motivo sedutor desta feita são as muitas comemorações do centenário da formação do Grupo de Bloomsbury. Com esta viagem posso encerrar em grande estilo este livro. Um dos eventos é o jantar comemorativo no King's College, em Cambridge. De modo que neste instante estou em pleno vôo para Londres.

Londres, domingo, 9 de maio.

Antes de ir para o Festival de Charleston, há eventos culturais a dar com pau e nada a ver com Bloomsbury, mas cultura de qualquer modo. Sábado de manhã, Portobello Road (no número 22, a placa azul na casa onde viveu George Orwell); no Electric Cinema, cópia nova do filme *Performance*, de Nick Roeg. O filme é datado mas ainda chocante em sua amoralidade, se for levado em conta que tem 34 anos (é de 1970). Sexo, perversões, drogas & rock'n'roll. E pensar que aquele *glamour* servia de modelo para nossas vidas rebeldes na época.

Nas páginas literárias dos jornais, nesta semana de minha chegada, fala-se muito da recém-lançada biografia autorizada do poeta Stephen Spender, por John Sutherland. São 624 páginas. Estive pessoalmente com Sir Stephen Spender em 1993, na minha primeira Escola de Verão em Charleston, e até contei daquele encontro no começo deste livro. Bem, não custa acrescentar mais algumas coisas sobre o poeta, publicadas nos jornais por conta da nova biografia.

Spender e Natasha se casaram em 1941, ela com 21 anos, ele dez anos mais velho, já conhecido como poeta e divorciado do primeiro casamento. A mãe de Natasha era uma atriz do Old Vic que pegou tifo, ficou surda e teve que encerrar a carreira. Teve a Natasha com um crítico de música amigo de Stravinsky e Debussy. Natasha só foi saber quem era o pai aos 12 anos. Mesmo porque a mãe não tinha muito tempo para ela, que foi criada por um casal amigo. Natasha tornar-se-ia uma bem sucedida pianista clássica, vibrante e conversadeira.

Dizem que até hoje, 2004, aos 85 anos, ela é assim. Reecebeu a jornalista do *Observer* em sua casa em St. John's Wood (para onde se mudou com Spender em 1944 e onde vive sozinha desde que enviuvou) e logo se sentou ao piano e executou a abertura de *Fantasy*, uma sonata de Schubert. Enquanto tocava soltava nomes de pessoas com as quais ela e Spender conviveram: Anna Freud, Jackie Kennedy, W. H. Auden, T. S. Eliot, Isaiah Berlin, isso nos primeiros três minutos.

Dizem que nos últimos anos de vida, Spender gostava mais era de lembrar seus amigos da década de 1930. Para a geração seguinte, ele foi uma espécie de "Tia Sally" (sic). Fundou com Cyril Connoly a revista *Horizon*. Foi por aí, 1940, que Natasha o conheceu. Spender se recuperava do primeiro e desastroso casamento com Inez Pearn. Ele e Natasha deram uma volta na praça e logo depois se casavam.

O mais significativo dos namorados dele, Tony Hyndman, foi uma das testemunhas da cerimônia civil. Consta que Lady Natasha Spender nunca dramatizou o fato de Stephen continuar com a vida dupla, especialmente seus casos com rapazes mais jovens. "Eram jovens, talentosos, muitos eram alunos de Stephen." Como não dava para viver de poesia, para sobreviver, ele tinha de lecionar e dar palestras. Os filhos, um casal.

As pessoas sempre foram fascinadas pela sexualidade do poeta, não só por ele ter sido franco sobre seu passado homossexual em sua autobiografia, *World within world*, de 1951 – uma atitude política, se for levado em conta que naquele tempo o assunto além de tabu podia dar chabu e cadeia. Spender sabia disso. Mas a vida toda teve relacionamentos homossexuais e homoemocionais.

Outro resenhista da biografia de Spender, Blake Morrison, no suplemento literário do *Guardian*, escreveu que, no primeiro encontro entre Auden e Spender, este perguntou se sua poesia prestava. Auden respondeu: "Claro. Porque você é infinitamente capaz de ser humilhado". Diz o resenhista que a humilhação foi a companhia mais fiel de toda a vida de Spender. Que poucos poetas foram tão arrasados pela crítica como ele e que nenhum outro teve, em si, tão profundamente arraigado o sentido de inadequação.

Stephen Spender era filho de mãe judia anglo-germânica (Violet Schuster) e o pai (Harold Spender), jornalista político, era amigo de Henry James e Lloyd George. Dizem que uma vez o pai visitava o primeiro-ministro na Downing Street e enquanto o esperava no táxi, o menino sentiu vontade de fazer pipi, abriu o vidro e urinou na calçada. Em criança Stephen era proibido de brincar com as crianças da rua para não pegar doenças. Ele e os irmãos – eram quatro, três meninos e uma menina – foram criados pelos empregados. Os irmãos viviam à sombra de Michael, o mais velho e xodó da mãe. Só uma vez ao dia Stephen era levado à presença da mãe, e aí, então, podia brincar com as jóias dela.

Na escola, por conta de sua origem alemã, Spender era vítima de maldades dos colegas. A mãe morreu quando ele tinha 12 anos. Mas a morte de Violet o fez sentir-se culpado por não sofrer com a perda, e torcia para que outra acontecesse, de modo a então, aí sim, ele se sentir "realmente trágico". Sua adolescência foi um tormento. O pai se candidatou ao Parlamento e os filhos eram obrigados a usar uma tarja no pescoço com os dizeres "vote no meu paizinho". Stephen sentia-se humilhado com essa obrigação. O pai não foi eleito.

Cinco anos depois da morte da mãe, morreu o pai, o que foi um alívio. Seu último ano de escola foi feliz. Ele foi para Oxford, onde conheceu Auden, já lendário aos 21 anos. Nesse tempo Stephen Spender era um belo rapaz. No mundo homossexual da Alemanha, nos anos 30, para onde foram Auden, Isherwood e outros, "cada Harry, Helmut e Hans era um parceiro de cama". Mas Spender se apaixonou mesmo foi por um soldado galês ruivo chamado Tony Hyndman, paixão que consumiu muitos anos de sua vida. Bêbado, violento e possessivo, anos depois, como administrador teatral, Hyndman vingou-se de outro amante, o ator Michael Redgrave (pai de Vanessa), espalhando tachinhas ponteagudas no colchão sobre o qual Redgrave tinha de se atirar em uma peça.

Se Spender escapou das maldades de Hyndman foi por ter sido passivo e fiel durante o caso. Houve a Guerra Civil Espanhola, para onde ele foi lutar pelos republicanos. Foi o começo de sua desilusão com o comunismo. A essa altura, Spender estava casado com Inez, tendo sido parcialmente convertido ao heterossexualismo. Dormira antes com outra mulher, uma americana. Sobre a experiência, escreveu para o amigo Isherwood: "Dormir com mulher é mais satisfatório, mais terrível, mais repugnante, e, de fato, mais tudo". E escreveu um poema falando da "terceira boca beijada na escuridão"(sic).

O casamento com Inez terminou no começo da Segunda Guerra. Spender não foi convocado, mas serviu como bombeiro em Londres. Em 1941, casou-se com Natasha Litvin. O nascimento da filha coincidiu com o fim da guerra. Spender viveria mais 50 anos. Apesar de não ter feito dinheiro com poesia, conseguiu comprar telas de Picasso e Bacon. Lecionar e palestrar nos EUA, onde estava o dinheiro, o ajudou a se manter e manter a família.

Em sua resenha, Blake Morrison conta que conheceu Spender na Universidade de Londres, onde o poeta foi seu orientador de PhD durante um ano. Heterossexual ele mesmo, a tese de Morrison era sobre um grupo de poetas heterossexuais hostis a Spender. O poeta foi um ótimo orientador. Sua afeição por garotos era evidente. Na biografia de Sutherland, este não vai fundo nesse departamento, mas faz referência a um japonês, Osamu Tokanoku, a um zoólogo americano, Bryan Obst, a um jovem escritor e não muitos mais.

No fim da vida, conta Morrison, Spender estava mais a fim de manter limpa a imagem, apesar de atacado por autores como o biógrafo Hugh David e o escritor *gay* militante norte-americano David Leavitt, que lhe causaram grandes aborrecimentos com o que escreveram. Porém, conclui Blake Morrison, uma análise mais descontraída da sexualidade de Stephen Spender não causaria nenhum estrago à sua reputação, muito pelo contrário. Consta que no fim, mais do que viver como um grande poeta importava a Spender viver uma vida interessante. Isso ele conseguiu.

Quinta, 13 de maio.

É cultura a dar com pau, quando estou aqui. Quando não é a programação armada por Jenny, sou eu que quero ir ver isso e aquilo. Que avidez será essa? Bem, melhor ir direto ao ponto. Vi nota num jornal de domingo que Knox (Ian M. Carnochan) da lendária banda punk The Vibrators expunha na galeria do Teatro Bloomsbury. Fazia tempo que eu queria conhecer o trabalho de Knox como pintor. De modo que fomos.

Excelente. Retratos de ícones da cena punk inicial – Joe Strummer, Johnny Lydon, Sid Vicious, Charlie Harper, David Vanian, Gaye Advert, assim como naturezas mortas, paisagens de perfeição acadêmica, auto-retratos, reinterpretações de Edward Hopper, etc.

Na vernissagem só tinha punks, de várias gerações. Charlie Harper, do UK Subs, quando me desculpei pela idade, 65 anos, me deu uma bronca; disse que idade é irrelevante. Ele mesmo tem mais de 60 anos (estava com os cabelos, muitos cabelos, tingidos de louro e com uma namorada punk japonesa uns 40 anos mais jovem que ele). Decidi que mais adiante vou comprar uma tela do Knox, até a reservei. Os preços estão baratíssimos e seu trabalho é realmente bom.

Na segunda-feira houve um debate sobre Literatura Brasileira na livraria *Borders*, na Charing Cross Road. Repleto. Na mesa, Liz Calder, Alex Bellos (jornalista do *The Guardian* que está se especializando na vida brasileira), Peter Florence (um dos organizadores do festival de Hay-on-Wye), David Treece (professor de literatura brasileira no King's College em Londres), Paul Heritage (diretor artístico do People's Place Projects, que mexe com teatro nas prisões brasileiras – ele é *gay*; seu parceiro brasileiro foi morto na Baixada Fluminense há uns dois anos) e Felipe Fortuna (*attaché* cultural de nossa embaixada aqui). José Maurício Bustany, o atual embaixador do Brasil na Inglaterra, e sua esposa, estavam presentes e sentaram-se à minha frente, mas sairam antes do fim.

O mais irritante nesse tipo de debate é o paternalismo imperialista em relação ao Terceiro Mundo: ele é fascinante desde que continue Terceiro Mundo. Na Inglaterra, alguns livros brasileiros são lançados, pela editora de Liz Calder, por exemplo, em pequenas tiragens e logo vão para as livrarias de encalhe, com exceção de Chico Buarque (com seu *Budapeste*), porque, afinal, entre legalizados e clandestinos hoje são mais de 150 mil os brasileiros que vivem na Inglaterra (informação que obtive no Consulado). Um grande número deles, nostálgicos, correm para pegar um autógrafo do Chico quando o compositor é trazido para lançamentos.

David Treece diz que Clarice Lispector, Graciliano Ramos e Guimarães Rosa "são autores difíceis" e não pegam o público, mas que Machado de Assis é tão bom, se não melhor que Dostoiévski. Cita Jorge Amado, que há muito tempo teve seu *boom* e Érico Veríssimo, que também já foi bastante traduzido. Lima Barreto não é encontrável. Um fala, outro fala e o que realmente funciona aqui é a coisa civilizada: todos têm consciência do outro, dos outros, e ninguém é mal-educado a ponto de falar pelos cotovelos. Bem ou mal, cada um fala no tempo que lhe foi dado, e passa a bola para o outro no tempo certo.

Quem falou muito bem – depois dos outros todos – foi Felipe Fortuna. Mais *cool* que os ingleses da mesa (todos aliás bastante assanhados, principalmente a Sra. Calder, já fazendo a linha "rainha de Paraty", e Heritage, o que faz teatro nos presídios brasileiros e que dá pinta de adorar peitar uma barra pesada), Fortuna os fez engolir em seco, disse não ser verdade que Clarice, Guimarães e Graciliano são "autores difíceis". Enquanto a Calder e o de *periquita acesa* jogaram confete em autores brasileiros que na verdade são compositores e cantores populares, Fortuna lembra que em outros países – cita nomes: Bob Dylan nos Estados Unidos, John Lennon na Inglaterra e Leonard Cohen no Canadá – mesmo que tenham escrito livros, não são levados em conta como autores, digamos, do naipe de Faulkner, Joyce e outros. E citou brasileiros que são os verdadeiros escritores (Guimarães, Clarice, Machado, etc.).

Embora discutível, achei bastante interessante essa colocação. Fortuna também lembrou que nas páginas literárias na imprensa brasileira, (acentuou as da última semana como exemplo), os espaços eram todos para autores estrangeiros e nada para os brasileiros. Isso é fato, concordo com ele. Mas é aquela coisa, o Império é sempre o mais municiado na hora do ataque, haja vista a guerra no Iraque.

Melhor que os outros na mesa, Fortuna soube separar as coisas, pôs cada um no seu devido lugar. David Treece repetiu o velho e viciado clichê: disse que quem quiser entender o Brasil deve ler *Macunaíma*, de Mário de Andrade. Falou-se de traduções. Fortuna disse que o problema é que a língua portuguesa... Peter Florence discorda do argumento de Fortuna; diz que traduzir tcheco também não é fácil e que no entanto Milan Kundera...

Da platéia, uma francesa, que é agente literária e agencia vários autores brasileiros em quinze países, lembra que escritores brasileiros, mortos, vivos, velhos, moços, antigos e contemporâneos, são muito traduzidos e cita nomes e países onde foram publicados.

O debate acaba, é claro, em Paulo Coelho. Felipe Fortuna diz que Coelho não é literatura brasileira, ou seja, não há um só de seus livros que tenha o Brasil como cenário, que ele é como outros *best sellers*, e cita Sidney Sheldon como exemplo: "Li três livros de Paulo Coelho e são muito ruins, são horríveis, desafio qualquer pessoa aqui presente a dizer se encontrou nos livros dele uma página que seja sobre o Brasil. Paulo Coelho não é um escritor relevante, mas um fenômeno de *marketing*."

Ao lado da mesa, as últimas traduções à venda e, mais além, montanhas de toda a obra de Paulo Coelho em inglês e publicada na Inglaterra. Isso foi ontem; hoje fomos ver a retrospectiva de Brancusi na Tate Modern. Excelente.

Sexta, 14 de maio.

O *The Times* acaba de instituir o Times Stephen Spender Prize, um prêmio anual para poetas de outros países traduzidos para o inglês. Os candidatos devem ter até 30 anos. No entanto, a biografia dele por John Sutherland continua sendo criticada e não com muita louvação. É bom porque a gente fica sabendo mais da vida dele sem precisar comprar o livro. Diz que o sucesso de Spender quando jovem tornou-se uma pesada cruz que ele teve de carregar o resto da vida, como um "calvário".

Durante os anos 30 ele se comportou como um Apolo radiante, um deus solar que voou fora de sua própria órbita. Foi considerado por uma colega um "lunático total". Sentia-se um Shelley e um Byron de seu tempo. A revista *Vogue*, em 1947, o considerou um sedutor. Fingia-se distraído. Uma vez apareceu usando duas gravatas. No fundo adorava badalação. Dizem que em 1967, depois de recusar conselhos de amigos, ele finalmente se deu conta de que a revista que fundara e co-editara, a *Encounter*, era secretamente subvencionada pela CIA. Diz o biógrafo que Spender era ingênuo e fora enganado.

Nos anos 80, durante uma tempestade de inverno em Nova York, ele alugou um táxi para levá-lo, por 300 milhas, a um chá com Jackie Onassis. No caminho se deu conta de que esquecera a carteira. Jackie teve de pagar a corrida. Apesar de ser na época uma Onassis, ela era conhecida como muquirana. E Spender, que fora comunista, agora era um joguete na mão de plutocratas. Convidado pelos Astors – e sempre humilhado –, um deles lhe ofereceu o jardim para morar. O Natal com os Rothschilds no Château Mouton era imperdível. As férias no Mediterrâneo, então, como resistir aos iates luxuosos? Em 1990, fretou um avião para levá-lo com a esposa a Spoleto, na Itália, para o casamento da filha Lizzie com o australiano Barry Humphries (mais conhecido como a *drag-queen* Dame Edna Everage).

Tal sucesso social custou a Spender o sacrifício de o que talvez fosse mais importante para ele: a poesia. Resenhando a biografia do poeta no *Observer*, Peter Conrad questiona: "Se a poesia era tão importante, por que ele a negligenciou?" E coloca em cheque o calculismo de Spender, que durante a guerra achou válida a blitz, por ela ter motivado seu poema "Abyss" (Abismo). Conrad pergunta: "Como pode um simples poema compensar tantas mortes?" E conclui: "Spender conhecia muito bem a si mesmo para saber que não valia muito, e em 1980, reconheceu: 'Não escrevi os livros que deveria ter escrito e escrevi outros tantos que não devia ter escrito'. Spender dava mais valor a ter recebido da rainha o título de Sir."

Sábado, 15 de maio.

Essa guerra dos EUA com o Iraque é o horror maior do nosso tempo. A postura de George W. Bush é uma afronta à dignidade humana. A própria Inglaterra, com o primeiro-ministro Tony Blair de puxa-saco, faz com que eu, antigo anglófilo, acabe indignado com a posição britânica nessa barbárie. O que as primeiras páginas dos jornais e os noticiários da televisão vêm mostrando, principalmente o que mostraram no dia 6 de maio, é terrível! Essa jovem americana, a Lynddie England, de 21 anos, que figura monstruosa!

Esta semana os jornais a mostraram de cigarro pendente dos lábios, puxando pela coleira um prisioneiro iraquiano nu; em outra foto, Lynddie, expressando orgulho e deboche, com ambas as mãos e os dedos como armas engatilhadas, aponta para o pênis de outro prisioneiro, simbolizando as práticas sádicas dos soldados norte-americanos na prisão de Abu Ghraib. Um jornal britânico a chamou de *witch* (bruxa).

Agora, parte da imprensa lá nos EUA a chama de "bode espiatório". Mas quando ela aparece na TV, fica patente que é uma criatura maligna. Faz parte do grupo dos seis soldados da reserva que, por seus atos de extrema desumanidade, abuso e humilhação contra os prisioneiros iraquianos, terão de enfrentar a corte marcial. Mentirosa, quando as fotos apareceram, e ela já de volta aos EUA, desculpou-se com a mãe: "Não posso crer que tenha feito isso, *mom*. Eu estava no lugar errado na hora errada."

A folha corrida de Lynddie England diz que ela está grávida de Charles Graner, 35, que permanece no Iraque. Especialistas em tortura, consta que ele e Lynddie faziam sexo na frente dos prisioneiros, obrigando-os a se masturbar enquanto assistiam. Desde 1997, quando era guarda em uma prisão de segurança máxima na Pennsylvania, Charles Graner apareceu três vezes nas páginas policiais do *The New York Times* por vários delitos.

As fotos começaram a aparecer na imprensa mundial. Primeiro, as dos prisioneiros iraquianos nus amontoados uns sobre os outros; em outras, prisioneiros amarrados com fios elétricos; em maio, uma nova série. O primeiro jornal a publicá-las foi o *Washington Post*. O escândalo mundial forçou o presidente Bush a uma retratação pública. Mais de uma semana depois, o comentarista inglês Terence Blacker, no *The Independent*, na sexta-feira, 14 de maio, com o título "Imagens que refletem a depravação da era da Internet", em seu texto faz a pergunta: "Como terão se sentido os senadores e congressistas americanos, na sala escura no quarto andar do Capitol em Washington? E as imagens que esses congressistas viram em sessão privada são ainda mais terríveis que as mostradas na imprensa e na televisão. Como terá ficado a cara deles, depois de assistir aos vídeos e ver as fotos das prisões e dos cárceres do Iraque?" Ele mesmo responde: "Apavorados e obrigados a dizer à imprensa que as cenas de sexo forçado, estupros com cabos de vassoura e cassetetes, e toda sorte de humilhações contra os prisioneiros nus eram, como se expressaria depois um dos senadores, 'de embrulhar o estômago' (frase depois repetida por Bush)."

Mais adiante o comentarista diz que "essas imagens acabarão nos *sites* da Internet, a primeira a encorajar e mesmo a legitimar a crueldade por meio do voyeurismo sádico, com a justificativa de que comportamentos inaceitáveis sempre fizeram parte das guerras, e que a única diferença é que hoje existem as câmeras digitais para torná-los públicos. Sexo pode ter sido parte da arte da guerra como expressão brutal de poder, mas agora fica claro que a guerra tornou-se outra fonte de gratificação sexual. O resultado é uma cultura sadomasoquista cansada, em que os extremos da depravação humana tornam-se disponíveis às massas, causando um efeito devastador na sociedade. A pornografia de crueldade e voyeurismo tomaram conta da imprensa, do cinema e da televisão. Empurraram para o fundo do poço o que é aceitável, sob o disfarce de documentários recriminatórios dos horrores do momento."

Enfiei todo esse horror sobre os EUA e o Iraque aqui porque acho que tudo isso tem algo a ver com a palestra que teremos sobre George Orwell abrindo o Festival de Charleston amanhã.

Mesmo sábado (15 de maio).

A caminho da Fazenda Charleston, passamos pelo vilarejo de Rodmell para deixar nossa bagagem na pousada onde dormiremos esta noite. Rodmell tem apenas 500 habitantes. Imagino que seja o mesmo número desde quando, em 1919, Leonard e Virginia Woolf compraram a Monk's House, que foi o refúgio campestre do casal até o suicídio dela em 1941 (aos 59 anos) e a morte de Leonard em 1969 (aos 89). É minha quarta visita ao lugar e será a primeira vez que dormirei no vilarejo.

Mesmo dia, mais tarde, em Charleston.

17h. Tarde quente. Aqui estamos, na tenda, para ouvir DJ Taylor (o D é de David), biógrafo de George Orwell – biografia lançada em capa dura no ano passado e agora em edição popular. Orwell, poucos anos depois do fim da Segunda Guerra, publicou o romance *1984*, prognosticando os horrores do futuro. Aqui estamos, 20 anos depois de 1984.

Orwell, em sua ficção futurista, mostrava o Big Brother (o Grande Irmão), aquele olho em todos os cômodos controlando todos os momentos da vida dos cidadãos em seus mínimos atos. No começo do novo milênio, que ironia, com o advento dos chamados "reality shows" televisivos, os programas tipo *Big Brother* são, de algum modo, já que entretenimento, um lado, digamos, *light*, das aberrações há pouco aqui descritas.

Na tenda encontramos velhos conhecidos desses meus onze anos de passagens pela Fazenda Charleston: Eleanor Gleadow, Anne Olivier Bell (mas ela ainda não me viu), William e Virginia Nicholson, Nira Wright, Alastair Upton, Lynne Truss (seu livro sobre pontuação está em primeiro lugar dos mais vendidos não-ficção, na Inglaterra e nos Estados Unidos) e outros. A palestra está 12 minutos atrasada. A tenda cheia. Mas eis que entra Diana Reich para apresentar os palestrantes: DJ Taylor e Hilary Spurling (ela, além de autora de uma biografia de Matisse, é também a biógrafa de Sonia Orwell, já morta, a segunda mulher de Orwell).

DJ Taylor, que é novelista, crítico e biógrafo –, deve ter uns 40 anos – começa: "Muita gente leu os romances de Orwell. Uma senhora, que deveria ter se casado com ele no fim dos anos 40, estaria hoje aqui conosco mas cancelou, por causa da saúde que não está muito boa. Estive muito com ela enquanto escrevia a biografia. Na passagem para o novo milênio, Orwell estava em todas as bocas. O que ele pensaria das catástrofes de nossos dias? Orwell povoou a mente das pessoas neste país como nenhum outro desde Shakespeare. Era meu escritor favorito desde a adolescência. Dele disse Henry Miller: 'Lendo Orwell é como ler alguém que sabe tudo sobre mim'." DJ Taylor concorda: "Lendo Orwell eu o sentia se comunicando comigo. Falando diretamente comigo, como nenhum outro escritor. Por isso estou aqui."

E Hilary Spurling: "Tenho outras razões para escrever sobre Sonia Orwell." Conta que Sonia lhe disse que não morreria sem que uma biografia correta de Orwell fosse escrita, corrigindo o que de errado saíra nas outras sobre ela e Richard, o filho adotivo do primeiro casamento dele com Eileen. Nascido em maio de 1944, recebeu o nome de Richard Horatio Blair Orwell. Orwell sempre quis um filho. Estava doente e Eileen também. Orwell era estéril. Mesmo assim adotaram um recém-nascido. Sonia ficara muito desgostosa com a biografia de Orwell, escrita por Bernard Crick em 1980. Crick era muito amigo de Orwell e foi Sonia quem o escolheu para a biografia autorizada do falecido.

A vida de George Orwell é riquíssima e muito complicada. Pena Sonia não estar viva para ler *Orwell, the life*, por DJ Taylor, vencedora do prêmio Whitbread como a melhor biografia de 2003.

George Orwell nasceu em 1903, de uma família rica e importante na história inglesa. Seu nome verdadeiro era Eric Arthur Blair. Foi educado em Eton, colégio da elite. Aos 29 anos, escolheu o pseudônimo literário de George Orwell para sentir-se mais livre para criar. De saúde sempre frágil, viúvo, seu segundo casamento, com Sonia (*née* Brownell), ocorreu pouco antes de ele morrer. Viúva, Sonia poderia ter ficado rica, mas deixou tudo para o filho adotivo.

Orwell morreu tuberculoso em 1950, aos 47 anos. Sonia foi acusada de oportunista e de ser uma cavadora de ouro. Era uma mulher estranha e ficou mais estranha ainda como viúva literária. Era uma protetora leal e exigente das coisas ligadas a Orwell, mas ao mesmo tempo errática nos julgamentos e caprichosa nas questões pessoais. Orwell dizia: 'Toda arte é propaganda, mas nem toda propaganda é arte'. Quanto a Sonia, foi uma mulher muito infeliz. Calorosa, apaixonada, impulsiva, mas também pesada, insensível e com tendência ao alcoolismo.

Nervosa na companhia de homens heterossexuais, sentia-se mais relaxada entre veados. Casou-se pela segunda vez com um *gay*. Dizem que a cabeça dela funcionava de um jeito muito convencional. Em 1965, bêbada, desmaiou na casa da amiga Janetta Woolley. No fim da vida tudo dava errado. Fugiu para Paris, doente, sem amigos, como se Paris fosse a solução para as suas misérias. Diagnosticada com câncer, pensava em se matar depois de resolver tudo o que fosse preciso para ir dessa.

Morreu em 1980, quando a biografia de Orwell por Bernard Crick chegava às livrarias, biografia que ela abominou. Morreu sem dinheiro nem para o funeral. Stephen Spender escreveu em seu diário sobre a morte da amiga, lembrando a beleza dela nos anos antes da guerra, no grupo da Euston Road; uma Sonia que sempre lutou para se superar, para escapar das origens, do convento onde fora educada como católica, até chegar ao paraíso pagão de artistas e gênios onde, pensava, encontraria a salvação. Louca por sofisticação, nunca conseguiu se sofisticar. Teve uma vida sem estilo. O que queria Sonia? Ninguém jamais soube dizer, concluiu Spender. De modo que Sonia Orwell continua um mistério. Até para sua amiga e biógrafa Hilary Spurling, aqui na nossa frente.

Hilary Spurling fala demais quando quem deveria falar é DJ Taylor. É o tipo da inglesa da classe intelectual superior, entrando na matronidade. A Hilary continua a falar de Sonia Orwell. O tempo da palestra, incluindo, no final, as perguntas do público, é de uma hora para os dois e ela não perde tempo. DJ Taylor, com dignidade, não deixa transparecer impaciência. Sobre a biografia que escreveu da Sonia Orwell, Hilary diz que foi um dos trabalhos que mais a satisfizeram e que o livro foi recebido muito bem, especialmente na França.

Agora fala DJ Taylor. Faz perguntas a Hilary e ela fala de lixo e distorções quando se escreve. Diz que tenta fazer uma seleção do material. Fala de Matisse, fala da coisa cartesiana. Tudo, diz ela, depende da limpeza. "Uma coisa que me fascinou, escrevendo sobre Orwell", diz DJ Taylor, "foi justamente o contrário, não limpar a sujeira."

Fala do menino de 13 anos em Eton, o menino que um dia seria Orwell: "Nas fotos era um garoto tão sorridente, o que terá acontecido para que escrevesse coisas tão terríveis? O caráter de George Orwell se formou quando ele estava nos seus 30 anos. Nascido na classe superior (um tataravô era conde), ao se reinventar como George Orwell ele criou um personagem da classe trabalhadora. Mas era difícil aceitá-lo como tal, com o sotaque de Eton e as gravatas que usava na redação do jornal na Fleet Street. Era extremamente profissional. Orwell entrou nas minas de carvão, pôs as mãos no carvão. Uma coisa dele que me fisgou, ao ler seus livros, era a maneira como dissecava a sujeira, ia fundo. Há um episódio maravilhoso..."

"Ele estava no hospital", diz a Hilary, "morrendo, e falou para Sonia: 'Se você casar comigo, vou melhorar'. Os médicos achavam que ele tinha razão, poderia melhorar se Sonia se casasse com ele. Se você pensar nisso, havia um forte fio de esperança na proposta". Hilary continua: "Ele tinha uma imaginação fabulosa, suas fantasias, o *nonsense*... Quanto a Sonia, como editora tinha bom gosto, gostava de Sartre e dos franceses. Mas não convenceu o público de que não era uma cavadora de ouro, o público é teimoso, cabeça dura..."

Aqui entra Diana Reich, para agradecer a David (DJ Taylor) e Hilary pela excelente explanação sobre George e Sonia Orwell e liberar o público para as perguntas. Uma mulher pergunta sobre a metodologia da biografia. Hilary responde: "No mundo em que vivemos agora, o escritor não está interessado em posteridade". DJ Taylor concorda e fala da biografia de Stephen Spender por John Sutherland. Diz que Sutherland sentia a presença de Lady [Natasha] Spender quando escrevia. Hilary pega a coisa e pergunta: "E os netos, o que os netos sabiam da vida sexual de seus avós? Quanto a mim", diz ela, "escrevendo biografia de quem quer que seja, o que descobrir será material." Hilary é inteligente, forte, durona, chique, muito feminina e até *sexy*. E conclui: "Cada ser humano é um mistério."

Um homem da platéia pergunta a DJ Taylor: "Qual a razão de ele ter mudado o nome de Eric Blair para George Orwell?" DJ Taylor responde: "De fato, a coisa foi mais prosaica. Usando outro nome, o pai não se ofenderia com o que o filho publicasse, 'vou me chamar George Orwell, um nome bem inglês'. Mas também assinou artigos com o nome verdadeiro." Hilary acrescenta: "Ela, Sonia, casou-se com ele como Eric Blair, nome que Orwell usava para negócios, contratos..." E DJ Taylor: "Havia o lado supersticioso, se você muda o nome..." Diana Reich corta, pedindo ao público uma última pergunta. Que o público, satisfeito, não faz.

Aplausos. Na saída, Anne Olivier Bell leva um susto quando me vê: "Antonio! Agora você é um homem rico!" Isso porque ainda no Brasil eu lhe enviara um exemplar de minha biografia de Yolanda Penteado e a lista dos dez não-ficção mais vendidos no Brasil, a lista do *Jornal do Brasil* com *Yolanda* em primeiríssimo lugar. Depois, na loja de Charleston, a gerente, Myra Harud, me cumprimentou efusivamente dizendo que a Olivier lhe tinha mostrado minha carta, a lista dos *best sellers* e meu livro. Quase morri de vergonha! O que a gente não faz, para impressionar os amigos!

Noite do mesmo dia.

Eram 21 horas quando deixamos Charleston rumo a Rodmell. Ainda estava claro. Jantamos no único *pub* do vilarejo. Saímos, já estava escuro e a rua não era iluminada. Caminhamos até a Monk's House. A iluminação fraca nas salas das casas, onde nem se via gente, não era uma sensação agradável. Não gostaria de viver aqui. Foi o que senti nessa primeira noite em Rodmell. Como Virginia Woolf conseguia?

No andar superior da Monk's House a luz também é mesquinha. À tarde, quando visitáramos a casa e o jardim, uma das monitoras nos informou que atualmente mora um casal no andar de cima. Fiquei a imaginar, há uns 70, 80 anos, as visitas que Virginia e Leonard recebiam para pernoitar: T. S. Eliot, E. M. Forster, Vita Sackville-West, John Lehmann... E agora, mesmo tentando forçar uma experiência mediúnica, nada aconteceu. Nenhum espírito – o tempo levou.

Pouco acima da Monk's House, do mesmo lado da rua, a hospedaria onde estamos. Tudo novo, estreamos nosso quarto depois da reforma. Bom gosto espartano. Os proprietários, um casal de meia idade. Ele, inglês; ela, francesa. São professores. Apresentaram-nos os cachorros: as cadelas Carrington e Ottoline, e o cão Maynard.

Domingo, 16 de maio (de Rodmell, Inglaterra, à Normandia, França).

Não dá para relaxar e gozar a experiência do local, porque tem sempre um outro programa marcado em outro lugar para o qual se está sempre atrasado. Acordamos às 4h para as abluções matinais. A passarada também despertava em uníssono. Depois continuaram trinando, mas já não mais em uníssono. Uma das aves com a sonoridade à brasileira, misto de "fogo-apagou" com "bem-te-vi".

Respiro fundo. Cama boa. Dormi bem embora pouco. Desjejum. Da janela, perto da cama, ao despertar, a mesma vista que Virginia tinha do quarto dela: as colinas de Sussex.

Às 7h30, no barco *hoverspeed* atravessando o Canal da Mancha de Newhaven a Dieppe, para três dias na Normandia. Chegamos. Jenny dirigindo o Volvo e eu meio cochilando por ter dormido pouco à noite. Rumo a Varengeville, a Igreja de Santa Margarida, no alto de uma colina, missa do meio-dia, comunhão, vitrais de Georges Braque (1882-1963), que era daqui e está enterrado com a mulher no pequeno cemitério que circunda a igreja. Fomos para o Hotel de La Terrasse, também no município de Varengeville. É uma construção do começo do século 20, o exterior com as paredes cobertas de hera. Nosso quarto, no primeiro andar, tem vista para o mar. Por mim ficaria na cama lendo e tirando uma soneca, mas Jenny já programou uma ida ao Bosque des Moutiers, por causa dos jardins.

O bosque é propriedade particular. A casa, um *château* inspirado nas idéias de William Morris (1838-1896) e seu movimento Arts & Crafts, foi edificada em 1898, pelo arquiteto inglês, Sir Edwin Lutyens (1869-1944) para o francês Guillaume Mallet (1859-1945). Em combinação com o proprietário e o arquiteto, os jardins foram criados pela inglesa Gertrude Jekyll (1849-1932). De modo que o parque e os jardins são em estilo inglês. A coleção de árvores, arbustos, trepadeiras e flores são provenientes do mundo inteiro e estão dispostos de modo espetacular, para causar deslumbramento nos visitantes. O chatô fica no alto e os jardins e o parque descem majestosos rumo ao mar.

Não entramos para visitar o interior, porque o dia está perfeito para se estar ao ar livre. É o primeiro dia de sol escandaloso e céu azul estilhaçante nesta primavera européia.

Para começar, os jardins da Sra. Jekyll (o sobrenome é como o do Dr. Jekyll de *O médico e o monstro*) somados à extensão do bosque são 3 km num parque de 12 hectares franceses. Parece que as plantas se dão muito bem nesta parte da Normandia, pois as Clematites, em plena florada e em diversidade de espécies, trepam em tudo que é árvore e parede; peôneas competem com tulipas negras em canteiros também forrados de ervas perfumadas tipo boldo, com odor cítrico e, olha ali, a rosa rugosa! Jardins com arbustos esculturados formando pássaros empombados e de pernas longas, entre pricles âmbares, irisis brancas, cianoto azul-acinzentado, delfínia azul-forte...

Os bancos de madeira também foram desenhados por Lutyens. E o Jardim Branco... tudo leva a associações e lembranças me fazem pensar nos sete jardins de Sissinghurst, que visitamos em 1993. Se lá eram sete, imagino que aqui sejam setenta. Os setenta jardins da Sra. Jekyll são de humilhar os sete jardins de Vita Sackville-West. Minha preceptora diz que possivelmente Vita e Harold foram influenciados pelos jardins aqui do Bosque des Moutiers, que, como eu já disse, embora situados na França são bem ingleses no *display*.

E tome *Vibernum sargenti*, vulgarmente chamada onodonga. As flores, árvores, ervas e plantas em geral são todas catalogadas, e cada uma com a devida placa identificando-a. De modo que a onodonga é toda salpicada de marrom-atijolado com florzinhas brancas café-com-leite no centro. Ao derredor, em outra versão, ela pode ser toda branca nos pontinhos centrais e cercada de florzinhas também brancas nas bordas.

Como se vê, sou péssimo em descrever flores, desatento que fui no curso primário, quando a professora ensinava o que eram caule, corola e pistilo. Passamos ao Jardim Roseiral. Estamos no meio do mês de maio e as rosas ainda não se abriram, exceto algumas. A maioria ainda está na fase do botão. Todas catalogadas e com nomes homenageando senhoras. Não vou escrever todos os nomes, mas, para dar uma idéia, há a rosa Ghislaine de Féligonde que, segundo a placa, se abre no verão.

Os nomes me divertem mais que as flores em si. Faço haicais: na clareira das criptomérias a Floribunda abunda em agosto. Infelizmente não estarei aqui para ver Floribunda abundar em sua exuberância cacófata. Mas minha preceptora agora se deslumbra com as rotondifloras acintosamente cacheadas. E a *Hydrangea preziosa* (que no fundo não passa de uma hortênsia diferenciada), os sinos azuis (bluebells) e as flores da família dos rododendros que, quando botões, são roxos mas à medida que se abrem adquirem um tom rosa-claro, e quando enfim se arreganham, ficam brancas-leitosas e emanam um perfume assaz sutil.

Árvores de troncos fabulosos como os da sequóia da Califórnia, cor de cobre lambido. Isso vai ocupando páginas do meu bloquinho, e é melhor eu parar. Mas não sem antes citar *en passant* a anemona japonesa, a campânula, a stella gray, a lavanda azul, a romarin (que é o alecrim), a ballerina, a cornélia... tudo nome de flor e planta de acordo com as placas.

Como os jardins da Sra. Jekyll são internacionais, tem vez também o rododendro do Himalaia, a azálea da China, as eucryphias do Chile, assim como as penélopes, as glicínias, as wisterias, as glaucas (uma espécie de azáleas que dão pinta junto aos cedros azuis), as deutzias, as deliciosas (uma espécie de trepadeira que dá o kiwi, segundo a placa, embora eu duvide, só vendo o kiwi – não deve ser época).

E as de aromas agridoces, doces, cítricos, amargos, as que cheiram a caramelo, e as cujo aroma faz pensar naquilo que não se deve, enfim, há para todos os olfatos, nos jardins da Sra. Jekyll no Bois des Moutiers. Há até uma tal de *Arália elata* procedente do Brasil (mas essa a gente não encontrou, apenas leu sobre ela no folheto). Consta que o poeta Jean Cocteau visitou o Bosque des Moutiers (em companhia de André Gide) e até o cita em seu livro *Potomac* (1914). E flores, flores, flores... As andrômedas, as osmundas, as rubarbas gigantes do Brasil; e do Japão, as elegantes, assim como também de lá as nobilíssimas (mas estas só dão em fevereiro).

Segunda, 17 de maio.

Como estudantes aplicados das coisas de Bloomsbury, fomos visitar o Château d'Auppegard no vilarejo de mesmo nome na comarca de Offranville. Chegamos e dois cachorrões da raça Labrador – um filhote e a mãe – vieram latindo ferozmente em nossa direção. Mas logo surgiu uma mulher que os aquietou. Jenny perguntou se podíamos ver os murais pintados por Duncan Grant e Vanessa Bell. A mulher, que é a caseira do *château*, simpática e solícita, disse que a *châtelaine* (a castelã) não estava, mas que ela nos mostraria os murais. Apresentou-se como Dominique. O marido dela, não menos simpático, também veio nos cumprimentar. Dominique nos apresentou os cães, que logo ficaram nossos amigos. Guardei até o nome do caçula, Popsy. E os nomes das cabras, a Mistinguett e o filho dela, Arthur ("Como Rei Arthur", disse a Dominique). E gatos, patos, gansos, marrecos, galinhas, pôneis...

Os murais ficam ao ar livre, numa *loggia* (uma espécie de abrigo sem uma das paredes, abrindo para o quintal) e estão bastante desbotados. É uma pena que estejam fadados a desaparecer. Dominique permitiu que os fotografássemos. O chatô, que é do século 17, pertencia a duas lésbicas ricas norte-americanas, Ethel Sands e Nan Hudson, que eram amigas do Bloomsbury, de modo que encomendaram de Duncan e Vanessa os murais com cenas idílicas, motivos rurais e pastorais, pintados primeiro em 1927 e retocados depois da guerra, em 1946. Agora, pelo que nos informou Dominique, o Château d'Auppegard pertence a um descendente de uma delas. Ele é casado com uma francesa, Madame Maugras, cuja filha é a Condessa de Quinested de Puivat.

Bem, depois de nos despedirmos de Dominique, do marido, dos animais e do chatô, missão cumprida, deixamos Offranville e fomos almoçar num vilarejo perto. De lá, e por conta da paixão de Jenny por jardins, fomos conhecer outro chatô, o Château de Miromesnil, em Tourville-sur-Arques, pois nele, em 5 de agosto de 1853, nasceu o escritor Guy de Maupassant.

A história desse chatô, como aliás de todos os outros, é muito comprida, de modo que não vou contá-la. Mas entramos e vimos um documento assinado por Louis XVI dentro de uma cristaleira. Diz o folheto que na Segunda Guerra o chatô foi ocupado por tropas americanas. Como estamos às vésperas da celebração dos 60 anos do Dia D, e por esse dia ter acontecido justamente aqui na Normandia, não se fala noutra coisa. Dizem que os soldados americanos botaram fogo no bosque para se aquecer do frio naquele inverno rigoroso. Pena o fogo ter exterminado todos os animais da floresta.

A verdade é que depois de ver um chatô o turista fica com a impressão de já ter visto todos, com aqueles móveis Louis XV, bibelôs, etc. Mas há sempre algum detalhe que desperta atenção especial, e neste chatô fui atraído por uma pequena aquarela, o retrato de um belo jovem, o Conde Albert de

Mun, aos 17 anos, aquarela pintada em 1858 e guardado dentro de outra cristaleira repleta de lembranças.

Como sempre, trago comigo meu *sketchbook*, em um minuto copiei o retrato do jovem conde. Logo depois, enquanto uma senhora nos guiava pelo jardim, fui arrancando uma florzinha aqui, outra ali e com elas colorindo meu desenho. Jenny, que propaga aos quatro ventos meus talentos inusitados, disse a um jovem, que imaginei ser funcionário do chatô, que eu tinha feito um desenho e o pintado com flores arrancadas do jardim, pedindo-me que lhe mostrasse o esboço, o que fiz, encabulado. O rapaz, reconhecendo a figura do desenho e lendo minha anotação, identificou-a e exclamou: "É meu tatataravô!!!"

Esse rapaz – depois a senhora guia nos contou – não é funcionário, e sim o atual herdeiro do chatô, cujo pai (ou avô, não entendi bem), é o dono do champanhe Veuve Clicquot!

Terça, 19 de maio.

Essas visitas todas acabam sendo meio cansativas, de modo que hoje decidimos ficar aqui pela redondeza mesmo. Caminhamos, sentamos ao sol, pusemos em dia nossos diários e escrevemos cartões-postais. Almoço leve no restaurante do hotel. A caminho do correio de Varengeville, chamou-me a atenção uma placa indicando Le Manoir d'Ango, que é um palácio do século 16. Claro que eu já estava cansado de visitar castelos, mas no que tive notícia de mais um, resistir quem há de? E que bom. De todos os lugares visitados aqui na Normandia, foi o que mais gostei. Não apenas por ser uma construção diferente, à moda renascentista italiana da época das grandes descobertas, mas por ser a minha cara, ou seja, uma quase ruína.

Através das vidraças, pode-se ver o interior evocativo, tudo gasto e em certa desordem, parecendo habitado (depois soubemos, essa parte do palácio é habitada). Embora dê a impressão de cenário de alguma história fantástica, como se a qualquer momento algo de inusitado fosse acontecer – os móveis, os quadros pendurados nas paredes, alguns de gosto duvidoso, parecidos com as quinquilharias encontradas em algum mercado das pulgas, casacos gastos e blusões sujos pendurados em cabides de três pés, uma bicicleta com barro e grama seca grudados nas rodas, livros sobre as mesas, os utensílios domésticos, louças sujas na pia, bules, xícaras, pratos, canecas, tudo dando a impressão de em uso e, embora não se avistasse ninguém, a atmosfera era de lar doce lar.

Poltronas e sofás gastos, lareiras com cinzas e restos de lenha com carvão, cinzeiro cheio de tocos de cigarro, uma porta aberta dando para o que nos pareceu um estúdio de artista, bem tosco... e já que estava aberta, entramos. Quadros como que mosaicos, feitos com cacos de pedras, azulejos e cerâmica, de várias cores, muito bons – o nome da artista é Paule qualquer coisa, não anotei; depois soubemos que ela é uma das atuais herdeiras do palácio e mora em Paris; uma outra porta aberta revela uma sala com piso de pedra, quadros renascentistas pendurados desleixadamente nas paredes e estantes com livros empoeirados de algumas décadas – Jenny descobriu um com a dedicatória de Timothy Leary para o então jovem morador dessa parte do palácio. Acho que devia ser jovem, porque os outros livros nessa estante eram todos da cultura alternativa dos anos 60.

Enquanto ela saiu para tomar sol no gramado do pátio interno, continuei explorando o local, aspirando uma rara sensação de momentânea liberdade. Observo como posso os detalhes da construção, os tijolos, a cerâmica, as vigas de madeira, as paredes de sílex, as pedras, as vigas de ferro, as janelas do alto, as torres... tudo aparentemente sem cuidado mas impressionante pela beleza se arruinando. Repito: dos lugares visitados nesta viagem, o Manoir d'Ango foi o que mais gostei. Se nele vivesse, me sentiria em casa.

Na saída, a uns cem metros do portal de entrada, a mulher da cabana de madeira nos contou que os herdeiros não têm dinheiro, e que o palácio (e toda a fazenda em volta a ele pertencente) está à venda por três milhões de euros. Achei baratíssimo – se tivesse esse dinheiro eu o comprava.

Depois, já no hotel, leio o folheto com a história desse palácio. A família Ango, na época da construção era considerada os Médicis de Dieppe. A idéia original era construir um palácio de verão à moda florentina, com influência bizantina, assim como com uma variedade de policromia geométrica e medalhões com figuras de nobres de seu tempo, arcos de entrada e saída, terraços e jardins internos e externos, hoje tudo um tanto deteriorado, mas retendo a atmosfera. De modo que o palácio foi construído em 1525 em um domínio de cinco mil hectares.

Jean Ango era armador e fornecedor de frotas de navios para bem servir a Francisco I e à França. Deu-se tão bem em suas missões marítimas – viagens de pirataria e disputa com Portugal e Espanha por mares e novas terras (incluindo pedaços do Brasil), que Francisco I o nomeou Visconde e depois Governador de Dieppe. Em 1544, o Palácio d'Ango recebeu a visita de Francisco I e Diane de Poitiers. Francisco I não hesitou em qualificá-lo como o mais belo da Normandia.

Depois de uma bancarrota que o levou à ruína, Jean Ango morreu em 1551. Morreu o homem, nasceu a lenda, Jean Ango virou herói. A viuva vendeu o palácio que, desde então, foi sendo sucessivamente vendido, assim como suas obras de arte, tapeçaria, móveis e objetos valiosos. O imóvel também sofreu muito com a Revolução Francesa. Em 1862, foi tombado como monumento histórico juntamente com o Museu do Louvre, a Notre-Dame de Paris, o Palácio de Versalhes, etc. Seus atuais proprietários vivem em conflitos familiares.

O palácio, que contou com arquitetos e artistas italianos para sua construção, por sua vez influenciou, por sua graça excepcional, muitos outros. Hoje, a bilheteira que fica na cabana de madeira nos contou, apareceram 34 turistas, nada mau para uma terça-feira. Depois que todos se foram, só ficamos eu, Jenny e um moço montado num trator aparando a grama que nos cumprimentou amavelmente. Parecia que o Manoir d'Ango era só nosso. Melhor ainda, como Jenny queria tomar sol, deixei-a e saí pelos meandros como se o *manoir* fosse só meu.

Quarta, 20 de maio.

Deixamos a Normandia e atravessamos a Mancha de volta à Fazenda Charleston e ao festival literário. Chegamos a tempo para um evento intitulado "The New Rock And Roll?". No *folder* consta que esse evento colocará em questão se vivemos o fim do conto como forma literária ou se está para acontecer um renascimento do gênero. No estrado, debatendo durante apenas 60 minutos, sete escritores – cinco senhoras e dois senhores. Dos sete eu só sabia de um, Toby

Litt, por ter ganho de Jenny há mais de ano um livro dele, do qual aliás só consegui ler um conto.

Nada contra, mas, honestamente, conto nunca fez meu gênero. Escrevi alguns, até, sob encomenda, para revistas brasileiras. Mas o debate aqui em Charleston promete. Debatem Lesley Glaister, Kate Pullinger, Kamila Shamsie, Francine Stock e Erica Wagner, as moças, e Tim Lott e Toby Litt, os rapazes. Discutem a situação e o *status* do conto na ficção britânica contemporânea. Os sete entram. Diana Reich vem junto para apresentá-los e abrir a tarde.

Quatro das cinco moças à mesa estão no volume *Shoe fly baby*, recém-publicado pela editora Bloomsbury (de Liz Calder). É um livro com os contos selecionados entre os 900 que concorreram ao Prêmio Asham, instituído pelo Arts Council, que leva o nome da casa de campo de Virginia e Leonard Woolf aqui perto antes de o casal ter se instalado definitivamente na Monk's House. A Casa Asham (ou Asheham, como Virginia escrevia no diário) foi demolida em 1994. Nela Virginia escreveu vários contos, donde o nome do prêmio, lançado em 1996.

A vencedora deste ano, Victoria Briggs, cujo conto dá título ao livro, não pôde vir. Por ser curto o tempo para os sete, incluindo as perguntas do público, objetividade é o que conta. Então, em vez de cada contista ler um trecho de seu conto, optou-se pela leitura do conto inteiro da vencedora ausente. Francine Stock foi a escolhida para ler. Francine, que tem um belo rosto cavalar, está de saia godê preta e branca com apliques de lantejoulas. Começa a leitura.

Shoe fly baby é sobre um jovem muçulmano que trabalha na quitanda do tio em um subúrbio ao norte de Londres. O conto começa no sábado, quando ele recebe o salário semanal. Domingo é dia de folga do rapaz, que se chama Halim. Com o dinheiro ele pretende comprar um tênis Nike. O tio, Abdi, fuma cigarros turcos perfumados; o sobrinho fuma Marlboro Lights. Na despedida de fim de semana, o tio dá um tapa fraterno nas costas do sobrinho e envia lembrança para o pai do rapaz.

Contente com o pagamento, Halim enfia o dinheiro no bolso da Levi's e sai. O tráfego sempre movimentado na rua principal do subúrbio. Mistura de línguas e raças. A poluição causa asma até nos pombos. Ele entra na loja onde trabalha o amigo Memduh. A loja fica a cinco minutos da quitanda do seu tio. Lá dentro, todas as marcas famosas de tênis. Nike, Adidas, Reebok, Puma, etc. Halim olha os tênis como quem olha estrelas. Em sua cabeça, o sonho de ganhar na loteria e poder comprar quantos pares quiser.

Na loja, o som é de *house music*. O baixo faz vibrar o assoalho sob os pés de Halim. Com os pés, ele acompanha o ritmo. Do outro lado da loja, Memduh percebe o amigo. Faz gesto de alô e vem. Eles se cumprimentam apertando as mãos. Halim pergunta a Memduh se conseguiu o Nike encomendado. Memduh diz que sim e que vai dar desconto, funcionário tem desconto. Vão para o fundo da loja. São amigos desde a infância. O tio de Halim o aconselhou a não se viciar em apostas, que é o segundo pior vicio – o primeiro é ser viciado em putas.

Ali perto há dois bordéis. Um deles é uma casa de massagens e fica perto da estação de metrô; o outro fica num lugar mais discreto, o nome na porta diz "Seleta Agência de Modelos". Halim prefere este. É onde trabalha a Debra. Halim sempre vai lá em dia de pagamento. Debra se queixou por ele não ter aparecido na semana passada. Está num vestido vermelho tão justo que a faz sentir-se abraçada. Sua voz é uma oitava mais grave e ela segura um par de sapatos de couro, bico fino e pontudo, salto agulha. Os sapatos brilham como se fossem novos.

Halim deixa em um canto do quarto a sacola de plástico com o novo par de tênis e tira o paletó. O quarto de Debra é bem aconchegante, iluminado de acordo. Halim senta-se no tapete com as costas apoiadas na cama. Os dois têm quase a mesma idade. Debra pergunta se ele quer que ela calce os sapatos.

O dono do puteiro se chama Ali e cuida da reputação da casa. Não quer gente com taras esquisitas no seu estabelecimento. Nada de máscaras de couro, de homem com homem nem outras perversões. Debra trabalha seis dias e folga no sétimo, quando vai às compras com as colegas. Ali gosta que suas garotas sejam classudas.

O conto continua (pulei detalhes de somenos). Halim pede a Debra que calce os sapatos. A abertura parece uma boca faminta. Sapatos vermelhos, saltos altíssimos, muito *sexy*. E confortáveis. Mas quando ela anda pra lá e pra cá no quarto, fica com medo de perder o equilíbrio. Porque se cair e romper a tíbia quem vai ficar puto é o dono do bordel.

Debra adora Halim. O rapaz é tudo para ela. O dono do bordel não pode nem imaginar que ela use um sapato como aquele ali no quarto. E ela só o calça para Halim. Anda pra lá e pra cá procurando não fazer ruídos suspeitos. Movimenta-se como nas aulas de balé do passado e se surpreende em continuar boa no *plié*. Os sapatos a fazem sentir-se boa o bastante para ser uma *top model*. E ela faz do assoalho do quarto a passarela. Requebra como viu modelos fazendo na *fashion week* mostrada na TV. Pára, como se *flashes* estivessem estourando. Faz caras e bocas, fica só num pé, levanta a outra perna dobrando o joelho. Recomeça o *sashay* em outra direção. A multidão uiva e aplaude freneticamente.

Cansada, ela se senta na cadeira oposta a Halim. Esfrega um pé (sempre com o sapato bicudo e saltudo) no dele. Brincam de gata e rato. Os belos olhos de Halim ficam ainda maiores e com o pé ele tira um dos sapatos dela. Ela segura o sapato provocando-o. Olhe! E passa o sapato para ele. Ele o segura como uma coisa maravilhosa e cheira seu interior, aspirando profundamente.

Passou meia hora. Os dedos dos pés de Debra doem. Halim pega a sacola com o tênis novo e combina novo encontro para o próximo sábado. Depois que ele sai, Debra chuta os sapatos, escondendo-os atrás do guarda-roupa até a semana que vem e calça o velho par. Fica sentada até a chegada de outro cliente. Começa a escovar os cabelos. O patrão gosta que suas garotas estejam sempre nos trinques.

Halim sai, passando por outros clientes do bordel. Um deles tem a sua idade. O patrão, sentado a uma mesa conta o dinheiro. É sábado, e é raro o sábado em que não pinta treta. O patrão pega o dinheiro de Halim ignorando o boa noite que o cliente lhe deseja ao sair.

A caminhada até sua casa é curta, e quando chegar lá seu filho já estará dormindo e a mulher assistindo TV. Antes ele entra numa venda e compra coisas de que a mulher gosta. Vai esperar até o dia seguinte para lhe mostrar o novo par de tênis, até que eles estejam nos pés do filho, antes de dizer para ela o quanto pagou. Ela nunca pergunta onde foi parar o dinheiro da semana. Halim também não conta. Diz para ela não se preocupar. Um dia, quando ele finalmente for o gerente da loja do tio, terão tanto dinheiro que nem saberão no que gastar. Ela sorri. Prefere acreditar no marido.

Acabou o conto. Aplausos. Kate Pullinger, a mediadora, diz: "Terrific story!" e a comenta. Pede a Tim Lott, que é crítico literário, para falar de contos. E ele:

"Sinto-me frustrado com personagens em histórias tão curtas. Nunca senti vontade de escrever contos. Sinto necessidade de ir além. Prefiro o alto conceito do romance, que é o que me atrai. Mas estou me recuperando deste sentimento. Meu pai gostava de contos."

Kamila Shamsie diz que seus primeiros romances começaram como contos – ela começou a escrever aos 11 anos! E Lesley Glaister: "Adoro contos, mas não li muitos e escrevi poucos. A maioria foi encomenda por revistas e mesmo para livros. Uma coisa meio subconsciente."

Erica Wagner é americana. Além de contista, é atualmente a editora literária do *The Times*. Diz: "Contos são como poemas. Acho-os misteriosos. Vão atrás de uma única idéia. Romance você lê umas 24 páginas, volta do trabalho e chega em casa louca para continuar. Já o conto precisa ser muito bom para nos pegar até o fim, mesmo sendo curto. Como teatro, cinema, são formas diferentes."

Toby Litt (que além de contista é romancista e crítico literário): "Sim, sim, sim. Escrever contos de encomenda, por dinheiro. Contos são como instantâneos. Muitos dos que li não são ousados. Os autores não põem muito nos contos. Em um romance você precisa ter duas idéias, no conto, uma. Escrevo contos nas férias. No romance, é ir ao fim das coisas; no conto, é como lavar roupa, cozinhar."

Francine Stock (a que leu a história da ausente Victoria Briggs): "Conto é se livrar logo de uma idéia fantástica".

São todos relativamente jovens, entre 35 e 45 anos. Kate Pullinger, a mediadora: "Eu comecei escrevendo contos. Só dez páginas". Kamila Shamsie: "Quando me apaixono por um personagem sobre o qual estou escrevendo, quero continuar com ele e aí a coisa se estende de conto para romance". Tim Lott: "Existe uma coisa intrínseca no conto..." A editora literária do *Times*: "Escrever contos por dinheiro. As pessoas gostam de lê-los. Nos States lêem muito. Você se torna acostumado a eles". A mediadora: "No romance você escapa através de centenas de páginas, já no conto..." Tim Lott: "Conheço um fulano que começou um livro como romance e o terminou como conto". Risos.

Chega a vez das perguntas do público. Na platéia, William Nicholson lembra: "O público continua lendo os contos de Scott Fitzgerald, Tchecov, E. M. Forster, Conan Doyle... e ninguém aí ainda os mencionou, e eles continuam vendendo". A editora literária do *The Times*: "O mercado dos contos, os contos clássicos... é uma coisa diferente". Uma senhora da platéia: "Por que os contos contemporâneos são tão sombrios?" Toby Litt, respondendo: "Às vezes são deprimentes, às vezes são engraçados".

Uma outra senhora da platéia diz que lera no livro o conto que havia sido lido há pouco em voz alta por Francine Stock e que foram experiências completamente diferentes. Foi muito melhor lido em voz alta para o público. A editora do *Times* diz que "perdemos o dom de ouvir e contar histórias; as pessoas quando conversam estão o tempo todo contando histórias umas às outras, isso é muito importante". Um homem da platéia pergunta por que o evento se chama "The New Rock And Roll?".

Boa pergunta. No estrado, os sete se entreolham esperando que um deles responda. Kate Pullinger, a mediadora, chama Diana Reich, que é a organizadora dos eventos, e faz-lhe a pergunta. Diana responde que cada evento tem um título e que este tem um ponto de interrogação: "The New Rock And Roll?".

Da platéia, uma mulher diz que é preciso formar uma nova geração de ouvintes e leitores, que é importante ler para crianças e para os alunos. Ela diz que é professora. Mas Toby Litt a contesta: "Não é uma coisa que interesse às crianças. Antes se lia para crianças porque elas não tinham muitas distrações." Mas eu, Bivar, discordo. Tenho um sobrinho-neto, ainda na primeira infância, é bem verdade, que sempre passa um livro de bichos para a avó e pede: "Conta história." Diana Reich encerra o evento: "Foi um debate fascinante."

Londres, 21 de maio.

Fomos à National Gallery ver a exposição de El Greco (1541-1614). Suas cores e o alongamento da figura nos traços anteciparam o modernismo e, mais que tudo, a perfeição do desenho da figura masculina faz dele um artista inconfundível. Enquanto Rubens impõe pela abundância de carne, tanto nas figuras masculinas quanto femininas, El Greco o faz pela elegância longilínea. No desenho da figura masculina, sobretudo nas pernas, El Greco atinge a perfeição anatômica. Seu estilo original e libertário, sua maneira individual no uso de formas, cor e luz inspirou artistas como Cézanne e Picasso.

Depois da exposição de El Greco, passamos pelo hall onde o piso é composto pelos mosaicos de Boris Anrep, que fora tão amigo de Virginia Woolf e ligado ao Bloomsbury. Percebi, então, que o público que entra na NG passa por cima, ou melhor, pisa em cima dos mosaicos de Anrep sem neles reparar. Mas como estou escrevendo este livro sobre a cultura bloomsburiana, mais uma vez fui salvo por Jenny, que me chamou a atenção para eles. É claro que eu, e há muito tempo, sabia desses mosaicos, já tendo passado por eles infinitas vezes. Mas sempre, no afã de entrar logo no museu, fiz como a maioria, ou seja, pisei sobre os mosaicos da entrada sem neles me deter.

São magníficos. Divididos em quatro, cada um com seu tema, foram feitos em anos diferentes – 1928, 1929, 1933 e 1952. Boris Anrep (1885-1969) nasceu na Rússia e foi educado na Universidade de São Petersburgo e na Inglaterra. Viajou intensamente para estudar mosaicos no próprio país onde nasceu e também na Itália. Estudou na Academia Julian em Paris e no Colégio de Arte de Edimburgo. Tornou-se amigo dos pintores ingleses Augustus John e Henry Lamb.

Em 1912, ajudou Clive Bell e Roger Fry na montagem da segunda exposição pós-impressionista na Inglaterra. Pouco depois conheceu o economista Maynard Keynes. Seu primeiro mosaico de piso foi para a Tate Gallery em 1926. Depois recebeu a encomenda para fazer os da NG. Para estes, Anrep tomou como modelos figuras de destaque da época – políticos, estrelas de cinema, artistas, intelectuais e, principalmente, amigos do Bloomsbury.

Assim, seus mosaicos no vestíbulo da NG são como uma versão mais requintada da calçada da fama no Sunset Boulevard em Hollywood. Por exemplo: no piso principal, logo depois do primeiro lance de escadas, vemos o mosaico de 1933, onde figuram Virginia Woolf personificando Clio, a Musa da História, Greta Garbo como Melpomene, a Musa da Tragédia. É uma maravilha! E Clive Bell como Baco, o Deus do Vinho; Osbert Sitwell como Apolo, o Deus da Música; Lady Cristabel Aberconway, como Euterpe, a Musa da Música; a Condessa Jowitt, emprestou sua imagem para Thalia, a Musa da Comédia; Madame Maria Volkova é Urânia, Musa da Astronomia; e, claro, a bailarina Lydia Lopokova (já então Sra. Maynard Keynes), como Terpsícore, Musa da Dança; a já aqui perfilada Mary Hutchinson (vide palestra de David Bradshaw, na Escola de Verão em Charleston, 1997), como Erato, a Musa da Poesia Lírica...

Em outro dos pisos na entrada da NG, para o tema As Virtudes Modernas, Anrep tomou uma estrela de Hollywood dos anos 40, Loretta Young, que aparece como a virtude Compromisso, enquanto Sir Winston Churchill é mostrado como Desafio e o poeta T. S. Eliot, como Diversão; o filósofo Bertrand Russell como Lucidez; Lady Diana Cooper foi retratada como Humor, mas humor mesmo foi o do próprio mosaicista, que se auto-retratou no túmulo. Os outros dois mosaicos representam Os Labores da Vida e Os Prazeres da Vida. São preciosos e evocativos, esses quatro mosaicos de Boris Anrep no piso da entrada da National Gallery em Londres. Valem uma visita e a entrada é gratuita.

Depois do encantamento que foi ver El Greco e os mosaicos de Anrep fomos, ao lado, à National Portrait Gallery, outro lugar que quando passo por Londres não deixo de visitar. Na NPG, além de revisitarmos alguns retratos sempre interessantes, tanto pelos retratados como pelos artistas de renome que os retrataram, descobri que o retrato a óleo de Iris Murdoch (1919-1999) foi pintado entre 1984 e 1986 por Tom Phillips, artista do qual tenho duas gravuras (que me foram presenteadas por Jenny), que foram expostas na Summer Exhibition da Royal Academy no final da década de 90. E olha só: li que Tom Phillips tem trabalhos no British Museum, na Tate e no MoMA de Nova York – e eu tenho duas gravuras dele!

Ainda nessa visita à NPG vimos a retrospectiva do fotógrafo Cecil Beaton, trabalho de toda a vida, desde os anos 20, quando começou. Os retratados são *dandies* da sociedade, a realeza, inclusive a então ainda princesa Elizabeth e estrelas de Hollywood – Greta Garbo, Marilyn Monroe, Audrey Hepburn, Marlon Brando, etc. Interessante é que Beaton já era um nome consagrado na fotografia quando, por volta de 1930, Virginia Woolf duas vezes se recusou a ser fotografada por ele.

No fim daquele ano Beaton publicou um livro com fotos e desenhos de sua autoria, *Book of beauty*, retratando aqueles que ele considerava os belos da época. De Virginia, já que ela não consentiu ser fotografada, Beaton fez dois desenhos. Indignada, ela escreveu ao editor da revista *Nation & Athenaeum* em protesto, dizendo que nem conhecia pessoalmente o Sr. Cecil Beaton e que ele não tinha o direito de ter usado a imagem dela no livro. O mais engraçado é que o livro de Beaton foi publicado pela editora de Gerald Duckworth, meio-irmão de Virginia, filho do primeiro casamento da mãe dela.

Cecil Beaton escreveu à revista respondendo à carta de Virginia. Em sua carta, reafirma sua admiração e respeito por ela como escritora e por sua beleza como mulher. E se desculpa, dizendo que não é preciso pedir autorização para publicar desenhos de personalidades públicas; se assim fosse, os caricaturistas teriam de pedir autorização para caricaturar suas vitimas. No caso de Virginia não se tratava de caricatura, mas de um desenho fiel.

Em defesa de Beaton, uma amiga deste e da própria Virginia, Lady Christabel Aberconway (há pouco citada como Euterpe, Musa da Música, no mosaico de Boris Anrep no piso da entrada da National Gallery) escreveu ao editor da N&A: "Senhor, como admiradora da Sra. Woolf e como oponente a qualquer forma de monopólio, desejo registrar meu protesto contra a atitude dela para com o *Book of beauty* do Sr. Beaton. Os desenhos originais reproduzidos no referido livro agora me pertencem, e, sejam quais forem seus méritos ou deméritos, são bem parecidos com ela." Ainda nessa carta, Lady Christabel escreveu que para uma pessoa geralmente retratada só pela irmã Vanessa (e por artistas relacionados ao Bloomsbury), é relevante que a posteridade venha a ter conhecimento de outras versões da Sra. Woolf.

Sábado, 22 de maio.

Rumamos a mais dois dias de eventos no Festival de Charleston. Antes paramos em Lewes onde, idéia de Jenny, tivemos almoço de confraternização com alguns participantes da Escola de Verão da Classe de 1993. Dos 22, só seis puderam comparecer – Sue Sullins (de Arlington, Texas), Jackie Clements (de Newhaven, aqui perto), Joan Draper (de Toronto, Canadá), Sarah Phillips (inglesa, morando em Bath), Jenny e eu. Jackie, viúva de Keith (morto em 27 de novembro de 2003, aos 72 anos) disse: "E nós aqui, mais velhos."

De fato, nada é eterno. Mesmo a Frances Partridge, que parecia que não ia morrer nunca, faleceu – é bem verdade que lúcida – aos quase 104 anos, em 5 de fevereiro de 2004. (Ainda neste ano, mas depois de eu ter dado por encerrado este livro com o Centenário de Bloomsbury, houve o falecimento de Nigel

Nicolson, aos 87 anos, em 23 de setembro de 2004 – era outro que parecia eterno!) Um que, com certeza, teria estado conosco no almoço seria Ralph Drake, mas ele também teve morte súbita, em sua casa em Cleveland, Ohio, em 15 de dezembro de 2003, aos 67 anos.

Sue, que há anos vive uma história de amor com um inglês mais jovem que ela, está uns 20 kg mais magra. Sarah, do grupo a mais jovem, deu à luz recentemente uma adorável criança (mostrou fotos). Jenny já estava divorciada de Peter quando ele morreu, em 22 de junho de 2003. De modo que foi um almoço rápido, porque já estávamos atrasados para o primeiro evento em Charleston.

Na tenda, 14h. Arte, amor proibido, celebridade e criatividade são os temas do evento, temas explorados em duas biografias. Josceline Dimbleby escreveu em *A profound secret* (*Um segredo profundo*) a biografia da bisavó May Gaskell e seu intenso relacionamento com o pintor pré-rafaelita Edward Burne-Jones, e Henrietta Garnett (que é neta de Duncan Grant e Vanessa Bell, filha de Angelica e David "Bunny" Garnett, sobrinha-neta de Virginia Woolf e nora de Frances Partridge) escreveu *A life of Annie Thackeray Ritchie*, biografia nada convencional de uma das filhas do romancista William Makepeace Thackeray (1811-1863), autor de *Vanity fair* (*Feira das vaidades*). É claro que Henrietta não conheceu essa parente distante, pois Annie morrera muitas décadas antes de ela nascer.

As duas biógrafas estão na tenda para falar sobre os círculos coloridos e interligados de suas parentes distantes, em animado debate com a também biógrafa Frances Spalding, nossa velha conhecida daqui.

Entram, as três. Henrietta, que vive na França faz tempo, já tem cara de francesa. Está de *blazer* verde-escuro sobre blusa cor-de-rosa, cabelo curto, franja cobrindo as sobrancelhas; Josceline é mais encorpada e super de bem com a vida. Henrietta bebe água, enquanto a Spalding fala dos livros delas.

Josceline começa: "Este livro, que me deu tanto prazer em escrever, resultou em uma grata surpresa. Cozido em fogo lento, é sobre uma lenda familiar que me intrigava desde criança. Em casa muito se falava de minha bisavó, May Gaskell. Eu pouco sabia do pintor Burne-Jones. O quadro que ele deu à minha bisavó, os álbuns de fotografias... Por que Amy Gaskell e não May está na capa do livro?" Josceline explica que Amy, filha de May, aos 19 anos serviu de modelo para as telas de Burne-Jones. Está em tantas telas de Burne-Jones que se pode dizer, seguramente, que ela é o ícone mais representativo do pré-rafaelismo.

O lançamento do livro de Josceline coincidiu com exposição *Um segredo profundo, Burne-Jones e as Gaskells*, na Leighton House. Amy morreu jovem, de coração partido. Josceline foi, por mais de 25 anos, uma autora *best seller* de livros de receitas culinárias (talvez por isso, à nossa frente, pareça bem alimentada). Mudou de ramo, por assim dizer, por sentir que não sossegaria enquanto não fosse fundo, como uma detetive, nessa história familiar à qual chegou a partir da descoberta de um sem número de cartas apaixonadas de um dos maiores pintores do movimento pré-rafelita à sua bisavó.

Algo extraordinário jamais até então revelado. Era uma correspondência tão louca, a de Burne-Jones para May, que chegava ao exagero de cinco cartas diárias. Foi nos últimos seis anos de vida dele. Burne-Jones era casado. Antes de morrer, ele pediu que May queimasse as cartas, o que felizmente ela não fez. Por mais que Josceline fuçasse, mais o mistério aumentava. De modo que *A profound secret* é um livro sobre uma relação apaixonada entre um pintor célebre e uma mulher casada.

Mostra um lado de Burne-Jones jamais até então revelado. Josceline nos lê uma carta em que Burne-Jones descreve um armazém que vendia de tudo, de batata a galocha. E também o que ele escrevia nas costas de seus desenhos. Burne-Jones passou a vida buscando a mulher perfeita. Nunca foi capaz de amar, mas tinha um grande senso de humor. Para May, escreveu: "A única coisa real no meu mundo é você." Ele vivia num mundo irreal. Idealizou um quarto perfeito nos mínimos detalhes e escreveu a May: "No quarto que fiz para você ninguém entra, só você."

May já era mais pé na terra. É do ponto de vista dela que, no livro da Josceline, fica-se sabendo como era o Império Britânico na Índia, na África do Sul e no Extremo Oriente. Muitas figuras vitorianas famosas entram no caldeirão. May Gaskell viveu mais 40 anos depois da morte de Burne-Jones. Foi a responsável pela criação da Biblioteca da Guerra, que enviava milhares de livros aos soldados nos campos de batalha.

O livro é também, por fim, a história de sua filha Amy, cuja vida foi tão misteriosa quanto sua morte prematura, e cujo retrato a óleo por Burne-Jones hoje faz parte da célebre coleção de Sir Andrew Lloyd Weber, o autor de musicais famosos como *Cats* e *O fantasma da ópera*. Por falar em cartas, Josceline diz que no futuro, quando desaparecerem os *e-mails*, tudo que nos restará de nosso dias serão documentos oficiais. Mas que do passado, do tempo da bisavó dela não, pelas cartas sabemos dos relacionamentos humanos. May Gaskell rezava todas as noites.

Agora quem vai nos contar outra história familiar é Henrietta Garnett. Sua voz é frágil, doce, grave e recheada de humor. E ela conta da Annie Thackeray Ritchie. Aos 23 anos, Annie já publicava romances. Não era uma beleza convencional. Era perceptiva-idiossincrática. Olhos preguiçosos, piscava muito. Escreveu uma biografia de Madame de Sévigné. Escreveu memórias. Conheceu Ruskin, Tennyson, Oscar Wilde – para citar três. Sem contar que o pai, autor de um *best seller* imortal, o *Feira das vaidades*, competia em pé de igualdade com Charles Dickens (1812-1870), seu contemporâneo.

Henrietta nos conta: "Uma das melhores amigas de Annie Thackeray foi minha bisavó, Julia Stephen, que dela disse: 'Annie tem gênio'. Meu livro não é uma biografia convencional. É sobre o relacionamento de Annie com seu cunhado, Leslie Stephen, meu bisavô. Foi um relacionamento complicado. Eles se amavam, mas ele era casado com Minnie Thackeray, irmã dela. Após a morte de Minnie, Annie, que estava com 40 anos, em vez de se casar com o cunhado casou com outro. Leslie ficou muito enciumado. Mas casou com Julia, também viuva. Além dos filhos de seus casamentos anteriores, tiveram outros quatro, como vocês sabem: Thoby, Vanessa, Virginia e Adrian. Leslie nunca mais foi o mesmo depois da morte de Minnie. Anos depois da morte de Julia, quando Leslie já estava para morrer, Annie foi visitá-lo no leito de morte."

Henrietta alonga as vogais de modo muito chique: "Leslie aterrorizava as filhas. E como escrevia bem! Meu bisavô é uma delícia de ler. Não era nada daquilo escrito nas biografias de Virginia Woolf. O que o fazia tão popular com crianças e senhoras? E depois ele era um homem bonito, muito atraente, alto, olhos azuis, as mulheres o achavam irresistível." Henrietta faz os maiores elogios ao bisavô. Ela, claro, nascida mais de 40 anos depois da morte dele, não o conheceu, mas lendo as coisas que ele escreveu, ela sentiu, no sangue, como ele na verdade era: o máximo. Fala da própria infância e de Charleston no seu tempo de menina: "Uma vez que Duncan e Vanessa eram meus avós, passei muito de minha infância aqui em Charleston. Nós, crianças, gostávamos de ouvir histórias de nossos antepassados. E agora, para escrever o livro, tive de fazer a seleção e eliminar muita coisa importante."

Henrietta é ao mesmo tempo séria e engraçada. A seguir, o debate conduzido por Frances Spalding: "Os livros vieram a vocês ou foram vocês que se determinaram a escrevê-los?" Henrietta: "A mim veio na hora certa. Antes não me sentia nem apta nem educada o bastante para escrever uma biografia". Spalding: "Ambos os livros são biografias não convencionais. Ambas as personagens são fascinantes. Deve o autor se pôr ou não no livro?"

Josceline: "Fui como que ordenada a me pôr no livro. O editor disse: 'Você tem de se pôr no livro, como se convivesse com essa gente'. Então passei a viver com eles 24 horas por dia, num convívio completamente natural." Spalding: "Uma espécie de experiência de detetive".

Henrietta: "No meu caso, foi Annie Thackeray quem se pôs no livro. Ela me contou a história. A vida que vivia, as pessoas. Fiquei de fora do livro. No meu caso foi o seguinte: se eu tivesse me colocado no livro teria sido a minha voz, não a de Annie. Tive de imaginar como era andar por Londres na era vitoriana, o cheiro das ruas, os ônibus guiados por cavalos, tive de imaginar. Era uma época completamente diferente da nossa. Tive dois problemas: minha família tem o hábito de escrever sobre ela mesma. Minha tia-avó Virginia Woolf..." Risos. E Josceline: "Minha avó vivia repetindo as mesmas histórias, mudando-as conforme o espírito da hora, e escolhi para o livro as histórias de que mais gostava."

Agora é a vez do público perguntar. Josceline responde: "Naquele tempo as pessoas eram discretas e formais em público, mas na intimidade... As cartas... Quando terminei a biografia... Tive momentos de culpa lendo as cartas." Henrietta: "Quando terminei a biografia não senti culpa nenhuma". E pronto, acabou. Agora as duas biógrafas autografam seus livros.

Encontrei Anne Olivier Bell no estacionamento. Ela já estava dentro de seu carro. Enfiei a cabeça pela vidraça aberta e dei-lhe um beijo no rosto. Ela riu do meu gesto. Disse que ia até sua casa fazer uma refeição rápida e voltaria para o próximo evento. Disse que a Sue Sullins lhe mostrou o álbum de nossas fotos da

Escola de Verão de 1993. E lá foi ela, aos 87 anos, sozinha, independente, dirigindo o velho Peugeot.

Mesmo sábado, noitinha.

A tenda está cheia. Jeanette Winterson é uma escritora bem-sucedida, famosa e polêmica. Está com 44 anos. Lésbica assumida, surgiu nos anos 80 com um romance autobiográfico, *Oranges are not the only fruit* (*Laranjas não são as únicas frutas*), escrito aos 24 anos. O livro foi traduzido em mais de 30 línguas, inclusive no Brasil. Parte da aura da autora vem do fato de ter sido adotada na infância por um casal operário sem filhos, pentecostal, em região pobre no norte da Inglaterra.

A mãe adotiva era fanática e preparou Jeanette para ser pastora evangélica. Aos 12 anos a menina já pregava nas esquinas. Um dia, a mãe a flagrou fazendo sexo com uma garota que Jeanette havia convertido à sua religião. Injuriada, denunciou-a aos dirigentes da igreja. Segundo suas palavras em uma recente entrevista, sexo adolescente era muito excitante e sem a bagagem que vem com os anos.

Aos 16 anos abandonou a igreja. Foi vender sorvete na rua. Trabalhou em uma funerária cuidando da sala de velório. Trabalhou também em um hospital de doentes mentais. Mais tarde conseguiu uma bolsa de estudos em Oxford. A mãe morreu em 1990. Jeanette não foi ao enterro, mas reconhece: "Você tem de perdoar ou sua alma será corroída pelo não perdão. Perdoei minha mãe, mas ela nunca me perdoou. Achava que meu sucesso vinha de um pacto com o diabo". O pai se casou novamente e é mais feliz no segundo casamento. Jeanette raramente se comunica com ele.

É a segunda vez que ela atua no festival de Charleston. Quem a apresenta ao público hoje é Alastair Upton, o diretor da casa. O dia está agradável e a Winterson, de cabelos curtos encaracolados, está de camiseta regata (a alça preta do sutiã aparece) e calça comprida. De pé, no púlpito, ela começa: "Este é um dos meus lugares favoritos..." Sorridente, provoca a platéia. Sua postura, de fato, lembra a dos pastores evangélicos, somada a uma cancha de animadora de auditório. Brinca de pregadora culta para um público culto. Diz que gosta de Charleston porque aqui têm sempre coisas acontecendo. As conexões com o passado, etc. *Soi-disant* sucessora de Virginia Woolf, ela diz: "Vou ler um trecho do meu romance."

Seu novo romance, *Lighthousekeeping* (*Cuidando do farol*) é uma história que toca o conto-de-fada, e também em Darwin, Robert Louis Stevenson e o lado *O médico e o monstro* em cada um de nós. Nesse livro ela conta a aventura de Silver, a heroína, em sua viagem de autoconhecimento. Começa a ler segurando o livro como se empunhasse a *Bíblia*. Apenas segura e o brande aberto, sem precisar olhar. Está tudo na ponta da língua. É interessante a sua *performance*, diferente de tudo a que estamos acostumados a ver em Charleston.

Como disse uma amiga dos primeiros tempos: "Jeanette tem uma personalidade apaixonada, é muito bem articulada e tem uma grande habilidade de pregadora para converter pessoas. Aos 24 anos, isso era espantoso. Ela fazia as pessoas acreditarem que podiam realizar coisas em suas vidas". Em seu primeiro romance, as pessoas convencionais é que eram aberrações. Por aquele e pelos livros que o seguiram, Jeanette foi muito elogiada por Gore Vidal, Muriel Spark, Edmund White, Liz Calder.

Depois será por outros considerada pretensiosa, megalômana, auto-indulgente, seu talento tido como suspeito. Passou por uma fase difícil nos anos 90. Chegou a sentir que não conseguiria mais escrever. Já não encontrava a própria voz. Sentia-se perdida. Em 1994, não gostando do que Nicci Gerrard escreveu sobre ela em um perfil no *Observer*, foi, com a parceira (Peggy Reynolds, uma editora australiana com quem viveu de 1989 a 2002), dar baixaria na casa da jornalista que naquela noite recebia para um jantar sentado.

O barraco ganhou destaque na imprensa e pegou mal para Jeanette, piorando uma situação para ela já não favorável. Vendeu a casa em Londres e foi se refugiar no interior. Recusava-se a dar entrevistas ou a aparecer na mídia. Depois da passagem do milênio ela se recuperou e se reencontrou. Tornou-se colunista, escrevia artigos de encomenda para vários jornais, e se pôs também contra a guerra no Iraque. Confessou ter votado em Margaret Thatcher em 1979 e em Tony Blair em 1997, sentindo-se traída por ambos.

Seu oitavo romance, *Lighthousekeeping*, de 2004, recebeu críticas entusiasmadas e outras nem tanto. De qualquer modo, foi por todos considerada mais amadurecida. Hoje está rica. Tem um sítio a quinze milhas de Oxford. Adora gatos e carros antigos (tem quatro). Acaba de comprar um Porsche zero quilômetro. Tem também uma casa do século 18 em Londres, numa área da cidade onde viveu Charles Dickens. Continua impactando por suas tiradas de efeito: "Sou uma escritora que por acaso gosta de mulher e não uma lésbica que escreve. Odeio a palavra lésbica, não significa nada. Não escrevo para nenhum gueto – homem, mulher, gente estreita ou *gay*; escrevo para levar as pessoas a uma mudança de consciência." Agora, aqui em Charleston, ela diz um trecho de seu novo romance:

– Conte-me uma história.
– Que tipo de história, criança?
– Uma com final feliz.
– Não existe no mundo inteiro tal coisa.
– Final feliz?

E continua. A menina do livro, Silver, já não tinha pai e agora morre a mãe. A vida torna-se uma aventura apavorante e fascinante, na qual inocência, felicidade e... "Temos sorte porque depois da noite vem a luz da manhã."

Ela lê. O público gosta, se surpreende, reage. Na platéia, os rostos parecem encantados; uma garota, à minha frente, está com uma expressão de êxtase. Procuro outros rostos. Uma senhora boceja. Páginas e páginas sobre o cachorro personagem da história; o nome dele é DogJim (acompanho a leitura seguindo um livro na minha mão, e o nome do cachorro está escrito assim mesmo, DogJim).

Consta que o farol do título desse livro é uma referência e uma homenagem ao *Rumo ao farol*, de Virginia Woolf, romance que também tem criança como personagem. No de Virginia é uma criança que sonha ir ao farol, no da Winterson é a que mora nele. Sinta a idéia. Mas continuo me distraindo com a cara do público. A maioria na tenda é gente que gosta de ouvir escritores. De modo que é tudo religião, entretenimento, cultura.

Jeanette termina de ler. É calorosamente aplaudida. Firme, segura de si, repete que a tenda a faz se sentir como nos velhos tempos de pregadora. E pergunta, pedindo que levantem a mão: "Quem, aqui, nunca leu um livro meu?"

As pessoas obedecem: quem nunca a leu levanta a mão. Parece que só menos da metade do público não a leu. Ela arremata: "Ótimo. Vocês serão convertidos."

Que domínio de palco! Winterson é uma agente provocadora. Alguém pergunta como ela escreve e ela conta: "Um dia fui visitar uma amiga que adoro (a escritora Ruth Rendell) e pensei: 'Será que vou conseguir escrever outro livro?' Caminhava à beira do canal e veio a frase 'minha mãe me chamava de Silver'. Silver, de prata, de Long John Silver (o personagem de *A ilha do tesouro*)... Gosto de livros de aventura. Robert Louis Stevenson... Todos os faróis da Escócia foram construídos pela família Stevenson. *A ilha do tesouro*, o personagem desse livro, Long John Silver, era um vilão. E o garoto desse livro... A menina no meu. Com tudo isso eu quis brincar. Não escrevo seqüencialmente, apenas escrevo. Páginas... De repente, um cachorro..."

Uma senhora pergunta: "Quando criança você lia?"

Jeanette responde: "Venho de uma família da classe operária. Minha mãe (adotiva) lia a *Bíblia* todas as noites. Aprendi todas as histórias da *Bíblia*. Minha mãe dizia: 'O problema com os livros é que você nunca sabe o que eles contêm até que seja tarde demais'." Risos. Jeanette faz humor, o público ri, Jeanette sabe puxar aplauso.

Lá fora escureceu. Agora os refletores a iluminam. Ela critica os cursos de escrita criativa: "É lendo que se aprende a escrever. Nas páginas impressas você aprende as respostas. Escrevo sobre lugares. Já escrevi romances situados em Veneza, Capri... O cheiro dos lugares, Paris, ver as coisas pela primeira vez. O mundo das sombras, na *Bíblia*... A vida é essa coisa operática, dignificada... Sou fascinada com a idéia de passado, presente e futuro. A coisa boa de escrever é que escrevendo você pode fazer o que quiser. Não se pode lutar contra o passado, mas firmar a paz com ele."

Alguém pergunta: "O que você pensa do pós-modernismo? Você pode dizer o que é?" E Jeanette: "Não tenho a menor idéia. Sei que Roger Fry inventou o termo quando, em 1910, fez aquela exposição pós... pós-impressionista. Foi a primeira vez em que se usou o termo "pós". Suponho que pós-modernismo seja inveja da criatividade. Virginia Woolf chamou *Orlando* de biografia. Picasso... Foram criativos, inventores. Não gosto quando as coisas são postas em caixas e categorizadas. Quando uma pintura não me diz nada, isso significa que sou eu quem não diz nada à pintura." Aplausos. "E agora sou eu que vou fazer a última pergunta a vocês: Quantos irão comprar o meu livro agora? Levantem a mão." Aplausos. Danada a Jeanette Winterson.

Rodmell, domingo, 23 de maio.

Meu segundo despertar em Rodmell não teve a magia que eu esperava quando há meses, em São Paulo, por telefone, propus a Jenny que seria uma experiência inédita dormir ao menos umas duas noites no vilarejo de Virginia Woolf e a poucos passos de sua Monk's House. Ela, sempre atenciosa, fez com antecedência de meses a reserva na Barn House e assim aqui dormimos, duas noites, a de sábado para domingo da outra semana e a de sábado para domingo agora.

Mas... nada. Poderíamos ter dormido em qualquer outro lugar que teria sido a mesma coisa: magia nenhuma. Depois do *breakfast*, fomos caminhando até o Rio Ouse, onde Virginia se afogou naquele 28 de março de 1941, aos 59 anos. É uma bela caminhada de cerca de uma milha, desde a Monk's House até o rio e provavelmente Virginia teria tido tempo para olhar para trás, ver a torre da igreja ao fundo de seu jardim, reconsiderar e, sei lá, desistir do suicídio. Mas ela não deve ter olhado para trás, saiu de casa decidida a fazer o que fez.

Do jeito que vi o Rio Ouse, há 13 anos, na minha primeira visita, em 1991, era abril e ele estava cheio, caudaloso, as águas limpas descendo velozmente, dava para nele morrer. No mês em que ela se afogou, o rio devia estar ainda mais cheio. Mas agora, já na última semana de maio, com a seca, está tão raso, tão baixo é o nível das águas que, nem que quisesse, ninguém nele conseguiria se afogar. A água é uma lama só. Os cisnes, tranqüilos, sujos de lama, não conseguem flanar. Ar puro, bela manhã, a pradaria, bom lugar para caminhar sem se cansar.

Mesmo domingo, 14h, Charleston.

Agora vamos ter um encontro com dois biógrafos que nestes dias, coincidentemente, lançaram as novas biografias de Stephen Spender e Christopher Isherwood. Como já escrevi bastante sobre o que os críticos escreveram sobre a de Spender, transcreverei mais adiante o que colhi da crítica sobre a de Isherwood, antes de passar a palavra ao seu biógrafo em pessoa, na tenda.

Christopher Isherwood e Stephen Spender foram figuras centrais no grupo de escritores que cresceu à sombra da chamada Geração Perdida da Primeira Guerra Mundial. O trabalho deles foi influenciado pela crise na Europa e pelas novas audácias ligadas ao substantivo amor. O título do evento agora é "Class of 1930" ("A classe de 1930").

Anne Olivier Bell está sentada à minha frente e, ao seu lado, Lady Natasha Spender, viúva de um dos biografados. Acompanhando Diana Reich, entram os dois biógrafos: Peter Parker, autor da biografia definitiva de Isherwood e John Sutherland, autor da biografia de Spender. Os três sobem ao estrado. Diana Reich os apresenta e lembra que Isherwood e Spender foram primeiro publicados pela Hogarth Press, a editora de Leonard e Virginia Woolf.

Os biógrafos começam, primeiro John Sutherland. Ele é alto, elegante, descontraído, velho (talvez a minha idade). Lábios muito finos, fala para dentro, de boca semicerrada. Difícil entendê-lo. Mas não tem importância, já escrevi bastante sobre o que os críticos disseram do livro dele sobre Spender. Sutherland usa óculos. É professor na Universidade de Londres. Deve ser difícil para ele falar abertamente de Spender com a viúva sentada a menos de dois metros.

Ele consulta o relógio e vê quanto tempo falta para o término de seu tempo, que deve ser de 20 minutos, antes do debate. Fala do Dr. Johnson e de seu biógrafo, Boswell, das críticas ao seu livro, umas boas outras mais ou menos; contesta essa coisa de que todas as críticas têm de sair na semana em que o livro é lançado. Às vezes, o crítico tem de ler o livro em duas horas. Como pode, nessas circunstâncias, fazer uma crítica precisa? "Spender", ele conta, "era muito modesto, nunca deu mostras de seu grande talento como poeta."

Reparo que Natasha Spender, apesar de bem velha, deve ter uns 80 anos, pinta os cabelos de louro. As raízes brancas aparecem. Sutherland diz que quando um biógrafo passa muito tempo escrevendo uma biografia acaba fisicamente parecido com o biografado. Diz que Michael Holroyd é um exemplo disso. Ele sempre fica com a cara de seus biografados. O público ri.

Holroyd não está aqui hoje, mas já escreveu biografias massudas de Bernard Shaw, Lytton Strachey e Augustus John. Existe um relacionamento muito especial entre biógrafo e biografado durante o processo da biografia. Sutherland fala rapidamente sobre homossexualismo e heterossexualismo na vida de Spender, que não assumia por não querer fazer parte de uma instituição específica. Spender estava sempre do lado dos perseguidos.

E nós, aqui dentro da tenda, ouvimos, do pasto, as vacas mugirem. Sutherland acaba seus 20 minutos e é aplaudido. Agora é o outro. Peter Parker é mais novo que Sutherland.

A maioria das críticas ao livro *Isherwood: a life*, de Peter Parker, me escaparam por terem sido publicadas justamente no fim de semana em que Jenny e eu viajamos para a Normandia. Na banca de jornais do barco *hoverspeed* só conseguimos *The Sunday Telegraph* e *The Sunday Times*. Felizmente encontramos nos dois jornais críticas da biografia. A do *Telegraph*, por Jonathan Bate (ele também biógrafo e indicado como candidato finalista ao Prêmio Samuel Johnson, por sua biografia de John Clare) e a do *Times*, por Humphrey Carpenter (biógrafo dos mais conhecidos – escreveu uma biografia de Tolkien).

Ambas são brilhantes e delas transcrevo alguns trechos. A de Carpenter começa assim:

"Atrás de cada biografia magra existe uma biografia gorda tentando aparecer. Duas magras biografias de Isherwood foram publicadas anos antes de sua morte em 1986, mas a muito aguardada biografia póstuma, por Peter Parker, estava destinada a ser muito mais volumosa. E aqui, finalmente, está ela, 914 páginas de narrativa, ou, se o leitor preferir, pesando um quilo e meio, o que a faz dez vezes maior do que a maioria dos livros escritos pelo próprio biografado. Em que espécie de cultura vivemos, que faz com que um autor de livros pequenos no número de páginas seja premiado com uma biografia tão monumental que poderia causar dano sério se caísse no pé do leitor?"

Com esse humor segue a crítica de Carpenter à qual voltarei logo mais. Agora a de Bate, que começa diferente:

"Christopher Isherwood (1904-1986) estava no lugar certo e na hora certa: Berlim durante a ascensão do Nazismo, a Califórnia no surgimento da Contracultura. Sua vida foi um microcosmo do século 20. Sua biografia definitiva, por Peter Parker, é abundante em detalhes, mas é especialmente boa na infância do biografado: enquanto era perfeitamente aceitável que Christopher brincasse com os filhos do jardineiro e mesmo os convidasse para lanchar, teria sido inconcebível que as duas diferentes classes sociais de seus pais convivessem socialmente.

Aos sete anos, ele foi enviado para um internato com um baú de madeira feito especialmente pelo carpinteiro da família. Conheceu W. H. Auden no curso de admissão, mas foram para ginásios diferentes – só se tornariam amigos e amantes depois, já com mais de vinte anos. Em Repton, na divisa dos condados de Derbyshire com Leicestershire, um colégio diferenciado pela importância que dava ao jogo de críquete e cujos mestres acabavam geralmente como arcebispos, o melhor amigo de Isherwood foi Edward Upward, que se tornaria um dos mais sinceros romancistas políticos (comunistas) de seu tempo.

Os dois garotos eram contra tudo associado ao *establishment*, o qual chamavam de 'o outro lado'. Upward era, dos dois, o líder. Juntos foram para Cambridge, onde o Corpus Christi College era conhecido por ser outra *cama quente* do homossexualismo, lendário por nele ter estudado outro Christopher famoso e contemporâneo de Shakespeare, o Marlowe. Mas foi só quando Isherwood, depois de diplomado, foi viver fora da Inglaterra, que liberou seu desejo por garotos. Isherwood foi para Berlim onde encontrou um rapaz chamado Heinz, seu primeiro grande amor."

Voltarei daqui a pouco à resenha de Jonathan Bate. Retorno agora à de Humphrey Carpenter. Ele comenta a imensa lista dos especialistas em Auden, Spender e Isherwood que encheram Peter Parker com informações minuciosas. Carpenter se vangloria de ele mesmo fazer parte da lista, pois:

"Há 20 anos escrevi uma biografia de Auden e tudo que descobri sobre Isherwood foi incluído no livro de Parker – e, claro, eu me sentiria ofendido se não tivesse sido. Há uma passagem realmente embaraçosa, quando eu próprio apareço, à página 133, entrevistando Isherwood sobre o fato de ele ter feito sexo com Auden. Isherwood me contou que não havia envolvimento amoroso, mas Parker diz que ele mentia, que sabia perfeitamente que Auden estava apaixonado.

Por coisas assim é que o livro é tão grosso; nós que labutamos arduamente na feitura de biografias literárias, queremos que nossos trabalhos ocupem lugar proeminente nessa indústria. Podemos reclamar do fato de que, mais recentemente, as biografias tenham se tornado tão obesas, mas oh!, como nos ressentimos se nossos nomes não aparecem no índice remissivo."

Deixo para continuar depois a resenha de Carpenter e volto à crítica de Bate, que é menos subjetivo:

"[Isherwood] testemunhou a posse do nazismo quase que por acidente. Enquanto os livros de Edward Upward são em essência uma bandeira de sua posição política comunista, os de Isherwood – *Mr. Norris changes trains* e *Goodbye to Berlin* – são romances maravilhosos, baseados em sua vivência na Alemanha e têm uma qualidade tranqüila e descompromissada que os tornam tão acurados: 'Sou uma câmera de lente aberta, passiva, registrando sem pensar.' Isherwood deixa que a história seja contada por si mesma.

Eu realmente nunca pensei a respeito da arte de Isherwood, mas seu biógrafo mostra que ela veio de outro escritor mais velho, E. M. Forster. Upward foi o mediador. Ele leu *Howards end* e percebeu que toda a técnica de Forster é baseada na mesa de chá: em vez de tentar levar todas as cenas ao pico mais elevado ele as traz para baixo, e dá menos ênfase às grandes cenas que às de menos importância.

'É uma maneira completamente nova de frisar', concluiu Upward. Graças à percepção de Upward, Isherwood prontamente abandonou o estilo carregado de seus trabalhos anteriores e começou a fazer *mesa de chá* ele mesmo. Forster reconheceu seu talento. Isherwood brincou: 'Minha carreira literária acabou. Já não ligo a mínima para o Prêmio Nobel e nem para a Ordem ao Mérito: fui elogiado por Forster'."

Sei que isto aqui está se alongando, mas, por ser fascinante e servir de aula sobre biografia e literatura, continuarei. Para dar uma descansada de Jonathan Bate, passo a palavra novamente a Humphrey Carpenter:

"É claro que as novas biografias são escritas essencialmente a partir das mais antigas; isto significa que o território por elas mapeados são familiares a todos, menos aos recém-chegados. Ler a biografia de Isherwood por Parker é como explorar uma montanha conhecida, com todos os seus picos nos lugares de sempre: mesmo as novas informações não mudam a vida do biografado. Nem as descrições do estilo de vida *gay* de Isherwood nos anos 30 são significativamente diferentes daquilo que o próprio biografado contou no autobiográfico *Christopher and his kind*.

A vida dele mais tarde, na Califórnia, sua ligação espiritual com o guru hindu Swami Prabhavananda, está contada no livro *Meu guru e seu discípulo* e nos seus diários publicados postumamente. Ainda assim, quando a viagem começa a ficar tediosa, o leitor é repentinamente levado a paisagens inesperadas ou a descobrir que desvios previamente proibidos ou inacessíveis são agora discretamente assinalados.

Por exemplo: 'Auden estava passando uns dias com a família de seu amante adolescente, Michael Yates'. Vinte anos antes esta frase seria inadmissível. Yates era um dos alunos de Auden no curso preparatório ao ginásio em Herefordshire na metade da década de 30, quando Auden se apaixonou por ele. É possível ler sobre esse amor nos poemas supremos de felicidade que Auden escreveu nessa época. Anos depois Michael Yates se casou e nós, pesquisadores de Auden, fomos terminantemente proibidos por Yates de tocar no assunto.

Conseqüentemente, os detalhes íntimos do relacionamento Yates levou para o túmulo quando morreu, há dois anos e meio. Se cartas sobreviveram, elas servirão para uma nova biografia de Auden. Embora Parker finalmente coloque Yates no mapa de Auden, ele frustra os leitores por não ter posto no livro trechos de um conto pornográfico de Isherwood chamado *Afterwards*, que trata do assunto. Auden costumava dizer que numa biografia é importante saber o que as pessoas fizeram na cama, e Parker não nos conta dos hábitos sexuais específicos de Isherwood, além de que ele gostava de começar o sexo com uma luta.

É também uma pena que o livro – de resto sempre elegante e de escrita divertida – não mostre mais do charme moleque de Isherwood, tanto quando falava ao telefone quanto pessoalmente. De fato, tenho bastante material sobre esse lado dele. Talvez Parker possa incluí-lo em uma segunda edição."

E voltando à resenha de Jonathan Bate:

"[Isherwood] produziu seus melhores livros na primeira metade de sua vida. Depois da Segunda Guerra, seus livros são mais manifestos *gays* do que obras de arte complexas como foram seus romances passados em Berlim. A biografia por Peter Parker é dividida em duas partes: *England made me* e *Becoming an american*. Isherwood e Auden chegaram a Nova York em 1939 como os 'anjos celestiais da vanguarda da literatura inglesa'. Em resposta à acusação de que estava fugindo do compromisso de participar da guerra, Isherwood se justificou dizendo ter sido sempre um exilado e um viajante. Deixou Auden em NY e tomou o rumo da Califórnia."

(No mesmo dia em que Auden e Isherwood chegavam nos EUA, nascia Don Bachardy, que anos depois seria o companheiro de Isherwood até a morte do escritor. Bachardy era 30 anos mais jovem do que ele.)

Jonathan Bate termina sua resenha perguntando:

"Onde estava o editor do livro, um editor firme o bastante para dizer a Peter Parker que o talento de Isherwood merecia uma biografia de 500 ou, no máximo, 600 páginas, do que as 914?"

E agora, passada a limpo a lição de casa, com a palavra o biógrafo Peter Parker. Ele é grato a Don Bachardy, o companheiro de Isherwood, pelo arsenal de informações fornecido, mas Parker diz que Bachardy não gostou do livro. Foi a primeira biografia escrita depois da morte de Isherwood. "Biografia", diz Parker, "é uma viagem. Em todas elas você encontra gente interessante e gente decepcionante." Parker lê sua palestra. Fala agora do primeiro romance de Isherwood, de 1929, *All the conspirators*. Ao meu lado, Jenny cochila. Eu quase. É que essa hora (14h30) dá mesmo sono. Assim, mal consegui me concentrar. Parker acaba a palestra dele, também de 20 minutos. Agora os dois biógrafos discutem suas biografias. Parker conta que, quando Auden morreu, Isherwood disse: 'Por que não o amei como ele me amou?'

Sempre pontual, entra Diana Reich dizendo: "É uma pena interromper um diálogo tão interessante. Foi como se Spender e Isherwood estivessem aqui conosco". É a vez das perguntas do público. Alguém faz a primeira e Sutherland responde: "Sair dos anos 30 era muito difícil." Reparo que Lady Natasha Spender está hoje mais *acesa* que há 11 anos, quando veio com Spender para a aula que ele nos deu na Escola de Verão em 1993. Será que a viuvez está lhe fazendo bem?

Peter Parker: "Eles (Auden, Isherwood e Spender) eram os três melhores, que escreviam naquele tempo. As histórias de Isherwood sobre Berlim são tão viçosas hoje quanto no tempo em que foram escritas." Da fase pós Berlim, Parker acha *A single man* (*Um homem solteiro*), já no cenário californiano, o melhor livro de Isherwood. Mais perguntas. Jenny (sugestão minha) pergunta sobre Edward Upward, que está hoje com 101 anos. Parker responde que ele e Isherwood eram os melhores amigos na juventude; enquanto Isherwood era homossexual, Upward era hétero convicto, mas se entendiam muito bem, Isherwood falava de seus garotos a Upward e Upward falava das namoradas a Isherwood.

Agora é Parker quem pergunta a Jenny sobre Upward, como é que ele está hoje, se ele ainda mora na Ilha de Wight? Jenny responde que não, que depois que fez 100 anos ele se mudou para a casa do filho em Yorkshire. (Jenny me contara que quando David Gascoyne morreu, Upward pediu Judy, a viúva do poeta, em casamento, mas ela contou a Jenny que não aceitou, esperta que é, percebendo que na verdade Upward queria uma mulher para tomar conta dele. A essa altura Judy, com oitenta e tantos anos, prefere continuar viúva e tomar conta dela mesma.)

Comprei o livro de Peter Parker e enquanto ele fazia a dedicatória, perguntei quanto tempo ele demorou escrevendo a biografia de Isherwood e ele: "12 anos. Mas escrevi outras coisas também, nesse tempo."

No intervalo antes do próximo evento cumprimentei Virginia Nicholson, conversamos um pouco. Ela e a mãe, a Olivier, estavam discutindo a respeito de algo que me escapou. Olivier estava ligeiramente brava com a filha. Ou era a filha que estava brava com a mãe? Enfim, íntimo que sou da Olivier acompanhei-a até o estacionamento. No caminho ela me disse: "Nao comi nada até agora, vou em casa comer alguma coisa, dar um jeito no cabelo e volto para a palestra das cinco." Entrou no Peugeot e foi.

Mesmo domingo, 17h.

O evento na tenda agora tem por título "Flint and steel" ("Pedra e aço"). É uma conversação entre Christopher Ondaatje, Caroline Moorehead e Peter Stothart sobre Martha Gellhorn e Ernest Hemingway. Ambos tiveram um caso de amor com a África, quando implodiu o tempestuoso relacionamento entre os dois. Martha e Hemingway eram correspondentes estrangeiros e se casaram depois de fazer a cobertura da Guerra Civil Espanhola.

De modo que ao escrever a biografia de Martha Gellhorn, a Moorehead seguiu a trilha da lendária jornalista, em suas matérias sobre os acontecimentos quentes naquele período fumegante do século 20. Já Ondaatje, em seu livro *Hemingway na África*, procurou reviver os dois safáris que fizeram a lenda de Ernest e serviram de matéria-prima para alguns de seus mais sedutores trabalhos de escritor. A terceira pessoa no estrado, Peter Stothart, é simplesmente o editor do *Times Literary Supplement*, o TLS, e participa da mesa como mediador.

Aqui estamos, na tenda, para mais um encontro que beira o sagrado. Na primeira fila, a Frances Spalding sentada ao lado da Lynne Truss. A Truss não perde uma palestra. Alastair Upton apresenta o trio. O primeiro a falar é Stothart. Na primeira sentença, de pé no púlpito, a gente percebe que ele é gago e tem a língua presa. Fala de Hemingway e fala tanto que o público não demora a perceber que, já que o assunto é África, Stothart está com a macaca.

Dizem que quando Hemingway foi para a África, em 1933, com a segunda mulher, Pauline, escreveu duas histórias curtas. Foi só o que escreveu. Quando se matou, tantos anos depois, seus diários do segundo safári foram publicados. Hemingway amava a África mesmo antes de ir para lá. Desde a infância, a África era uma fixação. Coisa de menino que sonha com aventuras. Ondaatje diz que Hemingway sempre sonhou com a África, aquela coisa de macho. De tanto gostar, o primeiro livro que ele resenhou era escrito por um africano. Era uma obra de tiragem modesta (mil exemplares), que fez Hemingway sentir o cheiro e o feitiço do continente.

A Moorehead conta que Martha Gellhorn nunca mencionou Hemingway no contexto africano. A África nunca teve nada a ver no relacionamento dos dois. Ela primeiro foi sozinha e não gostou. Depois, com o tempo, voltou várias vezes e comprou casa lá. Quando Martha foi para a África com Hemingway, ela conscientemente rejeitou as caçadas, os tiros... Para ela a África era uma coisa muito diferente do que era para Hemingway.

"Já eu, vivo no passado", diz Ondaatje. "O livro que escrevi sobre Hemingway na África é a minha *Love story*. Hemingway escreveu suas duas melhores ficções, coincidentalmente histórias curtas, sobre a África. *As neves do Kilimanjaro* é uma obra profética. Li seis vezes. Você não precisa ler mais nada sobre a África depois de ler *As neves do Kilimanjaro*."

Ondaatje, que é de uma família riquíssima, do ramo do chá no Ceilão, é o perfeito cavalheiro inglês do campo. Paletó, pulôver, gravata, careca no topo, cabelos dos lados penteados para trás das orelhas, um homem de fino treino.

Stothart pergunta a Ondaatje qual foi o *approach* com Hemingway para escrever o livro. Ondaatje responde: "Eu não conseguia tirar Hemingway da cabeça. *Kilimanjaro* era a história perfeita. Fiz todas as pesquisas, segui os passos dele, mas não cacei nem atirei. Quando Hemingway foi a Nairobi, a cerimônia religiosa de cortar uma mulher, o ritual de cortar a galinha, o sacrifício, a magia."

"As touradas na Espanha... Eles eram completamente obcecados, mas por coisas diferentes", elucida a Moorehead. "Aos 85 anos, Martha agia como se tivesse 18. No fim da guerra ela estava só. Não tinha ninguém, queria adotar uma criança, procurou muito mas não encontrou a criança exatamente como queria. Adotou um menino. Mas ele comia demais e aos sete anos ficou muito gordo, Martha o enviou a uma clínica para fazer regime e o menino morreu."

Ondaatje: "A segunda história curta de Hemingway sobre a África é *Macomber*." (O título inteiro do conto é *The short happy life of Francis Macomber*.) "A influência para esta história é Percival, o de alma boa, o mais puro dos cavaleiros da Távola Redonda." Moorehead: "Martha escrevia sobre coisas deprimentes. Sempre quis escrever ficção mas não conseguia".

Do lado de fora da tenda, e a luz natural vai até às 22h, a passarada ensandecida me faz lembrar homens pregando na bolsa de valores, por isso não dá para ouvir Caroline Moorehead falar da Martha Gellhorn. Mas deu para ouvir Peter Stothart citar *apocrypha* (que em grego significa "coisas escondidas"). Os três estão muito excitados. Ondaatje diz que Hemingway estava sempre atrás de histórias: "Hemingway, o cara macho, não pronunciava a letra L, achava-a efeminada. Lili, por exemplo, ele pronunciava ii; a África deu a ele a oportunidade de viver o personagem que criou."

Moorehead: "Quando Hemingway e Martha foram viver em Cuba..." Stothart cortando: "Quando Hemingway conheceu Martha..." Ondaatje cortando Stothart: "Fui visitar a casa que foi deles, em Cuba..." Moorehead: "A coisa começou a ficar preta quando Hemingway passou a sentir ciúme do sucesso de Martha como jornalista. Ela era realmente melhor que ele. Ele foi para Paris de avião e ela teve de pegar carona num barco. Ele roubou muitas idéias dela. Separaram-se. Ele arranjou outra jornalista e nunca mais se viram". Ondaatje: "Martha era uma mulher promíscua. Dormiu com um batalhão inteiro". Stothart: "É que ela gostava de sexo". E a Moorehead: "Sim, mas na verdade teve poucos casos. Gostava da companhia de jovens. Escritores e jornalistas". Ondaatje: "A primeira mulher de Hemingway tinha dinheiro e, em 1921, ele foi para Paris com o dinheiro dela. Ele era uma celebridade". Moorehead: "Martha nasceu em 1898. Ela fez a cobertura da Segunda Guerra e também da Guerra do Vietnã". Ondaatje: "Ela foi uma das melhores jornalistas mundiais."

É a hora das perguntas. "Qual é o jornalista-celebridade que escreve sobre a África hoje?" pergunta alguém. Ondaatje responde: "A África hoje é uma bagunça". Stothart acrescenta: "A África ainda é um lugar incrível, mas são poucos os correspondentes. Para quem quiser tentar, o campo é vasto".

E assim vai chegando ao fim mais um Festival de Charleston. Logo mais acontecerá o último dos eventos, a tradicional Gala Performance, que este ano será sobre "os dois poetas ingleses mais importantes da geração de 30, Auden e Louis MacNeice. Eles se conheceram em Oxford, colaboraram nas famosas *Cartas da Islândia*, participaram da causa republicana na Espanha, moraram juntos em uma casa boêmia em Nova York e foram ambos poetas-filósofos líricos", segundo o programa. O evento teatralizado (sempre com direção de Patrick Garland, que também contará ao público suas lembranças pessoais de W. H. Auden) terá Corin Redgrave interpretando Auden e James Wilby como MacNeice.

Mas Jenny e eu dispensamos essa, porque com o Centenário de Bloomsbury ainda vamos ter muita coisa *cabeluda* pela frente, sem contar as *franjas*.

Blackheath, Londres, 24 de maio.

No salão literário que Jenny organiza em Blackheath hoje foi a noite de Jeanette Winterson. Fomos para lá cedo. A Winterson chegou logo depois, trazida de motocicleta por uma amiga. Disse que atravessaram Londres inteira na hora do pico. Chegou e pediu que Jenny a levasse à toalete para trocar de calça. Como a tivemos em Charleston há dois dias, não repetirei aqui sua palestra. Foi parecida. Até a roupa foi a mesma, ao menos a camiseta regata branca aparecendo a alça preta por baixo.

A diferença foi o público. Lá era público de festival em uma fazenda, aqui, e pelo horário, 103 pessoas, um público de bairro distante, também amante da literatura, um público em sua maioria mais jovem, mas de semblante mais estressado pela poluição e labuta diária na grande cidade. No palco, a Winterson conversou com Suzi Feay, atual editora de literatura do jornal *Independent on Sunday*. Uma mesma pergunta feita em Charleston teve aqui a resposta enriquecida de Winterson: "O melhor para aprender a escrever é fazer um curso de jornalismo e ler. Na juventude, escrevi centenas de sermões para falar na igreja. Foi meu melhor treino". Sobre a carreira: "Há vinte anos sou uma escritora profissional. Nunca releio meus livros, a não ser quando tenho que adaptá-los para a televisão".

Nessa mesma noite, antes de dormir, deitei com um livro dela, de ensaios, *Art objects*. Em um dos ensaios, "The psychometry of books", Jeanette fala da obsessão de colecionar livros raros. Diz que escreve livros para ganhar dinheiro e poder comprar livros. Conta que comprou um exemplar da primeira edição de *Jacob's room*, de Virginia Woolf autografado. E outros. "Um livro que comprei e me dá um prazer visceral é *Twelve woodcuts* (*Doze entalhes*), de Roger Fry, impresso pela Hogarth Press em 1921. Só foram impressas 150 cópias e uma agora é minha! O livro é valioso porque foi a própria Virginia quem o imprimiu". Winterson conta que tem primeiras edições assinadas por Oscar Wilde, Gertrude Stein, D. H. Lawrence, T. S. Eliot, Edith Sitwell e outros. Diz ela que não os guarda em redomas de vidro, deixa-os expostos para respirar.

"Cresci sem livros. Só podia ler a *Bíblia*, lá em Lancashire. Quando conseguia um livro, tinha de escondê-lo de minha mãe adotiva. Ela queimava todos os que encontrava."

Em recente entrevista, Jeanette disse achar tanto o heterossexualismo quanto o homossexualismo espécies de psicose, e que a verdade está em algum lugar no meio. Atualmente aprende francês e pensa em se mudar para Paris. Acha a Europa continental mais aberta às idéias.

E diz: "Quero ser parte da Europa, não da América. Como a Inglaterra está mais para os Estados Unidos e se recusa a fazer parte da Europa, estou deixando o meu país." Vivendo sozinha atualmente, ela afirma: "Para um escritor é melhor não se casar. E eu nunca quis ter filhos. Nunca quis ser uma escritora de meio período, para mim o trabalho é mais importante".

Sábado, 5 de junho.

Sigo não fazendo outra coisa que continuar minha jornada cultural. Desde que vi a exposição do Knox (do grupo punk The Vibrators) desejei ter uma tela dele. Fomos lá, eu e a Jenny. Knox mora perto do Regent's Park, numa rua arborizada. Não sei com quem ele divide a casa, mas em seu quarto tem tudo: cama de solteiro, geladeira baixa, guitarra e equipamento de som, computador, e seus trabalhos de pintor, guardados em pastas e algumas telas emolduradas e encostadas nos cantos. Knox é simpático, conheceu Amaryllis Garnett, que se afogou no Tâmisa. Dele escolhi um auto-retrato a óleo não terminado, de 1983, muito bom. Paguei 100 libras. Achei barato. Jenny comprou dois pequenos óleos: uma natureza morta muito viva (uma tigela com limões amarelos) e uma paisagem inglesa com vacas.

Num outro dia fomos ver a mostra da Tamara de Lempicka (1898-1980) na Royal Academy. *Art Déco icon* (*Ícone Art Déco*) é o título da mostra. Tremendo espaço na mídia, mas a crítica foi demolidora. Disse que a Lempicka não passava de uma alpinista social. Nascida em Moscou (outros dizem que foi na Polônia), diminuía a idade; em Paris foi aluna de André Lhote, que a fez se interessar por Ingres, mestre da superfície.

Maneirista, suas telas têm uma aparência petrificada. Seus retratos mostram gente de posses, nobres, roupas de talhe perfeito, golas altas. A textura da pele, o desenho dos olhos, da boca, os cabelos (nem um fio fora do lugar). É uma pintura extremamente tediosa, sem dúvida, mas para ver uma única vez em uma retrospectiva achei interessante.

À noite fomos ao cinema em Greenwich, assistir ao último Almodóvar, *Mala educación* (*Má educação*). O filme está no mesmo patamar dos outros da obra almodovariana, mas, ao contrário destes, nos quais o diretor mistura todos os gêneros sexuais na mesma história, sempre enfatizando as personagens femininas, aqui, o universo é exclusivamente homossexual, com quase todos os arquétipos e suas paixões. As mulheres são a *mater dolorosa*, uma tia, uma discreta assistente de produção de um diretor de cinema e, como a diva homenageada da vez, Sarita Montiel, uma das estrelas favoritas da infância e adolescência do diretor, em um trecho do filme *Esa mujer*. *Bad education* é um excelente filme. Melhor do que tudo o que anda passando nos cinemas. E depois é cultura latina, o que, para variar, serviu como um lenitivo.

No sábado fomos a Portobello Road, outro alívio. Depois fomos à exposição de Vivienne Westwood no Victoria & Albert Museum. Excelente retrospectiva. Desde as coisas dela em 1976, com o surgimento do punk, até agora, 2004. Sempre ousada, uma das mais originais *designers* desde Vionnet e Chanel. Levo sempre comigo meu *sketchbook* e nunca deixo de esboçar alguma coisa. Mais tarde liguei para o Rio e falei com Iza, minha irmã, e ela contou que, uma semana depois de eu ter viajado, a Globo News exibiu o programa de uma hora, comigo entrevistado falando de Yolanda Penteado. Diz que foi ótimo e que muita gente assistiu. Será reprisado três vezes em horários diferentes.

Ainda na segunda, dia chuvoso, Jenny e eu fomos à Tate Modern ver a retrospectiva de Edward Hopper (1882-1967). É a exposição número um em termos de afluência de público na atual temporada londrina. Jornais, rádio, televisão dedicam um espaço enorme a esse artista americano que, como nenhum outro, retratou a solidão e o isolamento. Dele escreveu Alain de Botton em seu livro a *Arte de viajar*: "Edward Hopper pertence a uma categoria particular de artista cujo trabalho parece triste, mas não nos faz tristes – solidão é o tema dominante de sua arte. Suas figuras parecem como se estivessem longe de casa". No *Metro News*, um tal de Fisun Güner escreveu: "Cinema foi uma tal influência em Edward Hopper quanto suas telas influenciaram subseqüentes gerações de cineastas. Personagens isolados em cafés e motéis de beira de estrada, refeições baratas nos fins de noite, iluminação artificial, Hopper captou uma inquietude que fez dele o pintor quintessente do *noir*. Tensão sexual paira na atmosfera dos escritórios. Uma secretária *femme fatale* e o chefe, depois do expediente, ele na mesa, ela de pé procurando algo no arquivo de aço. Nesta retrospectiva de 70 obras, percebe-se que ele não era um grande desenhista. Certamente tinha problemas com anatomia. Esta retrospectiva mostra a deficiência de Hopper como artista, mas isso não diminui sua importância na cultura americana moderna."

O cruel Waldemar Januszczak no *Sunday Times*, escreveu que Hopper é um pintor de arquitetura. E que ele só tem um *mood*, o carrancudo: "Tendo trabalhado anos como ilustrador, ele só se torna pintor com mais de 40 anos. Ao todo, uma carreira de 60 anos – ilustrador e artista; mesmo quando muda de cenário, de Nova York para Cape Cod, continua carrancudo.

Como outros artistas, Turner por exemplo, é interessante notar que sendo bom em criar atmosferas, Edward Hopper não era bom no tratamento de figuras. Essa exposição mostra um outro tipo de heroísmo, o heroísmo do fracasso. Inércia, impotência, quartos deprimentes em hotéis deprimentes, perdedores..."

Mas crítica ainda mais objetiva é a da veterana Sarah Kent na revista *Time Out*: "Com poucas variações, Hopper explorou o mesmo tema até o fim da vida. Pessoas solitárias lêem livros, olham pela janela e esperam o abrir da cortina no teatro. Hopper parece ser um pintor realista, mas seu trabalho maior é eliminar o que não gosta em sua versão do dia-a-dia, como metáfora para as realidades do viver sozinho em uma metrópole. Mas tudo lembra um *set* de filmagem. Podemos imaginar uma câmera escondida e os refletores prontos para começar a rodar".

Saímos da mostra de Edward Hopper e tomamos o metrô até Barbican para ver outra arte americana, dessa vez um espetáculo teatral de Robert Wilson, *The black rider* (*O cavaleiro negro*), uma armação de 1990 que contara com a colaboração de William Burroughs no enredo e Tom Waits na música, só trazida para Londres agora, 14 anos depois.

Para mim, a atração maior era ver mais uma vez no palco a mitológica Marianne Faithfull no papel do diabo, o "cavaleiro negro" do título. Tremenda roubada: aquela coisa manjada de *Fausto*, vender a alma ao diabo, *déjà vu* total. Parecia um *Rocky horror show* extemporâneo, arrastando-se por quase três horas. De modo que nos dois dias seguintes resolvemos ficar aqui pelo subúrbio mesmo. Mesmo porque ontem, sexta, nos esperava outra *overdose* cultural, a Summer Exhibition, na Royal Academy, este ano com curadoria de David Hockney e Allen Jones. Fomos. Apesar dessa curadoria e da interessante proposta da volta ao básico, ou seja, ao desenho, o resultado deixa a desejar. Por isso me abstenho de comentar. Hoje morreu Ronald Reagan, aos 93 anos. Sofria de Alzheimer. Amanhã, 6 de junho, é a celebração dos 60 anos do Dia D – a mídia parece não ter outro assunto.

Domingo, 6 de junho.

Nestes meus onze anos de assiduidade bloomsburiana, hoje foi a primeira vez em que fui levado a visitar Ham Spray, outra das lendárias casas campestres do grupo. Ham Spray é a casa onde Lytton Strachey, Dora Carrington, Ralph Partridge e agregados viveram a história de amor, humor e tragédia mostrada ao grande público no filme *Carrington*: Carrington amava Lytton, que amava Ralph, que amava Carrington. Pouco depois da morte de Lytton, em 1932, a Carrington se matou com um tiro, 18 dias antes de completar 39 anos.

Pegamos a estrada, Jenny na direção do Volvo. Como sempre, estávamos atrasados. Mas chegamos a tempo e já encontramos os ingleses Amigos de Charleston, vestidos para um dia de verão no campo. A maioria dos homens com chapéu panamá, paletó, roupa clara, gênero rural inglês. Outros em manga de camisa e uns poucos, muito poucos, em camiseta. As mulheres vestidas de acordo, a maioria de chapéu de abas largas, por causa da excessiva luminosidade. E a Eleanor Gleadow sempre eficiente na organização de tudo.

Lytton, Carrington e Ralph Partridge compraram Ham Spray em 1924, cansados dos problemas da outra morada, não muito longe daqui. Ham Spray custou menos de três mil libras, na época um dinheirão, mas ainda assim foi uma boa pechincha.

Dora Carrington inspirou D. H. Lawrence, que se baseou nela para criar a personagem Minette em *Mulheres apaixonadas*. Consta que Aldous Huxley pegou dela tudo para a Mary Bracegirdle, personagem de seu romance *Crome yellow* (*A feira de Crome*, na edição brasileira). Em Ham Spray a Carrington teve uma existência solitária. A maioria dos amigos de Lytton que iam visitá-lo não ligava para ela. Depois da morte dele, ela não deu conta de continuar vivendo e se matou. Menos de um ano depois das mortes de Lytton e Carrington, Ralph e Frances Marshall, que antes do suicídio de Carrington já vinham tendo um caso, se casaram e se estabeleceram na fazenda, buscando construir aí um lar para a família. Ham Spray foi deles durante 37 anos. Durante os anos da Segunda Guerra, muitos amigos iam visitá-los e permaneciam longas temporadas. Quando viviam em Ham Spray, nasceu o único filho de Ralph e Frances, o Burgo, que se casaria com Henrietta Garnett, outra filha do Bloomsbury. Ralph morreu em 1960 e não demorou muito morreu também Burgo. De modo que Frances e Henrietta ficaram viúvas. Henrietta teve uma filha com Burgo, a Sophie. Em 1961, sob protestos de amigos, Frances Partridge vendeu Ham Spray e voltou definitivamente para Londres, onde viveu até morrer aos quase 104 anos, em fevereiro de 2004.

Michael Holroyd agora vai nos falar dos personagens de Ham Spray: "Quando, no começo dos anos 60, me veio a idéia de escrever a biografia de Lytton Strachey, a Carrington era completamente desconhecida. Não havia nada publicado sobre ela. [Sir] John Rothenstein, que era diretor da Tate Gallery, diria depois que ela foi a mais importante pintora de seu tempo. Ninguém sabia se Carrington era homem ou mulher. Cabelos curtos, eliminou o nome Dora, que detestava, assinando e cobrando dos amigos que a tratassem pelo sobrenome. Nascida em 1893, detestava a mãe, mulher conservadora e opressiva, e amava o pai, que na puberdade da filha teve um derrame".

Passarinhos cantam nesta tarde calorenta em Ham Spray, enquanto aviões e helicópteros não cessam de sobrevoar a região, cobrindo a voz de Holroyd apesar de ele usar microfone. A palestra é ao ar livre – estamos no gramado no jardim ao fundo da casa. Umas oitenta pessoas sentadas em cadeiras. Holroyd vai desnovelando histórias. Pergunta: "Por quê o mistério de as pessoas se apaixonarem umas pelas outras?" Fala dos amores da Carrington, que era promíscua. Dormia com homens e mulheres. Geralmente com rapazes da idade dela.

Ralph Partridge, Mark Gertler (o excelente pintor que também se mataria ainda jovem), Gerald Brenan... Lytton era 13 anos mais velho. Com ele, ela não dormia, mas o amou como a nenhum outro. Carrington era uma *femme fatale*, como era moda na época. Os homens se perdiam por ela. Mas também fazia das tripas coração para tornar feliz o Lytton. Holroyd conta aquilo que a maioria dos presentes já sabe, ou seja, que em 1915 a Carrington foi passar uns dias com a Vanessa Bell em Asheham, o refúgio campestre de Leonard e Virginia Woolf em Sussex, e o Lytton apareceu.

No filme *Carrington*, baseado aliás no livro de Holroyd, a cena aparece bem: Lytton avista um garoto mais velho brincando com duas crianças (Julian e Quentin) e pergunta a Vanessa quem é o garoto. O garoto era a Carrington, que achou Lytton velho e horrível com aquela longa barba ruiva. Depois, enquanto Lytton dormia, ela pegou uma tesoura, foi lá e cortou-lhe a barba. Se o ano era 1915, Carrington tinha 22 anos e Lytton, 35. Ela não sabia que ele era pederasta. Diz a história que Lytton se apaixonava por rapazes que gostaria de ser: jovens, belos e másculos.

Antes, em 1908, apaixonara-se pelo primo Duncan Grant, que era lindo. Lytton ficou chocado ao descobrir que Duncan também era pederasta. Como Lytton, Duncan também gostava de jovens heterossexuais. Mas como eram todos aristocratas e com ligações familiares, Lytton propôs casamento a Virginia, que a princípio aceitou, deixando-o horrorizado com o prospecto. Ao propor, Lytton esperava que ela recusasse. Mas Virginia, que era esperta, percebendo a fêmea atrás de toda aquela barba, logo desistiu do casamento, o que foi um alívio para todos.

Mas tiveram um profundo relacionamento de amizade e confidências. Virginia gostava e respeitava a Carrington, porque esta cuidava de Lytton, que de resto sofria de hemorróidas e era um tipo frágil, sempre adoentado. De modo que nesse rol Lytton também ficou amigo de Lady Ottoline Morrel, que mesmo casada, era amante do filósofo Bertrand Russell e agora do belo pintor Henry Lamb. Lytton também se apaixonou pelo másculo Lamb, que o pintou num óleo sobre tela, hoje na Tate. Essa tela mostra, de maneira simpática, a efeminação ambígua de Lytton: por um lado, a barba e os óculos denotam o intelectual, mas a pose dos pés é pura pinta.

Voltando ao caso Lytton-Carrington, ela foi até o fim da vida dele a única pessoa para quem ele não sentia necessidade de mentir. Por que ela se apaixonou por ele? "É um mistério", diz Holroyd – e a biografia dele sobre Lytton tem cerca de mil páginas e nem assim o mistério é desvendado. "Talvez", diz Holroyd, "ela tenha transferido para Lytton a figura do pai."

E agora as perguntas do público. "Como Lytton aparecia à Carrington como homem?" Holroyd responde: "Como uma aranha. Ele era alto, magro, para os outros não era belo nem atraente, mas para ela sim." Uma mulher pergunta: "E por que ela se casou com Ralph?" Holroyd, sentado em uma poltrona de vime e com as pernas cruzadas responde: "Insegurança. Ela achou Partridge atraente. Ele a amava e estava desesperado para se casar com ela." E Gerald Brenan? "Ele era um grande romântico, muito charmoso. A relação entre ele e Carrington foi forte. Por isso, foi bom ele ter se mudado para a Espanha, porque Carrington não gostava de apaixonados que chegavam sem avisar."

E assim, depois da palestra de Michael Holroyd, tivemos um intervalo para descanso, conversa, comes e bebes, visitar o interior da casa, o quarto que foi o estúdio da Carrington, o quarto em que Lytton morreu – de câncer no intestino –, o quarto onde Carrington se matou e a sala de estar, a biblioteca... Hoje resta pouca coisa deles na casa, que foi modificada pelos sucessivos proprietários, gente mais convencional. É uma casa grande, com vista para os campos de Wiltshire. Depois de vasculhar a casa, voltamos ao gramado para assistir à encenação da troca de correspondência entre Lytton e Carrington, por um casal de atores. Mas o sol forte e o mormaço levou metade da platéia a disfarçar o sono.

Acabado o evento, toca pegar a estrada de volta a Londres. Amanhã voaremos para a Espanha onde passaremos duas semanas. Andaluzia, Catalunha... A maior atração é uma visita ao sul de Granada, ao vilarejo de Yegen, na região serrana de Alpujarra, onde Gerald Brenan se refugiou com dois mil livros em 1920 e viveu até 1934. Jenny me leva, para que eu continue dando vazão ao meu lado detetive, indo xeretar onde o Bloomsbury xeretou.

Sevilha, quinta, 10 de junho.

Hoje vamos embora de Sevilha. Embora tenha escrito páginas e páginas no meu diário, não vou espalhá-las aqui. Apenas algumas linhas, para dar a impressão. Para começar, adorei o Alcázar. O exagero dos detalhes mouriscos, dizem que aqui está a síntese da arte muçulmana somada ao gosto cristão. E o jardim, só flores, da buganvília como jamais vi tão florida aos jacarandás em total florada cobrindo de azul-lilás o céu e o chão. As andorinhas, sôfregas ao calor de 36 graus. Sinos repicam sem parar porque é a semana de Corpus Christi. Murillo nasceu em Sevilha, assim como Velázquez e também o poeta Antonio Machado.

Tomamos um ônibus de dois andares e, no segundo andar, sem teto, saímos a turistar. Segundo Homero, Sevilha foi fundada por Hércules. Júlio César a elegeu para uma de suas residências, quando a cidade era colônia de Roma. Aqui nasceram Trajano, Adriano e Teodósio, três imperadores romanos. Sevilha foi o centro da civilização árabe, comparada à mágica Bagdá (não a de agora, mas a daquele tempo das mil e tantas noites). Foi em Sevilha que Cristóvão Colombo preparou sua viagem ao Novo Mundo e, depois de descobrir a América, voltou e aqui viveu mais dois anos (seus restos mortais permaneceram aqui durante um tempo).

Cervantes, encarcerado, engendrou o *Dom Quixote*. Prosper Mérimée escreveu *Carmen* em 1875, inspirado na cidade, e Mozart, o *Don Giovanni* – Don Juan era sevilhano. Aqui foi fundada a primeira usina de tabaco da Europa. Um antepassado meu, he-he-he, o Dom Rodrigo Dias de Bivar, vulgo El Cid, o Campeador, teve aqui sua grande batalha, e derrotou os mouros. A fabulosa estátua eqüestre dele está lá na Avenida El Cid para quem quiser ver.

Fomos ao Museo de Bellas Artes, onde na sala três adorei as telas de Pacheco (Francisco Pacheco, 1554-1644). Mas Murillo (1617-1682), achei-o cansativo. Jenny diz que ele é bom de luz e sombra, mas diante de uma tela dele eu a vi bocejando. Já Zurbarán (1598-1664), na sala dez deste museu opressivo e entediante (muita arte religiosa, eles eram obrigados a pintar isso), é o meu favorito.

Zurbarán pintou o essencial e só. Não há enfeites de fundo. Se tem de ter pão para simbolizar alguma coisa, é pão-pão, queijo-queijo. Zurbarán eliminou o supérfluo, por isso é moderno e minimalista. O *San Hugo en el refectorio*, de 1655, é maravilhoso. Depois de tanta arte mourisca por toda a cidade, ver algo *clean* é um colírio.

E as laranjeiras de Sevilha! Carregadas de laranjas grandes, maduras, suculentas... Jardins, e trepadeiras subindo pelas paredes, fontes, fontes, fontes... Sevilha às vezes cheira a bosta de cavalo por causa das charretes turísticas. Já estamos deixando a cidade pela autovia, Jenny dirigindo o Fiat alugado, com destino a Granada. Como disse a enérgica senhora que dirigia o táxi que nos levou até o aeroporto onde Jenny foi apanhar o carro alugado: "Só os covardes correm, eu vou devagar, gosto muito de mim", aconselhando Jenny a dirigir devagar na autovia. Ao passarmos pela estátua de El Cid, quando contei que eu era um Bivar, a simpática taxista disse: "Você pode ser descendente de El Campeador." Como se eu já não me achasse.

Alpujarra, sexta, 11 de junho.

Depois de seis horas de viagem, primeiro pela autovia (não há pedágio), paisagem monótona de planície verde empoeirada, olivais, campos de girassóis e, separando as vias, loendros floridos em tons rosa e branco, céu embaçado, sol inclemente, calor de 36 graus, não se vê um rio nesta parte de Andaluzia. Finalmente um, o Rio Blanco, mas quase seco. Hoje é Corpus Christi. Passamos pela província de Málaga. Colinas e olivais, a impressão é que por aqui é tudo monocultura e secura, *malagueña salerosa*... Chegando à província de Granada, a paisagem já muda, fica mais dramática, com montanhas, mas sempre monocórdica nos olivais e no embaço atmosférico, sempre uma paisagem árida, opressiva, pode ser que mude no inverno.

Um chuvisco, benza Deus, cheiro acridoce entrando pela vidraça aberta do carro. Estacionamos às 18h30 no moderno aeroporto de Granada para um relax. A privada, o bar, e ainda falta um tanto até a montanha e o nosso destino. Subimos a montanha por uma estrada tortuosa, apertada e abismal. Jenny é uma destemida, dirige em qualquer lugar. A paisagem continua árida, salvo pela neve no topo das montanhas. Quase chegando ao nosso destino, o carro emperra e não sobe mais. Jenny insiste. Cheiro de borracha queimada dos pneus espanando.

Abandonamos o carro e subimos o resto a pé, uns duzentos metros até a solitária casa de pedras acima de Capileira, o vilarejo mais alto de Alpujarra, 1450 m de altitude no meio do nada. A casa nos foi emprestada por uma amiga da Jenny. Ainda bem que chegamos pouco antes do anoitecer. Ficaremos uma semana aqui. E o suadouro para abrir as portas? Primeiro, as grades de ferro, e entre estas e as portas de madeira, as irritantes cortinas de pingentes. O caseiro chegou cedo, é um senhor simpático, Danielo. Conseguiu trazer o carro até aqui em cima. A casa tem uma cachorra que se chama Chata.

A casa tem tudo de moderno, máquina de lavar roupa, água quente na torneira, lareira, som, estante com vários livros sobre a região, inclusive uma biografia - *Gerald Brenan: the interior castle*, por Jonathan Gathorne-Hardy, de 1993 – que pretendo consultar intensivamente, pois afinal não vim parar neste fim de mundo por outro motivo que o de estudar *in loco* a vida de Brenan e a região por ele escolhida para escapar da vida que levava na Inglaterra.

A casa tem terraço com vista espetacular, jardim, piscina, pomar, horta, terreno grande em volta. Consta que subindo um pouco mais se avista o mar e a África. Mas como continua embaçado, pouco se enxerga além do jardim. A casa também tem dispensa com fartura de enlatados, conservas, frutas secas, *freezer* cheio e uma adega com vinhos de várias procedências e safras. Depois de Danielo me explicar como funciona o dia da Chata, abri a porta do canil e soltei a cachorra. Morro de pena de bicho preso, ainda mais com tanto espaço para exercitar a liberdade. A Chata ficou toda feliz, saiu correndo, subindo, descendo e não desgrudando mais, por fim me fazendo sentir que ela faz jus ao nome. Jenny, que é uma excelente cozinheira, me faz ajudá-la indo à horta colher verduras, arrancar nabos e rabanetes, descascar batata, picar cebola, fatiar pepino, lavar frutas, abrir latas e garrafa de vinho.

Domingo, 13 de junho.

Hoje é dia de Santo Antonio e aniversário de meu pai (estaria fazendo 104 anos). Fomos a Yegen. No mapa parece perto mas, por causa das curvas, demoramos três horas, estacionando em belvederes para apreciar a deslumbrante paisagem montanhesa. Se hoje a coisa ainda é íngreme e dificultosa, imagine-se em 1920, no tempo de Brenan! No caminho, almoçamos em Trevelez, onde os bares e armazéns exibem o famoso presunto curtido.

No guia sobre Alpujarra consta que Yegen tem uma população de 750 habitantes e está a 1000 m de altitude. Diz o livro que o povoado foi imortalizado pelo escritor Gerald Brenan, que fez do lugar sua residência e tema principal de *Al sur de Granada*. Uma pequena placa recorda a casa onde ele viveu, indo e voltando entre 1920 e 1934. Em seu livro, Brenan conta que veio parar aqui porque queria se educar.

Era muito jovem, 25 anos (nasceu em 1894). Não suportava a classe média inglesa, queria distância dela. Trouxe uns 2000 livros. Depois de muito procurar e visitar mais de trinta povoados, encontrou em Yegen, na Alpujarra oriental, mais para os lados de Almería que de Granada, um lugar onde pudesse viver e fazer render ao máximo o pouco dinheiro que tinha.

Naquela época nem estrada havia, era tudo trilha. Encontrou uma casa grande e barata, sem luz elétrica nem água encanada, mas fez dela sua moradia, com a ajuda de mulheres da vila. E os amigos vinham da Inglaterra visitá-lo. Nem bem se instalou e já recebia visitas, que chegavam no lombo de mulas depois de dias de viagem desde Granada. O pobre do Lytton Strachey, que sofria de hemorróidas e era todo delicado, veio na companhia de Carrington e Ralph Partridge. Lytton quase morreu nessa viagem e aconselhava aos amigos a não irem, que Alpujarra significava 'morte'.

Brenan e Carrington tiveram um caso de amor muito bem contado por Holroyd e Gathorne-Hardy em suas biografias. Brenan foi torturado por Carrington durante 15 anos, de 1915 a 1930. Em 1932, avisado do suicídio e da morte lenta e agonizante dela, foi para a Inglaterra e ficou três dias em Ham Spray com Ralph Partridge. E lembrou-se de que, no longo inverno de 1922/23, as cartas de Carrington o faziam sentir-se "aquecido" na solidão de Yegen. Em seu diário de 1923, há um registro dos autores que ele leu em uma semana: Virgílio, La Bruyère, Horácio, Proust, Shelley, Trelawney, Epicuro, Plutarco, Mallarmé, Corbière, Tácito, Hume e Nietzsche.

Foi a partir da primavera de 1923 que começaram a aparecer outras visitas, sempre montadas em mulas. Primeiro Leonardo e Virginia Woolf, depois David Garnett e Ray Marshall e outros. O pintor Augustus John passou três meses e pintou muito nessa temporada. Todas essas visitas estão muito bem contadas no livro *Ao sul de Granada* e em cartas.

Os Woolfs chegaram em 3 de abril, para uma visita de 10 dias. De acordo com registros deixados por Virginia em seu diário e cartas de Brenan a amigos, foram dias felizes. Brenan descreve o belo rosto de Virginia iluminado pelas chamas da lareira. Leonard, fumando cachimbo, era uma figura máscula e parecia um garoto. Virginia, nos passeios a pé, se excitava como uma colegial, diante da paisagem desse lugar tão remoto. As conversas fluíam livremente.

Em uma caminhada, só os dois, Brenan e Leonard, este contou que na lua-de-mel tentou fazer amor com Virginia, que ficou tão agitada que ele teve de parar, "sabendo que esses estados eram prelúdios para a loucura dela". Desde então, Leonard desistiu de fazer sexo com ela, "porque Virginia era um gênio". Nesse passeio, Leonard também contou a Brenan que ele "nunca sequer flertou com outra mulher, esperando, da parte de Virginia, que ela também não flertasse com outro homem". Virginia tinha aversão à lascívia.

E a nossa visita agora? Yegen fica realmente no fim do mundo e a viagem pela estrada asfaltada, mas muito estreita, de uma via só para ambas as direções, é sempre à beira de precipícios. É aqui que cresce minha admiração por Gerald Brenan: a 1000 m de altitude, 750 habitantes em 2004 (menos gente que no tempo dele!), o vilarejo é inexpressivo, embora as cercanias ofereçam passeios lindos, uma infinidade de córregos de água límpida e gelada vindos do alto da serra nevada e, por toda a vila, fontes com bicas d'água correndo ininterruptamente. Em Yegen as casas não têm jardins, mas uma multitude de vasos com flores de todas as cores, especialmente gerânios, irises, jasmins, roseiras trepadeiras, etc. E quintais com pequenos pomares com frutas como nêsperas, maçãs, cerejas, pêras, pêssegos, uvas... e hortas.

A casa onde ele viveu fica no centro, de frente para uma pequena praça. É um sobrado modesto e sem nenhum enfeite arquitetônico, exceto uma placa de azulejos brancos, fina cercadura azul e o desenho de um ramalhete de flores também azuis no canto direito embaixo e escrito em azul: "En esta casa vivió, por espacio de siete años (entre 1920-1934), el hispanista británico GERALD BRENAN, quien universalizó el nombre de Yegen y las costumbres y tradiciones de La Alpujarra. El ayuntamiento agradecido, le dedica esta placa. Yegen, 3 Enenero, 1982".

A porta de entrada e janelas com batentes de alumínio (certamente uma inovação posterior ao tempo em que Brenan nela viveu), enfim, uma residência como a maioria delas, nestes recônditos.

Quando Gerald Brenan estava com 91 anos e internado em um asilo de velhos na Inglaterra, foi seqüestrado por dois andaluzes que o levaram num vôo de volta à Espanha e à sua residência em Málaga. Parecia o fecho mais digno para uma vida aventureira, causando uma explosiva excitação na mídia espanhola. Passionais, os espanhóis da região à qual Brenan dedicou o entusiasmo de uma vida o consideravam tesouro local. Ele tinha de morrer e ser enterrado lá.

Mas Gerald Brenan sempre foi uma figura extraordinária. Deixara a casa paterna aos 18 anos. O ano era 1912. Sem um tostão no bolso, armado apenas de um guarda-chuva, chegou congelado ao coração da Sibéria. Caminhara cerca de 2400km.

Depois de assentado em Yegen, casou-se com uma americana, Gamel Woolsey. Sua vida foi posteriormente transformada pela Guerra Civil Espanhola – Brenan amava os anarquistas, mas não via futuro no movimento. Em Granada conheceu brevemente Federico García Lorca, que começava a se tornar famoso como poeta e dramaturgo. No encontro, a sola do sapato de Brenan estava solta e ele percebeu que Lorca estava vestido com bom gosto e tinha boas maneiras. Para Brenan, que se sentia melhor numa pobreza franciscana, Lorca "parecia riquíssimo além do sonho". Mas se entenderam bem. Se Lorca não tivesse se mudado para Madri, a amizade teria se desenvolvido.

Depois da morte de sua mulher, consumida pelo câncer, Brenan, aos 74 anos, viveu feliz e castamente com uma bela estudante de arte, Lynda Price, de 24 anos. Entretanto, nos diários de Frances Partridge ela conta que Brenan, já velho, revelava-se desagradavelmente libidinoso, contando suas aventuras sexuais em Málaga. Mas em outra época, ainda em Yegen, antes de casamento com a americana, seu biógrafo nos revela que Brenan era um homem de potente sexualidade, mas que apenas uma vez fez dela uma expressão completa e desinibida, com uma adolescente de 15 anos, de Yegen. Foi em 1929, ele com 35 anos. O nome dela era Juliana Martin Pelegrina. Brenan comprou-a da mãe. Fogoso, queria sexo todas as noites. A garota também. Com a morte do pai, Brenan recebeu uma farta herança mas por sentir-se melhor na pobreza, distribuiu tudo com os conhecidos em Yegen. Juliana teve uma filha dele e se deu bem. A menina teve boas escolas e hoje é uma senhora bem posta. De modo que, no que tange à parte que cabe ao Gerald Brenan nessa minha interminável peregrinação bloomsburiana, a missão está cumprida, benza Deus.

Quarta, 16 de junho.

Frio cortante nestes dias de verão no alto da serra alpujarrana. Estou lendo pela primeira vez o Paulo Coelho, em inglês. *The alchemist*. Trouxe-o para ler aqui porque parte da história se passa na Andaluzia. Coelho pode não ser um Joseph Conrad, mas também não é tão destituído como querem seus detratores. Simpática, a tradução de Alan R. Clarke. Já consegui chegar à página 25.

Mas como é triste vida de cachorro. Coitada da Chata. Todas as manhãs quando nos ouve atravessando as ruidosas cortinas de pingentes, a uns 50 metros do canil, a cadela late implorando que alguém vá abrir o portão para que possa correr livre pela propriedade. Danielo, o caseiro, vem cuidar do jardim e da horta, mas como mora longe, desconfio que, quando não há hóspedes na casa, há dias em que ele nem vem.

De modo que a Chata deve ficar confinada no canil. Lá tem um balde com água e uma bacia de plástico com ração de cachorro. Mas isso é vida? Fico consternado. É por isso que eu nunca quis ter animais. Para não ter de me imaginar no lugar deles, confinados. Então enquanto estou aqui a trato bem. Jenny comprou sucrilhos para mim, mas todas as manhãs dou minha parte para a Chata, que a devora. Dei também pão (e o pão local não é muito bom, é duro) e a Chata, como se o pão fosse osso, corre a enterrá-lo num dos canteiros do jardim. Comovente. Agora, nesta tarde de nosso último dia aqui, o sol tendo saído, estamos estendidos à beira da piscina, no gramado, lendo. E a Chata, amorosa, deitada aos meus pés.

Aeroporto de Granada, quinta, 17 de junho.

Calor de matar. Deixamos Alpujarra e, por sentir que nunca mais voltarei a esta região, fomos visitar a Alhambra. Toda a abundância de filigranas e arabescos, os entalhes em madeira, o palácio de Carlos V e a parte da criadagem num dos palácios, onde o norte-americano Washington Irving (1783-1859) escreveu os

Contos de Alhambra, tudo é de fato muito rico e exagerado. E, reconheço, de tirar o fôlego. Mas para que tanto? Dentro da cidadela que é Alhambra, gostei mais do Generalife que, por estar no alto e com brisa refrescando nos terraços é mais agradável e sem tanto enfeite.

Jenny estava aflita para visitar o jardim, que disse ser uma das sete maravilhas do mundo. Fomos. Confesso já ter visto no mínimo uns setenta jardins mais maravilhosos que este. Enfim, que alívio ter saído de Alpujarra, ter me livrado para sempre de Alhambra e já estar no aeroporto esperando a hora do vôo para Barcelona.

Barcelona, domingo, 20 de junho.

Barcelona é uma cidade fálica, mas não agressivamente machista. Prazerosamente ficaria mais tempo aqui. Já havia estado há 32 anos, de passagem, em uma viagem a Formentera, nas Ilhas Baleares. Mas agora, nesta viagem de quatro dias, é possível conhecê-la melhor e me deixar possuir por seu espírito ativo. Perto de Barcelona todas as outras cidades empalidecem. Barcelona é maravilhosa. Tem cerca de 2000 anos; foi fundada por colonos romanos, e originalmente recebeu o nome de Barcino.

Não chega a ter dois milhões de habitantes, o que a faz grande, mas não exaustiva. Uma gente excitada, um calor de mais de 30 graus ao meio-dia, o céu mostrando-se de fato azul sem o embaço dos outros lugares. Estamos em um hotel no Bairro Gótico. No dia seguinte à chegada, fomos ao Parque Güell ver a obra gaudiana de maior dimensão, com quase 20 hectares de extensão, combinando projetos de urbanização com arquitetura e liberdade artística. Inspirado no gótico medieval, Gaudi levou o estilo a um exagero alucinante. Da praça suspensa, sustentada por colunas, e cercada por um longo e sinuoso banco de assento e encosto mosaicado de cacos de louça, azulejo e garrafa, criando um colorido inigualável, contempla-se toda a cidade. No parque, a Casa Gaudi, que é o museu dele, com exemplos de todo o tipo de *design* criado pelo delirante genial. É uma mistura de sublime com grotesco. Barcelona é a cidade de Gaudi (1852-1926), figura inclassificável que coincidiu, no tempo, com o *Modernisme*.

Lluís Domènech i Montaner (dele o Palau de la Música, construído entre 1905 e 1908, é uma obra de arte total) e Josep Puig i Cadafalch, Jujol, Ribió i Bellver, Valeri i Pupurull e outros, arquitetos que, ao criarem o *Modernisme*, mais uma vez colocaram Barcelona no mapa como um dos grandes delírios do planeta onde o homem meteu a imaginação e o dedo.

Não há como não ser gótico, barroco, pós-moderno e louco ao tentar em poucas linhas escrever sobre Barcelona, cidade onde a própria língua, o catalão, já nos faz deliciosamente cismados. Na Ciutat Vella (assim mesmo, em catalão), as ruelas sujas e pichadas, o luxo e o lixo, ratos saindo dos porões, e que delícia a paella valenciana da primeira noite no Sandoval! E a sangria no almoço ao meio-dia no dia seguinte. Chegamos na quinta, na sexta foi Gaudi e, depois do banho, Dalí.

Salvador Dalí faria cem anos este ano. No Reial Cercle Artístic, há uma big exposição, *Dalí Escultor*. O crítico Robert Hughes escreveu outro dia, e disso a gente já sabia, que Gala fez Dalí assinar um montão de telas e folhas de aquarela em branco para depois serem preenchidas por copistas, isto quando ele já estava fragilizado (ou moribundo). Dalí, sugere Hughes, pode ser mais interessante que Picasso. Sua vida sexual foi mais misteriosa e enigmática que a de Picasso, que no fundo foi sexualmente convencional. Não sei, ambos me excitam, mas *O grande masturbador*, de Dalí, para mim é imbatível. De modo que depois dessa imensa mostra – que tem muito mais que esculturas – fomos jantar no 4 Cats, que foi freqüentado por Picasso, mas a comida e o atendimento estavam péssimos. Depois do jantar, idéia minha, fomos ao Museu de l'Eròtica, onde me encantou reencontrar Corinne Calvet com aquele inesquecível decote, na capa emoldurada de uma *Paris-Hollywood* dos anos 50. Depois fomos passear por Las Ramblas.

Ontem, sábado, foi a vez da Fundació Joan Miró, onde, além do acervo de Miró, há duas outras exposições interessantíssimas. Uma delas, já pelo nome provoca: *La bellesa del fracàs/El fracàs de la bellesa*, onde, desde Hitler a Artaud, passa-se também pela máquina infernal de Jean Tinguely (trazida do Museu Tinguely da Basiléia para esta mostra), com a qual, por alguns pesos, pintei um abstrato como registro. Eu sempre com o meu *sketchbook*, esboçando uma coisa aqui e outra ali.

Nessa mostra, também a instalação de um artista de hoje, esqueci o nome dele: uma sala enorme representando o McDonald's com o Big Mac e fritas, gigantescos, de isopor pintado, misturado com vídeos de *fashion shows*. Passarela e Big Mac, *trash*, o lixo consumista no fracasso da beleza como idéia dramática da coisa insípida, por assim dizer. Outra mostra na Fundação Miró era o *Manifesto Groc, El manifesto amarillo*, de março de 1928, por Salvador Dalí, Lluís Montanyà e Sebastià Gasch, com obras e objetos da época e o próprio manifesto amarelo, uma variante daqueles do período – futurismo, anarquismo, dadaísmo. Esse manifesto aconteceu aqui em Barcelona e foi escrito em catalão. Incansáveis, depois da Fundação Miró, fomos jantar em um restaurante em Las Ramblas até passar a chuva. O flanar fervilhante (acontece um Fórum Internacional na cidade) nos fez caminhar até o porto.

Hoje, domingo, fomos ao Museu Picasso – o primeiro consagrado ao artista, em 1963. Além do acervo, desde os primeiros registros de quando, aos 14 anos, em 1894/95, Pablo ainda era um aprendiz em La Coruña – acontece também uma exposição muito interessante, com o título de *Guerra i Pau* – pau em catalão significa paz. Aqui fiquei sabendo que Picasso expôs *Guernica* em Londres em 1938 – está à mostra o catálogo da New Burlington Gallery, e Nova York em 1939. Em dezembro de 1953, a *Guernica* estava em Milão – mas a história não conta que a única vez que o quadro deixou NY (onde estava protegido durante a ditadura de Franco), foi para a Bienal de São Paulo, justamente em 1953, permanecendo na cidade até a festa do Quarto Centenário, em 1954? Então como podia estar ao mesmo tempo em Milão?

Depois do museu, fomos ao hotel vestir roupa de banho e rumamos à praia, a Platja de Sant Sebastià (em catalão). Mulheres de várias idades e formas em *topless* – todos os tipos de peitos. Peitos siliconados, peitos caídos, peitos empinados. A praia estava uma festa, uma alegria, um prazer. Mergulhei no Mediterrâneo azul e frio. Depois da praia e do banho no hotel, mais passeio a pé, agora no Passeig de Grácia; La Pedrera, o prédio de Gaudi – mas estava fechado. Deu para ver de fora e através do vidro. Na mesma avenida outro prédio por ele, o Battló, outro sonho. Amanhã vamos embora.

Londres, segunda, 21 de junho.

Só a corrida de táxi do aeroporto de Heathrow até a casa de Jenny em Blackheath foi mais demorada que o vôo de Barcelona a Londres. Na leitura durante o vôo, fiquei impressionado com o que disse o estilista Jean-Paul Gaultier em uma entrevista ao jornal espanhol *El Mundo*: "Londres ha perdido creatividad, se ha convertido en el sirviente, en la puta de América". Dentro de dois dias começa a maratona final que, espero, encerrará auspiciosamente este livro: as celebrações do Centenário do Bloomsbury.

Terça, 22 de junho.

Ontem, aos 82 anos, morreu Leonel Brizola. Não chegou a realizar o sonho maior de ser presidente da república. Li obituário no *The Guardian*. No Rio de Janeiro, seus opositores o acusavam de ter sido o responsável pela cidade ter virado o que virou, tudo dominado por bandidos. Mas acho que isso já vinha acontecendo paulatinamente, e muito antes de Brizola ter sido duas vezes eleito governador.

Sábado, 26 de junho.

A coisa foi forte. Nao fosse pela presença das adoráveis americanas Patricia Laurence, Nara Neverow e Jeanne Dubino, minhas conhecidas (até então apenas por cartas) da International Virginia Woolf Society, sediada nos States, e de mais alguns poucos famosos no meio woolfiano, eu teria me sentido, como aliás, de resto, me senti, um anfíbio no deserto do Saara. A volúpia acadêmica no Edifício do Senado na Universidade de Londres fez da conferência os quatro dias mais assustadores de todos esses 11 anos em que, literalmente, meti o bedelho no Bloomsbury.

Frances Spalding em um texto publicado em *Canvas* (a publicação de Charleston), escreveu: "É uma curiosa ironia o fato de Virginia Woolf, que nunca estudou numa universidade e desconfiava da mente acadêmica, ter-se tornado a causa de uma conferência anual de acadêmicos."

A conferência deste ano, comemorando o Centenário do Grupo de Bloomsbury, foi no bairro onde o grupo se fez. Intitulada "Back to Bloomsbury", ou seja, "De volta a Bloomsbury", a Décima-Quarta Conferência Internacional Sobre Virginia Woolf começou dia 23 e terminou hoje, 26 de junho de 2004. Até então, as conferências eram realizadas em localidades distantes de Bloomsbury, como NY, Texas, Califórnia, País de Gales, etc. Tudo começou em 1976, com a fundação de The Virginia Woolf Society, nos EUA, a qual, anos depois, tendo crescido tanto e com associados do mundo inteiro, tornou-se The International Virginia Woolf Society (IVWS). Isso fez com que a Inglaterra, quase um quarto de século depois, finalmente criasse vergonha e tomasse uma atitude. Em 1998, foi criada The Virginia Woolf Society of Great Britain (VWSGB).

Sou membro de ambas as sociedades. Da inglesa, então, sou o sócio número 94. De modo que no centenário do Grupo de Bloomsbury, grupo famoso principalmente por VW ter feito dele parte, nada mais próprio que as duas sociedades, a americana e a inglesa, num *joint venture* com o Institute of English Studies da Universidade de Londres, montassem esta, que foi a maior das conferências até então realizadas sobre a escritora.

A idéia inicial foi da acadêmica norte-americana Jeanne Dubino, que insuflou na cachola da inglesa Gina Vitello, animadora cultural do departamento de Letras da Universidade de Londres, que a conferência no ano em que se celebrava o centenário do grupo deveria acontecer no bairro que lhe dera o nome – onde está localizada a central da Universidade de Londres. A Vitello, jovem tranqüila e eficientíssima, achando a idéia super viável, meteu bronca para que o evento saísse a contento. Delegações de virginófilos vieram de todo o planeta, até da China. Do Brasil, como sempre até agora, fui o único (embora não acadêmico).

Éramos 450 participantes, entre conferencistas e conferentes. Desse número, apenas 55 do sexo masculino, de modo que o mulherio imperou. E como! Com as festas todas que rolaram, no que tange à confraternização, o mais importante da conferência foi sem dúvida a parte dedicada à coisa séria, ou seja, às palestras, às leituras dos papéis de trabalhos em progresso, e aos debates. 150 falaram, entre estudantes expondo suas teses e figuras estelares (como Vara Neverow, Patricia Laurence, David Bradshaw, Hermione Lee e Cecil Woolf, entre outros).

Os quatro dias, como em qualquer maratona, começavam cedo, às 8h30. Depois de exaustivos estudos, terminavam por volta das 20h30 abrindo para o último evento, que podia ser um coquetel, uma apresentação teatral, um jantar de gala. Os estudos aconteceram em várias salas e no anfiteatro do edifício do

Senado, na Universidade. Não cabe aqui pormenorizar os temas apresentados, as teses, os debates. Seria preciso outro livro inteiro dedicado a isso. Mas foi tudo relacionado a Virginia Woolf. Para se ter uma idéia de até aonde vai a mente brilhante dos estudiosos de Woolf, vai aqui um corrido *acabritado* (Virginia, ela mesma era apelidada de "cabrita" e não negava pinotes, nem na vida nem na escrita) do que foi exposto.

A conferência foi inaugurada com uma mnemônica palestra de Cecil Woolf, sobrinho de Leonard e ele mesmo, desde 1960, dono de uma editora. Cecil, muito simpático e fluente, contou suas lembranças de Leonard e Virginia. Filho do irmão caçula de Leonard, estava com 14 anos quando Virginia se matou. Até a morte dela, visitara várias vezes o casal. Depois do suicídio de Virginia, hospedou-se nas casas do tio, em Londres e em Rodmell. Cecil lembra de Leonard, com mais de 60 anos, em calça de veludo de algodão, fumando cachimbo em seu jardim.

Cecil conta do entusiasmo do tio pelo jardim que criara. Podiam conversar de tudo, tio e sobrinho. Se literatura, D. H. Lawrence, T. S. Eliot, E. M. Forster... Entretanto, falar dos livros de Virginia era tabu. Mas Leonard falava dos diários nos quais ela queria registrar fatos e não fantasia. Virginia era charmosa a seu modo. "Não me lembro de jamais ter sentido medo dela, mas de ficar impressionado com sua personalidade", diz. A Monk's House não era uma casa confortável. Eles nunca tiveram aquecimento central. Virginia e Leonard eram pessoas frugais. Leonard era obsessivo em guardar cada centavo. Virginia era uma caminhante cheia de energia.

"Eu era criança e tive o privilégio de ouvi-la numa palestra sobre Shakespeare." Depois: "No fim da Segunda Guerra, eu era um jovem soldado na Itália. Na volta, Leonard me emprestou um pequeno apartamento que tinha em Londres. Virginia tinha se matado e Leonard trabalhava sete dias por semana. As mãos dele tremiam..."

Interessante em todos esses anos em que ouvi pessoalmente os descendentes de Bloomsbury, ou gerações mais novas, estar agora pela primeira vez ouvindo um parente sangüíneo, um sobrinho de Leonard Woolf. Cecil Woolf é um velho encantador, jovial, muito bem humorado – o público não pára de rir – e se parece muito com o tio. Sua terceira e atual esposa, Jean Moorcroft Wilson, magra, traços miúdos e delicados, elegante (mas um pouco *overdressed*), chapéu vermelho de abas largas, sorri (boca de lábios finos) com as histórias do marido. Deve ser uns quinze anos mais moça que ele.

Cecil continua contando do tio. Leonard começara a escrever a autobiografia. Nessa época já era uma espécie de celebridade. Fazia uns 28 anos que Virginia tinha morrido. Leonard não foi o marido tirânico que se diz, mas extremamente bom. Era uma vida de muito trabalho e nenhum sexo.

Cecil Woolf termina e é muito aplaudido. E agora as perguntas. Um velho pergunta se Leonard comentava com ele, Cecil, da morte de Virginia. Cecil responde que Leonard falava de Virginia, mas não da morte dela. "Acho que era muito doloroso para ele falar sobre isso. Minha mãe também se matou e meu pai não falava disso comigo." Uma mulher de vermelho da cabeça aos pés, cabelos tintados de ruivo presos em rabo-de-cavalo, pergunta se Leonard vinha de família pobre. Cecil responde que nos anos 20, 30, havia muita pobreza na Inglaterra e Leonard vinha de uma família de vida dura.

Um conferente do Ceilão pergunta se Leonard falava dos anos dele como funcionário do império britânico naquele país. Cecil responde, mas a resposta me escapa, o público ri e ele lembra que muitos anos mais tarde, na década de 60, Leonard voltou ao Ceilão onde foi tratado como realeza; um outro da platéia pergunta sobre a questão judaica e Cecil lembra que Virginia tirava sarro de Leonard chamando-o de "the boy with the okra nose" (o garoto de nariz de quiabo). Mas isso não era preconceito, era brincadeira.

No intervalo, encontrei Patricia Laurence (nos reconhecemos pelos crachás) e perguntei da Vara Neverow, se ela estava aqui e Patricia, avistando-a a pouca distância, me levou até ela. Foi como velhos amigos se encontrando pela primeira vez, pessoalmente. Fiquei encantado com a Vara, muito chique, bem-vestida em tons escuros. Jenny me apresentou a Nicola Beauman, que escreveu a mais completa biografia de E. M. Forster. Agora as palestras. É claro que não dá para assistir a todas, pois além de acontecerem simultaneamente em várias salas, há muitas cujos temas não me interessam. Por outro lado, é frustrante quando acontecem três palestras que interessam e todas no mesmo horário em salas diferentes.

Reparei que, talvez pelo nome chamativo no sentido mnemônico, ou talvez por ter optado pela arte em detrimento ao casamento, uma das personagens de

Virginia Woolf mais estudada pelas acadêmicas é Lily Briscoe, a pintora solteirona de *Rumo ao farol*; já na primeira palestra ela foi o tema. Outro tema interessante, que mereceu uma tese foi o fato de que, em uma noite de tempestade em janeiro de 1929, quando Vanessa, Duncan, Julian, Virginia, Leonard, Vita e Harold estavam reunidos em Berlim, resolveram projetar a obra-prima anti-imperialista russa, o filme *Tempestade sobre a Ásia*, de Pudovkin.

O filme despertou discussão sobre o imperialismo britânico e muito influenciaria Virginia em trabalhos futuros (segundo a tese da conferencista), especialmente em seu grosso ensaio, *Three Guineas* (1938), no qual a Woolf denuncia a tirania da exploração imperialista inglesa. Dos presentes naquela noite em que se projetou a fita russa, Harold Nicolson que, como diplomata, servia na embaixada britânica em Berlim, postou-se como reacionário, pró-imperialismo.

Bem, estas foram duas das 150 teses apresentadas. Se eu for falar de todas acabaremos loucos, eu e o leitor. Mas, a toque de caixa, veja alguns temas: Woolf e a legitimidade da filosofia; Virginia no terreno do não-terreno, filosofia e teoria – aqui entram Wittgenstein e Ferdinand de Saussure; no mesmo evento, na sua vez, intenso woolfiano que é, Mark Hussey falou da relação entre linguagem e pensamento e do "canto antes do [surgimento do] tempo" (...) na metodologia da bagagem sobre a fenomenologia (Heidegger, Merleau-Ponty), terminando por reconhecer o trabalho de Patricia Laurence em sua tese *A leitura do silêncio*; e por aí foi.

Já outro conferencista, falando de empatia e danos subjetivos, escolas filosóficas e, de novo, a fenomenologia e o existencialismo de *As horas*, de Michael Cunningham, e de como Nietzsche e Foucault enfatizaram os imperativos do poder, e a rejeição pós-moderna do humanismo na recusa da centralidade do *self* – "devemos abandonar a interpretação woolfiana do subjetivo?" Você decide. Se for muito para a cabeça do leitor, imagine para a minha! De qualquer modo, tomei a coisa como pura e saborosa poesia *dadá*. Mesmo porque, a seguir veio mais uma série de propostas por vários mesários oriundos de umas tantas universidades dos dois lados do Atlântico, mas também de outros oceanos e mares do planeta. Virginia e Byron, por exemplo, e o que tinham em comum apesar de terem vivido em épocas diferentes; Byron, sem dúvida (segundo a conferencista) poderia ter sido romancista e Virginia, com certeza, poeta de fazer versos (porque poeta na prosa ela sempre foi); e a autocensura em Virginia quando ela se fazia reticente...

Mas a generosidade da escolha de temas agora nos leva correndo a outra sala onde a doutoranda Roberta Rubenstein, bolsista da Fulbright, lembra-se de quando tinha 23 anos (no já longínquo 1966) ao estudar os manuscritos de Virginia na biblioteca do museu britânico, não conseguiu decifrar muito da caligrafia dela e recorreu ao Leonard, já com 87 anos. Ele foi de uma atenção imensurável, que se desdobrou em vários encontros, embora também não conseguisse decifrar a caligrafia de Virginia.

Nessa mesma sala, depois de Roberta, mais dois outros acadêmicos leram seus papéis sobre Leonard Woolf. Em compensação, outra conferencista expôs toda a sua pesquisa sobre como Virginia e Katherine Mansfield eram, apesar das farpas, almas gêmeas. "Ela possuía uma qualidade que eu adorava, e precisava", Virginia escreveu em uma carta para Vita em agosto de 1931, muito tempo depois da morte de Mansfield, cujo fantasma nunca a abandonaria.

Virginia adorava caminhar. É sobre suas caminhadas que fala a holandesa Liedeke Plate. Segundo Liedeke, Virginia era uma *flâneuse*, assim como os personagens em sua ficção, gente que bate perna e, de volta para casa, faz escaldapé; e a caminhada final, quando Virginia vai, solitária, até o rio Ouse, onde finalmente se afoga. E viagens. Bloomsbury viajava muito. Agora Patricia Laurence fala de seu livro que conta o caso entre Julian Bell e Ling Shuhua (pronuncia-se Chuá), mulher do deão da universidade de Wuhan, na China. Lá, entre 1935-37, para escapar das cadeias bloomsburianas, Julian lecionou inglês. Laurence fala do que rolou depois que o marido descobriu o *affair*. Enquanto Julian Bell, aos 29 anos, foi morrer na Guerra Civil Espanhola, a Ling "Chuá" foi se desdobrar em duas guerras, a Sino-Japonesa e depois na Guerra Civil Chinesa. Viveu até os 90 anos.

Na projeção de *slides* das fotos de Julian na China, Ling aparece alta, elegante, lembra a Anna May Wong, famosa atriz chinesa de Hollywood nos anos 20 e 30. Às vezes ela aparece queixuda e outras vezes sem queixo. Nas cartas que Julian escrevia para a mãe, fala da cerâmica chinesa, da arte chinesa. Ele viajou até o Tibet. Fotos da viagem, paisagens tibetanas, mosteiros. Ele caçava e cuidava do físico. A história está bem contada no livro *Lili Briscoe's chinese eyes* (*Os olhos chineses de Lily Briscoe*), da Patricia Laurence.

No pique, salto agora para três conferencistas que discorrem sobre a interligação entre Cambridge e Bloomsbury. No rol, eles se detêm em todas as figuras que fizeram o nome do grupo, assunto sobre o qual posso saltar por já ter sido por demais comentado nestas páginas, desde minha primeira incursão em 1993. De resto, sempre que o assunto é a interligação Cambridge e Bloomsbury, a insistência sobre o suposto ressentimento e a suposta frustração de Virginia por não ter tido uma educação universitária formal tem o efeito de uma insistente e irritante buzina. No mais, ela soube se virar muito bem como autodidata.

Saltamos para o mesmo dia, mas em outra sala, onde a conferencista da hora fala de Walter Benjamin, naquilo que ele via como "uma pausa desestabilizadora no plausível" com referência ao romance *Os anos*, de Woolf, no contexto da Guerra Civil Espanhola e da tirania e a morte romântica na estética política daqueles anos. Em outra sala, o assunto é a interseção da leitura e do ensinamento de Woolf e James Joyce e chega aos que reinterpretam esses autores escrevendo romances hoje. Um tanto mais e termina o primeiro dia, com uma *soirée* de queijos e vinhos em um dos salões, sob os auspícios da IVWS e da VWSGB. Confraternização geral.

Na quinta-feira, logo de manhã o povo se reúne para falar da vastidão documental sobre VW disponível na Universidade do Estado da Califórnia, e de como Vara Neverow e Merry Pavlowski pretendem passar tudo para a Internet, com a intenção de facilitar a vida e o bolso dos estudiosos interessados. A própria Vara e mais duas falaram sobre sonhar com um futuro eletrônico e como todo um legado estará democraticamente à disposição de todos.

Uma que teve horário e sala a ela dedicados foi Carolyn Heilbrun, professora apaixonada e primeira presidente da Sociedade Virginia Woolf nos EUA. Sobre ela falaram as especialistas J. Mitchell, Lyndall Gordon, Mary Ann Caws, Hermione Lee, Brenda Silver e Nancy Miller, cada uma sabendo mais que a outra dos feitos de Heilbrun, que se matou deixando a mensagem "the journey is over", a jornada terminou. Enquanto isso, em outra sala, a delegação japonesa falou de "doenças do colonialismo", do Padre Damien e da doença de Hansen no contexto da compaixão que Virginia sentia pelos povos oprimidos, e de uma japonesa, também romancista, que, em 1905, quatro anos antes que Virginia o fizesse, visitou quatro vezes a casa de Carlyle. Mas pelo jeito a delegação japonesa estava mal informada, pois em um de seus muitos comentários no livro *A casa de Carlyle e outros esboços*, de VW, David Bradshaw lembra que antes de 1909 Virginia visitara essa casa outras vezes, em 1897 com o pai e, em 1898, com a irmã Vanessa.

Horas depois, o americano Christopher Reed falou das pinturas feitas por Duncan Grant e Vanessa Bell nas paredes do apartamento onde Virginia e Leonard viveram de 1924 a 1939 na Praça Tavistock, e de como esses murais poderiam ter influenciado a escrita de Virginia naquele período. E que, ao contrário do que escreveu a maior biógrafa de Virginia, Hermione Lee, não eram três; na verdade eram sete, no mínimo. A casa foi bombardeada na guerra, causando o desabamento de paredes com murais. Sobraram os três dos quais fala Hermione.

Noutra sala o assunto é a psicoestética da solidez, Fry e Freud. Roger Fry chocado com a "indecência" freudiana, segundo a qual "tudo, da pintura e ao colecionar livros, tem a ver com erotismo anal", e da escatologia na correspondência entre Fry e Virginia. Nessa mesma sala, a seguir, o tema é Virginia e *O quarto de Jacob* sob a ótica do desconstrutivismo de Derrida, e as resoluções edipianas, passando inclusive por *Pocahontas*, de David Garnett e pela vida doméstica na obra de E. M. Forster. Vai que vai, e chega a hora de Stuart C. Clarke, um dos diretores da VWSGB, falar de Virginia na era do bombardeio aéreo. Outros falam sobre Virginia e a música, de Wagner ao jazz, passando pela música de rua. Somos levados a crer que Virginia se deteve mais em Beethoven, enquanto em outras salas, por meio de outras vozes, outros temas, acaba-se voltando a insistir na androginia do Bloomsbury, nas reações preconceituosas, nas barreiras de classes sociais, etc.

Na noite dessa quinta-feira, houve *Orlando* no Teatro Bloomsbury, pertencente à Universidade de Londres. Aqui entra sutilmente meu dedo nessa décima-quarta conferência sobre Virginia Woolf. Eu descobrira essa montagem por acaso, em São Paulo durante um festival internacional de dança levado no Teatro SESC Consolação em 2002. Vira no jornal um anúncio de *Orlando* sem fazer qualquer referência à obra de Woolf. Na hora, deduzi que devia ter algo a ver com o *Orlando* da Virginia.

Jenny, que passava uma temporada na capital paulista, foi comigo ver o espetáculo. Apaixonamo-nos (eu mais que ela) pelo espetáculo da Compagnie Buissonnière, um grupo multinacional/multimídia originário de Barcelona e sediado em Lausanne, na Suiça, de onde vem a maioria da subvenção. Não tive dúvidas de que esse *Orlando* deveria ser levado aos woolfianos em algum festival na Inglaterra, fosse em Charleston ou Londres. A partir de então, Jenny não poupou esforços, e graças a ela essa encenação foi incluída na programação da conferência que celebrava os 100 anos de Bloomsbury.

A reação do público, a maioria constituída de participantes da conferência, foi estranha. Muitos acadêmicos permaneceram na platéia para debate depois do espetáculo. Muitos captaram o espírito da coisa – entre os entusiastas, a Jeanne Dubino; outros torceram o nariz, voltados que estavam para o próprio umbigo. Cisco Aznar, o diretor da companhia, do palco pediu uma salva de palmas para Jenny, pelo seu esforço em trazer a Compagnie Buissonnière para a celebração do Centenário do Bloomsbury. Quanto a mim, não tive dúvida de que a própria Virginia Woolf e seu sobrinho Quentin Bell teriam se divertido muito com esse *Orlando*.

Na manhã seguinte, o *Orlando* já estava esquecido, pois outros eventos atraíam a atenção. A coisa já começou quente pela manhã quando Caroline Marie, da Sorbonne, comentando o gosto de Virginia pela pantomima, pela dança e pelo teatro, lembrou que ela fez vários registros em seu diário sobre suas incursões pelo mundo do espetáculo. *Orlando*, disse Caroline Marie, é uma pantomima, assim como o último romance de Woolf, *Entre os atos*, cuja base é o teatro armado pela "Miss La Trobe", numa passagem virginiana pelo burlesco. Por ser francesa, a conferencista lembra o bem-humorado auto-retrato cinematográfico de Georges Méliès em *L'homme-orchestre*.

Ainda faltam falar 50 conferencistas! O que vem por aí nesses dois dias é coisa de louco. Gretchen Gerzina (da Universidade de Columbia) vai falar de Bloomsbury e etnia, negros, savaneiros – os *bloomsberries* não enveredavam muito por essa trilha mas, se for pesquisado, como fez Gerzina, ver-se-á que a diversidade racial também foi pedra-de-toque na cultura bloomsburiana. Falarão também Stephen Barkway, Jane de Gay (que vai mexer com a cultura grega na educação de Virginia) e uma outra que vai discorrer sobre os "anos lésbicos"; e ainda uma outra, que mostrará sua descoberta de que *Orlando*, da Virginia, deve algo ao *Orlando furioso*, do Ariosto (1474-1533), que também fez uso do disfarce sexual. David Bradshaw proporá uma nova leitura de *As ondas* sob a ótica do personagem Louis e sua fixação com o Egito.

Bradshaw ficou mais encorpado nestes sete anos. E continua brilhante. Disse que *As ondas* é um poema sobre a ascensão e a queda do império britânico e a preocupação com uma sociedade mais igualitária. Jane Marcus, como mediadora, agradeceu a Bradshaw pelo maravilhoso esclarecimento. E ele, entusiasmado: "Não consigo parar de ler *As ondas*". As acadêmicas inglesas presentes falaram sobre o anti-imperialismo e não deram chance às americanas. Turbantes e elefantes na parada. Após a palestra de Bradshaw, todo mundo correu para se aprumar para o banquete de gala.

O Bloomsbury Banquet aconteceu no Restaurante Macmillan, da universidade. Enquanto eu me servia, alguém me cutucou e ouvi: "Você não está usando gravata". Temendo ser posto para fora, voltei-me e era Cecil Woolf! Sorrindo. Ele também não usava gravata. Jenny comentou: "Que simpático!"

Após o banquete, houve a leitura dramatizada de uma comédia radiofônica, *Portrait of Virginia Woolf* (que fora transmitida pela rádio BBC em 1956). O papel de Virginia foi feito por Vara Neverow, que usou um chapéu que pertencera à própria Virginia. Jean Moorecroft Wilson, sempre impecável no seu corpinho de Twiggy, de avental e vassoura, fez o papel da criada Nelly. Foi a única que teve um desempenho *over*.

No sábado, o último dia, mais palestras e leituras de teses em progresso. Uma, em particular, me fez correr à sala. Era uma espanhola da Universidade de Santiago de Compostela que discorreu sobre a amizade e a correspondência entre Virginia e a argentina Victoria Ocampo.

E assim foi. Mas o principal ainda estava por vir. Depois da última palestra, corremos à praça Tavistock para o descerramento do primeiro memorial de Virginia Woolf em Londres (e já não era sem tempo!), uma réplica, também em bronze, de seu famoso busto por Stephen Tomlin, iniciativa da VWSGB. Para descerrá-lo, ninguém menos que Anne Olivier Bell.

Era um típico *afternoon* inglês de verão incerto: friozinho e garoa. Muito agradável. Já lá estava a Vanessa Curtis, uma das fundadoras da VWSGB e autora do livro *Virginia Woolf's women* (*As mulheres de Virginia Woolf*), muito simpática. Foi chegando gente e mais gente: a atriz Eileen Atkins, a Hermione Lee, a Henrietta Garnett, a Frances Spalding, o Cecil Woolf com a mulher (Jean Moorcroft Wilson, usando agora um minivestido vermelho ligeiramente balonê e mais um chapéu de sua vasta coleção). As americanas Patricia Laurence e Jeanne Dubino – não vi Vara Neverow, mas Jenny disse, depois, que ela ficara mais atrás. Finalmente chegou Anne Olivier Bell para descerrar o busto. Stuart C. Clarke discursou em nome da VWSGB. Depois falou a Olivier que, apontando, lembrou que ali à direita, no número 52, estava a casa onde Virginia e Leonard moraram entre 1924 e 1939, onde também ficava a editora deles, a Hogarth Press. Disse que a casa (e praticamente todo o quarteirão) fora bombardeada na Segunda Guerra, e que um dia ela (Olivier) passava por lá com um amigo e viram uma fenda vertical na parede, parecida com uma imagem ampliada do buraco de um dente recém-extraído. Por essa fenda, dava para ver a marca de escada e o que restou dos murais pintados por Vanessa e Duncan.

Agora era a vez de Olivier descerrar o busto de Virginia. Ela o fez de uma só vez, com um movimento certeiro. Sob aplausos surgiu o busto. Olivier comentou que os olhos esbugalhados de Virginia pareciam aterrorizados. De fato. A réplica da escultura de Tomlin parecia mais deformada que a original. Assim terminou a Décima-Quarta Conferência Sobre Virginia Woolf. Mas as comemorações do Centenário de Bloomsbury continuavam e lá estaria eu, levado pela inesgotável Jenny.

Charleston, domingo, 27 de junho.

Interessante aquele dito popular que diz que "dois bicudos não se beijam". Ou seja, continuam as comemorações do Centenário de Bloomsbury. Porém, um dia após Anne Olivier Bell ter descerrado o memorial de VW em Londres, hoje, na fazenda Charleston, a agenda é outra, como se aquelas centenas de acadêmicos woolfianos de várias partes do mundo tivessem simplesmente sido deletadas (para usar um termo informático). É muito interessante essa constatação – veja bem, são duas elites separadas. A acadêmica – porque é uma elite; e a bloomsburiana propriamente dita, ou seja, a sangüínea e agregados.

Embora alguns raros daqueles acadêmicos transitem nos dois pólos, lá na Academia e aqui na Boemia – Patricia Laurence, por exemplo, está aqui – a verdade é que no vasto e internacional culto a Virginia Woolf e ao Bloomsbury, para não dizer cada macaco no seu galho, cada um fica no seu clube.

Foi importantíssimo, mesmo eu me sentindo um bacalhau fora d'água, ter participado como conferente da Décima-Quarta Conferência. Foi a minha primeira e certamente última investida na Academia. Por outro lado, se há onze anos freqüento Charleston, tendo sido meio que adotado por alguns pares dessa corte, sinto que aqui também não estou inteiramente no meu *milieu*, embora neste me sinta mais em casa que naquele.

Mas o melhor nisso tudo é que estou perto da libertação. Primeiro larva, depois casulo, depois libélula. Diria que estou quase libélula. Completando o ciclo, terminando o curso. Isso, obviamente, por mim decidido. Depois poderei deixar por conta e, se quiserem, até ser usado como *expert*. Mas isso deixo para depois, bem depois. Sim, porque agora estamos em Charleston para um banquete muito especial, para 140 pessoas, das quais sou uma. Não é um privilégio? O engraçado é que comecei em 1993 como o único brasileiro e estou fechando o ciclo ainda como o único!

É o almoço (pontualmente às 12h45) que celebra o centenário de Bloomsbury em sua principal casa de campo. O local, em vez da tradicional tenda, desta feita foi armado no velho e belo celeiro, usado hoje pela primeira vez, mas que será, doravante, lugar opcional para eventos. As paredes são de sílex, e a construção antiga de muitos séculos. Além dos da casa, os velhos amigos de Charleston, e aqueles americanos riquíssimos, elegantes, esnobes que vira e mexe a gente vê em Charleston – americanos que contribuem para a sua manutenção, compram obras de seus artistas, seja para decorar suas residências ou como investimento para futuras doações a museus, ou a criação futura de museus com seus próprios nomes em seus lugares de origem.

Observo-os à distância. Por outro lado, e por ser a primeira vez no celeiro, deve ter faltado tempo físico de pensar em calefação. É bem verdade que estamos no verão, mas como o verão este ano até agora tem se mostrado um tanto desequilibrado e o dia hoje mais parece inverno, além do fato de o teto ser muito alto (belíssimo, o trabalho rústico de vergas tortas trançadas sob as telhas), até um siberiano sentiria o frio atingir-lhe o tutano. O palco, entretanto, foi muito bem armado, com os tradicionais motivos dos artistas de Charleston. Sobretudo é louvável o empenho da Fundação Charleston, nos onze anos que freqüento a fazenda, de evoluir sempre: Charleston não deita sobre os louros, está sempre melhorando.

A Olivier chegou com a filha Virginia e com elas Henrietta (representando a mãe Angelica, avessa a esse tipo de badalo). Depois do bem decorado e saboroso almoço – desde a salada ao prato principal e as bebidas, a sobremesa, o café e o chá – agora teremos as palestras no palco.

Às 14h15 pontualmente, o diretor da casa, Alastair Upton, faz a apresentação formal do primeiro palestrante da tarde, Richard Morphet, nosso velho conhecido, historiador de arte e durante muito tempo diretor do departamento de arte contemporânea da Tate Gallery. Morphet, com o *savoir faire* que lhe é peculiar, domina a platéia.

Em sua palestra, examina as mudanças de conceito e os preconceitos referentes aos artistas de Bloomsbury ao longo das décadas. Enquanto ele fala, são projetados *slides* em uma tela grande. Lydia Lopokova pintada por Duncan Grant. Retrato de Cézanne pintado por Roger Fry. "Não dá para imaginar Bloomsbury sem a arte", diz Morphet. *Slides* de capas das primeiras edições dos livros da Hogarth Press, desenhadas pelos artistas do grupo. A ligação familiar dos pais dos de Bloomsbury com os pré-rafaelitas. *Slide* de *Hope* (*Esperança*), a tela de G. F. Watts; Julia Cameron, a fotógrafa pré-rafaelita, tia da mãe de Virginia Woolf.

Simultaneamente, Morphet metralha e ilustra. Mesmo a gente já sabendo de tudo isso, sua palestra é puro deleite. Ainda da Hogarth Press, o desenho de Vanessa Bell para a capa do romance de Julia Strachey, *Cheerful weather for the wedding* (*Tempo agradável para o casamento*). "Mas houve uma época", diz Morphet, "no começo dos anos 60, em que os artistas de Bloomsbury estavam tão por baixo, por conta das circunstâncias do período, que pouca significância tinham no cenário das artes britânicas e menos ainda para o público.

Em uma retrospectiva da arte inglesa na Tate, ao lado de uma tela de Vanessa Bell, a etiqueta a identificava com Van Erssabel. A partir daí, em tudo que era leilão na Sotheby's ou na Christie's, quando aparecia tela não assinada e de arte moderna meio suspeita, era leiloada como de Van Erssabel. Bloomsbury sempre foi hostilizado pelos críticos de arte."

"Mas", continua o palestrante, "a variedade de expressões de seus artistas, que brincaram e experimentaram tantos meios e estilos com total liberdade e pouco rigor, é que os faz hoje tão interessantes." Quando estavam em total ostracismo no começo da década de 60, uma nova geração de estudantes e críticos descobriram e se encantaram por Bloomsbury. Simon Watney, Richard Shone e ele mesmo, Richard Morphet. Ele conta que Cecil Beaton, em uma visita a Duncan Grant, em 1967, escreveu em seu diário: "Charleston é como o cenário de uma peça francesa em um teatro de província. Fascinante". O público ri pela entonação irônica que Morphet dá ao "fascinante". Nessa época, continua ele, só Duncan vivia em Charleston, Vanessa já tinha morrido. Charleston se desintegrava, era dilapidada. Mas as visitas, nessa mesma época, de jovens como Shone, Watney e ele, Morphet, tiveram um efeito positivo, apesar da dilapidação.

A palestra é curta, dura menos de uma hora, mas tão enxuta que não é preciso mais. O próximo evento é um raríssimo bate-papo: Anne Olivier Bell entrevistada por Frances Spalding. O título da palestra é "Acurácia, Relevância, Concisão e Interesse".

Tímida e avessa à exposição pessoal, Olivier irá agora nos presentear com episódios de sua vida. Tudo aquilo que não se teve oportunidade ou coragem de perguntar a ela. Este é, sem dúvida, um dos principais eventos da celebração do centenário de Bloomsbury. Sua filha, Virginia, faz as apresentações. Mesmo na emoção e na dificuldade de vencer a natural timidez (ela é também uma das batalhadoras pela preservação e manutenção de Charleston), Virginia anuncia que ouviremos "as duas grandes damas de Charleston", ou seja, a Olivier e a Frances Spalding.

Elas começam. No início é aquilo que se sabe: Leonard Woolf pediu a Quentin Bell que escrevesse a biografia da tia – se hoje existem tantas, até então não havia nenhuma. Isso foi nos anos 60. Olivier ajudou, montando a cronologia, cada dia, dia-a-dia da vida de Virginia. Usou como material não só os diários, mas cartas trocadas entre ela e outras pessoas, e cartas de outras pessoas para outras pessoas sobre temas e assuntos concernentes ao tempo da biografada, e visitas diárias ao arquivo britânico – jornais, datas, acontecimentos. Olivier classificou tudo em fichas, organizou um fichário cronológico. Spalding, depois de Olivier ter clareado o processo de seu trabalho com Quentin, passa às outras perguntas sobre a vida da própria Olivier.

O tempo é frio. Ventania de tornado uiva sobre o telhado da cocheira. Interferência no som (soubemos depois que a causa da interferência havia sido a ordenha eletrônica das vacas). Achou-se por bem ignorá-la e levar adiante a conversação. Olivier conta do avô materno (Sydney Haldane, Barão Olivier), que promoveu o socialismo e fundou, com Sidney Webb e Bernard Shaw a Sociedade Fabiana. Foi governador da Jamaica. "Me lembro de que, quando menina", conta, "depois do terremoto na Jamaica o país foi rapidamente reconstruído. Perguntei ao meu avô como ele tinha conseguido a reconstrução com tamanha rapidez e ele respondeu: 'Gosto das coisas bem feitas'."

Frances Spalding muda o rumo da conversa e lembra que é sabido que Olivier gostava de teatro. Olivier então conta que sua família era composta de gente histriônica – o grande ator Laurence Olivier era filho de um primo de sua mãe –, e que ela freqüentou a Escola Central de Drama. Ia ao Old Vic. Em um dos exercícios com público, no Royal Albert Hall, a professora de técnica vocal a mandou falar projetando a voz em direção ao camarote real. Olivier conta: "Eu adorava teatro, mas vi que não seria boa atriz, e meu pai achou que eu me sairia melhor como historiadora de arte."

Olivier trabalhou no Courtauld, o instituto de arte, que era cheio de garotas debutantes, amadores aspirantes a negociantes de arte, refugiados do leste europeu, recém-formados de Oxford, etc. Ela diz não ter aproveitado nada da experiência. Mas a Spalding retruca: "Você acha que ter aprendido a classificar coisas foi um bom treinamento?"

Claro que foi, Olivier nem precisou responder. O pai, da família Popham, foi chefe do departamento de gravuras do British Museum e era um grande colecionador dos Grandes Mestres – século 16, desenhos italianos – e Olivier, depois da guerra, ia muito ao museu. O pai era nervoso e a mãe vivaz. Com ele ausente, na guerra, e a mãe vivendo no campo, com a irmã, a mãe teve um caso com um belo professor de Oxford. O pai voltou da guerra e ela pediu divórcio. O amor entre a mãe e o professor era recíproco. O pai tinha um senso de humor sutil, era um tipo tímido. A casa deles em Twickenham (um bairro fora da zona central de Londres) tinha muitos criados. Divorciaram-se. A mãe era muito bonita (era uma das quatro irmãs Oliviers, famosas na virada do século como as moças mais bonitas e afetadas da aristocracia inglesa). Naquela época de moral rígida, se tivesse sido o pai de Olivier a pedir divórcio ele teria perdido o emprego no serviço público. Mas como foi a mãe quem quis a separação para se casar com outro, foi este quem perdeu o emprego em Oxford. Muito pobres, compraram uma fazenda (na época as terras eram baratas) e viraram fazendeiros.

De modo que tinha duas casas: a da mãe, no campo, e a do pai, em Londres. No campo, como ficaram pobres, Olivier ajudava a tomar conta dos irmãos. Eram três. Ia de bicicleta pela estrada do bosque para a escola, oito milhas. Depois foi trabalhar em Londres, no Instituto Courtauld. Tornou-se secretária do responsável pelas obras de Rubens e tinha muito respeito pelo chefe, "um grande erudito".

Agora a Spalding comenta os cinco volumes dos diários de Virginia Woolf, a riqueza de notas de rodapé feitas por Olivier elucidando detalhes importantes que Virginia deixara passar. Spalding pergunta da nota sobre o pênis deformado de Jonathan Swift, que era deão. Olivier ri, todos riem, ela desconversa.

Sobre a mãe, que se chamava Brynhild, a Spalding pergunta o porquê do nome e Olivier conta. Quando a mãe nasceu, os pais eram muito amigos de Bernard Shaw, que na época era crítico de música erudita. Todos os anos, viajavam com Shaw para os festivais de Wagner em Bayreuth. Brynhild era nome de uma personagem do ciclo dos *Anéis*. Olivier diz que ela mesma não é musical e não gosta de Wagner. Aos 18 anos, viajou a Paris com um dos irmãos. Como presente de aniversário, ele a levou à ópera. O camarote era no poleiro, perto dos querubins do teto. Ela estava distraída, olhando os peitos dourados dos querubins, quando o irmão lhe chamou atenção para o palco. A ópera era *Lohengrin*.

A conversa continua. Olivier diz que em Twickenham eram vizinhos da mãe de Duncan Grant, e que a viu bordando em ponto cruz os desenhos do filho para forros de cadeira e telas de lareira (hoje estão na Monk's House). Lembra que dessa época não recorda de ter ouvido falar no Bloomsbury. Mas lembra-se de que em 1937 estava em Paris com Helen Anrep e o filho Igor (respectivamente a mulher e o filho de Boris Anrep) no Hotel Londres, quando olharam para baixo e viram Vanessa Bell vestida em cinzento escuro, com Duncan, Angelica e

Quentin (de barba ruiva). Julian, o filho de Vanessa, havia morrido recentemente na Guerra Civil Espanhola e os outros três a tinham levado a Paris tentando aliviar a dor de Vanessa. A Sra. Anrep disse a Olivier: "Vamos esperar até eles saírem. Não posso apresentá-la a eles, porque estão em profunda comiseração".

Voltemos ao tempo dela no Instituto Courtauld. Lá Olivier teve como tutor Anthony Blunt (1907-1983), que foi espião de duas bandeiras, Inglaterra e Rússia – mas isso seria revelado bem depois. Em 1964, ele confessaria ao Serviço Secreto ter sido espião, mas, por sua eficiência e por ser necessário, o MI5 manteve segredo até 1979, quando a imprensa tornou público o fato, causando escândalo internacional. De 1945 a 1972, Blunt foi inspetor da coleção de arte da rainha no Castelo de Windsor. Olivier já o achava fascinante, desde quando fora a uma palestra dele no Conway Hall, na Praça Red Lion, sobre a arte realista social do pintor mexicano Diego Rivera, de quem havia uma retrospectiva em Londres.

Nesse tempo Olivier conheceu o pintor sul-africano Graham Bell (nenhum parentesco com Alexander Graham Bell nem com Quentin Bell, com quem ela se casaria depois). Graham Bell (1900-1943) era 17 anos mais velho que ela. Era casado e fundara, com William Coldstream, a Euston Road School of Art, em setembro de 1940.

Quando conheceu Graham Bell, Olivier morava num apartamento em Brunswick Square. Encontrou-o em Paris, onde, com Igor Anrep e William Coldstream, passeavam todos os dias. Dias maravilhosos. De volta a Londres, Graham Bell pintou um retrato dela. Olivier ficou feliz e logo sentiu estar apaixonada por ele. O retrato agora está na Tate.

Graham Bell divorciou-se e passou a viver com Olivier. Ainda nesses anos de guerra, em 1943, ele servia na RAF (Real Força Aérea) e foi para a África do Sul onde morreu durante um vôo de treinamento. Para a Olivier foi como uma viuvez (embora não fossem casados no papel) que a deixou profundamente infeliz. Além disso, o estúdio dele em Londres fora bombardeado. Por sorte todas as suas pinturas escaparam, tinham ido para a casa dela antes do bombardeio.

Depois da guerra, Olivier arranjou emprego como coordenadora no departamento de manuscritos antigos no Ministério das Artes Finas. Ela tem um diário dessa época. Vivia em Canonbury Square com uma amiga, Ruth. No mesmo prédio morava o escritor George Orwell. Ruth convidou Orwell e V. S. Pritchard para jantar. Os dois escritores conversavam o tempo todo, enquanto na cozinha as duas cozinhavam para eles. Em abril de 1946, Orwell escreveu-lhe uma longa carta (carta que agora a Spalding nos lê) propondo que Olivier aceitasse ser sua esposa. Era na época em que ele escrevia *1984*.

No pedido de casamento, Orwell argumentou que Olivier era muito bela e ele achava que fariam um bom casal; que ele era mais velho e de saúde precária; que viveria no máximo mais dez anos; que ela seria viúva e cuidaria do filho adotivo dele. Olivier não aceitou a proposta. Disse que já era viúva (de Graham Bell). A carta de George Orwell para Anne Olivier Bell é uma revelação para as 140 pessoas presentes a esse mágico encontro.

Algumas semanas depois, já de volta ao Brasil, recebi dela uma carta em resposta a algumas dúvidas sobre sua conversa com Frances Spalding no celeiro em Charleston. Nessa carta, a Olivier me conta que as cartas de Orwell a ela foram doadas ao Orwell Archive e que trechos da mensagem com o pedido de casamento estão na biografia de Orwell por Bernard Crick (última edição da Penguin, de 1992).

Mas nada se detém na conversação entre a festejada e sua interlocutora. Agora a Spalding pergunta do casamento de Olivier com Quentin Bell, pai de seus três filhos, com quem viveu 44 anos até ele morrer, em 1996 e com quem ela se casara aos 35 anos. Como foi?

Até se casarem, em 1952, muita água rolou. Nessa época, Quentin escrevia no *New Statesman*. Uma vez ele a convidou ao lendário Café Royal, onde ela nunca havia ido. Lá lhes deram um reservado. Quentin pediu cabeça de novilha. Olivier, horrorizada, disfarçou e não comeu. Quentin devorou as duas porções. Outra vez, a futura sogra, por meio de Helen Anrep, convidou-a a visitar Charleston. A simpatia foi recíproca. Em 1951, foi convidada a posar para Vanessa. Ela foi, morrendo de medo. O retrato hoje está na biblioteca de Charleston. No tempo de namoro com Quentin, Olivier ia sempre a Charleston, mas nunca se sentiu parte do Bloomsbury. Ela conta como eram as conversas: Quentin, Clive, Vanessa, Duncan... Vanessa cochilava, acordava e, como se tivesse ouvido a conversa, soltava um comentário: "Nonsense!" Depois, quando os outros iam dormir, ficavam só Vanessa, Duncan e Olivier. Os três tinham uma conversa absolutamente normal.

Todos a aceitaram como a futura esposa de Quentin, mas Olivier sentia que Clive não gostava dela. Com certeza ele esperava para o filho uma noiva mais bela, segundo conta. E diz que Leonard Woolf, há dez anos viúvo de Virginia, era adorável.

Sobre a casa em Firle (perto de Charleston, onde ela e Quentin viveram muitos anos e onde, hoje, mora sozinha), Olivier diz que era como uma caixa de abelhas, atraía sempre visitantes da Inglaterra e de fora. Ela e Quentin acabavam sempre recebendo as visitas, mas antes ela avisava: "Não há comida." Mas no fim ia à horta apanhar tomate, alface, pepino... e sempre encontrava um resto de salame no fundo da geladeira. Improvisava uma salada para as visitas. Como dona-de-casa, Olivier sempre foi do tipo de não ir dormir enquanto não bota tudo em ordem. No fim do dia a casa tem de estar em ordem. "Não sou uma intelectual, mas sou uma dona-de-casa ordeira."

Cambridge, segunda, 28 de junho.

Minha missão bloomsburiana vai chegando ao fim. Porém, a verdade é que o Bloomsbury mesmo não tem fim. Tem ciclos. O ciclo atual é o que se encerra com as comemorações do centenário do surgimento do grupo. De modo que estou no meu quarto – o K207 – no King's College, nesta Cambridge onde o grupo se formou. Thoby, Clive, Lytton, Leonard, Maynard... todos tinham, como eu hoje, seu quarto em Cambridge. O aposento é pequeno, bem iluminado, com escrivaninha. Tem uma pequena geladeira e é carpetado. Quarto e vida de estudante têm de ser espartanos. Mas não posso sentir a magia do quarto, pois é preciso correr, em outro lugar há uma palestra importante, faz parte dos festejos.

Agora estamos no Newham College, no mesmo salão onde, em 1928, Virginia Woolf deu a primeira das palestras que depois resultariam em um de seus livros mais famosos, *A room of one's own* (ou, como saiu no Brasil, *Um teto todo seu*). Confirmei com Virginia Nicholson se foi mesmo neste salão. Foi. Para ouvir a palestra de Dame Gillian Beer, já estão todos acomodados. Ela começa:

"Bloomsbury, como estamos comemorando seu centenário hoje, começa com morte: em 1904, Leslie Stephen morreu e seus quatro filhos se mudaram para o número 46 da praça Gordon, no bairro de Bloomsbury. A ênfase no final irreversível e no recomeçar vai bem com a insistência modernista por ruptura com o passado e por novidade. O jovem Bloomsbury se alegrava em provocar, fazia uso das velhas inibições pela emoção de se libertar delas. A própria Virginia era uma voraz leitora do passado, e não apenas do passado de sua família. Mergulhava na vastidão de possibilidades ofertadas pela literatura inglesa e européia. Leitora apaixonada, retornava às obras que amava. Admirava-se de não conseguir decorar versos dos poetas, embora não lhe faltasse o dom mnemônico de registrar seu sentido. Em seu diário, substituía 'Many an island' por 'Many a green isle' – mas a alusão permanece inteiramente assentada no ritmo:

> Many a green isle needs must be
> In the deep wide sea of misery.

> Encontrar uma ilha verde é coisa séria
> Neste vasto e profundo mar de miséria.

Shelley, Whitman, Shakespeare, rimas de jardim da infância, os Irmãos Grimm, todos permeiam os romances, ensaios, cartas e diários de Virginia, como ecos inescapáveis dos quais é composta a linguagem em conexão com outras coisas desconhecidas que foram por ela lidas e remexidas..."

Dame Gillian Beer é quase diáfana. Grisalha, sorridente, telúrica, esvoaçante entre azul claro e verde água vestida. No pescoço, uma leve corrente de ouro branco. Nunca fixa o público, fala sempre olhando para o alto, como que examinada pela banca superior, a divindade. Mas ela nos ama, é claro. Um sorriso de êxtase em nenhum momento abandona seu rosto. Diz que Bloomsbury, o bairro, naquele tempo tinha mais hospitais que livrarias.

A acústica da sala é péssima – será que era assim quando há 76 anos Virginia deu a palestra? A fala da palestrante reverbera. É um grande esforço captar o que ela diz. "Com o Grupo de Bloomsbury uma espécie de imortalidade começou." Dame Beer é tão de bem com a vida que por intermédio dela a vida também nos parece sublime. É uma "Dame", o que na Inglaterra não é pouca coisa. Para ser "Dame", é necessário ter o aval da Rainha. Reconhecida no mundo acadêmico internacional, Gillian Beer está no quadro de honra da Sorbonne. Com certeza, é justa no julgamento da premiação literária que encabeça (ou já encabeçou), o Booker Prize. Transmite uma alma boníssima.

Ela conta a sua versão. Quando, em junho de 1939, Victoria Ocampo levou Gisèle Freund para fotografar Virginia, esta ficou furibunda, e depois escreveu uma carta a Ocampo: 'Um sem-número de vezes recusei ser fotografada. É difícil ser rude para com as pessoas em sua própria casa. De modo que fui 40 vezes fotografada contra minha vontade, o que me deixou profundamente irritada. Sabe Deus que importância têm essas fotografias. Não consigo imaginar. Odeio ser invadida, violada'."

Mas, lembra Dama Gillian Beer, as fotos de Virginia por Gisèle resultaram em uma iconografia única, hoje mundialmente difundida. Ela fala que fala, liga uma coisa a outra, histórias, diz que hoje ninguém lembra que Charles Dickens também morou na Praça Tavistock (onde Anne Olivier Bell, semana passada descerrou o primeiro memorial londrino a Virginia Woolf), e que ali ele escreveu várias obras, inclusive *Conto de duas cidades* e *A pequena Dorrit*.

Inebriada pela celebração centenária do Bloomsbury, Dame Gillian é outra que lembra o tanto que Virginia gostava de caminhar: entrava nas igrejas, batia calçada na Fleet Street, Londres não tinha limites para seus pés e olhos. Mas, diz, "os livros de Virginia foram banidos na Alemanha nazista em 1942; na Espanha, durante a ditadura do General Franco, ela teve censurada parte de sua obra, primeiro em 1953 e depois em 1957, quando foi sugerido o corte de 28 páginas de *As ondas*." Sempre sorrindo e olhando para o teto, Dame Gillian Beer agora fala de Portugal durante a ditadura de Salazar quando, em 1947, numa palestra só para mulheres ministrada por Manuela Porto, esta as convidou a interpretar *Um teto todo seu*, de acordo com a situação de cada uma. Isso levou o regime a extinguir de vez o Conselho Nacional das Mulheres Portuguesas.

Na Alemanha Oriental, a obra de Virginia era vista como uma revisão perigosa e anti-realista, o oposto de como era vista em Portugal. Décadas depois, na outra Alemanha, a Ocidental, uma foto de Virginia Woolf era usada num cartaz com os dizeres 'Mulheres em marcha com Virginia Woolf no comando'. Para não perder o fio, Dame Gillian Beer não pára nem para respirar e continua, sempre olhando para o céu (o teto), e sempre muito feliz. Ébria de tanto conhecimento, lembra que Erich Auerbach em sua obra-prima, *Mimesis*, no último capítulo, "Der braune Strumpf" ("As meias azuis"), ele medita sobre *Rumo ao farol*. Beer diz que o livro do Auerbach provocou um novo *élan* na leitura woolfiana até causar, mais recentemente, uma reação contra a coisa oximorônica da 'extrema diminuição da força' que a própria Virginia lastimava na relação entre escrever e ler.

"Mas", diz Dame Gillian, "não são apenas os leitores silenciosos e anônimos que têm Virginia Woolf na mais alta estima. A presença dela é forte na escrita de vários escritores hoje, particularmente Jeanette Winterson." Diz também que em 1975 uma composição musical de Dominick Argento foi inspirada nos diários da Woolf. Lembra que ela mesma, a primeira vez que leu *Rumo ao farol*, quando era estudante em Oxford nos anos 50, achou o livro muito chato. Depois, já em 1961, com *As ondas*, a reação foi absolutamente outra, uma revelação divina que mudou sua vida.

Para ela, Virginia é tão universal que em cada país é interpretada de acordo com o espírito local. Na Itália é uma coisa; e nas Américas, na Central e na do Sul são outras. Não faz muito tempo, ela, Dame Gillian Beer, foi convidada pela Universidade do México, como professora visitante especializada em Virginia Woolf, para uma semana na capital. Os estudantes tinham saído de uma greve de meses, e mal ela começou a dar as aulas entraram em outra greve. Mesmo assim ela falou para um auditório abarrotado, gente sentada no chão, nas janelas, saindo pelo ladrão; seminários de quatro horas de duração. Tudo foi excelente, em especial a surpresa ao constatar o quanto os estudantes mexicanos eram informados, mas tudo ao jeito deles.

O fantástico é que os pontos de vista sobre Virginia Woolf mudam de lugar para lugar e com os anos se renovam. Não param. Não é uma coisa estanque. A sala ficava ao lado do museu da Frida Kahlo, tida como a Woolf mexicana. E assim no mundo. Em alguns lugares e para alguns especialistas, como nos EUA Jane Marcus, Virginia Woolf é uma "marxista materialista". Já para outros, como Tom Paulin, é "uma imperialista, uma colonialista". Dame Gillian Beer não poderia deixar de citar a pintora de *Rumo ao farol*, a sempiterna Lily Briscoe. Para terminar, um trecho de Virginia que fala de vozes na rua e de uma senhorita no balcão, e daquele sábado de novembro de 1940 quando, depois de terminar de escrever *Entre os atos* e entregar o manuscrito a Leonard, ela correu e escreveu no diário: "Meus pensamentos agora se voltam para escrever o primeiro capítulo do próximo livro. *Anon*, será o título." *Anon*, de anônimo. Mas Virginia não viveu para escrevê-lo.

E toca correr. Fui ao meu quarto, tomei um banho, me vesti para o próximo evento e, ao sair, me perdi no labirinto que são os corredores dos aposentos no King's. Fui socorrido por Elizabeth Grate, a sueca. Descemos, e no gramado encontramos reunidos os outros 100 participantes da festa. É tudo tão fugaz que nem consigo sentir, com a profundidade que gostaria, como é ser um privilegiado por fazer parte de grupo tão pequeno e seleto, em uma celebração de tamanha envergadura.

De todo o grupo, apenas 20 pessoas podem subir aos aposentos que foram de George "Dadie" Rylands (1902-1999), entre elas os ricos americanos que ajudam o Fundo de Charleston. E, milagre, estou entre as 20! Jenny deu um jeito e Eleanor Gleadow me incluiu. Subimos. Os três grandes aposentos (e mais a sala de banho) ocupados por Dadie a vida toda, em tão nobre espaço, na Cambridge onde ele se desdobrou. Foi conselheiro e tutor de várias gerações. Sua biografia nos leva a Eton, onde se destacou como o primeiro garoto a dirigir um Shakespeare, *Twelpht night*, montagem em que também interpretou um papel feminino, o de Viola. Em 1920, quando ganhou bolsa especial para o King's College, fez Electra em *Orestia*. Foi Volumnia em *Coriolano* (com Michael Redgrave e Robert Eddison fazendo as outras *ladies*). Como ator nas montagens universitárias, Dadie especializou-se em papéis femininos – as mulheres eram proibidas de atuar nessas encenações. Depois de fazer Alice em *Arden of Faversham* e o papel-título em *A duquesa de Malfi*, que também dirigiu, mudou de posição. Mas ainda na pele da duquesa, Dadie foi fotografado por Cecil Beaton – a primeira foto por Beaton a aparecer nas revistas *Vogue* e *Vanity Fair*. A essa altura Dadie parou de interpretar, dedicando-se apenas a dirigir. Sua dedicação ao teatro seria uma entrega total, para o resto da vida.

Dadie teve em Maynard Keynes um protetor. Interessado em aprender a imprimir, foi por Keynes apresentado a Leonard e Virginia Woolf, e foi, aos 21 anos, fazer um estágio na Hogarth Press. Como impressor-aprendiz, Dadie tem um dedo na primeira impressão de *The waste land* (*A terra devastada*) de T. S. Eliot, aliás seu amigo. Anos depois, Dadie dirigiria em Londres *The family reunion* (*Reunião de família*), descobrindo um humor até então desconhecido em Eliot.

Em sua curta permanência na Hogarth Press, com ele Virginia desabafava da angústia de escrever *As ondas*. Dadie trabalhou apenas cinco meses na editora. Não nascera para passar a maior parte do tempo a empacotar livros e nem a sair pela província tentando vender as publicações da editora. Era belo, inteligente, sofisticado. "Um tanto vaidoso, lindo, louro e viçoso como uma espiga de milho novinha", segundo Virginia, que continuaria sua amiga. Foi substituído por Angus Davidson, que, como a maioria desses belos aprendizes, acabou também servindo de modelo nu para as telas de Duncan Grant e até viajou com Duncan e Vanessa para a Itália.

Depois da morte dele, um ex-pupilo, Michael Burrell escreveu no *in memoriam* publicado na *Charleston Magazine*: "Nenhuma universidade, nos tempos modernos, serviu melhor como base ao treinamento teatral como Cambridge sob a tutela de Dadie Rylands." Estudantes orientados por ele, como Peter Hall e Trevor Nunn, acabaram dirigindo a Royal Shakespeare Company e o National Theatre; outros foram parar na direção da Royal Academy of Dramatic Arts; outros, como Ian McKellen (o Gandalf de *O Senhor dos Anéis* no cinema), até a morte de Dadie consultavam o mestre quando se preparavam para interpretar grandes personagens.

Idealizado por Maynard Keynes, com grande ajuda de Dadie no planejamento e desenvolvimento, o Arts Theatre de Cambridge foi inaugurado em fevereiro de 1936 com espetáculos de teatro, dança e ópera. Margot Fonteyn em *Façade*; duas peças de Ibsen estreladas pela mulher de Keynes, Lydia Lopokova; também na inauguração, a estréia de uma peça escrita a quatro mãos por Auden e Isherwood, e *Anna Christie*, com Flora Robson. Quando Keynes morreu, em 1946, Dadie ficou no seu lugar como presidente do Arts Theatre, posição em que permaneceu até 1982 quando fez 80 anos. Foi Keynes quem mais trabalhou para que Dadie fosse eleito "fellow" do King's College, em 1927. Foi uma eleição vitalícia; Dadie fez parte da irmandade até morrer. Foi uma vida de honrarias e promoções ininterruptas, de tutor a conferencista-conselheiro e "Domus".

Seus ex-alunos jamais esqueceriam o "Método Dadie". Michael Burrell se lembra das palavras do mestre: "Se você está pensando em ser ator, não pode ser tímido. Representar é uma atividade vulgar. Você tem de estar preparado para fazê-lo em qualquer lugar, num estacionamento, no ponto de ônibus..." Dadie insistia que Shakespeare não era escritura sagrada, e que apesar da seriedade com que se deve encarar a obra do bardo ela é principalmente *showbiz*, ou seja, foi escrita para ser encenada. Como prova disso, durante a maior parte do século 20, o teatro inglês deve muito de sua fama de o melhor teatro do mundo a Dadie. Um exemplo é o musical *Cats*, de brilho mundial, dirigido por Trevor Nunn, um pupilo do reitor Dadie Rylands.

Em 1944, ele foi convidado por John Gielgud a dirigi-lo em *Hamlet*. A crítica considerou esse o melhor *Hamlet* de todos os tempos. Dadie foi, durante 30 anos, superintendente do Old Vic.

Nunca se casou. Na velhice, foi cuidado por amigas, entre elas Frances Partridge, mulheres que lhe deram constante assistência e às quais deve o prolongamento da vida. Morreu aos quase 97 anos. Estamos no velho Provost's Lodge (construído em 1824), no King's College, nos aposentos onde George "Dadie" Rylands viveu 72 anos e onde morreu em paz. Janelas amplas, o quarto principal dá para o gramado e o rio. Aqui Dadie recebeu Virginia Woolf para um almoço, descrito por ela em *Um teto todo seu*; as pinturas nas portas foram feitas por Carrington ("góticas, para combinar com a arquitetura", segundo a pintora). Embora levasse uma vida espartana (achava uma extravagância tomar táxi quando podia ir de ônibus), em seus aposentos ele vivia cercado de belos objetos. Ao visitante desavisado parece que está tudo no lugar, como quando ele era vivo há cinco anos. A sala de banho, ampla e confortável, a sala de estudos, onde, imagino, ele recebia os que vinham visitá-lo ou com ele estudar. A sala de estar com os móveis... as telas de Vanessa Bell e Duncan Grant...

Virginia Nicholson nos faz uma curta palestra sobre Dadie, depois de termos sido servidos de champanhe e canapés. Fala das tantas vezes em que esteve com Dadie, aqui em Cambridge e em Charleston, desde quando era menina. Ele era apenas oito anos mais velho do que seu pai. Era muito charmoso. Para ele, gente e amizade vinham acima de tudo. "Não era muito de escrever – escreveu e publicou alguns livros de versos – era mais de conversar. Era, sim, tutorial, mas queria saber, sempre, como seus antigos pupilos levavam a vida", lembra um ex-aluno. E uma curiosidade: por que "Dadie"? Dizem que o apelido veio com a primeira tentativa dele, ainda bebê, de pronunciar a palavra "baby".

Logo depois dessa nossa visita, escrevi uma carta a Anne Olivier Bell para esclarecer algumas dúvidas sobre Dadie, e ela me respondeu que apesar de não ter subido conosco nesse dia ficara angustiada com a presente condição dos aposentos dele: "A última vez que o visitei lá, os quartos estavam cheios das belas coisas que o cercavam – porcelanas elegantes, a prataria, os móveis, e, claro, sua presença encantadora. Comigo ele sempre foi muito simpático e eu o adorava."

Pensando nas palavras da Olivier, lembrei-me de ter reparado, enquanto visitávamos os aposentos, que embora muitas das pinturas estivessem lá, faltavam outras tantas e estava tudo numa ordem formalizada, diferente das fotos que apareceram no número 13, de 1996, da revista de Charleston, quando Dadie ainda era vivo, e nas quais seu quarto, embora em ordem, tinha muito mais coisas, era menos formal e sua cama era de solteiro. O que vi agora, nessa visita, foi uma cama de casal *king size*. Soube depois que os aposentos de Dadie, embora conservando algumas coisas dele, são alugados a visitantes especiais dispostos a pagar 500 libras (cerca de R$ 3.000,00, em 2004) por uma diária na agora chamada "Dadie Rylands Suite".

Depois da simpática palestra de Virginia Nicholson ainda permanecemos uma meia hora ali nos aposentos. Conversamos, tiramos fotografias, enriqueci os conhecimentos de Dame Gillian Beer contando-lhe algumas coisas que sabia da Victoria Ocampo, assim como da influência de Virginia Woolf em García Márquez quando ele começava a carreira... Descobri e mostrei-lhe e a Virginia Nicholson que as duas estantes da sala de Dadie só tinham livros de e sobre Jane Austen, em várias línguas. Será que eram dele ou um arranjo *post mortem*? Ambas ficaram surpresas com a minha descoberta, mas não souberam informar. Quando saíamos, eu e Jenny, para fazer outra coisa, Virginia me deu uma piscada cúmplice! Senti, por osmose, que a outra Virginia, sua tia-avó, me piscava por intermédio dela.

Agora, encerrando as comemorações do Centenário de Bloomsbury, o evento principal: o jantar de gala no Great Hall do King's College, especialmente decorado para criar uma atmosfera evocativa. 104 pessoas. Uma mesa principal tendo ao fundo uma tapeçaria gigantesca do século 18. Nela se sentavam Anne

Olivier Bell, a filha Virginia, o genro William, Henrietta Garnett, Charles Saumarez Smith (diretor da National Portrait Gallery), Dame Gillian Beer e mais umas quinze pessoas, entre elas os ricos americanos que colaboram financeiramente com Charleston (certamente abatendo no imposto de renda).

O menu do banquete foi caligrafado por Virginia Nicholson sobre um desenho de sua avó Vanessa. De entrada, cebolas roxas carameladas, alcachofra & torta de roquefort com palitos rojões; o prato principal consistia de quarto de ovelha assado com cogumelos do bosque e molho de tomilho, vegetais levemente fritos, bolinhos primavera e tofu ao molho de ameixa; de sobremesa, charlotte de maçã flambada na canela e sorvete; para terminar, a tradicional tábua com queijos sortidos, pão e uvas. Café expresso. Vinho, tinto e branco, champagne, sucos e água, a escolher, durante a ceia.

Nossa mesa estava muito simpática. Jenny, Frances Spalding, Nicola Beauman (biógrafa de E. M. Forster, presidente do PEN Clube e editora-proprietária da Persephone Books); Sheila Wilkinson, da VWSGB; um padre e uma moça, e Richard Luckett, com quem tive uma conversa boa como fazia tempo não tinha. Tanta coisa em comum eu e o Richard – ele cuida dos papéis de Samuel Pepys (1633-1703) em Oxford. Nossos assuntos foram Ilha de Wight, Edward Upward, David Gascoyne, Sir Richard Francis Burton, Swinburne, Chile, Patagônia, albatrozes (ele morou no Chile, esteve na Patagônia e tem um amigo, Michael Brooke, que acabou de lançar, pela Oxford University Press, um livro inteiro sobre albatrozes). Ao me ver devorar a sobremesa, jogou a dele no meu prato num gesto camarada. Richard Luckett me pareceu um amigo há muito tempo perdido e agora reencontrado nessa comemoração do Centenário de Bloomsbury. E depois, não é qualquer um que toma conta dos papéis de Samuel Pepys. Fala a verdade.

Mas a festa não acabou. Entre o jantar e a sobremesa houve cabaré com músicas do começo do outro século e piadas com o Bloomsbury. Depois, um leilão com coisas doadas pela Olivier. E, como já vai virando tradição, William Nicholson animou o leilão: "Um cartão postal de 1913, que Duncan escreveu de Paris para Vanessa contando, entre outras coisas, que Picasso o convidara para ir ao ateliê dele. Duncan escreveu a Vanessa: 'Pode ser que eu vá'." Depois de alguns lances, o postal foi arrematado por 400 libras (cerca de R$ 2.400) por uma americana; o convite de Desmond MacCarthy para um jantar dos apóstolos em

Cambridge foi por 100 libras; a Frances Spalding, coitada (porque ninguém deu lance maior e ficou para ela mesmo), arrematou por 350 libras um convite feito por Duncan Grant para o bazar de natal de 1922 – William Nicholson, tirando sarro, disse que "artistas geralmente sofrem por falta de dinheiro e no natal fazem bazar". Sally Chalmers arrematou por 500 libras um prato em cerâmica de uma série feita por Quentin Bell em 1982, pelo centenário de nascimento de Virginia Woolf, com o perfil dela. "Já desbotado", disse Nicholson.

Depois do leilão, com dor de barriga (o quarto de ovelha não caíra bem) corri ao meu quarto para ir ao banheiro. Na hora de descer me perdi de novo pelos corredores, mas encontrei a Sally Chalmers, também perdida, e de repente vinha subindo a Olivier e um bando, cada um indo às pressas para o seu quarto (certamente para o banheiro). Já aliviados, eu e a Chalmers, finalmente encontramos a saída para o pátio. Em grupo, os que estavam no gramado, fomos ver a lua na ponte sobre o rio – Elizabeth Grate, Eleanor Gleadow, Nira Wright, Sally Chalmers, Jenny e eu. No escuro, vinha um barqueiro solitário remando sua chalana.

Cambridge, terça, 29 de junho.

Antes de deixarmos Cambridge, fomos visitar o Fitzwilliam Museum (fundado em 1816). É um museu grande, 26 galerias, não dá para ver tudo num dia. Além de pré-rafaelitas, pós-impressionistas e modernos ingleses, há antigüidades egípcias, gregas, romanas, arte oriental, cerâmica coreana, cerâmica européia, armaduras medievais, moedas e manuscritos, estampas japonesas e algumas coisas relevantes dos Grandes Mestres. Foi uma visita de cinco horas.

Mas que maravilha, Jenny me chamou para ver o manuscrito de *Ode to a nightingale*, o poema de John Keats (1795-1821) escrito em 1819 em duas folhas de papel. Dizem que naquele dia, bela manhã, ele se sentou em seu jardim em Hampstead e, tocado pelo cantar de um rouxinol em um ninho próximo, em poucas horas escreveu os versos. Escrito rapidamente, o manuscrito guarda a espontaneidade da criação conforme vivida por um dos maiores poetas românticos (diz o texto ao pé da redoma de vidro). O manuscrito foi doado ao museu pelo Marquês de Crewe em 1933.

Outro manuscrito que me tocou muito – e ao lado do de Keats, na mesma redoma – é o de *Judas, o obscuro,* de Thomas Hardy (1840-1928). O romance, de 1894, escrito num caderno de capa dura, grande e grosso, caligrafia bem cuidada (certamente para facilitar o trabalho do linotipista), foi doado ao museu em 1911. *Judas* foi o último romance de Hardy (e um dos primeiros grandes romances que li inteiro, em tradução, ainda adolescente; fazia parte de uma coleção de livros de capa dura que meu pai comprara para a família).

Diz o texto ao lado, na redoma, que depois de *Judas, o obscuro* Hardy foi aconselhado a não escrever mais romances e a se dedicar exclusivamente à poesia. Mas me lembro de como gostei desse livro tristíssimo, lendo-o tão jovem e com a cabeça ainda tão pura.

Do centro de Cambridge, a uma distância de duas milhas mais ou menos, fica o vilarejo de Grantchester. Esse vilarejo é lendário por nele ter vivido Lord Byron e também por, na primeira década do século 20, para ali ter se mudado Rupert Brooke, o que reforçaria ainda mais a legenda do lugar. Então fomos.

Dizem que um grupo de estudantes de Cambridge pedira à proprietária de um pomar que ela servisse chá sob as macieiras, pereiras e cerejeiras floridas. Não imaginavam que naquela manhã primaveril de 1897 davam início ao que se tornaria uma tradição. O lugar ficaria conhecido como The Orchard (O pomar). Doze anos depois, Rupert Brooke, belo e jovem poeta, para fugir dos excessos da vida mundana em Cambridge (estudava no King's College), alugou parte da casa que ficava nesse pomar. Mas a mudança de pouco serviu. Pelo contrário, iam todos visitá-lo.

O jeito foi ele se mudar para uma casa maior ali perto. O Rio Granta passava pelo quintal. Rupert e os amigos nadavam nus no rio, andavam descalços pelo vilarejo, e, espontaneamente, formou-se um novo grupo. Eram apenas alguns anos mais jovens que os do Bloomsbury e mantinham com estes um relacionamento simpático. Afinal, todos faziam parte de uma elite, a aristocracia boêmia de Cambridge. Rupert Brooke, ainda na época de Grantchester, namorou Noel Olivier (tia de Anne Olivier Bell).

Virginia Woolf tinha por Brooke um grande afeto. Cinco anos mais velha que ele, na infância brincaram muito juntos nas famosas férias na Cornualha. Ainda solteira, em 1911, ela passou uma semana hospedada na casa dele em

Grantchester. Em uma noite de luar os dois nadaram nus no Rio Granta. Virginia deu ao grupo que cercava o jovem Apolo o nome de "Neo-Pagãos", por seu culto ao naturismo. O nome pegou. Em Grantchester a vida era puro idílio.

O excêntrico pintor Augustus John chegou em sua carroça cigana, com suas duas esposas e dez filhos crianças (que andavam nus e descalços pelo vilarejo). Os filósofos Bertrand Russell e Wittgenstein eram amigos de Rupert Brooke e fãs do lugar. Wittgenstein chegava montado num cavalo ou remando sua canoa pelo Rio Granta. Bertrand Russell gostava de ir a pé, sozinho, filosofando pelo caminho. Escreveu sentir um prazer sexual nessas caminhadas. Os escritores E. M. Forster e Lytton Strachey, e o economista Maynard Keynes também frequentavam a Grantchester de Rupert Brooke.

Era um tempo de longos passeios a pé pelos campos, dormir em tendas, nadar no rio, praticar canoagem e fazer piquenique na relva, uma época de descontraída elegância campestre, que teve seu fim com a Primeira Guerra. Rupert Brooke alistou-se e embarcou em um vaso de guerra com destino a Gallipoli. Na viagem teve uma infecção sanguínea, adoeceu e morreu. Era 23 de abril de 1915, Rupert tinha 27 anos. No mesmo dia foi enterrado em um bosque de oliveiras, em Skyros, uma ilha grega (onde hoje acontece oficinas de literatura e outras modalidades inspiradas no saber viver dos neopagãos). Muitas décadas depois, em seu túmulo solitário, puseram uma estátua representando Rupert Brooke, o jovem poeta, soldado e herói de guerra.

Depois da morte de Rupert Brooke, Virginia Woolf escreveu em seu diário: "Ele era o tipo do inglês másculo, saudável e vigoroso. Seu paganismo era consciente e desafiador; alguns poderiam julgar que essa volta à natureza fosse apenas uma sofisticação como qualquer outra pose, mas, a partir do primeiro instante de conversa, ninguém poderia duvidar que ele não fosse um original, um daqueles líderes que surgem de tempos em tempos e mostram seu poder mais claramente ao subjugar sua própria geração.

Sob sua influência, os campos em torno de Cambridge ficaram cheios de jovens de ambos os sexos caminhando descalços, partilhando da paixão pelo banhar-se nas águas dos rios, viver de uma dieta de peixe, desdenhando o aprendizado por meio dos livros e proclamando haver algo de profundo e maravilhoso no homem que vem trazer o leite e na mulher que cuida das vacas..."

Virginia continua, mais adiante: "Em sua vida privada [Rupert Brooke] levava a sério a literatura e a arte de escrever. Leu tudo e leu do ponto de vista de um escritor em seu ofício".

Virginia estava certa. O próprio Rupert Brooke escrevera, em uma carta para a Noel Olivier: "Estou no campo, na Arcádia. Aqui estudo e vejo pouca gente. Nos intervalos saio, vou para o mato descalço e quase nu, olho calmamente a natureza. Não pretendo entender a Natureza mas me dou muito bem com ela; somos bons vizinhos, eu com meus livros e ela com suas tempestades, aves e coisas. Somos ambos bastante tolerantes. Vivo de mel, ovos e leite, preparados por uma velha com rosto de maçã. Passo os dias sentado ao ar livre, trabalhando..."

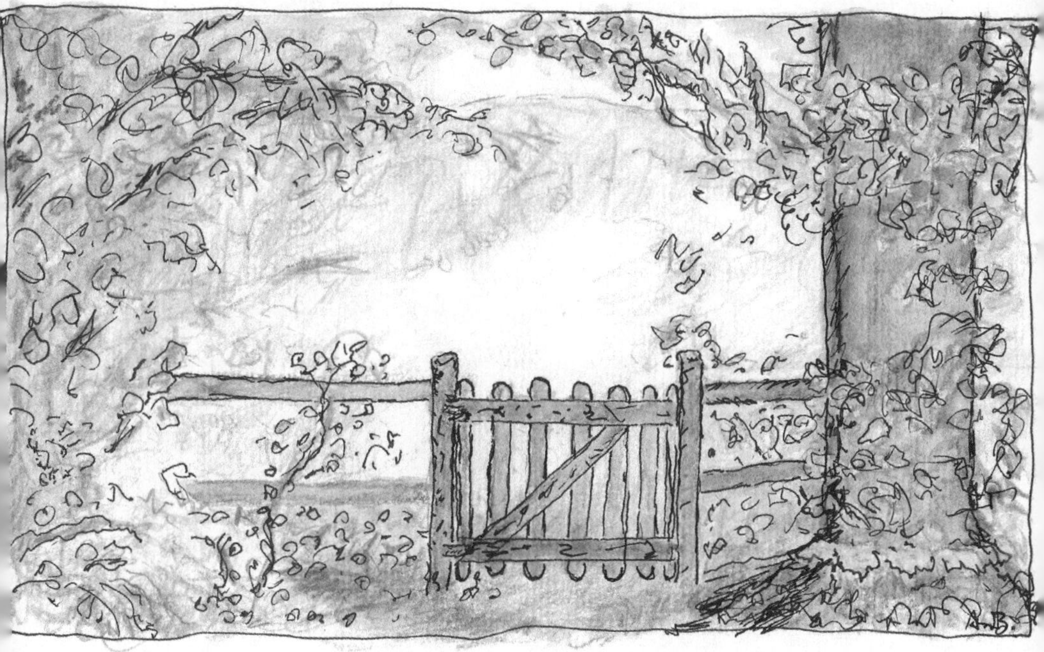

Livros consultados

ANSCOMBE, Isabelle. *Omega and after: Bloomsbury and the decorative arts.* London: Thames and Hudson, 1981.

BANKS, Joanne Trautmann (ed.). *Congenial spirits: the selected letters of Virginia Woolf.* London: Hogarth Press, 1989.

BELL, Anne Olivier (ed.). *The diary of Virginia Woolf, Vols. I-V.* London: Hogarth Press, 1977 to 1984.

BELL, Anne Olivier. *Editing Virginia Woolf's diary.* London: The Bloomsbury Workshop, 1990.

BELL, Quentin. *Bloomsbury.* London: Weidenfeld & Nicolson, 1968 (& 1990).

BELL, Quentin. *Bloomsbury recalled.* New York: Columbia University Press, 1995.

BELL, Quentin & NICHOLSON, Virginia. *Charleston: a Bloomsbury house and garden.* London: Frances Lincoln, 1997.

BELL, Quentin. *Virginia Woolf: a biography, Vols. I-II.* St. Albans, Herts: Paladin, 1976.

BENZEL, Kathryn N. *Charleston: a voice in the house.* London: Cecil Woolf, 1998.

BRADSHAW, Tony (ed.). *A Bloomsbury canvas.* Hampshire: Lund Humphries, 2001.

BRENAN, Gerald. *South from Granada.* London: Penguin, 1963.

CAWS, Mary Ann & WRIGHT, Sarah Bird. *Bloomsbury and France: art and friends.* New York: Oxford University Press, NY, 2000.

CLEMENTS, Keith. *Henry Lamb: the artist and his friends.* Bristol: Redcliffe, 1985.

CUNNINGHAM, Michael. *The hours.* New York: Farrar-Straus-Giroux, 1998.

CURTIS, Vanessa. *Virginia Woolf's women.* London: Robert Hale, 2002.

GARNETT, Angelica. *Deceived with kindness: a Bloomsbury childhood.* Oxford: Oxford University Press, 1987.

GLENDINNING, Victoria. *Edith Sitwell: a unicorn among lions.* New York: Alfred A. Knopf, 1981.

HENDERSON, Philip. *Swinburne: the portrait of a poet.* London: Routledge & Kegan Paul, 1974.

HILL, Jane. *The art of Dora Carrington.* London: The Herbert Press, 1994.

KENNEDY, Richard. *A boy at the Hogarth Press.* London: Penguin, 1972.

LEASKA, Mitchell (ed.). *A passionate apprentice: the early journals of Virginia Woolf.* London: Hogarth Press, 1990.

LEHMANN, John. *Rupert Brooke: his life and his legend.* London: Quartet Books, 1981.

LEHMANN, John. *Virginia Woolf.* London: Thames and Hudson, 1987.

MACGIBBON, Jean. *There's the lighthouse: a biography of Adrian Stephen.* London: James & James, 1997.

MARLER, Regina. *Bloomsbury pie: the story of the Bloomsbury revival.* London: Virago, 1997.

NICHOLSON, Virginia. *Among the bohemians: experiments in living, 1900-1939.* London: Viking/Penguin, 2002.

NICOLSON, Nigel. *Portrait of a marriage.* London: Weidenfeld & Nicolson, 1973; Phoenix, 1992.

NICOLSON, Nigel. *Virginia Woolf.* London: Weidenfeld & Nicolson, 2000.

NOBLE, Joan Russell (ed.). *Recollections of Virginia Woolf by her contemporaries.* London: Cardinal, 1989.

O'BRIEN, Edna. *Virginia: a play.* London: Hogarth Press, 1981.

PARKER, Peter. *Isherwood.* London: Picador, 2004.

PARTRIDGE, Frances. *A pacifist's war: diaries 1939-1945.* London: Robin Clark, 1983.

PARTRIDGE, Frances. *Hanging on: diaries 1960-1963.* London: HarperCollins, 1990.

PARTRIDGE, Frances. *Other people: diaries 1963-1966.* London: HarperCollins, 1993.

PINTER, Harold. *Celebration & The room*. London: Faber and Faber, 2000.

RAVERAT, Gwen. *Period piece: a Cambridge childhood*. London: Faber and Faber, 1952.

ROCHE, Paul. *With Duncan Grant in Southern Turkey*. London: Honeyglen Publishing, 1982.

ROE, Sue & SELLERS, Susan (ed.). *The Cambridge companion to Virginia Woolf*. Cambridge: Cambridge University Press, 2000.

SALVO, Louise de. *Virginia Woolf: the impact of childhood sexual abuse on her life and work*. Boston: Beacon Press, 1989.

SEYMOUR, Miranda. *Ottoline Morrell: life on the grand scale*. New York: Farrar-Straus-Giroux, 1993.

SHONE, Richard. *The art of Bloomsbury*. London: Tate Gallery Publishing, 1999.

SHONE, Richard. *Bloomsbury portraits: Vanessa Bell, Duncan Grant and their circle*. London: Phaidon Press Ltd, 1993.

SKIDELSKY, Robert. *John Maynard Keynes: Hopes betrayed, 1883-1920*. London: MacMillan, 1983.

SPALDING, Frances (ed.). *Virginia Woolf paper darts: the ilustrated letters*. London: Collins & Brown, 1991.

SPALDING, Frances. *Duncan Grant: a biography*. London: Chatto & Windus, 1997.

SPENDER, Stephen. *World within world (autobiography)*. London: Faber and Faber, 1977.

SPENDER, Stephen. *Journals 1939-1983*. London: Faber and Faber, 1985.

TRUSS, Lynne. *Tennyson's gift*. London: Penguin, 1997.

TURNBAUGH, Douglas Blair. *Private : the erotic art of Duncan Grant*. London: The Gay Men's Press, 1989.

VAZQUEZ, Maria Esther. *Victoria Ocampo*. Buenos Aires: Planeta, 1991.

WILSON, Jean Moorcroft. *Virginia Woolf life & London: a biography of place*. London: Cecil Woolf, 1987.

Periódicos & sites

The Charleston Magazine – números 1-24, 1990-2001 (Charleston Trust, UK)

Canvas (News from Charleston) – números 1-10, 2001-2004 (Charleston Trust, UK. www.charleston.org.uk

Virginia Woolf Miscellany – números 43-62, 1994-2003 (The International Virginia Woolf Society. USA).www.utoronto.ca/IVWS/

Virginia Woolf Bulletin – números 1-17, 1999-2004 (The Virginia Woolf Society of Great Britain, UK).www.virginiawoolfsociety.co.uk

Bloomsbury na Tate Britain: www.tate.org.uk./archivejourneys/bloomsbury

Livros de Virginia Woolf e relacionados ao Bloomsbury publicados no Brasil

WOOLF, Virginia. *A viagem* (*The voyage out*). Trad. Lya Luft. São Paulo: Editora Siciliano, 1993.

WOOLF, Virginia. *Noite e dia* (*Night and day*). Trad. Raul de Sá Barbosa. Rio de Janeiro: Nova Fronteira, 1979.

WOOLF, Virginia. *O quarto de Jacob* (*Jacob's Room*). Trad. Lya Luft. Rio de Janeiro: Nova Fronteira, 1980.

WOOLF, Virginia. *Mrs. Dalloway* (*Mrs. Dalloway*). Trad. Mário Quintana. Porto Alegre: Livraria do Globo, 1946; Rio de Janeiro: Nova Fronteira, 1980 e 2002.

WOOLF, Virginia. *Passeio ao farol* (*To the lighthouse*). Trad. Oscar Mendes. Rio de Janeiro: Editorial Labor, 1976.

WOOLF, Virginia. *Rumo ao farol* (*To the lighthouse*). Trad. Luiza Lobo. São Paulo: Biblioteca Folha, 2003.

WOOLF, Virginia. *Orlando* (*Orlando*). Trad. Cecília Meireles. Rio de Janeiro: Nova Fronteira, 1978.

WOOLF, Virginia. *Um teto todo seu* (*A room of one's own*). Trad. Vera Ribeiro. Rio de Janeiro: Nova Fronteira, 1985.

WOOLF, Virginia. *As ondas* (*The waves*). Trad. Sylvia Valladão Azevedo. São Paulo: Revista dos Tribunais, 1946.

WOOLF, Virginia. *As ondas* (*The waves*). Trad. Lya Luft. Rio de Janeiro. Segunda edição, 2004.

WOOLF, Virginia. *Flush* (*Flush*). Trad. Ana Ban. Porto Alegre: L&PM, 2003.

WOOLF, Virginia. *Os anos* (*The years*). Trad. Raul de Sá Barbosa. Rio de Janeiro: Nova Fronteira, 1982.

WOOLF, Virginia. *Entre os atos* (*Between the acts*). Trad. Lya Luft. Rio de Janeiro: Nova Fronteira, 1981.

WOOLF, Virginia. *Uma casa assombrada* (*A haunted house and other stories*). Trad. José Antonio Arantes. Rio de Janeiro: Nova Fronteira, 1984.

WOOLF, Virginia. *Momentos de vida* (*Moments of being*). Trad. Paula Maria Rosas. Rio de Janeiro: Nova Fronteira, 1986.

WOOLF, Virginia. *Os diários de Virginia Woolf* (compilação em um volume dos cinco volumes editados por AOB). Trad. José Antonio Arantes. São Paulo: Companhia das Letras, 1989.

WOOLF, Virginia. *Objetos sólidos* (*The complete shorter fiction of Virginia Woolf*). Trad. Hélio Pólvora. São Paulo: Editora Siciliano, 1992.

WOOLF, Virginia. *A casa de Carlyle e outros esboços* (*Carlyle's house and other sketches*), organização de David Bradshaw. Trad. Carlos Tadeu Galvão. Rio de Janeiro: Nova Fronteira, 2004.

WOOLF, Virginia. *Contos completos* (*The complete shorter fiction of Virginia Woolf*), fixação de textos e notas por Susan Dick. Trad. Leonardo Fróes. São Paulo: Cosac Naify, 2005.

BELL, Quentin. *Virginia Woolf, uma biografia* (*Virginia Woolf, a biography*). Trad. Lya Luft. Rio de Janeiro: Editora Guanabara, 1988.

BELL, Quentin. *Os papéis de Brandon* (*The Brandon papers*). Trad. de Celina Cardim Cavalcante. São Paulo: Companhia das Letras, 1987.

BELL, Quentin. *Bloomsbury* (*Bloomsbury*). Trad. Suely Cavendish. Rio de Janeiro: Ediouro, 1993.

CUNNINGHAM, Michael. *As horas* (*The hours*). Trad. Beth Vieira. São Paulo: Companhia das Letras, 1999 e 2003.

CURTIS, Vanessa. *As mulheres de Virginia Woolf* (*Virginia Woolf's women*). Trad. Tuca Magalhães. São Paulo: A Girafa Editora, 2005.

LEHMANN, John, *Virginia Woolf* (*Virginia Woolf*). Rio de Janeiro: Jorge Zahar Editor, 1989.

NATHAN, Monique. *Virginia Woolf* (*Virginia Woolf*). Trad. Léo Schlafman. Rio de Janeiro: José Olympio Editora, 1989.

SACKVILLE-WEST, Vita. *Grades de ouro* (*The edwardians*). Trad. Maria Adelaide Amaral. Rio de Janeiro: Editora Globo, 1988.

SPENDER, Stephen. *O templo* (*The temple*). Trad. Raul de Sá Barbosa. Rio de Janeiro: Rocco, 1989.

STRACHEY, Lytton. *A Rainha Vitória* (*Queen Victoria*). Trad. Stela Martins Paredes. Rio de Janeiro: Casa Editora Vecchi Ltda. 1943.

THOMSON, Belinda. *Pós-Impressionismo* (*Post-Impressionism*). Trad. Cristina Fino. São Paulo: Cosac & Naify, 2001.

Créditos

Epígrafes

As epígrafes ao longo do livro tiveram as seguintes traduções: a usada no intróito é de *Orlando*, tradução de Cecília Meireles; a de Baudelaire é da tradução de *Pequenos poemas em prosa*, por Aurélio Buarque de Holanda; a de André Gide, de *Os frutos da terra*, por Sérgio Milliet; a de *O patinho feio*, de Hans Christian Andersen, é de 1915, por Arnaldo de Oliveira Barreto; as restantes - Andy Warhol, Roman Polanski, Jean Love, Vivienne Westwood, Mark Twain e Quentin Bell, fui eu quem as traduziu. As epígrafes originais em português: a de Manoel de Barros é de sua antologia poética *Gramática expositiva do chão*, e a de Carlos Heitor Cony é de uma crônica dele publicada na *Folha de São Paulo* (*Ilustrada*, 7/2/97); elas estão no livro porque, creio, têm tudo a ver com o espírito do Bloomsbury.

Imagens

As números 1, 11, 16, 18, 27, 29, 31, 51, 59 e 69, são reproduções de capas de revistas, livros e cartazes; as números 2, 3, 6 e 30 são obras de Duncan Grant, de coleções particulares; da obra de Vanessa Bell, de coleções particulares, as imagens 9, 11, 13 e 66; as fotos números 4, 5, 14 e 70 (detalhe) são da National Portrait Gallery, Londres; a número 8 pertence ao arquivo do King's College, Cambridge; são do National Trust, Reino Unido, as números 20 e 21; do arquivo de Angelica Garnett, as fotos 34 e 46; de coleções particulares, as imagens 7, 10, 12, 17, 19, 23, 25, 33, 39, 43, 48, 49, 55 e 58; de Sue Sullins, as fotos 22 e 26; de Laura Devaney, a

36; de Marcia May, a 37; de Wendy Neill, a 38, e de Jenny Thompson, as fotos 41, 45, 53, 61 e 68; de John David Wright, a 42; a número 60 pertence ao *Edward Upward archive*, na British Library, Londres. A todos o meu agradecimento pela permissão de usá-las neste livro. São minhas as fotos 24, 28, 30, 40, 44, 47, 50, 62, 63, 64, 65 e 67, assim como, de meus *sketchbooks*, os desenhos números 15, 32, 35, 52, 54, 56 e 57, assim como os outros ao longo do livro, desde o desenho de fundo da capa aos de fins de capítulos.

Agradecimentos

Foi a partir da leitura de *As ondas*, há 22 anos, que fui magnetizado pela escrita de Virginia Woolf. Bloomsbury veio logo a seguir. Quentin Bell, com quem, embora por apenas três anos e meio, tive o privilégio da amizade. A amizade continuou com sua viúva, Anne Olivier Bell que, solicitada por tantos, nunca deixou de me atender quando precisei de informações e esclarecimentos. Então, começo por agradecer aos três. A seguir vem Jenny Thompson, colega da "classe de 1993" na Escola de Verão em Charleston. Jenny não poupou esforços para me ajudar até o fecho deste livro. E por falar em "classe de 93", agradeço também as colegas (americanas) Kathy Chamberlain e Sue Sullins. E a todo o pessoal de Charleston, em especial, Eleanor Gleadow.

Ao longo do livro, o leitor perceberá que este é mais um testemunho oral de escritores que conversaram com o público em Charleston e em outros lugares. Então, também meu agradecimento vai para todos eles. E também às pessoas que foram me proporcionando a experiência para escrevê-lo. Agradecimento especial ao Pedro Paulo de Sena Madureira, por ter sugerido o título, sem contar que, virginófilo ele mesmo, Pedro Paulo merece todos os louvores por ter sido, aqui no Brasil, como editor, quem mais publicou Virginia Woolf em nossa língua. Basta dar uma olhada na bibliografia dos títulos de Woolf, de quando ele era editor da Nova Fronteira e da Siciliano. Agradeço aos amigos que me deram inestimável assistência, e à família pelo suporte. E em A Girafa, de cujo elenco de escritores me sinto honrado de fazer parte, agradeço à equipe editorial e a atenção de todos da casa durante este trabalho. E aos meus pais, Nico e Mina, lá em cima zelando.

ESTE LIVRO FOI COMPOSTO NAS FONTES CRONOS MM E MINION MM,
IMPRESSO PELA GRÁFICA YANGRAF SOBRE PAPEL PÓLEN SOFT 70 G/M².
E O CADERNO DE FOTOS EM PÓLEN SOFT 80 G/M².
OUTUBRO DE 2005.

ROGER
FRY
PINTANDO
NA
PRAIA
1912/1913

PIERO
DELLA
FRANCES
CA

A PRAIA começa no século 18
A PRAIA CONSTITUÍA UM IMPORTANTÍSSIM
MONET, MANET, DEGAS... todos

"Para apre[ciar]
uma ob[ra]
de arte
precisam[os]
não tra[zer]
nada
... mas em[o]
ções" = CL[ARICE]
BE[...]

mento na vida humana. Espaço de mótico. E
ram co... t... na praia. V. WOOLF: LILI BRISCOE e?